STEEN

der

WIJZEN

JAMES ROLLINS

STEEN

der

WIJZEN

UITGEVERIJ LUITINGH

Eerste druk januari 2006
Tweede druk februari 2006

© 2005 James Rollins
Published in agreement with the author, c/o BAROR INTERNATIONAL, INC., Armonk,
New York, U.S.A.
All rights reserved
© 2006 Nederlandse vertaling
Uitgeverij Luitingh ~ Sijthoff B.V., Amsterdam
Alle rechten voorbehouden
Oorspronkelijke titel: *Map of Bones*
Vertaling: Ellis Post Uiterweer
Omslagontwerp: Wouter van der Struys
Omslagfotografie: Andrew Davies/Trevillion Images & Araldo de Luca/Corbis/TCS

ISBN 90 245 5730 5 / 9789024557301
NUR 332

www.boekenwereld.com

Voor Alexandra en Alexander
Mogen jullie levens net zo
stralend zijn als de sterren

De nauwkeurigheid van een werk van fictie is een weer-spiegeling van de daarin aangedragen feiten. Soms is de waarheid vreemder dan fictie, maar fictie moet altijd op waarheid berusten. Alle kunstwerken, relikwieën, cata-comben en kunstschatten bestaan daadwerkelijk. De historische gegevens in dit boek kloppen. De wetenschappe-lijke feiten in dit boek zijn gebaseerd op lopend onderzoek en recente ontdekkingen.

Middellandse Zee

Vaticaanstad

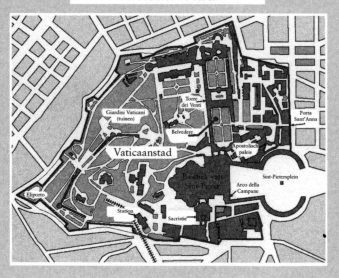

Na de plundering van de stad Milaan onder keizer Barbarossa werden de heilige relieken toegewezen aan Reinhold von Dassel, aartsbisschop van Keulen (1159-1167). Deze schat werd de Duitse aartsbisschop toegewezen vanwege zijn verdiensten als rijkskanselier onder deze keizer. Niet iedereen was blij dat een dergelijke schat Italië verliet... en dat ging dan ook niet zonder slag of stoot.

Uit: *L'Histoire de la Sainte Empire Romaine*
(Geschiedenis van het Heilige Roomse Rijk), 1845
HISTOIRES LITTÉRAIRES

PROLOOG

De mannen van de aartsbisschop vluchtten het duistere dal in. Achter hen, boven op de pas, krijsten de door pijlen en zwaarden verwonde paarden. Mannen schreeuwden, tierden en brulden. Staal kwam op staal neer, een metalig geluid als de klok van een kapel.

Maar hier werd niet Gods werk verricht.

De achterhoede móést standhouden.

Broeder Joachim rukte aan de teugels toen zijn paard op de billen van de steile helling gleed. De kar met zijn vracht had veilig het dal bereikt, maar echt ontsnapt waren ze pas over een mijl.

Als ze zo ver konden komen...

Met zijn handen strak aan de teugels moedigde Joachim zijn struikelende merrie aan dieper het dal in te gaan. Hij plonsde door een ijskoude beek en durfde even achterom te kijken.

Hoewel de lente al in aantocht was, had de winter deze hoogten nog stevig in zijn greep. De bergtoppen fonkelden in de ondergaande zon. De sneeuw weerkaatste het licht, een deken van rijp plooide zich om de pieken. Maar hier bij de donkere rivierbedding was de sneeuw gesmolten en de grond drassig geworden. De paarden zonken er tot hun vetlok in weg en liepen met elke stap gevaar een been te breken. Voor hen uit zat de kar bijna tot de assen in de modder vast.

Joachim gaf zijn paard de sporen om zich bij de soldaten in de buurt van de kar te kunnen voegen.

Er werden extra paarden voor de kar gespannen. Van achter werd de kar door mannen geduwd. Ze moesten het pad bereiken dat over de volgende bergkam liep.

'Hu-u!' schreeuwde de wagenmenner en hij klapte met de zweep.

Het leidende paard gooide zijn hoofd in de nek en zette kracht tegen het juk. Er gebeurde niets. De kettingen trokken strak, de paarden bliezen witte wolkjes uit en de mannen vloekten stevig.

Langzaam, veel te langzaam, werd de kar met een zuigend geluid uit de modder getrokken. In ieder geval zat er weer beweging in. Elk oponthoud hadden ze met bloed moeten bekopen. Vanuit de pas achter hen konden ze de gewonden horen jammeren.

De achterhoede moest nog een beetje langer standhouden...

De kar reed verder, nu weer omhoog. De drie grote, stenen sarcofagen op de open kar gleden tegen de touwen aan waarmee ze op hun plaats werden gehouden.

Als zo'n touw brak...

Broeder Joachim had de moeizaam voortbewegende kar bereikt.

Broeder Franz kwam dicht naast hem rijden. 'Het pad voor ons is vrij.'

'We kunnen de relieken niet naar Italië terugbrengen. We moeten de grens zien te bereiken.'

Franz knikte begrijpend. De relieken waren op Italiaanse bodem niet meer veilig, niet nu de ware paus in ballingschap in Frankrijk woonde en de valse paus in Rome.

De kar reed nu sneller naar boven, met iedere omwenteling van de wielen werd de grond vaster. Toch rolde hij slechts voetstaps verder. Joachim hield de verder gelegen bergkam nog steeds goed in de gaten.

De geluiden van het gevecht waren overgegaan in kreunen en snikken die spookachtig door het dal weerkaatsten. Het wapengekletter was verstomd en dat hield in dat de achterhoede was verslagen.

Joachim keek speurend achterom, maar de pas was in diepe schaduw gehuld. De pijnbomen benamen elk zicht.

Toen zag Joachim iets zilverig oplichten.

Een eenzame gestalte naderde, zijn harnas blonk toen er een zonnestraal op viel.

Joachim hoefde de rode draak op zijn borstkuras niet te zien om de wapenknecht van de tegenpaus te herkennen. De heidense Saraceen had de christelijke naam Fierabras aangenomen, de naam van een van de paladijnen van Karel de Grote. Hij was een kop groter dan zijn mannen. Een reus. Aan zijn handen kleefde meer christenbloed dan aan die van enig ander. Het afgelopen jaar had de Saraceen de doop ontvangen en zich geschaard achter kardinaal Ottaviano, de tegenpaus die de naam Victor IV had aangenomen.

Fierabras stond in het zonlicht zonder aanstalten te maken de achtervolging in te zetten.

De Saraceen besefte dat het te laat was.

De kar reed eindelijk de bergkam op en bereikte het droge pad met de diep uitgesleten sporen dat daarover liep. Nu konden ze opschieten. Nog maar een mijl en ze waren op Duitse bodem. De hinderlaag die de Saraceen had gelegd had geen succes gehad.

Een beweging trok Joachims aandacht.

Fierabras pakte een enorme boog van zijn schouder, zwart als de nacht. Langzaam legde hij aan. Toen de pijl op zijn plek lag, zette hij kracht en spande de boog tot het uiterste.

Joachim fronste. Wat wilde hij met die ene pijl bereiken?

Fierabras liet de pees los en de pijl vloog in een boog door het dal en verdween uit het zicht tegen de zon boven de kam. Gespannen zocht Joachim de hemel af. Toen, geluidloos als een valk die zich op zijn prooi stort, drong de pijl in de middelste doodskist.

Het was onmogelijk, maar het deksel van de sarcofaag kraakte open met het geluid van een knetterende donderslag. De touwen braken toen de kist openspleet. Zonder de touwen gleden alle drie de kisten naar het open laadeinde van de kar.

Mannen snelden toe en probeerden de stenen sarcofagen tegen te houden zodat ze niet op de grond kapot zouden vallen. Handen werden uitgestoken. De kar kwam tot stilstand. Een van de kisten was echter te ver doorgegleden, die viel op een soldaat en verbrijzelde zijn been en bekken. De kreten van de ongelukkige stegen op.

Franz liet zich haastig uit het zadel glijden. Hij voegde zich bij de mannen die de stenen sarcofaag van de soldaat probeerden te tillen... en belangrijker nog, weer op de kar.

Het lukte hun de sarcofaag een eindje op te tillen en de man eronderuit te trekken, maar de kist was te zwaar om op de kar te krijgen.

'Touwen!' riep Franz. 'We moeten touwen hebben!'

Een van de mannen gleed uit. De sarcofaag viel weer, deze keer op zijn kant. Het stenen deksel gleed eraf.

Achter hen klonk het geluid van paardenhoeven over het pad. Het kwam snel dichterbij. Joachim draaide zich om en wist wat hij zou zien. Paarden, bezweet en glanzend in de zon, stormden op hen af. Hoewel ze nog een kwart mijl van hen af waren, was duidelijk te zien dat alle ruiters in het zwart waren gehuld. Nog meer mannen van de Saraceen, een twee-de hinderlaag.

Joachim bleef rustig in het zadel zitten. Vluchten had geen zin.

Franz slaakte een gesmoorde kreet. Niet vanwege de toestand waarin ze zich bevonden, maar vanwege de inhoud van de gevallen sarcofaag. Of liever, het gebrek aan inhoud.

'Leeg!' riep de jonge monnik uit. 'Hij is leeg!'

Diep geschokt kwam Franz overeind. Hij sprong op de kar en keek in de kist die door de pijl van de Saraceen was gebroken.

'Ook leeg,' zei Franz. Hij liet zich op zijn knieën vallen. 'De relieken... Waar zijn ze?' De jonge monnik ontmoette Joachims blik en zag dat hij niet verbaasd was. 'U wíst het!'

Joachim keek naar de snel naderbij komende paarden. Hun stoet was een list geweest om de mannen van de tegenpaus een rad voor ogen te draaien. De echte koerier was een dag eerder op pad gegaan, met een span muildieren, en de ware relieken in een ruw geweven lap in een hooibaal verstopt.

Joachim draaide zich om en tuurde in het dal, naar Fierabras. De Saraceen mocht deze dag dan misschien zijn leven nemen, maar de tegen-paus zou de relieken nooit krijgen.

Nooit.

HET HEDEN

22 JULI, 23:46

KEULEN, DUITSLAND

Tegen middernacht gaf Jason zijn iPod aan Mandy. 'Moet je luisteren, de nieuwe single van Godsmack. Die is in de vs nog niet eens uit! Cool, hè?'

Haar reactie was niet zoals hij had gehoopt. Met uitdrukkingsloos gezicht haalde ze haar schouders op, maar ze nam de aangeboden oortjes wel aan. Ze streek de roze geverfde piekjes in haar zwarte haar naar achter en deed de oortjes in. Door die beweging viel haar jasje net genoeg open om haar zwarte t-shirt met de Pixies te laten zien dat om haar borst-jes spande.

Jason staarde ernaar.

'Ik hoor niks,' zei Mandy met een vermoeide zucht. Ze keek met opgetrokken wenkbrauwen naar hem op.

O. Jason richtte zijn aandacht weer op zijn iPod en drukte op PLAY.

Met gestrekte armen leunde hij naar achteren. Ze zaten samen op het grasveldje dat om het open voetgangersplein liep, de Domvorplatz. Die omringde de enorme gotische kathedraal, de Dom van Keulen. De domkerk stond op de Domhügel en bood een weids uitzicht over de stad.

Jason keek langs de twee torens omhoog naar de rijen stenen figuurtjes die boven elkaar waren uitgehouwen, sommige religieus van aard, andere werelds. Nu het avond was, werden ze verlicht en dat had een spookachtig effect, alsof er van diep uit de aarde iets oerouds, iets wat niet van deze wereld was, omhoogkwam.

Terwijl Jason luisterde naar de zachte flarden muziek uit de oortjes, bestudeerde hij Mandy. Ze zaten allebei op Boston College en trokken deze zomervakantie als rugzaktoerist door Duitsland en Oostenrijk. Ze reisden samen met een ander stel, Brenda en Karl, maar die waren meer in de plaatselijke cafés geïnteresseerd dan in de nachtmis van die avond. Mandy echter was rooms-katholiek opgevoed. Nachtmissen werden slechts op bijzondere feestdagen opgedragen, en bijgewoond door de aartsbisschop van Keulen in hoogsteigen persoon, zoals deze avond van het feest van de Wijzen. Dat had Mandy niet willen missen.

Jason was dan wel protestant, maar hij vond het best om met haar mee te gaan.

Terwijl ze wachtten tot het middernacht werd, bewoog Mandy haar hoofd op de maat van de muziek. Jason vond het leuk dat haar pony op en neer wipte, en dat ze haar lippen tuitte terwijl ze geconcentreerd luisterde. Plotseling voelde hij iets tegen zijn hand. Mandy was naar hem toe geschoven, haar hand raakte de zijne aan, maar haar blik bleef op de kathedraal gericht.

Jason hield zijn adem in.

De afgelopen tien dagen waren ze steeds meer met elkaar opgetrokken. Vóór deze vakantie waren ze gewoon kennissen geweest. Mandy was al vanaf de middelbare school Brenda's hartsvriendin en Jason deelde een kamer met Karl. Hun beider vriendin en vriend hadden net verkering en wilden niet alleen op reis voor het geval de liefde onderweg zou bekoelen.

Dat was niet het geval geweest.

Dus liepen Jason en Mandy vaak met zijn tweetjes de bezienswaardigheden af.

Niet dat Jason daar bezwaar tegen had. Hij studeerde kunstgeschiedenis en Mandy Europese Studies. Hier kwam de droge leerstof tot leven. Doordat ze allebei van hun ontdekkingen genoten, konden ze goed met elkaar opschieten.

Jason keek niet naar haar hand, maar met één vinger bewoog hij naar de hare. Deze avond leek niet meer stuk te kunnen.

Helaas was het nummer te snel afgelopen. Mandy ging rechtop zitten en trok haar hand weg om de oortjes uit te doen.

'We moeten naar binnen,' fluisterde ze en ze knikte in de richting van de rij mensen die door de open deur van de domkerk naar binnen ging. Ze stond op en knoopte haar jasje dicht, het klassieke zwarte jasje over haar opzichtige T-shirt.

Ook Jason stond op. Mandy streek haar enkellange rok glad en zette de roze piekjes vast achter haar oren. In twee tellen was ze veranderd van een lichtelijk punky studentje in een zedig katholiek schoolmeisje.

Jason staarde met open mond naar de plotselinge gedaanteverwisseling. In zijn zwarte spijkerbroek en lichte jasje vond hij zichzelf ineens niet passend gekleed voor een kerkdienst.

'Je ziet er prima uit,' zei Mandy, die leek te begrijpen waar hij mee zat.

'Dank je,' mompelde hij.

Ze pakten hun spullen, gooiden de lege colablikjes in een afvalbak en staken de Domvorplatz over.

'*Guten Abend,*' begroette een in een zwarte soutane gestoken deken hen bij de deur. '*Willkommen.*'

'*Danke,*' mompelde Mandy terwijl ze de treden beklommen.

Voor hen uit viel kaarslicht door de openstaande deuren van de kathedraal dat flakkerend de stenen treden bescheen. Het versterkte het gevoel van ouderdom van eeuwen. Eerder die dag hadden ze de kathedraal bezichtigd en was Jason te weten gekomen dat de hoeksteen van de kathedraal in de dertiende eeuw was gelegd. Zo'n enorme ouderdom was moeilijk te bevatten.

Jason bereikte de massieve, met houtsnijwerk versierde deuren waar het kaarslicht doorheen viel en volgde Mandy het voorportaal in. Ze doopte haar vingers in een bekken met wijwater en sloeg een kruisje. Plotseling voelde Jason zich opgelaten, hij was zich sterk bewust van het feit dat dit niet *zijn* geloofsovertuiging was. Hij hoorde hier niet, hij was een indringer en bang iets verkeerd te doen waardoor hij zichzelf en Mandy in verlegenheid zou brengen.

'Loop maar achter me aan,' zei Mandy. 'Ik wil een goed plaatsje, maar niet te ver vooraan.'

Jason liep achter haar aan. Toen hij de kerk zelf in ging, maakte het ongemakkelijke gevoel snel plaats voor ontzag. Hoewel hij hier al binnen was geweest en veel over de geschiedenis, de kunst en de architectuur te weten was gekomen, kwam hij weer onder de indruk van de majesteitelijke eenvoud van de ruimte. Het lange middenschip strekte zich honderdtwintig meter voor hem uit, doorsneden door het dwarsschip van negentig meter, waardoor een kruis ontstond met het altaar in het midden.

Toch waren het niet de lengte en de breedte van de kathedraal die zijn aandacht trokken, maar de ongelofelijke hoogte. Zijn blik werd steeds verder omhooggetrokken, geleid door spits toelopende bogen, hoge zuilen en het booggewelf van het dak. Van duizend kaarsen kringelden sliertjes rook naar de hemel, het licht weerkaatste tegen de muren en het rook er naar wierook.

Mandy ging hem voor naar het altaar. Beide kanten van het dwarsschip waren met koorden afgesloten, maar er waren genoeg zitplaatsen in het middenschip.

'Hier?' vroeg ze. Ze bleef halverwege het middenpad staan en keek met een lachje naar hem op, deels dankbaar, deels verlegen.

Hij knikte, met stomheid geslagen omdat ze zo mooi was; een madonna in het zwart.

Mandy pakte hem bij de hand en trok hem mee naar het einde van de kerkbank, bij de muur. Hij ging zitten, blij met dit rustige hoekje.

Mandy liet zijn hand niet los. Haar hand was warm in de zijne.

Deze avond kon echt niet meer stuk.

Eindelijk klonk er een belletje en het koor begon te zingen. De mis was begonnen. Jason deed wat Mandy deed: staan, knielen en zitten, een ingewikkeld ballet voor gelovigen. Hij begreep er allemaal niets van, maar het boeide hem wel en hij verloor zich in de pracht en praal: de in misgewaad gestoken priesters die met walmende bollen vol wierook zwaaiden, de processie die met de aartsbisschop mee kwam toen hij met zijn hoge mijter en de met gouden biezen afgezette kazuifel binnenkwam, de gezangen die zowel door het koor als de gemeente werden aangeheven, het aansteken van de kaarsen voor het hoogfeest.

De kunstvoorwerpen waren net zo goed onderdeel van de viering als de deelnemers eraan. Een houten Mariabeeld met het kindeke Jezus dat de Madonna van Milaan werd genoemd, straalde ouderdom en gratie uit. Aan de overkant droeg een bronzen Heilige Christoffel een klein kind met een gelukzalige glimlach in zijn armen. Enorme Beierse glas-in-loodramen hielden over dit alles de wacht. Nu waren ze donker, maar het kaarslicht werd erin weerkaatst en maakte van gewoon glas edelstenen.

Maar geen kunstwerk was opzienbarender dan de gouden sarcofaag achter het altaar. De sarcofaag bevond zich achter een constructie van glas en metaal en had het formaat van een flinke hutkoffer. Deze reliekschrijn in de vorm van een miniatuurkerk was het pronkstuk van de kathedraal, hiervoor was zo'n gigantisch bedehuis gebouwd, daarin kwamen geloof en kunst samen. Hierin lagen de heiligste relikwieën van de domkerk. De schrijn van puur goud bestond al voordat met de bouw van de kathedraal was begonnen. De sarcofaag was in de dertiende eeuw door Nicolaas van Verdun ontworpen en gold als hoogtepunt van de middeleeuwse goudsmeedkunst.

Terwijl Jason om zich heen keek, liep de mis langzamerhand ten einde en dat werd aangekondigd met belletjes en gebeden. Eindelijk was het tijd voor de communie, het breken van het brood van de eucharistie. Langzaam kwamen de kerkgangers uit hun kerkbanken en liepen in een rij door de gangpaden om het vlees en bloed van Christus in ontvangst te nemen.

Toen het Mandy's beurt was, stond ze samen met de anderen in hun rij op en trok haar hand uit de zijne. 'Tot zo,' fluisterde ze.

Jason zag zijn kerkbank leeg worden en de langzame processie zich naar het altaar voortbewegen. Terwijl hij op Mandy wachtte, stond hij op om zijn benen te strekken. Ondertussen bekeek hij de beelden naast een biechthokje. Nu hij stond, kreeg hij spijt van het derde blikje cola dat hij had gedronken. Hij keek achterom in de richting van het voorportaal. Er was een toilet net buiten het schip.

Toen hij daar verlangend naar keek, zag hij als eerste de groep monniken die door de achteringang de kathedraal binnenkwam. Ze gebruikten alle deuren. Hoewel ze lange zwarte pijen droegen met een koord om hun middel en een kap over hun hoofd, was er toch iets vreemds aan hen. Ze bewogen zich te snel, doelbewust als soldaten op een missie, en ze verdwenen in de schaduwen.

Hoorde dat ook nog bij de plechtigheid?

Toen hij om zich heen keek, zag hij nog meer in pijen gehulde gestalten bij andere deuren, zelfs in het afgezette deel van het dwarsschip achter het altaar. Hoewel ze hun hoofden vroom gebogen hielden, leken ze de wacht te houden.

Wat gebeurde hier?

Hij zag Mandy bij het altaar. Ze ontving net de communie. Achter haar stond nog maar een handjevol gelovigen. Het vlees en het bloed van Christus... Jason kon het bijna liplezen.

Amen, vulde hij inwendig aan.

De communie was afgelopen. De laatste parochianen keerden terug naar hun plaatsen, ook Mandy. Jason wuifde naar haar en ging toen naast haar zitten.

'Wat moeten al die monniken?' vroeg hij terwijl hij zich naar voren boog.

Ze zat geknield met haar hoofd gebogen en siste: 'Sst!' Hij ging weer rechtop zitten. De meeste kerkgangers zaten ook geknield, met hun hoofden gebogen. Slechts een paar die net als Jason niet ter communie waren gegaan, bleven zitten. Vooraan was de priester aan het opruimen, en de bejaarde aartsbisschop zat op zijn stoel op de verhoging. Hij knikkebolde, hij sliep half.

Het mysterieuze schouwspel kon Jason niet meer boeien. Misschien omdat zijn blaas opspeelde wilde hij hier alleen nog maar weg. Hij stak zijn hand zelfs naar Mandy's elleboog uit om haar duidelijk te maken dat hij weg wilde.

Een beweging bij het altaar deed hem verstarren. De monniken aan weerskanten daarvan haalden wapens onder hun pijen vandaan. Het geoliede metaal glansde in het kaarslicht, uzi's met korte lopen waarop lange zwarte geluiddempers zaten.

Geratel van machinegeweervuur, niet harder dan het kuchen van een kettingroker, weerklonk bij het altaar. Boven de kerkbanken werden hoofden opgeheven. Achter het altaar maakte de in het wit geklede priester een soort danspassen op de maat van de inslagen. Het leek of hij met *paintballs* werd beschoten – rode verfbommetjes. Hij viel tegen het altaar, waardoor de wijnkelk omviel en zijn bloed zich met de wijn vermengde.

Na een geschokte stilte stegen er uit de kerkbanken kreten op. Mensen sprongen overeind. De bejaarde aartsbisschop stond vol afgrijzen op en wankelde de verhoging af. Door de plotselinge beweging viel zijn mijter op de grond.

De monniken stormden de middenpaden door... Ze kwamen van achteren en van opzij. In het Duits, Frans en Engels werden bevelen geschreeuwd.

Bleiben Sie sitzen... Ne bougez pas...

De stemmen klonken gedempt, de gezichten onder de kappen zaten verborgen onder zwartzijden maskertjes, maar de opgeheven wapens zetten hun bevelen kracht bij.

Blijf zitten of je bent er geweest!

Naast Jason zat Mandy stijf rechtop. Ze stak haar hand naar hem uit en hij pakte die terwijl hij zonder te knipperen om zich heen keek. Alle deuren waren dicht en werden bewaakt. Wat gebeurde hier?

Uit een groepje bewapende monniken bij de hoofdingang kwam een gestalte naar voren, net zo gekleed als de anderen, maar langer. Het leek of hij uit hun midden oprees, alsof hij werd opgeroepen. Zijn pij leek meer op een cape. Hij was duidelijk de leider. Ongewapend liep hij vastberaden over het middenpad van het schip.

Bij het altaar kwam hij tegenover de aartsbisschop te staan. Een verhitte woordenwisseling volgde. Pas na een tijdje drong het tot Jason door dat ze Latijn spraken. Plotseling deinsde de aartsbisschop ontzet terug.

De leider stapte opzij. Er kwamen twee mannen naar voren. Schoten weerklonken. Maar hun doel was niet iemand te vermoorden, ze schoten op de glasplaat voor de gouden reliekschrijn. Er kwamen krassen en sterren in het glas, maar het bleef heel. Kogelvrij glas.

'Dieven...' mompelde Jason. Een zorgvuldig voorbereide overval.

De aartsbisschop putte moed uit het onbreekbare glas en rechtte zijn rug. De leider van de monniken stak zijn hand uit en zei iets in het Latijn. De aartsbisschop schudde zijn hoofd.

'*Dann wird das Blut Ihrer Schafe an Ihren Händen kleben*,' zei de man, deze keer in het Duits.

Dan zal het bloed van uw schapen aan uw handen kleven...

De leider gebaarde twee andere monniken naar voren te komen. Ze stonden aan weerskanten van de verzegelde kluis en tilden grote metalen schijven aan weerszijden van het glas op.

Onmiddellijk explodeerde het verzwakte kogelvrije glas in buitenwaartse richting, alsof een ongeziene windvlaag het eruit had gebeukt. De sarcofaag glansde in het kaarslicht. Jasons oren plopten door de druk, het leek of de muren van de kathedraal plotseling naar binnen waren geduwd en alles verpletterden. Door de druk suisden zijn oren en even kon hij niets meer zien.

Hij draaide zich naar Mandy om.

Haar hand lag nog in de zijne, maar haar hoofd hing naar achteren en haar mond stond open.

'Mandy...'

Vanuit zijn ooghoeken zag hij andere kerkgangers in dezelfde vreemde houding zitten. Mandy's hand trilde onder de zijne... net een geluidsbox waar hoge tonen uit kwamen. De tranen liepen over haar gezicht, tranen van bloed. Ze ademde niet. Haar lichaam schokte en verstijfde waardoor haar hand loskwam van de zijne, maar pas nadat er een soort elektrische schok van haar vingertoppen was overgesprongen op de zijne.

Hij stond op, te ontzet om te blijven zitten.

Er kwam een wolkje rook uit Mandy's open mond.

Haar ogen waren weggedraaid, in de hoeken blakerde het oogwit zwart. Ze was dood.

Verstomd van angst keek Jason om zich heen. Overal gebeurde hetzelfde. Slechts een enkeling was ongedeerd; een paar kinderen die tussen hun ouders in zaten huilden en jammerden. Jason herkende degenen met wie niets aan de hand was; het waren de mensen die niet van het communiebrood hadden gegeten.

Zoals hij.

Hij kroop weg in het donkere hoekje bij de muur. Niemand was de beweging opgevallen. Zijn rug drukte tegen een deur, een deur die niet door monniken werd bewaakt. Het was dan ook geen buitendeur.

Jason trok de deur op een kiertje en glipte de biechtstoel in.

Hij viel op zijn knieën en maakte zich zo klein mogelijk, met zijn armen om zich heen geslagen.

Stilletjes prevelde hij een gebed.

Toen, net zo plotseling als het was begonnen, was het voorbij. Hij voelde het in zijn hoofd. Zijn oren plopten. De druk viel weg. De muren van de kathedraal stonden weer waar ze hoorden.

Hij huilde, de tranen biggelden koel over zijn wangen.

Hij durfde door een gaatje in de deur te kijken.

Van hieruit kon hij het schip en het altaar zien. Het rook naar smeulend haar. Er klonk nog gehuil en gejammer, maar slechts uit een paar kelen. Die van de levenden. Een gestalte, naar zijn sjofele kleding te oordelen kennelijk een dakloze, kwam wankelend uit een kerkbank en rende door een gangpad. Nog voordat hij tien stappen had kunnen doen, werd hij in zijn achterhoofd geschoten. Eén schot. Met uitgestrekte armen bleef zijn lijk op de grond liggen.

O god... O god...

Jason onderdrukte zijn snikken en richtte zijn blik op het altaar.

Vier monniken tilden de gouden sarcofaag uit de kapotte behuizing. Het lichaam van de vermoorde priester werd van het altaar geduwd en de schrijn nam diens plaats in. De leider haalde een grote zak van onder zijn mantel tevoorschijn. De monniken openden het deksel van de schrijn en stortten de inhoud in de zak. Zodra de kostbare sarcofaag leeg was, gooiden ze die op de grond waar hij met een klap neerkwam.

De leider hing de zak over zijn schouder en beende met de gestolen relikwieën door het middenpad.

De aartsbisschop riep hem iets na, weer in het Latijn. Het klonk als een vervloeking.

De man maakte een handgebaar.

Een van de monniken ging achter de aartsbisschop staan en zette een pistool tegen diens achterhoofd.

Jason kromp in elkaar, hij wilde dit niet zien.

Hij sloot zijn ogen. Nog enkele schoten. Kreten die abrupt verstomden. De dood waarde rond door de kathedraal terwijl de monniken de paar overlevenden afslachtten.

Jason kneep zijn ogen dicht en bad.

Even daarvoor had hij een blazoen op de jas van de aanvoerder gezien. Zijn zwarte cape was opengevallen toen hij zijn arm hief en daaronder werd een bloedrood teken zichtbaar: een draak met de staart rond zijn nek gekruld. Jason kende dat symbool niet, maar het had iets exotisch, eerder Perzisch dan Europees.

Achter de deur van het biechthokje was het doodstil in de kathedraal.

Het geluid van gelaarsde voeten kwam zijn richting uit.

Hij kneep zijn ogen nog stijver dicht, tegen het afgrijzen, de onmogelijkheid, de heiligschennis.

En dat alles voor een zak vol botten.

Hoewel de kathedraal om deze botten heen was gebouwd en talloze koningen ervoor hadden geknield, en ook al was deze mis bedoeld om deze reeds lang geleden gestorven mannen te eren – het feest van de Wijzen – spookte toch één vraag door Jasons hoofd.

Waarom?

Overal in de kathedraal stonden de drie Wijzen afgebeeld, in steen, in glas en in goud. Er was een paneel waarop de drie Wijzen op kamelen door de woestijn trokken met de ster van Bethlehem als gids. Op een andere werd de aanbidding van het kindeke Jezus afgebeeld, de geknielde Wijzen boden hem goud, wierook en mirre aan.

Maar daar dacht Jason allemaal niet aan. Hij kon alleen aan Mandy's laatste lach denken, haar zachte aanraking.

Allemaal voorbij.

De laarzen bleven voor het deurtje staan.

Inwendig schreeuwde hij om een antwoord voor al dit bloedvergieten.

Waarom?

Waarom wilde iemand het gebeente van de drie Wijzen stelen?

DAG
EEN

1

DE BILJARTBAL

De saboteur was aangekomen.

Grayson Pierce reed stapvoets met zijn motorfiets tussen de twee donkere gebouwen door die het middelpunt van Fort Detrick vormden. De elektrische motor stond in zijn vrij en maakte nauwelijks meer lawaai dan een zoemende ijskast. Zijn handschoenen waren net zo zwart als zijn motorfiets en voorzien van een coating die bestond uit een legering van nikkel en fosfor die NPL Superzwart werd genoemd, een materiaal dat meer licht absorbeerde en waarmee vergeleken gewoon zwart een felle kleur leek. Zijn stoffen bodysuit en zijn helm waren van hetzelfde diepe zwart.

Gebogen over de motorfiets bereikte hij het einde van de steeg en kwam uit op een binnenplein, een donkere ruimte tussen de bakstenen gebouwen van het National Cancer Institute, een onderdeel van het USAMRIID, het U.S. Army Medical Research Institute of Infectious Diseases. Hier werd op een oppervlak van vijfduizend vierkante meter in streng beveiligde laboratoria onderzoek gedaan naar besmettelijke ziekten en strijd tegen het bioterrorisme geleverd.

Gray zette de motor uit, maar bleef in het zadel. Zijn linkerknie kwam tegen de tas aan waar zeventigduizend dollar in zat. Omdat hij in het donker wilde blijven, vermeed hij het binnenplein. De maan was al onder en de zon zou pas over tweeëntwintig minuten opkomen. Zelfs de sterren gingen schuil achter de laatste wolken die waren overgebleven na het onweer van de afgelopen nacht.

Zou zijn list succes hebben?

Zacht zei hij in zijn keelmicrofoon: 'Muildier voor Adelaar, heb de afgesproken plek bereikt. Ga te voet verder.'

'Ontvangen en begrepen. We hebben je op satelliet.'

Gray onderdrukte de neiging omhoog te kijken en te zwaaien. Hij vond het uitermate vervelend om in de gaten te worden gehouden, maar hier stond te veel op het spel. Toch was het hem gelukt deze ontmoeting in zijn eentje af te mogen handelen. Zijn contactpersoon was schichtig. Het had een half jaar geduurd voordat hij deze contactpersoon zo ver had gekregen, er waren zelfs connecties in Libië en Soedan aan te pas gekomen. Makkelijk was het niet geweest. Met geld kon je geen vertrouwen kopen, zeker niet in dit werk.

Hij hing de tas met geld om zijn schouder. Op zijn hoede liep hij met de motorfiets aan de hand naar een donkere nis en zette de machine daar neer.

Hij liep de steeg door.

Op dit uur was er bijna uitsluitend elektronische bewaking. Bij de Old Farm Gate, de dienstingang van de basis, waren zijn papieren in orde bevonden. Hij moest er maar op vertrouwen dat zijn smoesje ook de elektronische bewaking lang genoeg tevredenstelde.

Even keek hij naar de opgloeiende wijzers van zijn Breitling-duikhorloge. Kwart voor vijf. Over een kwartier zou de ontmoeting plaatshebben. Er hing veel van af.

Gray bereikte zijn bestemming. Gebouw 470, op de nominatie om gesloopt te worden en op dit uur verlaten. Omdat het gebouw niet streng werd bewaakt, was het uitermate geschikt voor deze ontmoeting, en toch was het ironisch dat de keus erop was gevallen. In de jaren zestig werd hier in enorme kweekvaten antrax gekweekt, de dodelijke miltvuurbacteriën. In 1971 was het project stopgezet en sindsdien werd het gebouw als gigantische opslagplaats voor het National Cancer Institute gebruikt.

Toch zou er onder dit dak weer aan antrax worden gewerkt. Hij keek omhoog. Er scheen nergens licht door de ramen. Op de vierde verdieping had hij met de verkoper afgesproken.

Bij de zijdeur gekomen maakte hij gebruik van de elektronische sleutelkaart die hij van zijn contactpersoon op de basis had gekregen. Over zijn schouder droeg hij het resterende deel van de beloning, want de eerste helft was een maand geleden overgemaakt. In een schede om zijn pols zat een dertig centimeter lange dolk van geharde kunststof.

Zijn enige wapen, want iets anders kon hij niet door het detectiepoortje krijgen.

Hij sloot de deur achter zich en liep naar de trap rechts van hem. Het enige licht in het trappenhuis kwam van een rood bordje met EXIT erop. Hij voelde aan zijn motorhelm en zette de nachtkijkerfunctie aan. Plotseling werd alles groen en zilverig, en hij klom snel de trap op naar de vierde verdieping.

Boven duwde hij de deur naar de gang open.

Hij had geen idee waar hij zijn contactpersoon zou ontmoeten, hij wist alleen dat hij op een teken moest wachten. Bij de deur wachtte hij om op adem te komen en de omgeving in zich op te nemen. Die beviel hem allerminst.

Het trappenhuis bevond zich in een hoek van het gebouw. Er was een gang die rechtdoor liep, en eentje die naar links ging. Langs de binnenmuren waren deuren met matglas, in de buitenmuren ramen. Langzaam liep hij rechtuit, alert op elke beweging.

Door een van de ramen viel een baan licht op hem.

Verblind door de nachtkijker wankelde hij tegen de muur aan, terug in het donker. Was hij gezien? De lichtstraal scheen door de andere ramen, de een na de ander, steeds verder van hem weg door de gang.

Hij keek door een raam en zag de ruime binnenplaats aan de voorkant van het gebouw. Verderop zag hij een Humvee langzaam over straat rijden met een schijnwerper die een lichtbundel over de gevels liet gaan.

Een patrouille.

Zou dat zijn contactpersoon afschrikken?

Zacht vloekend keek Gray de auto na. Even verdween die uit het zicht achter een logge constructie in het midden van het plein. Het zag eruit als een roestig ruimtestation, maar was in feite een stalen bol met een volume van een miljoen liter, drie verdiepingen hoog en geschraagd door een tiental poten. Eromheen stonden ladders en steigers vanwege de renovatiewerkzaamheden, een poging om de oude glorie te laten herleven van het ding dat tijdens de Koude Oorlog als onderzoekslaboratorium had gefungeerd. Zelfs de stalen loopbrug om de bol heen was vernieuwd.

Gray wist hoe de bol door de mensen van de basis werd genoemd.

De Biljartbal.

Er verscheen een vreugdeloze lach op zijn gezicht toen hij besefte dat hij zich in een niet al te beste positie bevond.

Gevangen achter de Biljartbal.

Eindelijk kwam de patrouille achter het bouwwerk vandaan en reed langzaam over het middenplein weg.

Opgelucht liep Gray verder door de gang naar een paar klapdeuren en zag door de smalle ruitjes een grote ruimte waarin een paar ranke metalen en glazen bassins stonden. Een van de oude laboratoria. Donker, zonder ramen.

Kennelijk was zijn komst niet onopgemerkt gebleven. Achter de klapdeuren verscheen een licht dat zo helder was dat Gray de nachtkijkerfunctie moest uitschakelen. Een zaklamp. Er werd drie keer geknipperd.

Een teken.

Met de punt van zijn laars duwde hij een van de klapdeuren open en glipte naar binnen.

'Hier,' hoorde hij een kalme stem. Het was de eerste keer dat Gray de stem van zijn contactpersoon hoorde, want die was steeds elektronisch vervormd geweest, anonimiteit tot paranoïde hoogten verheven.

Dat het de stem van een vrouw was, deed hem alleen nog maar meer op zijn hoede zijn. Hij hield niet van verrassingen.

Hij liep door een doolhof van tafels met stoelen erop. Ze zat aan een van de tafels waar de andere stoelen nog op stonden. Behalve een, die stond tegenover haar achter de tafel. De stoel verschoof toen de vrouw tegen een poot schopte.

'Ga zitten.'

Gray had een zenuwachtige geleerde verwacht, iemand die uit was op een fijne bijverdienste. Tegenwoordig kwam het steeds vaker voor dat in de beste onderzoekscentra verraders te koop waren.

USAMRIID was geen uitzondering... Maar wel duizendmaal dodelijker. Elk buisje dat te koop werd aangeboden kon bij de juiste verneveling in een station van de ondergrondse duizenden doden veroorzaken.

En zij was bereid er vijftien te verkopen.

Hij ging zitten en legde de tas met geld op tafel.

De vrouw was van Aziatische afkomst, of nee, van Europees-Aziatische afkomst. Haar ogen waren ronder, haar huid mooi gebruind. Ze droeg een bodysuit met een col, een beetje zoals de zijne, die strak om haar slanke en lenige lichaam spande. Om haar hals bungelde een zilveren hanger die licht afstak tegen haar bodysuit. De hanger stelde een draakje voor met een gekrulde staart. Het viel Gray op dat de Drakenvrouw er niet zo gespannen en op zijn hoede uitzag als hij, eerder verveeld.

Misschien lag de oorzaak van haar zelfvertrouwen in het bezit van een 9mm Sig Sauer met geluiddemper die ze op zijn borst richtte. Maar wat ze zei, deed zijn bloed pas echt in zijn aderen stollen.

'Goedenavond, commandant Pierce.'

Het was verbijsterend dat ze zijn naam wist.

Als ze daarvan al op de hoogte was...

Hij bewoog, maar te laat.

Er klonk een schot.

Omdat het pistool van zo dichtbij werd afgevuurd, sloeg hij door de schok met stoel en al achterover. Hij kwam op zijn rug tussen de poten terecht. Door de pijn in zijn borst kon hij geen adem meer halen en hij proefde bloed.

Verraden...

Ze liep om de tafel heen en boog zich naar hem over, nog steeds met het pistool op hem gericht. Ze nam geen enkel risico. Het bungelende draakje om haar hals weerkaatste het licht. 'Ik vermoed dat u dit allemaal met uw helm opneemt, commandant Pierce. Misschien verstuurt u de beelden zelfs naar Washington... Naar Sigma. U heeft toch geen bezwaar als ik de uitzending even overneem?'

Hij was niet in een positie om bezwaar te maken.

De vrouw boog zich verder over hem heen. 'In de komende tien minuten zal het Gilde heel Fort Detrick sluiten. De hele basis zal met antrax worden besmet uit wraak voor de bemoeienis van Sigma met onze campagne in Oman. Maar ik ben uw leider Painter Crowe nog iets anders verschuldigd. Iets persoonlijks. Dit is voor mijn wapenzuster Cassandra Sanchez.'

Het pistool werd op het vizier gezet.

'Bloed om bloed.'

Ze haalde de trekker over.

5:02

WASHINGTON D.C.

Zeventig kilometer verderop ging het satellietbeeld op zwart.

'Waar is de back-up?' Painter Crowes stem klonk resoluut. Hij slikte een serie vloeken in. Aan paniek had je niets.

'Over tien minuten.'

'Kun je de verbinding herstellen?'

De technicus schudde zijn hoofd. 'De verbinding met de camera in zijn helm is weggevallen. Maar we hebben nog wel de satellietbeelden van de basis via de NRO-satelliet.' De jonge man wees naar een andere monitor waarop Fort Detrick in zwart-wit vanuit de lucht te zien was, een plein met gebouwen eromheen.

Painter liep langs de rij monitoren. Het was een valstrik geweest, op-

29

gezet voor Sigma en voor hem in het bijzonder. 'Waarschuw de beveiliging van Fort Detrick.'

'Sir?' vroeg de onderbevelhebber Logan Gregory.

Painter begreep waarom Logan aarzelde. Slechts een handjevol bewindvoerders was op de hoogte van Sigma en de agenten die ze in dienst hadden: de president, de legerleiding en Painters directe bazen van DARPA. Nadat er vorig jaar een reorganisatie van het hoogste echelon had plaatsgevonden, stond de organisatie onder streng toezicht.

Fouten zouden niet door de vingers worden gezien.

'Ik wil niet nog een agent riskeren,' zei Painter. 'Bel ze.'

'Tot uw orders.' Logan liep naar de telefoon. Hij leek meer op een surfer uit Californië dan op een leidend strateeg. Blond, gebruind, sportief, maar met het begin van een buikje. Painter was zijn donkere alter ego, met indiaans bloed, zwart haar en blauwe ogen. Maar hij was niet gebruind. Hij kon zich niet herinneren wanneer hij voor het laatst de zon had gezien.

Painter had het liefst het hoofd in de schoot gelegd. Pas acht maanden geleden had hij de leiding over de organisatie gekregen, en die acht maanden had hij grotendeels besteed aan het reorganiseren en verbeteren van de veiligheidsmaatregelen als reactie op de infiltratie door een internationaal opererend kartel dat bekendstond als het Gilde. Het was met geen mogelijkheid te zeggen welke informatie gedurende deze periode was gelekt, verkocht of verspreid, dus moest er een zuivering plaatsvinden en alles vanaf de grond opnieuw worden opgebouwd. Zelfs het hoofdkantoor was vanuit Arlington naar een buitenwijk van Washington verhuisd.

Eigenlijk was Painter deze ochtend al vroeg aanwezig om de dozen in zijn nieuwe kantoor uit te pakken, maar toen kwam de noodoproep van de sectie satellietbewaking.

Hij bekeek de beelden die afkomstig waren van de NRO-satelliet.

Een valstrik.

Hij wist waar het Gilde mee bezig was. Een maand geleden had Painter er weer agenten op uitgestuurd, voor het eerst in meer dan een jaar. Het was een voorzichtig experiment. Twee teams. Eentje onderzocht de verdwijning van gegevens over nucleaire energie in Los Alamos, en de andere opereerde dicht bij huis in Fort Detrick, slechts een uur van Washington verwijderd.

De aanval van het Gilde was bedoeld om opschudding te veroorzaken bij Sigma en de leider ervan, en te bewijzen dat het Gilde nog steeds over de kennis beschikte om het werk van Sigma te ondermijnen. Het was een plaagstoot om Sigma te dwingen zich weer terug te trekken, een andere strategie uit te stippelen, misschien zelfs zich op te heffen. Zolang de groep van Painter uitgeschakeld was, had het Gilde meer kans ongestraft zijn gang te gaan.

Dat mocht niet gebeuren.

Painter hield op met ijsberen en wendde zich met een vragende blik tot zijn onderbevelhebber.

'De verbinding valt steeds weg,' zei Logan. Hij knikte naar zijn koptelefoon. 'Op de hele basis hebben ze last van uitvallende communicatie-apparatuur.'

Daar had het Gilde natuurlijk ook de hand in...

Geërgerd leunde Painter op het bedieningspaneel en staarde naar het dossier van deze opdracht. Aan de bovenkant van het manillapapier stond een Griekse letter gedrukt.

$$\Sigma$$

In de wiskunde staat de letter *sigma* voor 'de som van alle delen', de samenvoeging van verschillende verzamelingen tot een geheel. Het was ook het logo van de organisatie waarover Painter het bevel voerde: Sigma Force.

Sigma opereerde ondergronds onder bescherming van DARPA – een legeronderdeel dat onderzoek deed en vindingen ontwikkelde – met als taak het beschermen, verkrijgen of neutraliseren van technieken die van vitaal belang waren voor de veiligheid van de vs. De leden bestonden uit een zeer geheim kader van voormalige militairen van de Special Forces die speciaal waren geselecteerd om een bijzondere stoomcursus op doctoraal niveau te doorlopen waarin verschillende wetenschappelijke disciplines samenkwamen. Ze vormden een militair team van technisch hoogopgeleide agenten.

Met andere woorden: wetenschappers die nergens voor terugdeinsden.

Painter sloeg het dossier open dat voor hem lag. Op de eerste bladzijde stonden de gegevens van de leider van het team.

Commandant dr. Grayson Pierce.

In de rechterbovenhoek zat een pasfoto geplakt, genomen na een jaar van opsluiting in Leavenworth. Kortgeknipt donker haar, blauwe ogen met een vijandige blik. Dat hij oorspronkelijk uit Wales stamde, was duidelijk te zien aan zijn geprononceerde jukbeenderen, wijd uit elkaar staande ogen en wilskrachtige kaak. Maar zijn gebruinde gelaatskleur was op en top Texas, veroorzaakt door de zon die neerscheen op de droge heuvels van Brown County.

Painter nam niet de moeite het duimdikke dossier door te nemen. Hij was van de details op de hoogte. Op zijn achttiende was Gray Pierce in dienst gegaan en vervolgens op zijn tweeëntwintigste bij de Rangers ingelijfd. Hij had een uitstekende staat van dienst, totdat hij op zijn drieëntwintigste voor de krijgsraad moest verschijnen omdat hij een officier van een hogere rang had geslagen. Painter kende de details van wat er in Bosnië tussen die twee was voorgevallen. En de situatie in aanmerking genomen, zou Painter misschien hetzelfde hebben gedaan. In het leger golden echter keiharde regels en de onderscheiden militair werd tot een jaar in Leavenworth veroordeeld.

Maar Gray Pierce was te waardevol om voor altijd opzij te worden geschoven. Zijn kennis en deskundigheid mochten niet verloren gaan.

Drie jaar geleden had Sigma hem gerekruteerd, onmiddellijk na zijn ontslag uit de gevangenis.

Nu was Gray een pion in het spel tussen het Gilde en Sigma. Een pion die op het punt stond geslagen te worden.

'Ik heb de beveiliging van de basis te pakken!' riep Logan opgelucht.

'Schakel ze door!'

'Sir!' De technicus sprong op, nog steeds via de koptelefoon verbonden met het bedieningspaneel. Hij keek Painter aan. 'Directeur Crowe, ik heb weer radiocontact!'

'Wat?' Painter liep op de technicus toe en stak zijn hand op om Logan het zwijgen op te leggen.

De technicus zette het volume harder.

Een snerpende stem bereikte hen hoewel er nog geen beeld was.

Ze hoorden één woord.

'Godverdommekrijgdeklere...'

5:07

FREDERICK, MARYLAND

Gray schopte van zich af en trof de vrouw in haar buik. Het was een bevredigend gevoel, maar hij hoorde niets. Zijn oren suisden nog van de kogelinslag op zijn kevlar-helm waardoor het vizier was gebarsten. Zijn linkeroor gloeide toen zijn elektronische oortje met veel gekraak kortsloot.

Maar daar sloeg hij geen acht op.

Hij krabbelde op, trok de geharde kunststof dolk uit de schede aan zijn pols en dook onder een rij tafels. Boven het suizen in zijn oren uit hoorde hij nog een schot, net of iemand hoestte. De houtsplinters sprongen van het tafelblad.

Hij kroop verder weg, ging op zijn hurken zitten en keek gespannen om zich heen. Door de schop had de vrouw haar zaklamp laten vallen, die over de vloer rolde en overal bewegende schaduwen wierp. Hij voelde aan zijn borst. Het deed nog pijn, maar hij voelde geen bloed.

Vanuit het donker riep de vrouw naar hem. 'Vloeistofpantser.'

Gray dook ineen en probeerde vast te stellen waar de vrouw zich bevond. Toen hij onder tafel dook, had hij zijn helm gestoten en nu flikkerden de holografische beelden onsamenhangend over het vizier. Zijn zicht werd hierdoor belemmerd, maar hij durfde de helm niet af te zetten, want het was de beste bescherming tegen het wapen dat de vrouw in haar hand hield.

De helm en zijn bodysuit.

De moordenares had gelijk. Vloeistofpantser, in 2003 ontwikkeld door het U.S. Army Research Laboratory. De stof van zijn bodysuit was doordrenkt met een vloeistof die de vezels verdikte – harde microvezels van silicium in een oplossing van polytheenglycol. Wanneer hij zich normaal bewoog, gedroeg het zich als een vloeistof, maar zodra het door een kogel werd getroffen, verhardde het materiaal tot een ondoordringbaar schild. De bodysuit had zijn leven gered.

Voorlopig tenminste.

Weer sprak de vrouw, vreemd kalm terwijl ze langzaam naar de deur liep. 'Ik heb c4 en TNT in het gebouw geplaatst. Makkelijk, omdat het gebouw toch op de nominatie staat om gesloopt te worden. Het leger was zo vriendelijk om de bedrading alvast aan te leggen. Ik hoefde alleen maar het ontstekingsmechanisme een beetje aan te passen om de implosie in een explosie met opwaartse luchtstroming te veranderen.'

Gray stelde zich de stofwolk voor die hoog in de vroege ochtendlucht zou oprijzen. 'De buisjes antrax...' mompelde hij, maar toch hard genoeg om te worden verstaan.

'Het leek me gepast om de sloop van de basis meteen te gebruiken om het gif te verspreiden.'

Jezus, ze had van het gebouw een biologische bom gemaakt...

Met deze harde wind liep niet alleen de basis gevaar, maar ook het nabijgelegen plaatsje Frederick.

Hij moest haar tegenhouden. Maar waar was ze?

Voorzichtig kroop hij in de richting van de deur, op zijn hoede voor haar pistool, hoewel dat hem niet mocht weerhouden. Er stond te veel op het spel. Hij probeerde de nachtkijkerfunctie van zijn helm in te schakelen, maar dat leidde slechts tot weer zo'n brandend gevoel bij zijn oor. De display op het vizier bleef maar flikkeren, het stoorde zijn zicht.

Verdomme!

Hij maakte de sluiting los en rukte de helm van zijn hoofd.

De lucht rook schimmelig en tegelijkertijd naar ontsmettende middelen. Met zijn helm in de ene hand en de dolk in de andere sloop hij voorovergebogen naar de achterwand en van daar naar de deur. Hij had genoeg overzicht om te weten dat de klapdeuren niet hadden bewogen. De moordenaar bevond zich nog in deze ruimte.

Maar waar?

En wat kon hij doen om haar tegen te houden? Hij omknelde de handgreep van zijn dolk. Pistool tegenover dolk. Niet best.

Doodstil bleef hij staan toen hij bij de deur iets zag bewegen. Ze zat een halve meter bij de deur vandaan in elkaar gedoken, achter een tafel.

Er viel er een beetje bleek licht vanuit de gang door de ruitjes in de klapdeuren. Het werd ochtend, de gang was niet meer donker. De moordenares zou zichtbaar zijn als ze vluchtte. Maar voorlopig bleef ze in het donkere laboratorium, want ze wist niet of haar tegenstander wel of niet gewapend was.

Gray kon het spelletje van deze Drakenvrouw beter niet meer meespelen.

Met kracht slingerde hij zijn helm door het lab, die met een klap en glasgerinkel neerkwam. Een van de glazen bassins was aan diggelen.

Hij rende op haar toe, het was een kwestie van seconden.

Ze sprong uit haar schuilplaats en vuurde in de richting van het lawaai. Tegelijkertijd vloog ze met een lenige draaisprong naar de deur.

Gray was onder de indruk, maar niet genoeg om hem tegen te houden.

Hij wierp de dolk met vlijmscherpe precisie in de richting van de vrouw en trof haar in het holletje onder haar hals.

Gray stormde op haar af. Pas toen besefte hij dat hij een fout beging.

De dolk ketste zonder schade te hebben aangericht af en viel op de grond.

Vloeistofpantser. Geen wonder dat de Drakenvrouw van zijn bodysuit wist. Ze droeg er zelf een.

Maar door de aanval verloor ze wel haar evenwicht. Ze viel en verdraaide haar knie. Als vaardige moordenares verloor ze haar doel echter geen moment uit het oog en vanaf de kleine afstand die hen nog scheidde richtte ze haar pistool op zijn hoofd.

En deze keer had hij geen helm op.

'We hebben het contact weer verloren,' zei de technicus geheel overbodig. Painter had even daarvoor een harde klap gehoord en daarna was alles stil geworden.

'Ik heb de beveiliging van de basis nog aan de lijn,' zei de onderbevelhebber.

Painter probeerde iets te maken van de kakofonie aan geluiden die hij had gehoord. 'Hij heeft zijn helm van zich af gesmeten.'

De andere twee staarden hem aan.

Painter keek naar het open dossier dat voor hem lag. Grayson Pierce was niet achterlijk. Afgezien van zijn bekwaamheid als militair, had hij Sigma's aandacht getrokken met de intelligentietesten die hij had afgelegd. Zijn intelligentie was bovennormaal, maar er waren soldaten die hoger scoorden. Wat de doorslag had gegeven bij het besluit hem te rekruteren, was zijn afwijkende gedrag toen hij in Leavenworth opgesloten zat. Ondanks het zware werk dat in het kamp werd verricht, had Gray een pittig studiepakket genomen: scheikunde voor gevorderden én taoïsme. Deze vreemde combinatie had Painter en Sigma's vorige directeur Sean McKnight geïntrigeerd.

Op veel manieren was Gray een wandelende contradictie gebleven; een Welshman die in Texas woonde, iemand die het taoïsme bestudeerde en een rozenkrans in zijn zak had, een militair die in de gevangenis scheikunde studeerde. Vanwege deze unieke eigenschappen had Sigma hem aangetrokken.

Maar aan zoveel bijzondere eigenschappen hing een prijskaartje.

Grayson Pierce was een einzelgänger. Hij had een hartgrondige hekel aan het werken in teamverband.

Zoals nu. Tegen de regels in was hij alleen op pad gegaan.

'Sir?' vroeg zijn onderbevelhebber weer.

Painter haalde diep adem. 'Nog twee minuten.'

De eerste kogel floot langs zijn oor.

Gray bofte. De moordenaar had te snel de trekker overgehaald zonder eerst goed te richten. Omdat Gray nog in beweging was, kon hij wegduiken. Iemand door het hoofd schieten is niet zo gemakkelijk als het in een film lijkt.

Hij gooide de vrouw omver en hield haar tegen de grond, het pistool tussen hen in. Ook als ze de trekker overhaalde, had hij alle kans het er levend van af te brengen.

Het zou alleen uiterst pijnlijk zijn.

Het bewijs daarvoor werd geleverd toen ze de trekker overhaalde.

De kogel raakte hem tegen zijn linkerdij en kwam aan als een moker-slag. Hij voelde het tot in zijn merg en schreeuwde het uit. Waarom ook niet? Het was een klotepijn! Maar hij liet haar niet los en ramde woedend zijn elleboog tegen haar keel. De kogelvrije kleding verhardde meteen.

Verdomme.

Weer haalde ze de trekker over. Hij was zwaarder dan zij, sterker dan zij, maar ze had geen lichamelijke kracht nodig. Zij had moderne artille-rie tot haar beschikking. De dreun trof hem deze keer in zijn maagstreek. Hij voelde het tot tegen zijn ruggengraat terwijl de lucht uit hem werd geslagen. Langzaam bewoog ze het pistool hoger.

Een Sig Sauer heeft vijftien patronen in het magazijn. Hoe vaak had ze al op hem geschoten? Ze had nog genoeg over om hem tot moes te knallen.

Hier moest een eind aan komen.

Hij gooide zijn hoofd naar achteren en ramde vervolgens met zijn voor-hoofd tegen haar gezicht. Maar ze was absoluut geen groentje en draai-de haar hoofd weg zodat de klap op de zijkant van haar schedel terecht-kwam. In ieder geval kreeg hij de tijd om met zijn voet uit te halen naar een snoer dat van een tafel in de buurt hing. De bureaulamp die aan het snoer vastzat donderde op de grond en het groene glazen kapje viel in duizend scherven.

Hij nam de vrouw in een houdgreep en rolde in de richting van de scherven. Het was te veel gevraagd om te denken dat het glas haar bo-dysuit zou doorboren, maar dat was dan ook niet zijn opzet.

Hij hoorde het peertje onder hun gezamenlijke gewicht knappen.

Mooi zo.

Plotseling sprong hij op. Het was een gok. Hij vloog naar het licht-knopje naast de klapdeuren.

Een kuchend geluid en een dreun tegen zijn onderrug.

Zijn hoofd sloeg naar achteren en zijn lichaam knalde tegen de muur. Terwijl hij wegstuiterde, voelde hij de schakelaar onder zijn hand en knip-te het licht aan. Door het hele lab begonnen lampen te flikkeren. Slech-te bedrading.

Het was ook te veel gevraagd dat ze werd geëlektrocuteerd. Dat gebeurde ook alleen in een film. Maar dat was dan ook niet zijn opzet. Hij hoopte wel dat degene die het laatst aan die tafel had gezeten, de lamp niet had uitgedaan.

Met een ruk draaide hij zich om.

De Drakenvrouw zat op de kapotte lamp met het pistool op hem gericht. Ze haalde de trekker over, maar miste. Een van de ruitjes in de klapdeuren ging aan diggelen.

Gray ging opzij, verder uit haar richting. De vrouw kon hem niet volgen. Ze zat stijf rechtop, haar armen uitgestrekt en niet in staat zich te bewegen.

'Vloeistofpantser,' zei hij, net zoals zij eerder had gedaan. 'Dat vloeibare mag het dan wel flexibel maken, maar het heeft zo zijn nadelen.' Hij liep op haar toe en pakte het pistool uit haar handen. 'Propeenglycol is een alcohol, een uitstekende geleider. Zelfs dat kleine beetje elektriciteit van een kapot peertje stroomt in een paar seconden door het pak. En zoals bij elke aanval reageert dat onmiddellijk.'

Hij schopte tegen haar kuit. De bodysuit leek wel van beton.

'Het verstijft.'

Ze zat gevangen in haar bodysuit.

Haastig fouilleerde hij haar terwijl ze probeerde zich te bewegen. Beetje bij beetje lukte het haar, maar ze bleek niet veel leniger dan de Tin Man uit de *Wizard of Oz*.

Ze gaf het op. Door de inspanning was ze rood aangelopen. 'Het ontstekingsmechanisme vind je toch niet. Het gaat met een timer. Die is afgesteld op...' Even keek ze op haar horloge. 'Op twee minuten vanaf nu. Het lukt je nooit alle explosieven onschadelijk te maken.'

Gray zag dat haar horloge terugtelde.

Haar leven hing ook van dat aftellen af. Hij zag iets van angst in haar blik – moordenaar of niet, ze was en bleef een mens, bang voor de dood – maar verder was haar gezicht net zo hard als haar bodysuit.

'Waar heb je de buisjes gelaten?'

Hij wist dat ze hem dat niet zou vertellen. Maar hij had zijn blik op haar ogen gericht en heel even keek ze naar boven voordat ze hem weer aankeek.

Op het dak.

Logisch. Meer bevestiging had hij niet nodig. Antrax – *Bacillus anthracis* – was gevoelig voor warmte. Als ze het gif wilde verspreiden, moesten de buisjes hoog staan en door de eerste explosie de lucht in worden geblazen. Ze kon het risico niet lopen dat de hitte van de explosie de dodelijke miltvuurbacteriën onschadelijk maakte.

Plotseling spuugde ze hem in zijn gezicht.

Hij nam niet de moeite de klodder af te vegen, daar had hij geen tijd voor.

01:48.

Hij kwam overeind en rende naar de deur.

'Je haalt het toch niet!' riep ze hem na. Op de een of andere manier wist ze dat hij naar de biologische bom op zoek ging, dat hij niet alleen maar zichzelf wilde redden. En op de een of andere manier had hij daarover de pest in, alsof ze hem goed genoeg kende om te weten hoe hij in elkaar stak.

Hij rende de gang door en stormde de trap op. Het dak lag twee verdiepingen hoger. De uitgang voldeed aan de veiligheidseisen, er zat een beugel voor die in geval van nood kon worden ontgrendeld, zodat bij brand iedereen snel naar buiten kon.

Dit was een noodgeval.

Hij sloeg tegen de beugel waardoor het alarm afging. Hij duwde de deur open en stond in het grauwe ochtendlicht. De dakbedekking bestond uit teerpapier en er knarste zand onder zijn zolen. Hij keek om zich heen. Te veel plekken waar de buisjes verstopt konden zijn: luchtkokers, schoorstenen, satellietschotels.

Waar waren ze?

Er was niet veel tijd meer.

5:13

WASHINGTON D.C.

'Hij is op het dak!' zei de technicus en hij wees op de monitor die de beelden van de NRO-satelliet toonde.

Painter boog zich naar voren en zag een piepklein figuurtje. Wat deed Grayson op het dak? Painter zocht de directe omgeving af. 'Wordt hij achtervolgd?'

'Niet dat ik weet, sir.'

Bij de telefoon zei Logan: 'De beveiliging van de basis zegt dat in Gebouw 470 het brandalarm is afgegaan.'

'Hij heeft zeker per ongeluk het alarm aangezet toen hij de deur opendeed,' opperde de technicus.

'Kun je dichterbij komen?' vroeg Painter.

De technicus knikte en haalde een schuifje naar zich toe. Er werd ingezoomd op Grayson Pierce. Hij droeg geen helm en zijn linkeroor zag er bebloed uit. Hij bleef maar in de deuropening staan.

'Wat doet hij daar?' vroeg de technicus.

'De beveiliging van de basis wil gaan kijken wat er aan de hand is,' zei Logan.

Painter schudde zijn hoofd. Hij werd ijskoud bij de gedachte aan wat er waarschijnlijk speelde. 'Zeg dat ze uit de buurt moeten blijven. Laat ze iedereen in de buurt van dat gebouw evacueren.'

'Sir?'

'Doe wat ik zeg.'

5:14

FREDERICK, MARYLAND

Voor de zoveelste keer liet Gray zijn blik over het dak gaan. Het alarm bleef maar loeien, maar daar sloeg hij geen acht op. Hij moest denken zoals zíj.

Hij hurkte neer. De afgelopen nacht had het geregend en hij nam aan dat de vrouw de buisjes net na de bui had verstopt. Zorgvuldig bestudeerde hij het dak en zag waar het zand na de regen was verstoord. Erg moeilijk was het niet, hij wist dat ze door deze deur was gekomen, want een andere toegang tot het dak was er niet.

Hij volgde haar voetsporen, ze liepen over het dak naar een luchtkanaal met een kap erop.

Natuurlijk. Het kanaal om lucht af te voeren kon uitstekend als schoorsteen dienen om de antrax te verspreiden wanneer de onderste verdiepingen implodeerden en veranderen in een giftige blaaspijp.

Hij knielde en zag waar ze iets met de kap had gedaan, want daar was de oude laag roest verstoord. Hij had geen tijd om te controleren of het een boobytrap was en rukte de kap eraf.

De bom zat in de luchtkoker. De vijftien buisjes lagen in de vorm van een ster rond een balletje c4, net groot genoeg om de buisjes te versplinteren. Hij staarde naar het witte poeder in de buisjes. Hij beet op zijn lip, stak zijn hand uit en tilde voorzichtig de bom uit de luchtkoker. Er zat een timer op.

00:54.

00:53.

00:52.

Toen hij de bom uit de koker had getild, stond hij op en controleerde die snel. De bom was beveiligd en er was geen tijd om uit te vinden hoe de draden en elektronica precies werkten. De bom stond op het punt om af te gaan. Hij moest die weg van het gebouw zien te krijgen, weg van de explosie en ook graag weg bij hem.

00:41.

Hij had maar één enkele kans.

Hij stopte de bom in het nylon zakje op zijn schouder en beende naar de voorkant van het gebouw. Er stonden auto's voor het gebouw, hun koplampen op de gevel gericht. De beveiliging was afgekomen op het geloei, maar ze konden nooit op tijd boven zijn.

Hij had geen keus. Hij moest hier weg, en zijn eigen overlevingskansen speelden geen rol.

Nadat hij een paar passen achteruit was gelopen, haalde hij diep adem en rende naar de rand van het dak, en sprong vervolgens over de bakstenen rand.

Hij vloog over een afgrond van zes etages diep.

5:15

WASHINGTON D.C.

'Jezusmina!' riep Logan uit toen Grayson van het dak sprong.

'Hij is zo gek als een deur,' meende de technicus die was opgesprongen.

Rustig keek Painter naar de zelfmoordactie. 'Hij doet wat hij moet doen.'

5:15

FREDERICK, MARYLAND

Gray hield zijn benen onder zich en zijn armen gespreid voor het evenwicht. Hij stortte razendsnel naar beneden en hoopte dat de wetten van de natuurkunde, snelheid, trajectorie en vectoranalyse hem niet in de steek zouden laten.

Hij bereidde zich voor op de klap.

Twee verdiepingen lager en achttien meter verder bevond zich de ronde koepel van de Biljartbal. De stalen bol met een volume van een miljoen liter glansde van de dauw.

Tijdens de val probeerde Gray wanhopig zijn voeten onder zich te houden.

De tijd ging steeds sneller. Of misschien viel hij steeds sneller.

Zijn gelaarsde voeten kwamen met een knal op de koepel neer. Rond zijn enkels versteende de bodysuit en dat beschermde hem tegen een botbreuk. Door de kracht van zijn val werd hij met gespreide armen voorover tegen de bol gesmeten. Maar hij lag niet op het midden van de bol, slechts op de kromming het dichtst bij Gebouw 470.

Hij klauwde met zijn vingers, maar er was niets om zich aan vast te houden en hij gleed over het natte oppervlak. Hij spreidde zijn benen en probeerde zich met de neuzen van zijn laarzen tegen te houden. Ineens was er geen houden meer aan, hij ging in een vrije val langs de gladde zijkanten.

Met zijn wang tegen het staal gedrukt zag hij de loopbrug pas toen hij erop terechtkwam. Eerst met zijn linkerbeen en daarna met zijn hele lichaam. Op handen en knieën zat hij op de metalen steigers die om de middellijn van de bol waren opgericht. Hij krabbelde op, zijn knieën knikten van de inspanning en doorstane doodsangst.

Onvoorstelbaar dat hij nog leefde...

Onderzoekend bekeek hij de kromme wand van de bal terwijl hij de bom uit het nylon zakje haalde. In de wand zaten patrijspoorten waardoor wetenschappers ooit hun biologische experimenten daarbinnen observeerden. In al de jaren dat de bol was gebruikt, was er nooit één ziekteverwekker uit ontsnapt.

Gray hoopte dat dat deze ochtend ook niet zou gebeuren.

Hij wierp een blik op de bom in zijn hand. 00:18.

Zonder zelfs maar adem te halen om te vloeken rende hij over de loopbrug en zocht naar een sluisdeur. Pas een kwart bol verder vond hij die. Een stalen deur met een patrijspoort. Hij rende ernaartoe, greep de klink en trok.

Geen beweging in te krijgen.

De deur zat op slot.

5:15

WASHINGTON D.C.

Painter keek naar Grayson die aan een sluisdeur in de enorme bol rukte. Hij zag dat hij kracht zette en begreep waarom Grayson in paniek was. Painter had het explosief gezien dat uit de luchtkoker was gehaald. Hij wist wat de opdracht van Graysons team was: iemand uit de tent lokken die ervan werd verdacht in dodelijke ziekteverwekkers te handelen.

Painter twijfelde er niet aan welke dodelijke ziekteverwekker de bom bij zich droeg.

Antrax.

Kennelijk kon Grayson de bom niet onschadelijk maken en probeerde hij die daarom op een veilige manier kwijt te raken.

Veel geluk had hij niet.

Hoeveel tijd zou hij nog hebben?

5:15

FREDERICK, MARYLAND

00:18.

Grayson rende weer. Misschien was er nog een deur. Hij stampte over de loopbrug. Omdat de bodysuit rond zijn enkels nog keihard was, voelde het of hij in zijn skischoenen rende.

Hij had alweer een kwart van de bol omgelopen.

En daar was weer zo'n deur.

'Jij daar! Staan blijven!'

De beveiliging.

Door het harde geluid uit de luidspreker deed hij bijna wat werd gevraagd.

Bijna.

Hij bleef rennen. Een lichtbundel gleed over hem heen.

'Blijf staan of er wordt geschoten!'

Er was geen tijd om te onderhandelen.

Met oorverdovend lawaai ketsen de kogels op de wand van de bol af, een paar vielen rinkelend op de loopbrug. Geen van de kogels sloeg dichtbij in, het waren waarschuwingsschoten.

Hij bereikte de tweede deur, greep de klink beet, draaide en rukte.

Even klemde de deur, toen vloog die open. Hij kreunde van opluchting.

Hij wierp de bom in het holle binnenste van de bol, smeet de deur dicht en leunde er met zijn rug tegen. Toen gleed hij langzaam in een zittende positie.

'Jij daar! Blijf waar je bent!'

Hij was absoluut niet van plan weg te lopen, hij vond het hier best. Een schokje tegen zijn rug. De bol weergalmde alsof er een kerkklok werd geluid. De bom was binnen tot ontploffing gekomen, veilig in de hermetisch afgesloten bol.

Maar dit was nog maar een inleiding tot wat moest komen.

Een paar enorme explosies deden de grond schudden.

Boem... Boem... Boem...

Achter elkaar, goed getimed, goed in elkaar gezet.

Het waren de bommen in Gebouw 470.

Ook al zat Gray afgeschermd aan de andere kant van de bol, toch voelde hij de schokgolven. Een enorme muur van stof en puin verspreidde zich terwijl het gebouw instortte. Gray keek op en zag een gigantische pluim rook en stof opwolken, hoger en hoger totdat de wind die verspreidde.

Maar er was geen dood in de adem van de wind.

Een laatste donderende explosie vanuit het gebouw. Gerommel van stenen, een steenlawine. De aarde beefde weer – en toen hoorde hij een nieuw geluid.

Piepend metaal.

Door de luchtverplaatsing van de explosies en het schokken van de aarde waren twee van de poten onder de Biljartbal verbogen, alsof de bol probeerde te knielen. De hele constructie boog weg van het gebouw, naar de straat toe.

Meer poten begaven het, en nu het proces eenmaal in gang was gezet, was er geen houden meer aan.

De bol met een inhoud van een miljoen liter hing scheef boven de rij wagens van de beveiliging. Met Gray aan de onderkant.

Hij duwde zich overeind en klom omhoog over de scheef hangende loopbrug in een poging niet onder de bol verpletterd te worden. Hij probeerde te rennen, maar de helling werd te steil omdat de bol steeds schuiner ging hangen. De loopbrug werd een ladder. Hij greep met zijn vingers tussen het metaal en schopte met zijn benen naar de steunbalken van de reling, worstelend om onder de schaduw van de enorm zware bol uit te komen.

Een wanhopige sprong, hij vond houvast en zette zich schrap met de neuzen van zijn laarzen.

De Biljartbal kwam terecht op het gazon van het binnenplein en zonk in de door de regen doorweekte aarde. De schok trok omhoog door de loopbrug en wierp Gray van zijn plek af. Hij vloog door de lucht en kwam op zijn rug in het zachte gras terecht. Hij had zich slechts een paar meter boven de grond bevonden.

Half zittend kwam hij overeind en leunde op een elleboog.

De auto's van de beveiliging waren achteruitgereden toen de bol dreigde neer te storten, maar ze zouden niet lang wegblijven en hij mocht niet worden gepakt.

Kreunend stond Gray op en strompelde terug door de stofwolk van het ingestorte gebouw. Nu pas hoorde hij het alarm loeien. Terwijl hij liep, trok hij zijn bodysuit uit en bevestigde zijn identificatieplaatje op de burgerkleding die hij eronder droeg. Gehaast liep hij naar de andere kant van het binnenplein, naar het gebouw daarnaast, waar hij zijn motorfiets had achtergelaten.

Die was onbeschadigd.

Hij sloeg zijn been over het zadel en draaide het sleuteltje in het contact om. De motor kwam zoemend tot leven. Hij legde zijn hand op de versnelling en verstarde. Er zat iets aan het stuur. Hij maakte het los, keek er even naar en stopte het in zijn zak.

Verdomme...

Hij gaf gas en stuurde zijn motorfiets een ander steegje in. Dat was verlaten. Hij boog zich over het stuur, gaf vol gas en schoot tussen de donkere gebouwen door. Bij Porter Street gekomen maakte hij een scherpe bocht naar links en stak zijn linkerknie uit om in balans te blijven. Er reden maar een paar auto's en die leken niet van de Militaire Politie te zijn.

Hij zigzagde tussen ze door en zette koers naar het meer landelijke gedeelte van de basis rond Nallin Pond, een parkachtig landschap met glooiende heuvels en boompartijen.

Als de ergste commotie voorbij was, kon hij definitief verdwijnen. Voorlopig was hij hier veilig. Maar in zijn zak voelde hij het gewicht van het voorwerp waarmee zijn motorfiets versierd was geweest.

Een zilveren ketting met een hangertje in de vorm van een draak.

5:48

WASHINGTON D.C.

Painter liep weg van het bedieningspaneel met de monitoren waarop de satellietbeelden te zien waren. De technicus had Grayson op zijn motorfiets zien ontsnappen toen hij opdoemde uit de stofwolk. Logan hing nog aan de telefoon, via geheime kanalen gaf hij informatie door en vertelde dat alles veilig was. Van bovenaf zou alles worden verdoezeld, de ontploffing op de basis zou worden toegeschreven aan een communicatiestoornis, versleten bedrading en onstabiel geworden explosieven.

De naam Sigma Force zou niet worden genoemd.

De technicus hield zijn oortje tegen zijn oor. 'Sir, de directeur van DARPA is aan de lijn.'

'Schakel maar door.' Painter pakte een andere headset op en luisterde terwijl de beveiligde lijn werd overgezet.

De technicus knikte toen de lijn tot leven kwam. Hoewel er niets werd gezegd, kon Painter zijn mentor en bevelhebber bijna vóélen. 'Directeur McKnight?' vroeg hij in de veronderstelling dat deze een verslag van de afloop van de missie wilde.

Dat had hij verkeerd gedacht.

De spanning was duidelijk in de stem van de ander te horen. 'Painter, ik heb net informatie uit Duitsland ontvangen. Vreemde sterfgevallen in een kathedraal. Tegen de avond moet een team ter plaatse zijn.'

'Zo snel?'

'Binnen een kwartier komen er meer details. Maar we hebben je beste agent nodig om leiding aan het team te geven.'

Painter richtte zijn blik op de monitor. Hij zag de motorfiets door de heuvels rijden, af en toe verdwijnend onder het bladerdak.

'Ik denk dat ik wel iemand weet. Mag ik vragen waarom het zo'n haast heeft?'

'Vanochtend vroeg werden we opgebeld met het verzoek aan Sigma dat geval in Duitsland nader te onderzoeken. Jouw team werd ontboden.'

'Ontboden? Door wie?'

Als McKnight er zo opgewonden van was, moest het wel een heel belangrijk iemand zijn, zoals de president zelf. Maar weer had Painter het bij het verkeerde eind.

De directeur legde uit: 'Door het Vaticaan.'

2

DE EEUWIGE STAD

24 JULI, 12:00
ROME, ITALIË

Ze was te laat voor haar lunchafspraak.

Luitenant Rachel Verona liep de smalle trap af die diep onder de Basilica di San Clemente verdween. De opgraving onder de kerk duurde al twee maanden en stond onder leiding van een klein team van archeologen van de universiteit van Napels.

'*Lasciate ogne speranza, voi ch'intrate...*' prevelde Rachel. Laat varen alle hoop, gij die hier binnentreedt.

Haar gids, professor Lena Giovanna, die tevens de leider van dit project was, keek naar haar om. Ze was een lange vrouw van ergens in de vijftig, maar door haar gebogen rug zag ze er ouder en kleiner uit. Ze lachte vermoeid naar Rachel. 'Dus je kent je Dante Alighieri.'

Rachel voelde zich ongemakkelijk. Volgens Dante stond deze tekst op de poorten van de hel. Het was niet haar bedoeling dat haar gemompel werd opgevangen, maar door de akoestiek was dat toch gebeurd. 'Ik bedoelde er niets mee, *professore.*'

Lena lachte. 'Dat dacht ik ook niet. Het verbaasde me alleen dat een lid van de militaire politie haar klassieken kende. Zelfs iemand die werkt voor de Carabinieri Tutela Patrimonio Culturale.'

Voor deze veelvoorkomende misvatting kon Rachel begrip opbrengen. De meeste mensen zagen de geüniformeerde mannen en vrouwen van de carabinieri alleen maar als met geweren bewapende bewakers van straten en gebouwen. Maar zij had geen dienst genomen bij het korps als militair, maar als afgestudeerd psychologe en kunsthistorica. Na de universiteit was ze meteen door het korps aangetrokken en had daarna nog twee jaar internationaal recht gestudeerd aan de officiersopleiding. Generaal Rende in hoogsteigen persoon had haar geselecteerd voor de eenheid die zich bezighield met onderzoek naar kunstroof, de Tutela Patrimonio Culturale.

Toen Rachel onder aan de trap was gekomen, stapte ze in een plas water. Door de regen van de afgelopen paar dagen was de ondergrondse ruimte ondergelopen. Een beetje zuur keek ze naar beneden. Gelukkig kwam het maar tot haar enkels.

Ze droeg geleende rubberlaarzen die haar te groot waren, mannenlaarzen. In haar linkerhand hield ze haar pumps van Ferragamo, een verjaardagscadeau van haar moeder. Die durfde ze niet op de trap te laten staan, want dieven had je overal en als ze die schoenen kwijtraakte of als ze smerig werden, zou haar moeder daar maar over blijven zeuren.

Professor Giovanna droeg een degelijke overall, kleding die veel geschikter was om onder water gelopen ruïnes te bezoeken dan Rachels marineblauwe broek en gebloemde zijden bloesje. Maar toen Rachels pieper een kwartier geleden afging, was ze op weg naar een lunchafspraak met haar moeder en zusje en was er geen tijd om terug naar haar appartement te gaan om haar uniform aan te trekken. Niet als ze die lunch nog wilde halen tenminste.

Dus was ze meteen gekomen en werd opgewacht door een paar plaatselijke carabinieri, maar die waren boven in de basiliek gebleven terwijl zij het eerste onderzoek naar de diefstal verrichtte.

In sommige opzichten was Rachel blij met dit gedwongen uitstel. Ze had het al te lang voor zich uit geschoven om haar moeder te vertellen dat Gino en zij uit elkaar waren. Haar ex was al meer dan een maand geleden verhuisd. Rachel zag de teleurgestelde blik van haar moeder al voor zich, vergezeld van zuchten die betekenden: ik heb je nog zo gewaarschuwd, zonder dat natuurlijk hardop te zeggen. En haar oudere zuster die al drie jaar was getrouwd zou demonstratief aan haar trouwring met de diamantjes zitten draaien en wijs knikken.

Geen van beiden was blij geweest met de carrière die Rachel had gekozen.

'Hoe moet jij ooit een man vasthouden, domme meid?' had haar moeder met opgeheven handen gevraagd. 'Je hebt je haar te kort laten knippen. Je slaapt met een pistool naast je bed. Daar kan geen man tegenop.'

Het gevolg was dat Rachel maar zelden wegging uit Rome om haar familie in het landelijke Castel Gandolfo te bezoeken. Daar was haar familie na de Tweede Wereldoorlog neergestreken, in de schaduw van het zomerverblijf van de paus. Haar grootmoeder was de enige die haar begreep, zij deelden samen een liefde voor antiquiteiten en vuurwapens. Als kind had Rachel ademloos geluisterd naar wat haar grootmoeder in de oorlog had meegemaakt, afschuwelijke verhalen die met galgenhumor werden verteld. Haar *nonna* had zelfs een geoliede Duitse P-o8 Luger op het nachtkastje liggen, gestolen van een grenswacht toen haar familie op de vlucht was. Deze oude dame was niet iemand om babysokjes te breien.

'Het is iets verderop,' zei de professor. Plonzend liep ze verder naar een deuropening waar licht door scheen. 'Mijn studenten houden de boel in de gaten.'

Rachel liep achter haar gids aan. Toen ze bij de deuropening kwamen, moest ze bukken. Ze richtte zich op en keek rond in de ruimte die sterk aan een grot deed denken. Verlicht door carbidlampen en zaklantaarns spande zich een gewelf boven haar van gehouwen blokken vulkanische *tufa* en slordig pleisterwerk. Een door mensenhanden gemaakte grot, duidelijk een Romeinse tempel.

Terwijl Rachel door het vertrek waadde, was ze zich maar al te bewust van het gewicht van de basiliek daarboven. De kerk was gewijd aan de Heilige Clemens en in de twaalfde eeuw gebouwd boven een oudere basiliek uit de vierde eeuw. Maar zelfs deze oude kerk verborg een mysterie: de ruïnen van een binnenhof met Romeinse gebouwen, waaronder een heidense tempel. Dat bouwen op een ouder bouwwerk was niet ongewoon, de ene godsdienst begroef de andere, laag op laag van Romeinse geschiedenis.

Rachel kreeg het vertrouwde gevoel van opwinding dat werd veroorzaakt door het besef van tijd dat net zo tastbaar was als het gewicht van de stenen boven haar. Hoewel de eeuwen onder elkaar begraven lagen, waren ze wel degelijk nog aanwezig. De vroegste geschiedenis van de mensheid bewaard in steen en stilte. Deze kathedraal was net zo kostbaar als degene die erboven lag.

'Dit zijn mijn twee studenten,' zei de professor. 'Tia en Roberto.'

In het halfduister volgde Rachel de blik van de professor en zag beneden een jongeman en een jonge vrouw gehurkt zitten, allebei met donker haar en gekleed in eenzelfde vieze overall. Ze hadden nummers bij potscherven geplaatst en stonden op om hen te begroeten. Met haar schoenen in haar ene hand schudde Rachel met de andere hun handen. Ook al studeerden ze aan de universiteit, ze zagen er geen dag ouder uit dan vijftien. Maar misschien leek dat maar zo omdat ze zelf net dertig was geworden en iedereen jonger leek te worden behalve zijzelf.

'Hier,' zei de professor. Ze ging Rachel voor naar een nis in de wand. 'De dieven moeten tijdens het onweer van gisteren hebben toegeslagen.'

Professor Giovanna richtte haar zaklantaarn op een marmeren beeld in de verre hoek. Het beeld had een hoogte van een meter – tenminste, dat zou het hebben gehad als het hoofd niet ontbrak. Er stonden nu slechts een torso, benen en een vooruitstekende stenen fallus. Een Romeinse vruchtbaarheidsgod.

De professor schudde haar hoofd. 'Een drama. Het was het enige onbeschadigde beeld dat hier is gevonden.'

Rachel kon zich haar ergernis indenken. Ze voelde aan de halsstomp van het beeld. Het voelde ruw. 'Metaalzaag,' mompelde ze.

Dat was het werktuig van de moderne grafrover, makkelijk te verbergen en te hanteren. Met dergelijk eenvoudig gereedschap hadden dieven door heel Rome kunstvoorwerpen gestolen en beschadigd. Zo'n diefstal was zo gepiept en vond vaak in het openbaar plaats wanneer de curator even niet keek. Het was het risico meer dan waard. De handel in gestolen antiquiteiten was lucratief en deed alleen onder voor drugshandel, witwaspraktijken en wapenhandel. Daarom was in 1992 het Comando Carabinieri Tutela Patrimonio Culturale opgericht dat het culturele erfgoed moest beschermen. Samen met Interpol werd geprobeerd deze praktijken in te dammen.

Rachel knielde naast het beeld neer en voelde het vertrouwde brandende gevoel in haar maag. Stukje bij beetje werd de Romeinse geschiedenis uitgewist. Het was een misdaad tegen de tijd.

'*Ars longa, vita brevis*,' mompelde ze voor zich uit. Dat was een citaat van Hippocrates, haar lievelingscitaat. Kunst blijft bestaan, het leven is kort.

'Inderdaad,' viel de professor haar bij. 'Het was een schitterende vondst. Prachtig afgewerkt, zeer gedetailleerd, het werk van een meester. Om dat zo te verminken...'

'Waarom hebben ze niet het hele beeld gestolen?' vroeg Tia. 'Dan was het in ieder geval intact gebleven.'

Rachel tikte met een van haar schoenen tegen de vooruitstekende fallus. 'Ondanks dit handige handvat is het beeld te groot. De dief moet op de internationale markt al een koper hebben gehad. De buste alleen is makkelijker de grens over te smokkelen.'

'Bestaat er nog hoop dat die terechtkomt?' vroeg professor Giovanna.

Rachel wilde geen valse hoop wekken. Van de zesduizend antiquiteiten die het afgelopen jaar waren geroofd, was maar een handjevol terug-gevonden. 'Ik moet voor Interpol foto's van het beeld hebben, bij voor-keur close-ups van de kop.'

'We beschikken over een digitale database,' zei professor Giovanna. 'Ik kan de foto's per e-mail opsturen.'

Rachel knikte en richtte haar aandacht weer op het onthoofde beeld. 'Of misschien kan Roberto ons vertellen wat hij met de kop heeft ge-daan.'

De blik van de professor schoot naar de jongeman.

Roberto deinsde terug. 'W-wat?' Hij keek om zich heen en liet toen zijn blik op zijn docent rusten. 'Professore... Echt, ik weet hier niets van. Dit is belachelijk.'

Rachel bleef naar het onthoofde beeld kijken – en naar de enige aan-wijzing die ze had. Ze had de keuze tussen nu alles op alles zetten, of la-ter op het bureau. Maar dat zou inhouden dat ze iedereen moest verho-ren, dat ze verklaringen moest opnemen, een enorm werk. Ze sloot haar ogen en dacht aan de lunch waarvoor ze al veel te laat was. Bovendien, als ze hoopte het kunstwerk terug te krijgen, zou ze snel moeten zijn.

Ze deed haar ogen open en zei terwijl ze nog steeds naar het beeld keek: 'Wisten jullie dat vierenzestig procent van alle diefstallen van ar-cheologische voorwerpen wordt gepleegd door medewerkers aan de op-graving?' Ze draaide zich naar het drietal om.

Professor Giovanna fronste haar wenkbrauwen. 'U denkt toch niet echt dat Roberto...'

'Wanneer ontdekte u het beeld?' vroeg Rachel.

'T-twee dagen geleden. Maar ik heb daarover bericht op de website van de universiteit van Napels. Veel mensen waren ervan op de hoogte.'

'Maar hoeveel mensen wisten dat er hier tijdens het onweer van van-nacht geen bewaking was?' Rachel keek Roberto strak aan. 'Roberto, heb je niets te zeggen?'

Zijn gezicht straalde een en al ongeloof uit. 'Ik... Nee, ik heb er niets mee te maken.'

Rachel haalde de portofoon van haar riem. 'Dus dan heb je er vast geen bezwaar tegen als we je zolderkamer doorzoeken. Misschien vinden we wel een metaalzaag of iets anders wat correspondeert met de zaagsporen op dit beeld.'

In zijn ogen verscheen een verwilderde blik. 'Ik... ik...'

'Er staat minimaal vijf jaar gevangenis op,' ging ze verder. '*Obbligatorio.*'

In het schijnsel van de lampen was te zien dat hij verbleekte.

'Tenzij je meewerkt. Dan kan de rechter heel schappelijk zijn.'

Hij schudde zijn hoofd, maar het was niet duidelijk wat hij precies ontkende.

'Ik heb je een kans gegeven.' Ze hield de portofoon bij haar mond. Een krakend geluid galmde door het gewelf toen ze op het knopje drukte.

'Nee!' Roberto stak zijn hand op om haar tegen te houden, zoals ze al had verwacht. Hij boog zijn hoofd.

Er viel een diepe stilte die Rachel niet verbrak. Ze liet die stilte liever haar werk doen.

Uiteindelijk maakte Roberto een snikkend geluid. 'Ik... ik heb schulden. Speelschulden. Ik had geen keus.'

'*Dio mio,*' vloekte de professor. Ze sloeg haar hand tegen haar voorhoofd. 'O Roberto, hoe kon je?'

Daar had de student geen antwoord op.

Rachel wist dat de student onder druk was gezet. Dat was niet ongebruikelijk. Hij was maar een pionnetje in een veel grotere organisatie die zo wijdverspreid en zo diepgeworteld was dat die nooit helemaal kon worden uitgeroeid. Rachel kon alleen maar hopen het onkruid uit te rukken.

Ze hield de zender weer voor haar mond. 'Carabiniere Gerard, ik kom naar boven met iemand die over informatie beschikt.'

'*Capitò, tenente.*'

Ze schakelde de portofoon uit. Roberto verborg zijn gezicht in zijn handen, zijn carrière was naar de knoppen.

'Hoe wist u dat?' vroeg de professor.

Rachel legde maar niet uit dat het niet ongebruikelijk was dat de georganiseerde misdaad medewerkers aan een opgraving omkocht of zwaar onder druk zette. Corruptie was overal en naïevelingen werden geslachtofferd.

Ze draaide Roberto de rug toe. Vaak hoefde je er alleen maar achter te komen wie van een team de zwakke schakel was. Bij deze jongeman had ze het geraden en ze had hem onder druk gezet om te zien of haar ingeving juist was. Ze had het risico genomen te snel haar kaarten op tafel te leggen. Stel dat het Tia was geweest. Tegen de tijd dat Rachel zou hebben ontdekt dat ze achter de verkeerde aan zat, zou Tia de kopers al hebben gewaarschuwd. Of stel dat het professor Giovanna was die haar salaris aanvulde door haar eigen vondst te verkopen. Het had allemaal heel verkeerd kunnen uitpakken. Maar Rachel had geleerd risico te nemen om succes te boeken.

Professor Giovanna bleef haar maar vragend aanstaren. Hoe had ze geweten dat het Roberto was?

Rachel keek naar de stenen fallus van het beeld. Ze had slechts één aanwijzing gehad, maar wel een hele sterke. 'Niet alleen een kop verkoopt goed op de zwarte markt. Er is ook veel vraag naar oude kunstvoorwerpen met een erotische betekenis. Daar krijg je bijna vier keer zoveel voor als voor een alledaagser voorwerp. Ik vermoed dat jullie dames er geen enkel probleem mee zouden hebben gehad dat uitsteeksel er af te zagen, maar om de een of andere reden zijn mannen daar terughoudend mee. Dat vinden ze te persoonlijk.'

Hoofdschuddend liep Rachel naar de trap naar de basiliek. 'Ze laten niet eens hun hond castreren.'

13:34

Het was al met al toch nog laat geworden...

Rachel keek op haar horloge en liep snel verder over de stenen van de piazza voor de Basilica di San Clemente. Ze struikelde over een losse steen, hinkelde even maar bleef overeind. Ze keek om naar de steen alsof het zijn schuld was, en toen naar haar schoen.

Merda!

Er zat een witte schaafplek op.

Ze richtte haar blik hemelwaarts en vroeg zich af welke heilige ze nu weer tegen zich in het harnas had gejaagd. Waarschijnlijk stonden ze in de rij om nummertjes te trekken.

Ze liep verder over het plein en kwam bijna in botsing met een groepje fietsers die als opgeschrikte duiven uiteenstoven. Voorzichtig liep ze verder terwijl ze dacht aan de wijze woorden van keizer Augustus.

Festina lente. Haast u langzaam.

Maar keizer Augustus had geen moeder die je het leven zuur maakte met haar geklaag.

Uiteindelijk bereikte ze haar Mini Cooper die ze aan de rand van het plein had geparkeerd. In de middagzon leek die wel van zilver. Ze glimlachte, voor het eerst die dag. De auto was ook een verjaardagscadeau. Die had ze zichzelf gegeven, want je wordt in je leven maar één keer dertig. Het was wel een nogal duur cadeau, zeker met die lederen bekleding en het open dak, maar de auto was haar lust en haar leven.

Misschien was dat een van de redenen waarom Gino een maand geleden bij haar was weggegaan. Met die auto had ze meer dan met de man die het bed met haar deelde. Het was geen slechte ruil geweest. De auto stond altijd voor haar klaar.

Met een cabriolet kon je letterlijk alle kanten op. Als dat niet met haar vriend ging, dan maar met een auto.

Maar op deze dag was het te warm om met het dak open te rijden. Jammer.

Ze opende het portier, maar voordat ze kon instappen, ging het mobieltje aan haar riem. Wat nu weer?

Waarschijnlijk was het carabiniere Gerard aan wiens zorg ze Roberto net had toevertrouwd. De student zou worden verhoord op het Parioli-bureau. Ze bestudeerde het telefoonnummer op de display. Het was een internationaal nummer, het begon met 39-06. De rest kwam haar onbekend voor.

Waarom werd ze vanuit het Vaticaan gebeld?

Rachel hield het mobieltje bij haar oor. 'Met luitenant Verona.'

Er klonk een bekende stem. 'Hoe gaat het met mijn lievelingsnichtje? Haal je nog het bloed onder je moeders nagels vandaan?'

'Oom Vigor?' Ze lachte. Haar oom, die beter bekendstond als monseigneur Vigor Verona, stond aan het hoofd van het Pontificio Instituto di Archeologia Christiana, het pauselijk instituut voor christelijke archeologie. Maar hij belde niet vanuit zijn kantoor op de universiteit.

'Ik belde je moeder omdat ik dacht dat je bij haar zou zijn. Maar kennelijk gooide het werk als carabiniere roet in het eten. En daar is je moeder niet blij mee.'

'Ik ga nu naar het restaurant.'

'Dat zou je doen als ik je niet net had gebeld.'

Rachel leunde met haar rug tegen haar auto. 'Oom Vigor, wat...'

'Ik heb je excuses al aan je moeder doorgegeven. Ik heb een afspraak voor jullie gemaakt om vroeg te dineren in Il Matriciano. Jij betaalt natuurlijk omdat jij alles in de war hebt geschopt.'

Natuurlijk zou Rachel betalen – en niet alleen in euro's. 'Wat is dit allemaal, oom?'

'Ik heb je hier nodig, in het Vaticaan. Nu meteen. Er ligt een pasje voor je klaar bij de Porta Sant'Anna.'

Ze keek op haar horloge. Ze zou half Rome door moeten. 'Eigenlijk moet ik naar het bureau om generaal Rende verslag te doen van een onderzoek.'

'Ik heb je commandant al gesproken. Hij geeft toestemming voor je uitstapje naar hier. Ik mag je zelfs een hele week hebben.'

'Een hele week?'

'Of langer. Ik leg het wel uit wanneer je hier bent.' Hij vertelde haar waar hij met haar wilde afspreken. Ze fronste haar voorhoofd, maar voordat ze iets kon vragen, nam haar oom al afscheid.

'*Ciao, bambina.*'

Hoofdschuddend stapte ze in haar auto.

Een week of langer?

Kennelijk luisterde zelfs het militaire apparaat wanneer het Vaticaan sprak. Maar generaal Rende was dan ook een vriend van de familie. Oom Vigor en hij waren als broers. Het was geen toeval dat Rachel onder de aandacht van de generaal was gebracht en rechtstreeks van de universiteit van Rome was gerekruteerd. Haar oom hield al een waakzaam oogje op haar sinds haar vader vijftien jaar geleden bij een busongeluk was omgekomen.

Onder zijn leiding had ze menige zomer de Romeinse musea bezocht. Ze logeerde dan in het nonnenklooster van de orde van Santa Brigida, niet ver van de Università Gregoriana – beter bekend als *Il Greg* – waar haar oom Vigor had gestudeerd en nu doceerde. Hoewel haar oom er misschien de voorkeur aan had gegeven dat ze in het klooster was gegaan en in zijn voetsporen was getreden, had hij erkend dat ze te voortvarend was voor een leven als geestelijke en haar aangemoedigd te doen wat haar hart haar ingaf. Hij had haar ook een groot geschenk gegeven tijdens die lange zomers: respect en liefde voor geschiedenis en kunst, voor de voorwerpen van marmer en graniet, olieverf en doek, glas en brons en andere kunstzinnige uitingen.

Maar het leek erop dat haar oom nog niet met haar klaar was.

Nadat ze haar blauwe zonnebril van Revo had opgezet, reed ze de Via Labicano op en zette koers naar het enorme Colosseum. Daar stond het verkeer vast, dus nam ze een paar smalle zijstraten waar de auto's half op de stoep stonden geparkeerd. Met de vaardigheid van een Grand Prix-rijder schakelde ze van de ene versnelling in de andere. Ze nam gas terug toen ze bij een rotonde kwam waar vijf wegen op uitkwamen, een krankzinnige mallemolen. De toeristen die de Romeinse automobilisten als slechtgehumeurde, ongeduldige snelheidsmaniakken beschouwden, vond Rachel maar sloom.

Ze schoof tussen een te zwaar beladen open vrachtwagen en een Mercedes G500 en opeens leek haar Mini niet meer dan een musje dat tussen de olifanten fladderde. Ze haalde de Mercedes in en voegde in. Er werd getoeterd, maar ze was alweer verder. Ze sloeg af van de rotonde en koerste over de weg naar de Tiber.

Terwijl ze met grote vaart over de brede straat reed, hield ze het achterop- en tegemoetkomende verkeer goed in de gaten. Om op een veilige manier door de straten van Rome te manoeuvreren moest je zowel behoedzaam als strategisch behendig zijn. En omdat Rachel zo goed oplette, viel het haar op dat ze werd gevolgd.

De zwarte BMW sedan voegde vijf auto's achter haar in.

Wie volgde haar, en waarom?

14:05

Een kwartier later stopte Rachel bij de ingang van de ondergrondse parkeergarage net buiten de muren van Vaticaanstad. Terwijl ze uitstapte, speurde ze de straat achter zich af. De zwarte BMW was verdwenen vlak nadat ze de Tiber was overgestoken en er was nog steeds geen spoor van te bekennen.

'Dank je,' zei ze in haar mobieltje. 'De auto is weg.'

'Zeker weten?' Dat was de wachtsergeant op het bureau. Ze had gemeld dat ze werd gevolgd en was aan de lijn gebleven.

'Zo te zien wel.'

'Wil je dat we een patrouillewagen sturen?'

'Niet nodig. Op het plein staan carabinieri. Het is nu wel in orde. Ciao.'

Ze schaamde zich niet voor haar melding, ook al was er niets aan de hand gebleken. Niemand zou haar daarom uitlachen. Bij de carabinieri werd een gezond soort paranoia in stand gehouden.

Nadat ze een parkeerplaats had gevonden, stapte ze uit en deed de portieren op slot. Het mobieltje hield ze in haar hand, maar ze had liever een 9mm vastgehouden.

Ze liep de parkeergarage uit in de richting van het Sint-Pietersplein. Hoewel ze een van de grootste meesterwerken op architectuurgebied naderde, keek ze naar de nabijgelegen straten en stegen.

Nog steeds geen zwarte BMW.

Waarschijnlijk hadden er gewoon toeristen in gezeten die de trekpleisters van de stad liever in luxe en met airconditioning bekeken dan te voet in de hitte van de namiddag. De zomer was het toeristisch hoogseizoen en allemaal bezochten ze Vaticaanstad. Misschien had ze daarom het gevoel gehad dat ze werd gevolgd. Werd er niet gezegd dat alle wegen naar Rome leiden?

Gerustgesteld borg ze haar mobieltje op en stak het Sint-Pietersplein over.

Zoals gewoonlijk werd haar blik getrokken door de basiliek van Sint-Pieter die was gebouwd op het graf van de als martelaar gestorven heilige. De door Michelangelo ontworpen koepel was het hoogste punt van

Rome. Aan weerskanten waren de colonnades van Bernini, twee zuilen-rijen die zich langs het sleutelgatvormige plein strekten. Volgens Bernini moesten de colonnades de armen van Petrus voorstellen die de gelovigen omhelsden. Boven deze armen stonden honderdveertig stenen heiligen naar het schouwspel onder hen te kijken.

En het wás een schouwspel.

Wat ooit het circus van Nero was geweest, was nog steeds een circus.

Overal om haar heen hoorde ze vreemde talen: Frans, Arabisch, Pools, Hebreeuws, Nederlands, Chinees. Groepjes toeristen stonden op een kluitje rond hun gids; anderen stonden met de armen om elkaars schou-ders geslagen breed grijnzend in de lens te kijken terwijl ze op de foto gingen; weer anderen stonden in de zon met opengeslagen bijbels in de hand en met gebogen hoofd vroom te bidden. Een paar Koreanen, alle-maal in het geel gestoken, knielden op de travertijn. En overal waren ver-kopers die medaillons met een afbeelding van de paus, geurende rozen-kransen en gezegende kruisbeeldjes aan de man probeerden te brengen.

Ze was blij toen ze het plein was overgestoken en naar een van de vijf ingangen van het grote complex toe liep. De Porta Sant'Anna, de poort die ze moest hebben.

Ze stapte op een van de Zwitserse gardisten toe. Zoals de traditie bij deze poort voorschreef, was hij gekleed in een donkerblauw uniform met een witte kraag en op zijn hoofd droeg hij een zwarte baret. Hij noteer-de haar naam, bekeek haar identiteitsbewijs en nam haar slanke lichaam vervolgens van top tot teen op, alsof hij nauwelijks kon geloven dat ze lui-tenant bij de carabinieri was. Daarna stuurde hij haar plichtmatig door naar de zijkant waar iemand van de *vigilanza*, de politie van Vaticaan-stad, haar een gelamineerd pasje overhandigde.

'Hou dit steeds bij u,' waarschuwde de politieman haar.

Gewapend met haar pasje liep ze met de rij bezoekers mee door de poort en vervolgens de Via del Pellegrino af.

Het grootste gedeelte van de stadstaat was niet toegankelijk voor het publiek. De enige uitzonderingen waren de basiliek van Sint-Pieter, de Vaticaanse musea en de tuinen. De overige veertig hectare waren verbo-den voor onbevoegden.

Maar er was één gedeelte waar slechts een handjevol mensen mocht komen. Dat was het apostolisch paleis, waar de paus woonde. En daar ging zij naartoe.

Rachel liep tussen de kazerne van gelige steen waar de Zwitserse Gar-de was gehuisvest, en de grauwe kerk van de Heilige Anna. Hier geen spoor van de majesteit van de heiligste der heilige staten, gewoon een druk trottoir en vastgelopen verkeer, een knooppunt in Vaticaanstad. Ze liep langs de pauselijke drukkerij en het postkantoor en stak toen over naar de ingang van het apostolisch paleis.

Terwijl ze daarop toe liep, bekeek ze het gebouw van grijzige steen. Het leek meer op een openbaar gebouw dan op het verblijf van de Heilige Vader. Maar het uiterlijk was misleidend. Het dak bijvoorbeeld zag er saai en plat uit, niets bijzonders, maar zij wist dat er zich op het dak van het apostolisch paleis een verborgen tuin bevond, met fonteinen, paden met langs latwerk geleide begroeiing, en keurig bijgehouden struikjes. Dat alles ging schuil achter een nepdak dat Zijne Heiligheid verborg voor het oog van degenen die beneden liepen en ook voor geweren met sterke telescopen van eventuele moordenaars in de stad.

Voor haar was het hét toonbeeld van het Vaticaan: mysterieus, geheim, zelfs een beetje paranoïde, maar toch in wezen een plek van schoonheid en vroomheid.

Misschien kon hetzelfde wel van haar worden gezegd. Hoewel ze voornamelijk een katholiek was die er nauwelijks meer iets aan deed dan op hoogtijdagen naar de mis gaan, was ze in wezen gelovig.

Ze meldde zich bij de beveiliging voor het paleis en liet haar pasje nog drie keer aan Zwitserse gardisten zien. Terwijl ze dat deed, vroeg ze zich af of dat misschien iets te maken had met de drie keer dat Petrus Jezus verloochende voordat de haan kraaide.

Eindelijk werd ze doorgelaten. Een gids wachtte haar op, een jonge, Amerikaanse seminarist die Jacob heette. Hij was mager, een jaar of vijfentwintig en blond, maar al kalend. Hij droeg een zwarte linnen broek en een wit overhemd, keurig tot het bovenste knoopje dichtgeknoopt.

'Als u mij wilt volgen? Mij is gevraagd u naar monseigneur Verona te brengen.' Hij keek naar haar pasje, keek toen verrast nog eens en stamelde: 'Luitenant Verona? Bent... bent u familie van monseigneur Verona?'

'Dat is mijn oom.'

Snel herstelde hij zich. 'Neemt u me niet kwalijk. Ze hebben alleen gezegd dat ik op een officier van de carabinieri moest wachten.' Hij gebaarde dat ze hem moest volgen. 'Ik ben een student van monseigneur Verona, ik help hem op Il Greg.'

Ze knikte. De meeste studenten van haar oom droegen hem op handen. Haar oom was de Kerk weliswaar zeer toegewijd, maar hij was ook een echte wetenschapper. Op de deur van zijn werkkamer op de universiteit had hij zelfs een bordje gehangen met dezelfde tekst die ooit de deur van Plato had gesierd: LAAT NIEMAND HIER BINNENGAAN DIE NIETS VAN GEOMETRIE WEET.

Rachel werd het paleis binnengeleid. Algauw raakte ze haar richtings-gevoel kwijt. Ze was hier nog maar één keer eerder geweest, toen haar oom werd benoemd tot hoofd van het Pontificio Instituto di Archeolo-gia Christiana. Ze was aanwezig geweest bij de pauselijke audiëntie. Maar het paleis was gigantisch, er waren vijftienhonderd vertrekken, duizend trappen en twintig binnenhoven. Zelfs nu ze op weg naar de pauselijke vertrekken op de bovenste verdieping waren, gingen ze eerst naar bene-den.

Ze begreep niet waarom haar oom haar hier wilde ontmoeten in plaats van in zijn werkkamer op de universiteit. Was er iets gestolen? Waarom had hij haar dat dan niet door de telefoon verteld? Aan de andere kant was ze zich ervan bewust dat binnen het Vaticaan strikt de zwijgplicht in acht werd genomen. Dat was een canonieke wet. De Heilige Stoel wist echt wel hoe een geheim moest worden bewaard.

Eindelijk kwamen ze bij een onopvallend deurtje.

Jacob hield dat voor haar open.

Rachel stapte een vertrek in dat haar sterk aan iets uit een boek van Kafka deed denken. De lange, smalle kamer was kil verlicht en had een hoog plafond. Tegen de muren stonden grijze archief- en ladekasten, he-lemaal tot aan het plafond. Tegen een van de muren stond een lange bi-bliotheekladder die werd gebruikt om de hoogste laden te kunnen berei-ken. Hoewel het er brandschoon was, rook het er toch stoffig en oud.

'Rachel!' riep haar oom. Hij bevond zich samen met een priester bij het bureau in de hoek en gebaarde dat ze erbij moest komen. 'Dat heb je snel gedaan, lieverd. Maar ik heb al eens eerder met je in de auto gezeten... Zijn er nog gewonden gevallen?'

Lachend liep ze op het bureau toe. Het viel haar op dat haar oom niet zijn gebruikelijke spijkerbroek, T-shirt en trui droeg, maar formeler was gekleed, meer passend bij zijn rang, in een zwarte soutane met paarse bie-zen en knopen. Hij had zelfs olie in zijn grijzende haar gedaan en zijn baardje bijgeknipt.

'Dit is vader Torres,' stelde haar oom de priester voor. 'Hij is de offi-ciële bewaarder van het gebeente.'

De bejaarde man stond op. Hij was klein en gezet en geheel in het zwart gekleed met een priesterboord om. Een zweem van een lach speel-de over zijn gezicht. 'Ik word liever "rector van de *reliquiae*" genoemd.'

Rachel keek naar de wand met de torenhoge archiefkasten ervoor. Ze had hiervan gehoord, de opslagplaats waar het Vaticaan de relieken be-waarde, maar ze was er nooit eerder geweest. Ze onderdrukte iets van af-keer. Netjes gecatalogiseerd lagen in die laden stukjes en beetjes van heiligen en martelaren: vingerkootjes, plukjes haar, flesjes met as, stukjes kleding, gemummificeerde huid, afgeknipte nagels en bloed. Maar weinig mensen weten dat volgens de canonieke wet elk katholiek altaar een heilige reliek moet bevatten. En omdat er wereldwijd steeds nieuwe kerken en kapellen worden gebouwd, moest deze priester stukjes bot en andere overblijfselen van verschillende heiligen netjes verpakt met een vrachtvervoerder opsturen.

Rachel had nooit begrepen waarom de Kerk zo bezeten van relieken was. Zij kreeg er kippenvel van. Maar Rome lag er tjokvol mee. De opzienbarendste en uitzonderlijkste werden hier aangetroffen: de voet van Maria Magdalena, de stembanden van de Heilige Antonius, de tong van de Heilige Jan van Nepomuk en de galstenen van de Heilige Clara. Zelfs het lichaam van de heiligverklaarde paus Pius x lag in brons gegoten in de Sint-Pieter. De vreemdste relikwie echter werd in een schrijn in Calcata bewaard: een voorhuid die aan Jezus werd toegeschreven.

Ze kreeg weer controle over haar stem. 'Is... is er hier iets gestolen?'

Oom Vigor gebaarde naar zijn student. 'Jacob, kun jij misschien cappuccino voor ons halen?'

'Natuurlijk, monseigneur.'

Oom Vigor wachtte totdat Jacob weg was en de deur had dichtgedaan. Toen keek hij Rachel recht aan. 'Heb je van de massaslachting in Keulen gehoord?'

Die vraag overviel haar. Ze was de hele dag bezig geweest en had geen tijd gehad om naar het nieuws te kijken, maar van de middernachtelijke massamoord van de afgelopen nacht in Duitsland had ze uiteraard iets opgevangen, al was het niet veel.

'Alleen wat ze er op de radio over zeiden,' antwoordde ze.

Hij knikte. 'De Curia wordt geïnformeerd voordat het algemeen bekend wordt gemaakt. Er zijn vierentachtig personen omgekomen, onder wie de aartsbisschop van Keulen. Maar de manier waarop ze zijn gestorven, wordt momenteel nog voor het grote publiek geheimgehouden.'

'Wat bedoel je?'

'Een handjevol is neergeschoten, maar het overgrote deel lijkt te zijn geëlektrocuteerd.'

'Geëlektrocuteerd?'

'Dat is de voorlopige hypothese. De verslagen van de lijkschouwingen zijn nog niet binnen. Sommige lijken rookten nog toen de politie arriveerde.'

'Goeie god... Hoe...'

'Het antwoord daarop laat nog even op zich wachten. In de kathedraal wemelt het van de onderzoekers; criminologen, rechercheurs, gerechts-artsen, zelfs elektriciens. Er zijn teams aanwezig van het Duitse Bun-deskriminalamt, experts op het gebied van terrorisme van Interpol en agenten van Europol. Maar omdat de misdaad plaatsvond in een rooms-katholieke kerk, gewijde grond, heeft het Vaticaan zich beroepen op de Omertà.'

'De zwijgplicht.'

Hij bromde iets bevestigends. 'De Kerk werkt mee met de Duitse au-toriteiten, maar verleent slechts beperkt toegang om er geen circus van te maken.'

Rachel schudde haar hoofd. 'Maar waarvoor heeft u me hier laten ko-men?'

'Uit het voorlopig onderzoek komt maar één motief naar voren. De gouden reliekschrijn in de kathedraal is geopend.'

'De schrijn is gestolen.'

'Nee, dat is het hem nu net. De schrijn van massief goud hebben ze la-ten staan, een voorwerp van onschatbare waarde. Alleen de inhoud is ont-vreemd: de relieken.'

Vader Torres bemoeide zich ermee. 'En niet zomaar relieken, maar het gebeente van de drie Wijzen uit de bijbel.'

'De... de drie Wijzen uit de bijbel?' Het kwam er ongelovig uit. 'Ze ste-len de beenderen en laten de gouden schrijn staan. Zo'n reliekschrijn brengt op de zwarte markt toch zeker veel meer op dan die botten?'

Oom Vigor zuchtte. 'Op verzoek van de minister van Binnenlandse Zaken ben ik hier gekomen om de herkomst van deze relikwieën na te gaan. Ze kennen een veelbewogen geschiedenis. Het gebeente is in Eu-ropa beland omdat de Heilige Helena, de moeder van keizer Constan-tijn, zo dol was op het verzamelen van relieken. Als eerste christelijke kei-zer stuurde Constantijn zijn moeder op pelgrimstocht om relikwieën op te sporen. De beroemdste daarvan is natuurlijk het Heilige Kruis.'

Rachel had een bezoek gebracht aan de Basilica di Santa Croce in Ge-rusalemme op de Lateraanse Heuvel. In een achterkamer werden achter glas de beroemdste relieken bewaard die de Heilige Helena bij elkaar had weten te brengen: een balk van het Heilige Kruis, een nagel die bij de kruisiging was gebruikt en twee doorns van zijn pijnlijke kroon. Er be-stond nogal wat twijfel over de authenticiteit van deze relieken en men ging ervan uit dat de Heilige Helena was beetgenomen.

Haar oom ging verder: 'Maar het is niet algemeen bekend dat Helena verder reisde dan Jeruzalem en onder geheimzinnige omstandigheden te-rugkeerde met drie grote, stenen sarcofagen. Ze beweerde dat ze de stoffelijke resten van de Drie Koningen had teruggevonden. De relikwieën werden bewaard in een kerk in Constantinopel, maar na de dood van Constantijn werden ze overgebracht naar Milaan en in een basiliek begraven.'

'Maar ik dacht dat je zei dat in Duitsland...'

Oom Vigor stak zijn hand op. 'In de twaalfde eeuw plunderde keizer Frederik Barbarossa Milaan en stal de relieken. Over de precieze omstandigheden doen veel geruchten de ronde, maar alle verhalen eindigen ermee dat de relikwieën in Keulen belandden.'

'En daar zijn ze de afgelopen nacht verdwenen.'

Oom Vigor knikte.

Rachel sloot haar ogen. Niemand zei iets en dat gaf haar de tijd om na te denken. Ze hoorde de deur van de opslagruimte opengaan, maar ze hield haar ogen dicht omdat ze haar gedachtegang wilde vervolgen.

'En de moorden?' vroeg ze. 'Waarom het gebeente niet gestolen toen de kerk leeg was? Deze roof lijkt bedoeld als een rechtstreekse aanval op de Kerk. Het geweld tegenover de kerkgangers wijst in de richting van een onderliggend wraakmotief, niet alleen op roof.'

'Heel goed.' Vanuit de deuropening klonk een nieuwe stem.

Verrast deed Rachel haar ogen open. Ze herkende de gewaden van de nieuw binnengekomene meteen: de zwarte soutane met de schoudercape, de brede scharlakenrode sjerp hoog om de heupen en het bijpassende scharlakenrode kalotje. Ze herkende ook de man die deze kleding droeg. 'Kardinaal Spera,' zei ze terwijl ze haar hoofd neeg.

Aan de hand waarmee hij gebaarde dat ze haar hoofd moest opheffen, fonkelde zijn gouden ring. Die ring maakte hem als kardinaal herkenbaar, maar hij droeg nog een ring, identiek aan de andere, maar dan aan zijn andere hand. Die maakte duidelijk dat hij de minister van Binnenlandse Zaken van Vaticaanstad was. Hij was Siciliaan, met donker haar en een donkere gelaatskleur. Voor zo'n hoge positie was hij erg jong, nog geen vijftig.

Hij lachte warm naar haar. 'Monseigneur Verona, ik merk dat u geen ongelijk had toen u me over uw nichtje vertelde.'

'Het zou niet gepast zijn tegen een kardinaal te liegen, vooral niet een kardinaal die de rechterhand van de paus is.' Haar oom liep op hem toe en in plaats van een zedige kus op een van de twee ringen, omhelsde hij hem stevig. 'Hoe neemt Zijne Heiligheid het nieuws op?'

De kardinaal schudde met een gespannen uitdrukking zijn hoofd. 'Na ons gesprek van vanochtend heb ik Zijne Eminentie in Sint-Petersburg gebeld. Morgenochtend vliegt hij terug.'

Na ons gesprek... Nu begreep Rachel waarom haar oom zo formeel was gekleed. Hij had met de minister van Binnenlandse Zaken overlegd.

Kardinaal Spera ging verder: 'Ik moet overleggen met de Synode van Bisschoppen en het College van Kardinalen over de officiële pauselijke reactie. Daarna moet ik voorbereidingen treffen voor de herdenkingsdienst van morgen. Die wordt bij zonsopgang gehouden.'

Rachel was overdonderd. De paus stond aan het hoofd van het Vaticaan, hij was absoluut vorst, maar de ware macht van het staatje was in handen van deze ene man, de minister van Binnenlandse Zaken. Het viel haar op dat zijn ogen glazig stonden en dat hij zijn schouders gespannen hield. Hij was overduidelijk uitgeput.

'En heeft uw onderzoek hier nog iets opgeleverd?' vroeg de kardinaal.

'Ja,' antwoordde oom Vigor somber. 'De dieven zijn niet in het bezit van alle beenderen.'

'Zijn er dan nog meer?' vroeg Rachel verrast.

Haar oom wendde zich tot haar. 'We zijn hier om dat vast te stellen. Nadat Barbarossa het gebeente uit Milaan had weggehaald, heeft de stad eeuwenlang gevraagd om teruggave. Om een einde aan het gezeur te maken, zijn in 1906 enkele beenderen van de Wijzen naar Milaan gestuurd, terug naar de Basilica di Sant'Eustorgio.'

'De Heer zij geprezen,' zei kardinaal Spera. 'Dus ze zijn niet allemaal verloren gegaan.'

Vader Torres zei: 'We moeten ze meteen hierheen laten komen, veilig in de opslagruimte.'

'Dat kan worden geregeld. Ik laat de beveiliging bij de basiliek uitbreiden,' reageerde de kardinaal. Hij gebaarde naar oom Vigor. 'Wanneer jullie terugkomen uit Keulen, moeten jullie de beenderen in Milaan ophalen.'

Oom Vigor knikte.

'O, ik kon een eerdere vlucht regelen,' ging de kardinaal verder. 'Over drie uur brengt de helikopter jullie allebei naar het vliegveld.'

Allebei?

'Prima.' Oom Vigor keek Rachel aan. 'Het ziet ernaar uit dat we je moeder alweer moeten teleurstellen. Geen gezellig familiedineetje.'

'Ik... Gaan we naar Keulen?'

'Als pauselijke nuntii,' antwoordde haar oom.

Rachel probeerde het allemaal te bevatten. Een pauselijke nuntius was een ambassadeur.

'Noodnuntii,' verbeterde kardinaal Spera hem. 'Tijdelijk, alleen voor deze tragedie. Jullie gaan als waarnemers om de belangen van het Vaticaan te behartigen, jullie brengen verslag uit. Ik heb daar een paar scherpe ogen nodig. Iemand die veel van kunstroof weet.' Even knikte hij Rachel toe. 'En iemand met grote kennis van deze antiquiteiten.'

'Dat is tenminste onze dekmantel,' zei oom Vigor.

'Dekmantel?'

Kardinaal Spera fronste en zijn stem klonk waarschuwend. 'Vigor...'

Haar oom keek de minister van Binnenlandse Zaken recht aan. 'Ze heeft er recht op het te weten. Ik dacht dat dat al besloten was.'

'U heeft dat besloten.'

De twee mannen bleven elkaar aankijken, toen gaf kardinaal Spera uiteindelijk met een zucht toe.

Oom Vigor wendde zich tot Rachel. 'Dat optreden als nuntius is maar een dekmantel.'

'Wat zijn we dan wel?'

Dat vertelde hij haar.

15:35

Nog helemaal overdonderd wachtte Rachel totdat haar oom klaar was met een kort overleg met kardinaal Spera net buiten de deur. Ondertussen hield vader Torres zich onledig met boeken op de planken zetten die op zijn bureau opgestapeld hadden gelegen.

Eindelijk kwam haar oom terug. 'Ik had een brioche met je willen eten, maar nu we eerder vertrekken, moeten we ons klaarmaken. Je kunt maar beter een tas pakken, zorgen dat je je paspoort bij je hebt en alles wat je voor een paar dagen in het buitenland zoal nodig hebt.'

Rachel fronste. 'Spionnen van het Vaticaan? Gaan we als Vaticaanse spionnen?'

Oom Vigor trok zijn wenkbrauwen op. 'Verrast dat je echt zo? Als soevereine staat heeft het Vaticaan altijd over een inlichtingendienst beschikt, met een staf en agenten. Die worden gebruikt om te infiltreren in vijandige groeperingen, geheime genootschappen, vijandelijke staten, waar de belangen van het Vaticaan maar worden bedreigd. Walter Ciszek, een priester die onder het alias Vladimir Lipinski opereerde, speelde jarenlang kat en muis met de KGB voordat hij werd opgepakt en meer dan twintig jaar in een sovjetgevangenis moest doorbrengen.'

'En wij zijn nu net door deze inlichtingendienst gerekruteerd?'

'Jíj bent gerekruteerd. Ik werk al vijftien jaar voor ze.'

'Wat?' bracht Rachel verstikt uit.

'Wat is een betere dekmantel voor een agent dan een baan als gerespecteerd en geleerd archeoloog in nederige dienst van het Vaticaan?' Haar oom gebaarde naar de deur. 'Kom, we moeten alles in orde maken.'

Onthutst liep Rachel achter haar oom aan, ze zag hem ineens in een heel nieuw licht.

'We zullen daar een team Amerikaanse wetenschappers ontmoeten. Net als wij onderzoeken ze het geval in het geheim, hun aandacht gaat vooral uit naar de sterfgevallen terwijl wij ons concentreren op de diefstal van de relikwieën.'

'Ik begrijp het niet.' En dat was bepaald niet te veel gezegd. 'Waarom al die geheimzinnigheid?'

Plotseling bleef haar oom staan en trok haar een kapelletje in. Dat was nauwelijks groter dan een kast en rook naar oude wierook.

'Er is maar een handjevol mensen dat dit weet,' zei hij. 'Iemand heeft de slachting overleefd. Een jongen. Hij verkeert nog in shock, maar herstelt zich daar langzaam van. Hij ligt zwaar bewaakt in een ziekenhuis in Keulen.'

'Hij heeft het allemaal gezien?'

Haar oom knikte. 'Wat hij beschreef, klonk krankzinnig, maar we kunnen er niet aan voorbijgaan. Alle sterfgevallen – tenminste, die door elektrocutie – vonden in één tel plaats. Ze stierven waar ze zaten of knielden. De jongen kon het hóé niet verklaren, maar hij wist wel wíé.'

'Wie de kerkgangers heeft gedood?'

'Nee, wie bezweek, welke kerkgangers op zo'n afschuwelijke manier omkwamen.'

Rachel wachtte op meer.

'Degenen die geëlektrocuteerd werden, om het zo maar te zeggen, hadden tijdens de communie de heilige eucharistie ontvangen.'

'Wat?'

'De hostie heeft hen gedood.'

Er voer een rilling door haar heen. Als bekend werd dat de schuld op de een of andere manier bij de hostie lag, zou dat wereldwijd grote gevolgen hebben. Het heilige sacrament zou gevaar lopen. 'Was de hostie vergiftigd, was ermee geknoeid?'

'Dat weten we nog niet. Maar het Vaticaan wil onmiddellijk resultaat. En de Heilige Stoel wil als eerste de uitkomst weten. Omdat wij niet over voldoende mogelijkheden beschikken om op dit niveau clandestien te opereren, voornamelijk in het buitenland nog wel, heb ik iemand benaderd die me iets verschuldigd was. Hij werkt bij de Amerikaanse inlichtingendienst en ik vertrouw hem volledig. Nog vanavond heeft hij daar een team ter plekke.'

Rachel kon alleen maar knikken, verbijsterd door de onthullingen van het afgelopen uur.

'Ik denk dat je gelijk hebt, Rachel,' zei oom Vigor. 'De moorden in Keulen waren een regelrechte aanval op de Kerk. Maar ik denk ook dat dit maar een openingszet is, dat het spel veel ingewikkelder is. Maar welk spel wordt er gespeeld?'

Rachel knikte. 'En wat heeft het gebeente van de Wijzen ermee te maken?'

'Precies. Terwijl jij pakt, ga ik de bibliotheken en archieven af. Een team wetenschappers gaat al alle verwijzingen naar de Drie Koningen na. Tegen de tijd dat de helikopter opstijgt, heb ik de beschikking over een uitgebreid dossier over de Wijzen.' Oom Vigor sloeg zijn armen om haar heen en fluisterde in haar oor: 'Je kunt weigeren, hoor. Dat zou ik je niet kwalijk nemen.'

Rachel schudde haar hoofd en maakte zich los. 'Zoals ze zeggen: *fortes fortuna adjuvat.*'

'Het geluk helpt de moedigen.' Hij kuste haar op de wang. 'Als ik een dochter zoals jij had...'

'Werd je geëxcommuniceerd.' Ze kuste hem op zijn andere wang. 'Kom, aan de slag.'

Haar oom ging haar voor het apostolisch paleis uit, daarna scheidden hun wegen zich. Hij ging naar de bibliotheek en zij naar de Porta Sant'Anna.

Niet veel later stond Rachel naast haar geparkeerde auto en stapte in. Ze reed de ondergrondse parkeergarage uit en nadat ze met gierende banden een bocht had genomen, voegde ze in tussen het drukke verkeer. Ondertussen bedacht ze wat ze allemaal moest meenemen, liefst zo weinig mogelijk.

Ze stak de Tiber over en zette koers naar het centrum. Omdat ze met haar gedachten elders was geweest, wist ze niet wanneer iemand haar was begonnen te volgen. Ze wist alleen dat ze weer werd gevolgd.

Haar hart ging sneller slaan.

De zwarte BMW bleef vijf auto's achter haar en deed alles wat zij deed. Hij haalde langzamer rijdende auto's in en ontweek nog langzamer lopende voetgangers. Een paar keer sloeg ze plotseling af, niet zo plotseling dat degene die haar volgde kon merken dat ze zich bewust was dat ze werd gevolgd, maar meer op haar gebruikelijke, roekeloze manier. Ze moest het zeker weten.

De BMW bleef achter haar rijden.

Nu wist ze het zeker.

Verdomme.

Ze worstelde smalle straten en steegjes door. Er was zoveel verkeer dat het een achtervolging in slowmotion werd.

Ineens reed ze het trottoir op om langs een verkeersopstopping te komen en schoot een zijstraatje in dat verboden was voor alle verkeer. Verraste voetgangers sprongen opzij. Boodschappen rolden over de stoep, er werd gevloekt en gescholden en een bijzonder verontwaardigde matrone kwakte een brood tegen de achterruit.

Bij de volgende straat schakelde ze naar zijn twee en reed snel verder totdat ze afsloeg en nog eens afsloeg. Dit gedeelte van Rome bestond uit een doolhof van straatjes en steegjes. Degene die haar volgde, kon haar onmogelijk bijhouden.

Toen ze uitkwam op de Via Aldrovandi, reed ze met hoge snelheid langs de Giardino Zooligico. Ondertussen keek ze steeds in de achteruitkijkspiegel. Ze had de BMW afgeschud... Voorlopig, althans.

Nu ze een hand kon vrijmaken, pakte ze haar mobieltje en drukte op de snelkiestoets voor het Pariolo-bureau. Ze had assistentie nodig.

Terwijl ze op verbinding wachtte, verliet ze de hoofdstraat en dook de zijstraatjes weer in. Ze wilde geen risico lopen. Wie had ze tegen zich in het harnas gejaagd? Als lid van de Carabinieri Tutela Patrimonio Culturale had ze vijanden gemaakt onder de georganiseerde misdaad die in gestolen antiquiteiten handelde.

Er klonk een klikje, toen geruis en vervolgens hoorde ze niets meer. Ze keek op de display van haar mobieltje. In dit gebied was de ontvangst slecht. De zeven heuvels van Rome en de zeeën van marmer en baksteen waren niet best voor de sterkte van het signaal.

Ze drukte op de toets voor opnieuw verbinding maken.

Terwijl ze een schietgebedje aan de heilige van mobiele telefonie afstak, vroeg ze zich af of ze wel naar huis moest gaan. Ze besloot dat niet te doen.

Totdat ze naar Keulen vertrok, zou ze in het Vaticaan veiliger zijn.

Ze nam de Via Salaria, de oude Zoutweg, een belangrijke verkeersader door Rome, en eindelijk kreeg ze verbinding.

'Met de centrale.'

Voordat ze iets kon zeggen, zag ze een zwarte vlek.

De BMW kwam naast haar Mini rijden.

Aan haar andere kant verscheen nog een auto.

Ook een BMW, maar dan een witte.

Ze werd niet door één auto gevolgd, maar door twéé. Omdat ze zo op de opvallende zwarte auto gefixeerd was geweest, had ze de witte over het hoofd gezien. Een fatale fout.

De twee auto's botsten tegen haar aan, ze reden haar klem. Een enorm lawaai van metaal tegen metaal. De ruitjes van de achterportieren waren al opengedraaid en daaruit staken de stompe lopen van halfautomatische geweren.

Ze ging op de rem staan, maar ze zat vast tussen de twee auto's. Ontsnappen was onmogelijk.

3

GEHEIMEN

Hij moest hier weg.

In de kleedkamer trok Grayson Pierce zijn zwarte fietsbroekje aan met daarover een ruimzittend voetbalshirt. Daarna ging hij op het bankje zitten om de veters van zijn gympen te strikken.

Achter hem zwaaide de kleedkamerdeur open. Hij keek om en zag Monk Kokkalis binnenkomen met een basketbal onder de arm en een honkbalpetje achterstevoren op zijn hoofd. Omdat Monk maar een meter zestig lang was, zag hij eruit als een pitbull in sportkleren. Maar hij was lenig en behendig. Hoewel hij door de meeste mensen werd onderschat, beschikte hij over het haast griezelige talent te weten wat de tegenstander van plan was en door de verdediging te breken, en weinig van zijn schoten misten.

Monk wierp de bal in de mand – weer zo'n perfect schot – en liep naar zijn locker. Nadat hij zijn sweatshirt had uitgetrokken, propte hij dat erin.

Bevreemd keek hij Gray aan. 'Ga je zo naar directeur Crowe?'

Gray stond op. 'Ik ga naar mijn ouders.'

'Ik dacht dat we hier moesten blijven in verband met een missie?'

'Ze kunnen de pot op.'

Monk trok zijn borstelige wenkbrauwen op. Meer haar had hij niet op zijn kaalgeschoren hoofd. Hij hield vast aan het kapsel dat hem bij de Green Berets was voorgeschreven. En er waren nog meer aandenkens aan zijn leven in het leger: littekens van schotwonden, drie stuks, op zijn schouder, zijn dij en zijn borst. Hij was de enige overlevende van een verrassingsaanval in Afghanistan. Terwijl hij in de vs van zijn wonden herstelde, had Sigma hem vanwege zijn iq van hoogbegaafde waarde gerekruteerd en hem een cursus op doctoraal niveau in gerechtelijke geneeskunde laten volgen.

'Heb je de medische keuring al achter de rug?' vroeg Monk.

'Een paar kneuzingen en gebroken ribben.' En een beschadigd ego, dacht hij erbij terwijl hij aan de pijnlijke plek onder zijn zevende rib voelde.

Gray had al voor de videocamera verslag uitgebracht. Hij had de bom veilig laten ontploffen, maar de Drakenvrouw was hem ontsnapt. Hun enige contactpersoon binnen een organisatie die in biologische wapens handelde. Haar drakenhangertje had hij naar het lab gestuurd zodat daarop naar sporen of vingerafdrukken kon worden gezocht, maar hij verwachtte er niets van.

Hij pakte zijn rugzak van de bank. 'Ik neem mijn pager mee. Met de metro ben ik in een kwartier weer hier.'

'En de directeur moet dan maar wachten?'

Gray haalde zijn schouders op. Hij had er genoeg van; eerst verslag uitbrengen, dan het medisch onderzoek en nu deze geheimzinnige oproep van directeur Crowe. Hij wist dat hij de wind van voren zou krijgen omdat hij alleen naar Fort Detrick was gegaan. Dat had hij niet moeten doen, hij wist zelf ook wel dat het onverstandig was geweest.

Maar hij zat nog vol adrenaline na de bijna-ramp van die ochtend en kon niet zomaar nietsdoen. Directeur Crowe was naar een vergadering op het hoofdkantoor van darpa in Arlington. Wie weet wanneer hij terugkwam? Ondertussen moest Gray stoom afblazen.

Hij deed zijn rugzakje op zijn rug.

'Heb je gehoord wie er nog meer is opgeroepen?' vroeg Monk.

'Wie dan?'

'Kat Bryant.'

'Je meent het!'

Monk knikte bevestigend.

Kapitein Kathryn Bryant was nog maar tien maanden bij Sigma en had in die tijd een stoomcursus geologie voltooid. Er werd gefluisterd dat ze ook een cursus technische wetenschappen afrondde. Dan zou ze de tweede agent zijn met twee academische titels. Gray was de andere.

'Dan kan het geen opdracht zijn,' zei Gray. 'Een groentje als zij sturen ze er niet op uit.'

'Zo onervaren is ze nu ook weer niet.' Monk pakte een handdoek en zette koers naar de doucheruimte. 'Ze komt van de inlichtingendienst van de marine. Geheime operaties, zeggen ze.'

'Ze zeggen zoveel,' mompelde Gray terwijl hij naar de deur liep.

Hoewel er veel personen met een hoog IQ aan Sigma waren verbonden, deden er net zoveel geruchten de ronde als bij ieder ander bedrijf. Op de oproep van die morgen waren talrijke memo's en oproepen voor agenten gevolgd. Natuurlijk was deze activiteit deels het gevolg van Grays missie. Het Gilde had een van hun agenten aangevallen. Er werd druk gespeculeerd. Was er een nieuw lek of was de hinderlaag gebaseerd op oude informatie uit de periode dat Sigma nog niet van het hoofdkwartier van DARPA in Arlington naar Washington was verhuisd en er een grote zuivering plaatsvond?

Wat het ook was, er ging nog een hardnekkig gerucht door de wandelgangen van Sigma: er werd een nieuwe missie voorbereid, de opdracht kwam van hogerhand en het was van groot nationaal belang. Verder was er niets over bekend.

Gray sloeg geen acht op de geruchten. Hij wachtte liever totdat hij het zelf van de commandant hoorde. Trouwens, hij ging de eerstkomende tijd toch nergens heen, hij bleef voorlopig een bankzitter.

Dus kon hij iets aan zijn andere verplichtingen doen.

Toen Gray de gymzaal uit kwam, liep hij door de doolhof van gangen naar de liften. Het rook hier nog steeds naar verf en vochtig cement.

Het ondergrondse commandocentrum van Sigma was vroeger een bunker en atoomkelder geweest. In de Tweede Wereldoorlog hadden hier belangrijke wetenschappers gezeten, daarna was de boel verlaten en afgesloten. Weinigen wisten dat de bunker bestond, diep onder het academisch centrum van Washington, de musea en laboratoria van het Smithsonian Institute.

En nu had het ondergrondse gangenstelsel nieuwe bewoners. Voor het grote publiek was het gewoon het zoveelste wetenschappelijk centrum. Veel van de leden werkten in laboratoria van het Smithsonian, ze deden onderzoek en maakten gebruik van alle faciliteiten. Deze plek was gekozen omdat het dicht bij de onderzoekslaboratoria lag waaraan allerlei disciplines waren verbonden. Het zou te duur worden om al deze faciliteiten zelf aan te leggen. Daarom lag Sigma begraven onder Washingtons wetenschappelijke gemeenschap. Het Smithsonian Institute was zowel een hulpmiddel als een dekmantel.

Gray legde zijn hand op het beveiligingscherm bij de liftdeur. Met een blauwe lijn werd zijn handpalm gescand. De deuren schoven open. Hij stapte in en drukte op het bovenste knopje waar LOBBY naast stond. De lift steeg geruisloos naar het vierde niveau.

Hij was zich ervan bewust dat er een lichaamsscan werd uitgevoerd om te zien of hij geen elektronische gegevens had verborgen. Dat moest ervoor zorgen dat er geen informatie uit het commandocentrum werd gestolen. Het had zo zijn nadelen. Tijdens Monks eerste week hier had hij ervoor gezorgd dat het alarm afging omdat hij in zijn verstrooidheid een niet-geregistreerde mp3-speler bij zich had toen hij 's middags wilde gaan joggen.

De deuren gingen open. Daar was de receptie, bemand door twee bewapende beveiligingsbeambten en een receptioniste. Het leek net de lobby van een bank, maar de hypermoderne beveiligingsmaatregelen deden niet onder voor die van Fort Knox. Er was nog een tweede ingang, een enorme dienstingang die net zo streng werd bewaakt, onder een parkeergarage een halve kilometer verderop. Daar stond zijn motorfiets die in reparatie was. Daarom moest hij naar het metrostation waar hij een mountainbike had staan, voor in noodgevallen.

'Goedemorgen, dr. Pierce,' zei de receptioniste.

'Hoi Melody.'

De jonge vrouw wist niet wat er zich in werkelijkheid beneden bevond, ze geloofde dat ze receptioniste was bij een researchinstituut dat Sigma heette. Alleen de bewakers wisten hoe het echt in elkaar stak. Ze knikten naar Gray.

'Gaat u weg?' vroeg Melody.

'Ik kom over een uurtje weer terug.' Hij stopte zijn identiteitsbewijs met hologram in de gleuf bij de balie, drukte zijn duim tegen het scherm en klokte zichzelf uit. Hij had altijd gedacht dat de veiligheidsmaatregelen hier overdreven waren, maar daar kwam hij nu van terug.

De buitendeuren werden ontgrendeld.

Een van de bewakers deed de deur open, stapte naar buiten en hield de deur voor Gray open. 'Een goede dag,' zei hij terwijl Gray naar buiten liep.

Zo zou Gray zijn dag niet hebben omschreven.

Voor hem strekte zich een lange gang uit, gevolgd door een trap die naar de openbare ruimten van het gebouw leidde. Hij liep een grote lobby in en passeerde een groep Japanse bezoekers die door een tolk en een gids werden rondgeleid. Niemand besteedde aandacht aan hem.

Terwijl hij over de tegelvloer liep, hoorde hij de gids zijn verhaaltje afdraaien. 'Het Smithsonian Castle werd in 1855 opgeleverd. De eerste steen werd door president James Polk gelegd. Het is het oudste en grootste gebouw van het instituut. Ooit bood het huisvesting aan het oorspronkelijke museum van wetenschap en aan de onderzoekslaboratoria, maar nu doet het dienst als administratiekantoor en informatiecentrum voor de vijftien musea van het instituut, de National Zoo en vele onderzoeksinstellingen en galeries. Als u me wilt volgen, gaan we...'

Gray kwam bij de buitendeur, een zijuitgang naar het Smithsonian Castle, deed die open en liep de vrijheid tegemoet. Hij kneep zijn ogen tot spleetjes tegen het felle zonlicht. Toen hij zijn arm ophief, protesteerden zijn ribben. De paracetamol met codeïne raakte zeker uitgewerkt.

Bij de keurig onderhouden tuin keek hij om naar het Castle. Dat was zo genoemd vanwege de borstweringen en spitse torentjes van rode baksteen, en werd beschouwd als een van de fraaiste voorbeelden van neogotische architectuur in de Verenigde Staten. Het vormde het hart van het Smithsonian Institute. De bunker eronder was uitgegraven toen de zuidwestelijke toren in 1866 afbrandde en van de grond af moest worden opgebouwd. De geheime doolhof was tijdens de renovatie aangelegd en die was later omgetoverd tot atoomkelder, bedoeld om de knapste koppen van die generatie veilig te stellen. Of althans de knapste koppen van Washington, D.C.

En nu lag daar het commandocentrum van Sigma verborgen.

Met een laatste blik op de Amerikaanse vlag die van de hoogste toren wapperde, stak Gray de Mall over in de richting van het metrostation.

Hij had nog andere verplichtingen behalve Amerika voor rampen te behoeden.

Iets wat hij al veel te lang had uitgesteld.

16:25

ROME, ITALIË

De twee BMW's bleven de Mini in de tang houden. Wat Rachel ook deed, ze kon ze niet afschudden.

De geweren waren vanaf de achterbank op haar gericht.

Voordat haar aanvallers konden schieten, trapte ze de koppeling helemaal in en trok aan de handrem. Een enorm lawaai van metaal tegen metaal. De auto schokte. Haar achteruitkijkspiegel brak. De schutters op de achterbank bewogen door de schok hun geweer, maar het was niet genoeg geweest om zich los te wrikken.

De BMW's bleven haar auto vooruit sleuren.

Met haar Mini nu onbestuurbaar, liet Rachel zich over de stoel naast haar vallen, waarbij het pookje in haar ribben stak. Kogels versplinterden het raampje aan de kant van de bestuurder en vlogen langs de plek waar zij daarnet nog had gezeten.

De volgende keer zou ze er niet zo goed van afkomen.

Terwijl ze steeds langzamer verder reden, drukte ze op de knop van het dak. De raampjes gingen naar beneden en het stoffen dak vouwde zich op. De wind floot door de auto.

Ze hoopte dat het genoeg zou afleiden om haar de tijd te geven die ze nodig had. Ze sprong op, zette zich af tegen het portier en stortte zich door het halfopen dak. De witte BMW reed nog links tegen haar auto aan. Ze belandde op het dak ervan en knielde.

Ze reden nu niet harder dan dertig kilometer per uur.

Beneden haar klonken schoten.

Ze sprong van het dak af en vloog in de richting van een rij langs de stoeprand geparkeerde auto's. Ze kwam terecht op het dak van een Jaguar, gleed er op haar buik overheen en kwam met een klap neer op de stoep.

Versuft bleef ze liggen. De geparkeerde auto's vormden een soort schild. Een halve straatlengte verder brulden de motoren van de BMW's die onverrichter zake met gierende banden wegreden.

In de verte hoorde Rachel de sirenes van politiewagens loeien.

Nadat ze zich op haar rug had gerold, tastte ze naar haar mobieltje aan haar riem. De houder was leeg. Ze was aan het bellen geweest toen ze werd klemgereden.

O god...

Ze krabbelde op. Bang dat haar aanvallers zouden terugkomen was ze niet, er stonden al zo veel auto's die niet verder konden omdat haar Mini de weg versperde.

Rachel had heel andere zorgen. In tegenstelling tot eerder die dag had ze nu de nummerplaat van de zwarte BMW kunnen lezen.

SCV 03681.

Ze hoefde het nummerbord niet na te trekken om te weten waar die auto thuishoorde. Deze nummerborden werden maar door één instantie uitgegeven.

SCV stond voor Stato della Città del Vaticano.

Vaticaanstad.

Ze had hoofdpijn en proefde bloed op haar lip. Maar daar sloeg ze geen acht op. Als ze was aangevallen door iemand die banden met het Vaticaan had...

73

Haar hart bonsde wild en de angst gaf haar nieuwe kracht. Er was nog iemand die in gevaar verkeerde.

'Oom Vigor...'

11:03

TAKOMA PARK, MARYLAND

'Gray? Ben jij dat?'

Grayson Pierce hing zijn fiets om zijn schouder en klom het trappetje naar de houten veranda met overhangend dak van de bungalow van zijn ouders op.

Door de hordeur riep hij: 'Ja, ma!'

Toen hij zijn fiets tegen de balustrade van de veranda zette, protesteerden zijn ribben meteen. Vanaf het metrostation had hij naar huis gebeld om zijn moeder te waarschuwen dat hij eraan kwam. In de beveiligde stalling van het metrostation stond altijd een mountainbike klaar, juist voor in dit soort gevallen.

'Ik ben bijna klaar met de lunch.'

'Wat? Ben je aan het koken?' Hij zwaaide de piepende hordeur open. Die viel achter hem weer dicht. 'De wonderen zijn de wereld nog niet uit.'

'Niet zo brutaal, jongen. Ik ben heel goed in staat om sandwiches te maken. Met ham en kaas.'

Hij liep door de woonkamer met de degelijke meubels, een smaakvolle mengeling van modern en antiek. Het viel hem op dat overal een laagje stof op lag. Zijn moeder was niet huishoudelijk aangelegd, ze besteedde haar tijd aan het geven van onderwijs, eerst in Texas op een jezuïetencollege, en nu aan de George Washington University als wetenschappelijk medewerker biologie. Zijn ouders waren drie jaar geleden verhuisd naar het rustige Takoma Park met de schilderachtige Victoriaanse landhuizen en de oudere, eenvoudige houten huisjes. Zelf beschikte Gray over een appartement een paar kilometer verderop, aan Piney Branch Road. Hij had dicht bij zijn ouders willen zijn om hen te helpen wanneer dat nodig was.

Vooral nu.

'Waar is pa?' vroeg hij terwijl hij de keuken in liep.

Zijn moeder deed met een fles melk in de hand de ijskastdeur dicht. 'In de garage. Hij werkt aan het zoveelste nestkastje.'

'Nóg een?'

Fronsend keek ze hem aan. 'Dat vindt hij leuk. Het houdt hem van de straat. Zijn therapeut zegt dat een hobby goed voor hem is.' Ze liep met twee borden met sandwiches door de keuken.

Zijn moeder was net terug van haar werk op de universiteit, ze droeg nog een blauwe blazer over een witte blouse, en haar grijsblonde haar zat met speldjes naar achteren. Netjes, degelijk. Maar het viel Gray op dat ze er afgetobd uitzag, magerder.

Gray nam de borden van haar over. 'Dat pa aan houtbewerking doet, zal best goed voor hem zijn, maar waarom altijd nestkasten? Zo veel vogels zijn er niet in Maryland.'

Ze lachte. 'Eet nu maar. Wil je er augurken bij?'

'Nee.' Zo ging het altijd. Ze babbelden over koetjes en kalfjes om zwaardere onderwerpen te vermijden. Maar sommige dingen konden niet eeuwig worden uitgesteld. 'Waar hebben ze hem gevonden?'

'Bij de 7-Eleven op Cedar. Hij was in de war, wist de weg niet meer. Gelukkig was hij zo pienter om John en Suz te bellen.'

En de buren hadden Grays moeder gebeld en zij had op haar beurt Gray gebeld, bezorgd, een beetje paniekerig. Maar vijf minuten later had ze weer gebeld. Zijn vader was ongedeerd thuisgekomen. Toch besefte Gray dat hij beter even langs kon wippen.

'Neemt hij zijn Aricept?' vroeg hij.

'Ja zeker. Daar let ik elke ochtend op.'

Zijn vader had alzheimer, dat was in een vroeg stadium geconstateerd toen zijn ouders nog maar net hiernaartoe waren verhuisd. Het was begonnen met vergeetachtigheid. Waar had hij zijn sleutels gelaten? Hij vergat telefoonnummers en de namen van de buren. De dokters zeiden dat de verhuizing vanuit Texas misschien symptomen naar voren had gebracht die eerst nog latent waren. Na de verhuizing had hij moeite met zijn nieuwe omgeving, al die nieuwe dingen die hij moest onthouden. Maar omdat hij koppig was, weigerde hij terug te gaan naar Texas. De vergeetachtigheid ging gepaard met woedeaanvallen uit frustratie. Niet dat dat iets nieuws voor zijn vader was.

'Breng jij zijn bord naar hem toe?' vroeg zijn moeder. 'Ik moet de universiteit bellen.'

Gray nam het bord aan en liet zijn hand even op de hare rusten. 'Misschien moeten we toch nog eens nadenken over die inwonende verpleegster.'

Ze schudde haar hoofd – niet om de noodzaak voor een verpleegster te ontkennen, maar omdat ze het daar niet over wilde hebben. Ze trok haar hand los. Gray was al eerder tegen een muur opgelopen. Zijn vader wilde er niet van horen en zijn moeder vond dat zij verantwoordelijk was voor de zorg voor hem. Maar het trok een zware wissel op zijn moeder, op het hele gezin.

'Wanneer is Kenny voor het laatst geweest?' vroeg hij. Zijn jongere broer deed iets met computers, net over de grens in Virginia. Hij trad in de technische voetsporen van zijn vader, maar dan op computergebied, hij had niets met olie te maken.

'Je weet hoe Kenny is...' zei zijn moeder. 'Wacht, voor je vader doe ik er augurken bij.'

Gray schudde zijn hoofd. De laatste tijd had Kenny het erover naar Cupertino in Californië te verhuizen. Hij gaf daar allerlei redenen voor op, maar Gray kende de waarheid. Zijn broer wilde gewoon weg, hij wilde vluchten. Daar kon Gray inkomen. Zelf was hij ook gevlucht toen hij in het leger ging. Het zou wel in de familie zitten.

Zijn moeder gaf hem de pot met augurken om open te maken. 'Hoe is het op het lab?'

'Goed,' zei hij. Hij draaide het deksel van de pot, viste er een augurk uit en legde die op het bord.

'Ik las dat er bij DARPA flink bezuinigd gaat worden.'

'Mijn baantje staat niet op de tocht,' stelde hij haar gerust. Zijn ouders wisten niet wat hij echt bij Sigma deed. Ze dachten dat het simpel onderzoek voor het leger inhield. Om veiligheidsredenen mochten ze de waarheid niet weten.

Met het bord in de hand zette Gray koers naar de achterdeur.

Zijn moeder keek hem na. 'Hij zal blij zijn je te zien.'

Was dat maar wederzijds, dacht hij.

Gray liep naar de garage achter het huis. Door de open deur hoorde hij de radio, country-and-westernmuziek. Dat riep herinneringen op aan line dancing in de Muleshoe. En andere, minder prettige herinneringen.

In de deuropening bleef hij staan. Zijn vader stond over de werkbank gebogen een stuk hout te schaven dat in de klem zat.

'Pa,' zei hij.

Zijn vader ging rechtop staan en draaide zich om. Hij was net zo lang als Grayson, maar steviger gebouwd, met bredere schouders en een bredere rug. Hij had zijn studie betaald door op de olievelden te werken en was afgestudeerd als petrochemisch ingenieur. Het was hem voor de wind gegaan tot dat ongeluk op een boorstation waarbij hij zijn been tot de knie had verloren. Hij had een schadevergoeding en een invaliditeitsuitkering gekregen, en was op zijn zevenenveertigste gedwongen op te houden met werken.

Dat was vijftien jaar geleden.

De helft van Graysons leven. De nare helft.

'Gray?' vroeg zijn vader. Hij wiste het zweet van zijn voorhoofd en smeerde er daarbij zaagsel op. Hij fronste diep. 'Je had niet helemaal hier hoeven komen.'

'Hoe kan ik je anders sandwiches brengen?' Hij hief het bord op.

'Heeft je moeder die gemaakt?'

'Je weet hoe ze is. Ze heeft haar best gedaan.'

'Dan moet ik ze maar opeten. Dan blijft ze haar best doen.'

Met zijn kunstbeen hobbelde hij stijfjes van de werkbank naar de ijskast tegen de achterwand. 'Biertje?'

'Ik moet straks terug naar mijn werk.'

'Van één biertje ga je niet dood. Ik heb van dat spul van Sam Adams waarop jij zo bent gesteld.'

Zijn vader dronk liever Budweiser of Coors. Maar dat hij Sam Adams in de ijskast bewaarde, was zoiets als een schouderklopje. Misschien zelfs een omhelzing.

Gray kon niet weigeren.

Nadat hij het flesje had aangepakt, gebruikte hij de opener die zat ingebouwd in de werkbank om de dop eraf te krijgen. Zijn vader schuifelde ernaartoe en ging met één bil op een hoge kruk zitten. Hij hief zijn eigen flesje Budweiser op. 'Oud worden vind ik maar niks... Gelukkig bestaat er bier.'

'Daar heb je gelijk in.' Gray nam een forse teug. Hij wist dat alcohol en codeïne niet goed samengingen, maar ach, het was een zware ochtend geweest.

Zijn vader staarde hem aan. De stilte beloofde algauw pijnlijk te worden.

'Zo,' zei Gray. 'Dus je weet de weg naar huis niet meer.'

'Krijg de klere,' reageerde zijn vader gespeeld kwaad. Hij schudde zijn hoofd en grijnsde. Iemand die er geen doekjes om wond kon hij wel waarderen. Recht voor zijn raap, zei hij altijd. 'In ieder geval draai ik verdomme de bak niet in.'

'Dat kun je maar niet vergeten, hè, dat ik in Leavenworth heb gezeten. Dát vergeet je niet.'

Zijn vader hief zijn flesje weer op. 'Dat blijf ik me herinneren zo lang ik maar kan.'

Hun blikken ontmoetten elkaar. In de ogen van zijn vader zag hij iets wat hij daar nooit eerder had gezien. Angst, ondanks zijn praatjes.

Nooit hadden ze goed met elkaar overweg gekund. Na het ongeluk was zijn vader stevig gaan drinken, en dat drinken ging gepaard met zware aanvallen van neerslachtigheid. Voor een Texaan die in de olie zat was het een hele overgang naar het huisvrouwenbestaan, om twee jongens op te voeden terwijl zijn vrouw uit werken ging. Bij wijze van compensatie had hij van het huishouden een soort trainingskamp gemaakt. En Gray ging altijd te ver, een geboren dwarsligger.

Totdat Gray op zijn achttiende zijn biezen pakte en dienst nam in het leger. Midden in de nacht was hij ervandoor gegaan.

Daarna hadden ze twee jaar lang geen woord gewisseld.

Langzaam had zijn moeder hen weer tot elkaar gebracht. Toch was het een ongemakkelijke wapenstilstand gebleven. Ooit had ze gezegd: 'Jullie hebben meer met elkaar gemeen dan dat jullie van elkaar verschillen.' Gray was zich rot geschrokken.

'Ik vind het maar niks,' zei zijn vader zacht, hiermee de stilte verbrekend.

'Dat heb je met Budweiser.' Gray hief zijn flesje op. 'Daarom drink ik uitsluitend Sam Adams.'

Zijn vader grijnsde. 'Je bent een klojo.'

'Jij hebt me opgevoed.'

'En wat ik zeg ben ik zeker zelf?'

'Dat zei ik niet.'

Zijn vader zuchtte. 'Waarom kom je eigenlijk nog hier?'

Omdat ik niet weet hoe lang je me nog blijft herinneren, dacht hij, maar dat durfde hij niet te zeggen. Er waren nog gevoelige plekken, dingen die hij zijn vader nog steeds kwalijk nam. Er waren dingen die hij wilde zeggen, dingen die hij wilde horen. En hij wist dat er niet veel tijd meer was.

'Waar heb je die sandwiches vandaan?' vroeg zijn vader met volle mond. 'Ze zijn lekker.'

Gray hield zijn gezicht in de plooi. 'Ma heeft ze gemaakt.'

Even leek zijn vader in verwarring gebracht. 'O... Ja.'

Weer ontmoetten hun blikken elkaar. Weer die angst in de ogen van zijn vader... En schaamte. Vijftien jaar geleden had hij gedeeltelijk afstand moeten doen van zijn rol als man en nu stond zijn rol als mens op het spel.

'Pa, ik...'

'Drink je bier nou maar.' Er klonk iets van de vertrouwde woede in zijn vaders stem door, en Gray schrok daar instinctief voor terug.

In stilte dronken ze hun bier, geen van beiden in staat iets te zeggen. Misschien had zijn moeder gelijk en leken ze te sterk op elkaar.

Uiteindelijk ging de pieper aan zijn riem. Gray pakte die iets te snel. Hij zag het nummer van Sigma.

'Mijn werk,' mompelde hij. 'Ik... ik heb vanmiddag een vergadering.'

Zijn vader knikte. 'Ik moet verder met dat vervloekte nestkastje.'

Ze schudden elkaar de hand, niet op hun gemak, twee tegenstanders in een patstelling.

Gray liep terug naar het huis, nam afscheid van zijn moeder en stapte op de fiets. Snel reed hij naar het metrostation. Het telefoonnummer op de display van zijn pager werd gevolgd door een alfanumerieke code.

Σ911.

Een noodgeval.

Gelukkig.

17:03

VATICAANSTAD

De zoektocht naar de waarheid met betrekking tot de drie Wijzen was een nauwgezette archeologische opgraving geworden – maar in plaats van stenen en zand naar de oppervlakte te brengen, ploegden monseigneur Verona en zijn team van archivarissen door oude boeken en perkamenten. De *scrittori* waren in de Vaticaanse bibliotheek met het graafwerk begonnen, en op zoek naar aanwijzingen over de Wijzen ging Vigor nu met de stofkam door de resultaten, in een van de best bewaakte gedeelten van het Vaticaan: de Archivo Segretto Vaticano, de beruchte geheime archieven.

Vigor liep het langgerekte ondergrondse vertrek door. Lampen floepten aan wanneer hij die naderde en gingen weer uit wanneer hij er voorbij was, zodat zijn jonge student Jacob en hij altijd in het licht liepen. Ze liepen door de *carbonile* of bunker, waar de manuscripten lagen opgeslagen. De betonnen zaal was in 1980 gebouwd en was twee verdiepingen hoog. De vloeren van de verdiepingen bestonden uit metalen rasters en waren door steile trappen met elkaar verbonden. Aan de ene kant bevonden zich kilometerslange metalen planken waarop de *regestra* stonden; ingebonden perkamenten of papieren. Aan de andere kant waren dezelfde metalen planken, maar dan afgesloten met deuren met spijltjes ervoor om het gevoelige materiaal te beschermen.

Er bestond een gezegde over het Vaticaan: er waren te veel geheimen, en tegelijkertijd niet genoeg. Vigor betwijfelde dat laatste terwijl hij door de enorme opslagruimte beende. Er werd te veel geheimgehouden, ook voor hem.

Jacob had een laptop bij zich waarop hij de gegevens bijhield. 'Dus er waren niet maar drie Wijzen?' vroeg hij terwijl ze op weg waren naar de uitgang van de bunker.

Ze waren hier om een foto digitaal te maken van een vaas die zich momenteel in het Kircher Museum bevond. Daar stonden niet drie, maar acht koningen op afgebeeld. Maar ook dat aantal kende variaties. Op een schildering in de crypte van de Sint-Pieter stonden er twee, en in een crypte in Domitilla vier.

'In de evangeliën wordt het aantal Wijzen niet specifiek genoemd,' antwoordde Vigor. Hij begon moe te worden na deze lange dag. Hij vond het prettig om hardop te denken en was fervent aanhanger van de socratische methode. 'Alleen in het evangelie van Mattheus worden ze genoemd, en dan nog maar vaag. Men neemt algemeen aan dat het er drie waren omdat de Wijzen met drie geschenken kwamen: goud, wierook en mirre. Misschien zijn het zelfs geen koningen geweest. In het Grieks worden ze *magoi* genoemd, magiërs.'

'Waren het tovenaars?'

'Niet zoals je denkt. Het woord magoi betekent niet zozeer beoefenaars van de toverkunst, maar eerder mensen die kennis van verborgen wijsheid hebben. Vandaar dat ze ook de Wijzen worden genoemd. De meeste bijbelvorsers denken nu dat het zoroastrische sterrenwichelaars waren, afkomstig uit Perzië of Babylonië. Ze zagen in de sterren dat er in het westen een koning zou komen en die komst werd voorspeld door een hemelverschijnsel.'

'De ster van Bethlehem.'

Hij knikte. 'In tegenstelling tot wat je op schilderijen ziet, was die ster geen opvallend verschijnsel. Volgens de bijbel is het niemand in Jeruzalem opgevallen. Dat gebeurde pas toen de Wijzen bij koning Herodes kwamen en het onder zijn aandacht brachten. De Wijzen dachten dat als er in de sterren stond geschreven dat er een koning zou worden geboren, dat in een koninklijke familie zou plaatsvinden. Maar koning Herodes schrok toen hij ervan hoorde en vroeg hun wanneer ze die ster hadden zien opkomen. Daarna raadpleegde hij de heilige Hebreeuwse profetieën om uit te vinden waar de geboorteplek van die koning kon zijn. Hij stuurde de Wijzen naar Bethlehem.'

'Dus Herodes zei waar ze naartoe moesten.'

'Ja, hij stuurde ze als zijn spionnen. Pas onderweg naar Bethlehem verscheen volgens Mattheus de ster weer en leidde de Wijzen naar het kindeke. Vervolgens waarschuwde een engel hen, en ze vertrokken zonder Herodes te vertellen wie of waar het kindeke was. En dat leidde tot de kinderenmoord.'

Het kostte Jacob moeite hem bij te houden. 'Maar Maria, Jozef en het kindeke waren toen al naar Egypte gevlucht, de engel waarschuwde hen ook. Wat is er toen met de Wijzen gebeurd?'

'Tja...' Vigor had het afgelopen uur gnostische en apocriefe teksten doorgenomen waarin de Wijzen werden genoemd, van het proto-evangelie van Johannes tot het Boek van Seth. Was het gebeente gestolen met een ander motief dan gewoon geld? In hun jacht op de daders kon kennis hun beste wapen zijn.

Vigor keek op zijn horloge. Er was nog maar weinig tijd, maar de prefect van de archieven zou verder zoeken en samen met Jacob de database uitbreiden, en Jacob zou hen via e-mail van het verloop van het onderzoek op de hoogte houden.

'En de namen van de Wijzen dan?' vroeg Jacob. 'Caspar, Melchior en Balthazar?'

'Puur giswerk. Die namen verschijnen voor het eerst in de zesde eeuw, in het *Excerpta Latina Barbari*. De andere verwijzingen zijn tot dit geschrift te herleiden, maar ik denk dat het eerder sprookjes zijn dan feiten. Maar toch, het kan de moeite lonen erop door te gaan. Dat moeten prefetto Alberto en jij maar onderzoeken.'

'Ik doe mijn best.'

Vigor fronste. Het was een zware taak. Maar aan de andere kant, wat was de zin van dit alles? Waarom het gebeente van de Wijzen stelen?

Het antwoord ontging hem. En Vigor was er niet zeker van dat de waarheid op de vijftig kilometer planken van de geheime archieven zou worden gevonden. Maar één aanwijzing hadden ze al gevonden. Of het waar was of niet, in de verhalen over de Wijzen werd gezinspeeld op een enorme verborgen kennis, slechts bekend onder een bepaalde sekte van magiërs.

Wie waren dat? Waren het tovenaars, sterrenwichelaars of priesters?

Vigor liep langs de kamer waar de perkamenten werden bewaard en ving de geur op van insecticide en schimmelwerende middelen. Kennelijk was er net gespoten. Vigor wist dat sommige van de zeldzame documenten in het vertrek rood kleurden ten gevolge van een resistente paarse schimmel en dat ze gevaar liepen voor eeuwig verloren te gaan.

Er werd hier zo veel bedreigd... En de bedreiging bestond niet alleen uit brand, schimmels of verwaarlozing, maar ook uit de hoeveelheid op zich. Slechts de helft van wat hier werd bewaard was gearchiveerd. En elk jaar kwam er meer bij, een stortvloed van geschriften van Vaticaanse ambassadeurs, bisdommen en parochies.

Het was onmogelijk dat allemaal bij te houden.

De geheime archieven groeiden als een voortwoekerend kankergezwel, ze zaaiden zich uit vanuit de oorspronkelijke vertrekken naar oude zolders, ondergrondse crypten en lege torenkamers. Vigor was een half jaar bezig geweest met het bestuderen van de dossiers van Vaticaanse spionnen uit het verleden en van vandaag de dag, agenten die over de hele wereld hoge regeringsfuncties bekleedden. Veel van de teksten in de dossiers waren in code en bevatten verslagen van politieke intriges die meer dan duizend jaar omspanden.

Vigor wist dat het Vaticaan zowel een politieke als een geestelijke macht was, en dat vijanden uit beide kampen uit waren op het ondermijnen van de macht van de Heilige Stoel. Zelfs heden ten dage. Geestelijken als Vigor stonden tussen het Vaticaan en de buitenwereld in. In het geheim waren ze strijders, verdedigers van het fort. En ook al was Vigor het soms niet eens met hoe er in het verleden of zelfs in het heden was gehandeld, zijn geloof bleef rotsvast, net als het Vaticaan.

Hij was trots op het feit dat hij in dienst van het Vaticaan was.

Keizerrijken kwamen tot bloei en raakten in verval. Filosofische stromingen kwamen en gingen. Maar het Vaticaan bleef, dat trotseerde alle stormen. Het was geschiedenis, tijd en geloof in steen uitgedrukt.

Hier, in de afgesloten kluizen en kasten van het archief, werden de kostbaarste schatten ter wereld bewaard, in de kabinetten van donker hout die *armadi* werden genoemd. In een van de laden bevond zich de brief die Maria Stuart had geschreven op de dag dat ze werd onthoofd; in een andere lagen de liefdesbrieven die koning Hendrik VIII en Anna Boleyn hadden uitgewisseld. Er waren documenten die verband hielden met de inquisitie, met heksenprocessen, met de kruistochten. Er waren brieven van een kan uit Perzië en van een keizerin uit de Ming-periode.

Maar wat Vigor zocht werd niet zo streng bewaakt.

Je moest er alleen flink voor klimmen.

Er was nog één aanwijzing die hij wilde natrekken voordat hij met Rachel naar Duitsland ging.

Vigor bereikte het liftje naar de verdiepingen boven het archief, naar de *piani nobili*, de staatsievertrekken. Hij hield de deur voor Jacob open, deed die achter hem dicht en drukte op het knopje. Sidderend en bokkend steeg de liftkooi omhoog.

'Waar gaan we heen?' vroeg Jacob.

'Naar de Torre dei Venti.'

'Waarom?'

'Daar wordt een oud document bewaard. Een kopie van *Il Milione* uit de zestiende eeuw.'

'Het reisverslag van Marco Polo?'

Hij knikte terwijl de lift hortend en stotend tot stilstand kwam. Ze stapten een lange gang in.

Jacob deed zijn best Vigor bij te houden. 'Wat hebben de avonturen van Marco Polo met de Wijzen te maken?'

'In dat boek verhaalt hij van mythen uit het oude Perzië die in verband staan met de Wijzen en wat er van hen is geworden. Het draait om een geschenk dat ze het Christuskind hebben aangeboden. Een steen met immense macht. Door het geven van die steen hebben de Wijzen naar verluidt een mystieke broederschap van mysterieuze wijsheid opgericht. Ik wil die mythe natrekken.'

De gang kwam uit op de Torre dei Venti. De verlaten vertrekken in deze toren waren bij het geheime archief getrokken. Helaas bevond het vertrek waar Vigor moest zijn zich helemaal boven. Hij vloekte omdat er geen lift was en liep het donkere trappenhuis in.

Omdat hij zijn adem nodig had voor de lange klimpartij, hield hij op met doceren. De wenteltrap kronkelde zich hoger en hoger. In stilte beklommen ze die totdat de trap uitkwam op een van de bijzonderste vertrekken van het Vaticaan.

De Specula Vaticana.

Jacob keek omhoog naar de fresco's op de muren van het ronde vertrek en op het gewelfde plafond, waarop voorstellingen uit de bijbel waren afgebeeld met daarboven cherubijntjes en wolkenpartijen. Door een ronde opening in de muur ter grootte van een muntje viel een straaltje zonlicht naar binnen waarin stofjes dansten. De lichtstraal viel op de marmeren vloer die was ingelegd met de tekens van de dierenriem. Een streep die de meridiaan voorstelde liep recht over de vloer. Dit vertrek was het zestiende-eeuwse zonneobservatorium waar de Gregoriaanse kalender was opgesteld. Hier had Galileo zijn stelling geprobeerd te verdedigen dat de aarde rond de zon draaide.

Helaas was hij daar niet in geslaagd – een absoluut dieptepunt in de verhouding tussen de rooms-katholieke Kerk en de wetenschap. Sindsdien had de Kerk haar kortzichtigheid van toen geprobeerd goed te maken.

Vigor nam even de tijd om na de lange klim op adem te komen. Hij wiste het zweet van zijn voorhoofd en stuurde Jacob naar de kamer naast de Specula Vaticana. Daar stond een gigantische boekenkast tegen de achterwand, vol boeken en ingebonden registra.

'Volgens de catalogus moet het boek dat we zoeken op de derde plank staan.'

Jacob liep de kamer in en beroerde daarbij het kabeltje dat over de drempel was gespannen.

Vigor hoorde het knappen. Er was geen tijd om Jacob te waarschuwen.

De bom ontplofte en Jacob werd uit de deuropening geblazen, tegen Vigor aan.

Ze vielen achterover terwijl een muur van vuur op hen af raasde en over hen heen rolde als de zwavelige adem van een draak.

4

STOF

De missie had code rood, zwart en zilver gekregen. Directeur Painter Crowe schudde zijn hoofd. De een of andere bureaucraat had met zijn doos kleurpotloden gespeeld.

Al die codes betekenden maar één ding: er mocht niet worden gefaald. Wanneer de nationale veiligheid in het geding was, bestond er geen tweede plaats, geen zilveren medaille.

Painter zat achter zijn bureau en las het verslag door van degene die de operaties plande. Alles leek in orde. Iedereen was nagetrokken, de codes voor de safe houses waren geüpdatet, het materiaal was gecontroleerd, de schema's van de satellieten waren gecoördineerd en duizend andere dingen geregeld. Hij liet zijn vinger langs de geraamde kosten gaan. Volgende week had hij een budgetbespreking met de gezamenlijke stafchefs.

Hij wreef in zijn ogen. Dit was dus nu zijn leven: papierwerk, spreadsheets en veel stress. Het was een zware dag geweest. Eerst die aanslag door het Gilde en nu een internationale operatie. Toch had het iets opwindends, deze nieuwe uitdaging en verantwoordelijkheid. Hij had Sigma van de oprichter geërfd, van Sean McKnight die nu directeur van DARPA was. Painter wilde zijn mentor niet teleurstellen. De hele ochtend hadden ze de aanslag op Fort Detrick en de op stapel staande missie besproken, ze hadden strategieën uitgezet, net als vroeger. Painters keuze voor de teamleider had Sean verrast, maar de beslissing lag bij hem.

Dus kon de missie van start gaan.

Alleen de agenten moesten nog worden ingelicht. Om twee uur 's middags vertrok het vliegtuig. Veel tijd was er niet meer. Een privé-straal-vliegtuig werd al volgetankt en ingeladen op Dulles, met medewerking van Kensington. Olie, de perfecte dekmantel. Dat laatste had Painter zelf bedacht, hij had een beroep gedaan op lady Kara Kensington. Het had haar plezier gedaan dat ze Sigma weer kon helpen. 'Kunnen jullie Amerikanen nu helemaal niets zelf?' had ze plagend gevraagd.

De intercom op zijn bureau piepte.

Hij drukte op het knopje. 'Ja?'

'Directeur Crowe, hier zijn dr. Kokkalis en dr. Bryant.'

'Laat hen binnen.'

Er klonk een belletje toen de deur van het slot ging. Monk hield de deur voor Kathryn Bryant open. De vrouw was een kop groter dan de stevige ex-marinier en bewoog met katachtige gratie. Haar schouderlange kastanjebruine haar zat in een vlecht die net zo degelijk was als haar kleding; een marineblauw pakje met een witte blouse en leren pumps. Het enige wat een beetje sjeu gaf was de speld op haar revers, een kikkertje van goud en groen email. Paste goed bij haar groene ogen.

Painter wist waarom ze die gouden speld droeg. Het kikkertje was een geschenk van het duikteam van de marine waarvan ze voor een verkenningsoperatie deel had uitgemaakt. Ze had twee teamleden gered, waarbij ze had laten zien dat ze met een dolk kon omgaan. Maar een derde teamlid was nooit teruggekomen. Ze droeg de speld als herinnering aan hem. Painter vermoedde dat er meer achter stak, maar dat stond allemaal niet in het dossier.

'Ga zitten,' zei Painter terwijl hij hen met een knikje verwelkomde. 'Waar is commandant Pierce?'

Monk verschoof op zijn stoel. 'Gray... Er was een spoedgeval in de familie van commandant Pierce. Hij is net terug, hij zal zo wel komen.'

Hij dekt hem, dacht Painter. Dat was goed. Het was een van de redenen waarom hij Monk Kokkalis voor deze missie had uitgekozen, samen met Grayson Pierce. Ze vulden elkaar aan – maar nog belangrijker was dat ze qua karakter bij elkaar pasten. Monk kon nogal rechtlijnig zijn en volgens het boekje handelen, terwijl Grayson veel inventiever was. En toch luisterde Grayson naar Monk, meer dan naar wie ook bij Sigma. Monk wist Gray af te remmen. Monks grapjes waren net zo overtuigend als een goed gebracht argument. Ze vormden een prima koppeltje.

Aan de andere kant...

Het viel Painter op dat Kat Bryant nog recht overeind zat. Ze was niet nerveus, meer op haar hoede, met een spoor van opwinding. Ze straalde zelfvertrouwen uit, misschien wel te veel. Hij had besloten haar bij deze missie te betrekken omdat ze ervaring bij de inlichtingendienst had, niet zozeer omdat ze technische wetenschappen studeerde. Ze was op de hoogte van de protocollen van de EU, vooral van het gebied rond de Middellandse Zee. Ze was bekend met micro-elektronische bewaking en contraspionage. Maar wat de doorslag gaf was dat ze contact had met een van de agenten in het Vaticaan, en dat deze agent, monseigneur Verona, mede aan het hoofd van dit onderzoek zou staan. Ze hadden samengewerkt tijdens het opsporen van een internationaal opererende bende kunstrovers.

'We kunnen het papierwerk wel doen terwijl we op commandant Pierce wachten.' Painter overhandigde Bryant en Kokkalis ieder een dik dossier met een zwarte omslag. Het derde bleef liggen voor Pierce.

Monk keek naar de zilveren Σ op het omslag.

'Hierin staan de verdere details voor deze operatie.' Painter tikte op het touch screen in zijn bureaublad. De drie Sony flatscreens – een achter hem, eentje links van hem en eentje rechts – veranderden van beeld; het berglandschap maakte plaats voor eenzelfde zilveren Σ. 'Ik geef zelf de instructies in plaats van de gebruikelijke persoon.'

'De informatie is niet bij iedereen bekend,' zei Kat zacht. Ze sprak met een zuidelijk accent, maar Painter wist dat ze indien nodig ook accentloos kon spreken. 'Vanwege de verrassingsaanval.'

Painter knikte. 'Onze veiligheidsprotocollen worden doorgelicht, tot dat is gebeurd, wordt de informatie achtergehouden.'

'Maar we krijgen dus wel al een nieuwe opdracht?' vroeg Monk.

'We hebben geen keus. De opdracht komt van...'

Weer piepte de intercom. Painter drukte op het knopje.

'Directeur Crowe,' zei zijn secretaresse, 'hier is dr. Pierce.'

'Stuur maar door.'

Het belletje ging en Grayson Pierce kwam binnen. Hij droeg een zwarte spijkerbroek met zwartleren schoenen en een gesteven wit overhemd. Zijn haar zat plat, nog nat van de douche.

'Sorry,' zei hij terwijl hij tussen de twee agenten bleef staan. Maar de harde blik in zijn ogen verried dat hij nergens spijt van had. Hij hield zijn rug recht, voorbereid op een reprimande.

Die verdiende hij ook. Nadat hij de veiligheidsvoorschriften aan zijn laars had gelapt, paste het hem niet een lange neus naar zijn meerderen te maken. Maar bij Sigma werd een beetje insubordinatie getolereerd. Deze mannen en vrouwen waren het neusje van de zalm. Je kon niet verwachten dat ze in het veld onafhankelijk handelden en zich vervolgens schikten in het totalitaire systeem. Het was niet makkelijk dit alles in evenwicht te houden.

Painter keek Grayson strak aan. Omdat de veiligheidsvoorschriften waren aangescherpt, was Painter op de hoogte van het dringende telefoontje van Graysons moeder, en ook van het feit dat Grayson zich had uitgeklokt. Grayson hield zich goed, maar Painter zag dat de man doodmoe was. Lag dat aan de verrassingsaanval of aan de situatie bij hem thuis? Was hij fit genoeg voor deze nieuwe opdracht?

Grayson verbrak het oogcontact niet. Hij wachtte rustig af.

Deze bespreking was niet alleen maar bedoeld om instructies te geven. Het was ook een test.

Painter gebaarde naar een stoel. 'Je familie is belangrijk,' zei hij. 'Maar zorg dat te laat komen geen gewoonte wordt.'

'Begrepen, sir.' Grayson nam plaats. Zijn ogen schoten van de *flatscreen* monitors naar de dossiers op de schoot van zijn collega's. Hij fronste zijn wenkbrauwen. Hij was van slag omdat hij geen uitbrander had gekregen. Mooi zo.

Painter schoof het derde dossier in Graysons richting. 'Ik wilde jullie net jullie instructies geven.'

Grayson pakte het dossier op. In de war gebracht kneep hij zijn ogen tot spleetjes, maar zei niets.

Painter leunde naar achteren en tikte op het scherm op zijn bureau. Op de monitor links verscheen het beeld van een gotische kathedraal, een buitenopname. Rechts verscheen een binnenopname. Overal lagen lijken. Painter wist dat achter hem het beeld verscheen van een altaar met bloedvlekken erop, met daarnaast in krijt de contouren van de plek waar de vermoorde priester had gelegen. Vader Georg Breitman.

Painter zag de agenten de beelden bestuderen.

'De slachting in Keulen,' zei Kat Bryant.

Painter knikte. 'Die vond plaats tegen het einde van een nachtmis ter ere van de Wijzen uit de bijbel. Vijfentachtig slachtoffers. Het motief lijkt gewoon roof te zijn. De kostbare reliekschrijn is opengemaakt.' Painter liet een paar beelden van de gouden schrijn en de versplinterde vitrine eromheen zien. 'Alleen de inhoud van de schrijn is gestolen, het vermoedelijke gebeente van de Wijzen.'

'Botten?' vroeg Monk. 'Ze laten een kist van massief goud staan en grissen een paar botten mee? Wie doet nou zoiets?'

'Dat is nog niet bekend. Er was slechts één overlevende van de slachting.' Painter vertoonde de beelden van een jongeman die op een brancard werd weggedragen, en dezelfde jongeman in een ziekenhuisbed, zijn ogen wijdopen van de schrik, maar met een glazige blik. 'Jason Pendleton. Amerikaan, tweeëntwintig jaar oud. Hij werd verstopt in een biechthokje gevonden. Eerst was hij nauwelijks aanspreekbaar, maar na een flinke hoeveelheid kalmerende middelen was hij in staat verslag uit te brengen. De daders waren gekleed als monniken. Hun gezichten kon hij niet herkennen. Ze bestormden de kathedraal bewapend met geweren. Een aantal mensen is neergeschoten, onder wie de priester en de aartsbisschop.'

Er verschenen meer beelden op de schermen: kogelwonden, nog meer krijtcontouren, een spinnenweb van rode draden om de banen van de projectielen aan te geven. Het zag eruit als een heel normale plaats delict, alleen met een bijzondere achtergrond.

'Wat heeft Sigma hiermee te maken?' vroeg Kat.

'Er waren nog meer sterfgevallen. Onverklaarbare sterfgevallen. Om bij de schrijn te kunnen, gebruikten de overvallers iets wat niet alleen het metaal van de kogelwerende vitrine vernielde, maar volgens de overlevende zaaide dat ook dood en verderf door de hele domkerk.'

Painter toetste een code in. Op de drie schermen verschenen beelden van een aantal lijken. De agenten keken er uitdrukkingsloos naar. Ze hadden vaak genoeg lijken gezien. De lichamen lagen in rare houdingen, de hoofden naar achteren. Er was ook een close-up van een gezicht bij. De ogen open, de pupillen glazig en uit de ooghoeken donkere sporen van bloederige tranen. De lippen waren opgetrokken, verstard in helse pijnen, de tanden ontbloot, met bloedend tandvlees. De tong was opgezwollen en gebarsten, en aan de randen geblakerd.

Monk, met zijn medische opleiding, ging rechtop zitten en keek geconcentreerd. Hij speelde dan wel de grappenmaker, maar er ontging hem niets.

'Het verslag van de lijkschouwer vinden jullie in het dossier,' zei Painter. 'De voorlopige conclusie is dat de slachtoffers zijn gestorven aan een soort epileptische aanval. Stuipachtige samentrekkingen gekoppeld aan oververhitting. De lichaamstemperatuur liep tot grote hoogte op met als resultaat dat de hersenen aan de buitenkant smolten. De harten van alle slachtoffers waren volledig samengetrokken, zo stevig dat er geen bloed in de kamers werd aangetroffen. De pacemaker van iemand is in zijn borst ontploft. Een vrouw met een stalen pin in haar dijbeen werd uren later aangetroffen met haar been nog in brand. Het smeulde van binnenuit.'

De agenten hielden hun gezicht in de plooi, maar Monk had zijn ogen tot spleetjes geknepen en Kat zag bleek. Zelfs Grayson staarde iets te strak naar de beelden, zonder met zijn ogen te knipperen.

Toch was Gray de eerste die iets zei: 'En weten we zeker dat hun dood te maken heeft met het apparaat waarvan de overvallers gebruikmaakten?'

'Heel zeker. De overlevende zegt dat hij een enorme druk in zijn hoofd voelde toen het explosief afging. Hij beschreef het als het gevoel dat je in een landend vliegtuig krijgt. Hij voelde het in zijn oren. Alle sterfgevallen vonden tegelijkertijd plaats.'

'Maar Jason overleefde het,' zei Kat nadat ze diep adem had gehaald.

'Anderen overleefden het ook. Maar die werden vervolgens door de daders in koelen bloede doodgeschoten.'

Monk schoof onrustig heen en weer. 'Dus sommigen stierven eraan en anderen niet. Waarom? Wat hadden degenen die al stuiptrekkend stierven gemeen?'

'Ze hadden één ding gemeen. Zelfs Jason Pendleton was dat opgevallen. De enigen die een epileptische aanval kregen, waren degenen die ter communie waren gegaan.'

Monk knipperde met zijn ogen.

'En daarom heeft het Vaticaan contact opgenomen met de Amerikaanse autoriteiten. En toen kregen wij de zaak op ons bord.'

'Het Vaticaan,' zei Kat.

Painter zag aan haar ogen dat ze het begreep. Nu snapte ze waarom zij was uitgekozen voor deze opdracht en haar doctoraalstudie even moest afbreken.

Painter ging verder: 'Het Vaticaan is bang voor de gevolgen wanneer bekend wordt dat de een of andere groep het op de communie heeft begrepen. Waarschijnlijk vergiftigden ze de hostie. Het Vaticaan wil zo spoedig mogelijk een antwoord, ook al houdt dat in dat internationale wetten moeten worden overtreden. Jullie team gaat samenwerken met twee agenten die aan de Heilige Stoel zijn verbonden. Zij onderzoeken of al deze sterfgevallen zijn bedoeld om de aandacht af te leiden van de diefstal van het gebeente van de Wijzen. Was het een symbolisch gebaar? Of steekt er meer achter?'

'En wat is ons uiteindelijke doel?' vroeg Kat.

'Uit te zoeken wie achter dit misdrijf zit en waarvan ze gebruik hebben gemaakt. Als je zo veel mensen op zo'n doelgerichte manier kan doden, moeten we weten met wie we te maken hebben.'

Grayson had tot nu toe gezwegen terwijl hij met klinische afstandelijkheid naar de gruwelijke beelden keek. 'Binair vergif,' mompelde hij uiteindelijk.

Painter ontmoette zijn blik. Hun ogen leken op elkaar, een heftig blauw.

'Wat?' vroeg Monk.

'De sterfgevallen,' zei Grayson tegen Monk. 'Die zijn niet aan één enkele oorzaak te wijten. Er moeten twee oorzaken zijn, een intrinsieke en een extrinsieke factor. Het apparaat – de extrinsieke factor – veroorzaakte de massale stuiptrekkingen. Maar alleen degenen die de communie hadden ontvangen reageerden erop. Dus moet er een tot nu toe onbekende intrinsieke factor zijn.'

Grayson richtte zich tot Painter. 'Is er tijdens de communie ook wijn uitgedeeld?'

'Alleen aan een handjevol kerkgangers. Maar die kregen ook een hostie.' Painter wachtte, hij zag bijna de radertjes in Graysons hoofd draaien en hem tot een conclusie komen die de experts pas na veel langere tijd hadden bereikt. Er was meer dan Graysons lef dat ervoor had gezorgd dat Painter uitgerekend op hem zijn oog had laten vallen.

'De hostie moet zijn vergiftigd,' zei Grayson. 'Een andere verklaring is er niet. De slachtoffers hebben iets binnengekregen toen ze de hostie doorslikten. Eenmaal besmet waren ze ontvankelijk voor wat er door het apparaat in gang is gezet.' Weer ontmoette Grayson Painters blik. 'Is er onderzocht of er met de hostie is geknoeid?'

'Er was in de magen van de slachtoffers niet genoeg van overgebleven om alles precies te analyseren, maar er zijn nog genoeg hosties over die tijdens de dienst werden gebruikt. Die zijn naar laboratoria in de hele EU verstuurd.'

'En?'

De vermoeide blik was uit Graysons ogen verdwenen, hij keek nu uiterst geconcentreerd. Kennelijk was hij fit genoeg. Maar de test was nog niet afgelopen.

'Er is niets aangetroffen,' antwoordde Painter. 'De analyse bracht niets anders aan het licht dan tarwebloem, water en de gebruikelijke bakkersingrediënten die aan ongedesemd brood worden toegevoegd.'

Graysons frons verdiepte zich. 'Onmogelijk.'

Painter hoorde hoe koppig dat klonk, strijdlustig. Dit was iemand die ervan overtuigd was dat hij het bij het rechte eind had.

'Er moet toch iets zijn,' hield Grayson vol.

'In het lab van DARPA is ook onderzoek verricht. Met hetzelfde resultaat.'

'Dan zitten ze er mooi naast.'

Monk gebaarde dat hij niet zo hard van stapel moest lopen.

Kat sloeg haar armen over elkaar. 'Er moet een andere verklaring zijn voor...'

'Nonsens,' viel Grayson haar in de rede. 'De laboratoria zitten ernaast.'

Painter onderdrukte een lachje. Hier kwam de leidersfiguur naar voren: een scherpe geest, vol zelfvertrouwen, bereid te luisteren, maar niet makkelijk om te praten wanneer hij overtuigd was van zijn gelijk.

'Je hebt gelijk,' zei Painter uiteindelijk.

Monk en Kat sperden hun ogen verrast open, maar Grayson leunde naar achteren.

'Onze laboratoria hebben iets aangetroffen.'

'Wat dan?'

'Ze hebben het monster droog gedistilleerd tot het uiteenviel in de afzonderlijke componenten en daaruit alle organische stoffen gesepareerd. Vervolgens hebben ze alle sporenelementen verwijderd die de spectrometer aanwees. Maar nadat alles was weggestreept, hielden ze nog een kwart van het droge gewicht van de hostie over. Een wittig poeder.'

'Ik snap het niet,' zei Monk.

Grayson legde het uit. 'Het overgebleven poeder is niet geregistreerd door de apparatuur waarmee de hostie werd geanalyseerd.'

'Onmogelijk,' zei Monk. 'We beschikken over het beste instrumentarium ter wereld.'

'En toch werd het niet waargenomen.'

'De poederachtige substantie moet volledig inert zijn,' zei Grayson.

Painter knikte. 'De jongens van het lab hebben het verder onderzocht. Ze hebben het tot het smeltpunt verhit, 1160 graden. Na het smelten verkregen ze een heldere vloeistof en toen de temperatuur daalde, verhardde die tot doorzichtig, amberkleurig glas. Fijngestampt in de vijzel leverde dat weer het witte poeder op. Maar in ieder stadium was het inert en niet waarneembaar door moderne apparatuur.'

'Welke stof beschikt over die eigenschappen?' vroeg Kat.

'Iets wat we allemaal kennen, maar in een staat die pas een paar decennia geleden is ontdekt.' Painter liet een nieuw beeld verschijnen. Een koolstofelektrode in een inerte gaskamer. 'Een van de technici heeft op Cornell University gewerkt, waar deze test is ontwikkeld. Ze hebben het poeder gedeeltelijk laten verdampen en tegelijkertijd een emissiespectroscopie uitgevoerd. Met een galvaniseerproces konden ze het poeder harden tot de meer gebruikelijke staat.'

Hij klikte het laatste beeld aan. Dat was een close-up van de zwarte elektrode, alleen was die niet meer zwart. 'Het is ze gelukt de omgezette stof te laten hechten aan de koolstofstaaf.'

De zwarte elektrode met het laagje erop glansde in het licht, schitterend en onmiskenbaar.

Grayson boog zich naar voren. 'Goud.'

De loeiende sirene deed pijn aan Rachels oren. Ze zat naast de bestuurder in de patrouillewagen van de carabinieri, met blauwe plekken en bonkende hoofdpijn. Met haast kille zekerheid wist ze dat oom Vigor dood was. Haar keel voelde dichtgeknepen van angst.

Ze was er zich maar half van bewust dat de bestuurder iets in zijn portofoon zei. Deze auto was het eerst ter plekke geweest nadat ze in haar auto was klemgereden. Medische verzorging had ze geweigerd, ze had op haar strepen gestaan en de man bevolen haar naar Vaticaanstad te brengen.

De auto bereikte de brug over de Tiber. Rachel tuurde naar haar plek van bestemming. Over het water rees de koepel van de Sint-Pieter op. De ondergaande zon kleurde die zilver en goud. Maar toen ze zag wat er achter de basiliek opsteeg, ging ze overeind zitten en klemde zich met beide handen aan het dashboard vast.

Zwarte rook rees kolkend in de indigoblauwe lucht op.

'Oom Vigor...'

Ze hoorde de sirenes loeien van brandweerwagens en andere hulpdiensten die langs de rivier raasden.

Ze greep de bestuurder bij de arm. Het liefst had ze hem weggeduwd en het stuur van hem overgenomen. Maar daarvoor was ze nog niet genoeg van de schrik hersteld. 'Kunt u niet harder?'

Carabiniere Norre knikte. Hij was jong en werkte nog niet lang bij de carabinieri. Hij droeg het zwarte uniform met de rode band op de broekspijpen en een lichte riem dwars over de borst. Hij gooide het stuur om en reed het trottoir op om langs een opstopping te komen. Hoe dichter ze bij Vaticaanstad kwamen, des te vaster kwam het verkeer te zitten omdat de toestromende hulpdiensten alles blokkeerden.

'Naar de Porta Sant'Anna,' beval ze.

Hij schoot een steegje in en even later waren ze maar drie blokken van de Porta Sant'Anna af. Het was meteen duidelijk wat er in brand stond. Achter de muren van Vaticaanstad was de Torre dei Venti het op een na hoogste punt van het stadstaatje. De vlammen sloegen uit de bovenste verdieping alsof het een stenen fakkel was geworden.

O nee...

In de toren werd een gedeelte van het Vaticaans archief bewaard. Ze wist dat haar oom in de bibliotheken van het Vaticaan snuffelde. Na de aanval op haar kon deze brand geen toeval zijn.

Plotseling trapte de bestuurder op de rem zodat Rachel naar voren schoot in haar autogordel. Ze rukte haar blik los van de in vuur en vlam staande toren.

Ze zaten in een verkeersfuik.

Rachel kon niet wachten. Ze rukte het portier open en stapte uit.

Halverwege het uitstappen werd ze bij de schouder gegrepen. 'Tenente Verona,' zei carabiniere Norre. 'Hier. Dit kan nog van pas komen.'

Ze staarde naar het zwarte pistool, een Beretta 92, zijn dienstpistool. Met een dankbaar knikje nam ze het aan. 'Waarschuw het bureau. Laat generaal Rende van het TPC weten dat ik weer in Vaticaanstad ben. Hij kan me via het secretariaat bereiken.'

Hij knikte. 'Wees voorzichtig, tenente.'

Terwijl van alle kanten sirenes loeiden, ging Rachel te voet op pad. Ze stopte het pistool in haar riem en trok haar bloesje uit de broekband zodat dat over haar Beretta hing. Omdat ze niet in uniform was, was het beter als niemand zag dat ze tijdens een noodsituatie gewapend rondrende.

Overal dromden nieuwsgierigen samen. Het was zo druk op de stoep dat Rachel maar tussen de stilstaande auto's op straat door rende en zelfs over een motorkap moest klimmen om verder te kunnen. Voor zich uit zag ze een rode brandweerwagen door de Porta Sant'Anna manoeuvreren. Het ging maar net. De Zwitserse Garde vormde aan beide zijden een afzetting. Ze hadden geen hellebaarden in de hand, maar geweren.

Rachel drong zich naar voren, naar waar de gardisten stonden.

'Luitenant Verona van de carabinieri!' schreeuwde ze, haar hand met haar identiteitsbewijs hoog in de lucht. 'Ik moet naar kardinaal Spera!'

Hun gezichten bleven onbewogen en hard. Kennelijk was hun opgedragen alle ingangen naar Vaticaanstad af te zetten, alleen de hulpdiensten mochten erdoor. Een luitenant van de carabinieri had hier niets te vertellen.

Maar van achter de afzetting kwam een van de gardisten naar voren. Hij droeg het donkerblauwe uniform, en Rachel herkende de gardist met wie ze eerder die dag had gesproken. Hij kwam door de afzetting heen en ging naar haar toe.

'Luitenant Verona,' zei hij, 'ik moet u naar binnen brengen. Als u me wilt volgen?'

Hij draaide zich om en ze liep achter hem aan.

Ze moest moeite doen hem bij te houden terwijl ze door de poort liepen. 'Mijn oom... monseigneur Verona...'

'Ik weet van niets, ik moet u alleen maar naar de *eliporto* brengen.' Hij bracht haar naar een elektrisch karretje net binnen de poort. 'Bevel van kardinaal Spera.'

Rachel stapte in. Voor hen reed de brandweerwagen het plein voor het Vaticaans Museum op. Daar stonden nog meer wagens van hulpdiensten, en ook een paar militaire voertuigen waarop machinegeweren waren gemonteerd.

De gardist stuurde hun karretje naar rechts, langs de voertuigen van de hulpdiensten voor het museum. Nog steeds sloegen de vlammen uit de toren. Verderop spoot een waterstraal op, ze probeerden daarmee de bovenste verdiepingen te bereiken. Zwarte rookwolken kolkten de lucht in. De toren zat vol uiterst brandbaar materiaal: boeken, documenten, boekrollen.

Het was een ramp. Wat het vuur niet verteerde, zou zwaar beschadigd worden door de rook en het water. Archieven met materiaal van eeuwen her ging verloren, en daarmee een stuk van de geschiedenis van de westerse wereld.

En toch kon Rachel maar aan één ding denken: oom Vigor liep gevaar.

Het karretje zoefde langs de parkeergarage en reed verder over een weg die parallel liep aan de Mura Leonine, de muur van steen en cement die om Vaticaanstad liep. Ze reden om het museumcomplex en kwamen bij de enorme tuinen die de achterste helft van de stadstaat in beslag namen. In de verte sproeiden fonteinen. Hier was alles groen, in ongelooflijk contrast met het helse landschap achter hen, vol rook, vuur en sirenes.

In stilte reden ze verder tot achter de tuinen.

Hun bestemming kwam in zicht: de helikopterlandingsplaats van Vaticaanstad. Vroeger was daar een tennisbaan geweest, maar nu was het niet meer dan een heleboel beton en een paar gebouwen.

Een helikopter stond klaar, ver van het tumult. De rotorbladen draaiden al, steeds sneller en sneller. De motor bromde. Rachel herkende deze robuuste witte helikopter. Het was de privé-helikopter van de paus, de 'holycopter'.

Ze herkende ook de zwarte soutane en de rode sjerp van kardinaal Spera. Hij stond bij de geopende deur van het passagiersgedeelte, een beetje gebogen vanwege de draaiende rotorbladen. Met zijn hand hield hij zijn kalotje vast.

Toen hij het karretje zag, draaide hij zich om en stak bij wijze van begroeting zijn hand op. Het karretje stopte. Rachel wachtte niet tot het helemaal stilstond, maar sprong er vast uit en rende naar de kardinaal toe.

Als iemand wist hoe het met haar oom was afgelopen, was het wel de kardinaal.

Of nog iemand anders...

Iemand anders stapte uit de helikopter en liep snel op haar toe. Ze stortte zich in zijn armen en omhelsde hem onder de draaiende rotorbladen van de helikopter.

'Oom Vigor...' De tranen biggelden over haar wangen, warme tranen.

Hij maakte zich los uit haar omhelzing. 'Kindje, je bent laat.'

'Ik werd opgehouden,' zei ze.

'Ik hoorde het. Generaal Rende heeft me verteld dat je werd aangevallen.'

Rachel keek om naar de in lichterlaaie staande toren. Het haar van haar oom stonk naar rook en zijn wenkbrauwen waren verschroeid. 'Kennelijk was ik niet de enige die werd aangevallen. Gelukkig ben je ongedeerd.'

De uitdrukking op het gezicht van haar oom werd somber. 'Helaas is niet iedereen er zo gezegend van afgekomen.'

Ze keken elkaar aan.

'Jacob is bij de explosie omgekomen. Hij heeft me met zijn lichaam beschermd en daardoor ben ik gespaard gebleven.' Zelfs boven het lawaai van de helikopter uit kon ze de gekweldheid in zijn stem horen. 'Kom, we moeten gaan.'

Hij bracht haar naar de helikopter.

Kardinaal Spera knikte haar oom toe. 'Er moet hun een halt worden toegeroepen,' zei hij cryptisch.

Rachel stapte na haar oom in de helikopter. Ze gespten de gordels vast terwijl de deur werd dichtgeschoven. De isolatie weerde het meeste van het motorlawaai, maar Rachel hoorde wel dat de motor meer toeren draaide. Meteen daarna stegen ze zonder problemen op.

Oom Vigor leunde naar achteren en sloot met gebogen hoofd zijn ogen terwijl hij zachtjes een gebed prevelde. Voor Jacob... Of misschien voor hen beiden.

Rachel wachtte totdat hij zijn ogen opende. Tegen die tijd vlogen ze weg van Vaticaanstad en de Tiber over. 'De aanvallers,' begon Rachel, 'ze reden in voertuigen met kentekens van Vaticaanstad.'

Haar oom knikte. Kennelijk verbaasde hem dat niet. 'Het Vaticaan heeft dus niet slechts spionnen in het buitenland, maar binnen de muren zijn er ook spionnen.'

'Maar wie...'

Oom Vigor kreunde. Hij ging rechtop zitten en haalde een opgevouwen papiertje uit zijn zak dat hij aan haar gaf. 'De overlevende van de slachting in Keulen heeft een tekenaar een beschrijving gegeven van iets wat hij op de borst van een van de overvallers heeft gezien.'

Rachel vouwde het papier open. Verbluffend gedetailleerd was daarop een draak getekend, met uitgespreide vleugels en een staart die om de nek zat gekronkeld.

Ze liet het papier zakken en keek haar oom aan.

'Een oeroud symbool,' zei hij. 'Het stamt uit de veertiende eeuw.'

'Het symbool waarvoor?'

'De Societas Draconis.'

Rachel schudde haar hoofd, die naam zei haar niets.

'Het is een middeleeuwse sekte van alchemisten die is ontstaan na een schisma in de Kerk, hetzelfde schisma dat ertoe leidde dat er pausen en tegenpausen op het toneel verschenen.'

Rachel was bekend met de tegenpausen, mannen die aan het hoofd van de katholieke Kerk stonden maar wiens benoeming later ongeldig werd verklaard. Tegenpausen kwamen aan de macht om uiteenlopende redenen, meestal door de wettig gekozen paus te verdrijven door een militaire factie die werd gesteund door een koning of een keizer. Van de derde tot de vijftiende eeuw bezetten veertig tegenpausen de pauselijke troon. De roerigste periode was echter de veertiende eeuw, toen de rechtmatig verkozen paus uit Rome werd verdreven en naar Frankrijk trok. Gedurende zeventig jaar regeerden de pausen vanuit het buitenland terwijl in Rome een serie corrupte tegenpausen de dienst uitmaakten.

'Wat heeft zo'n oude sekte met de huidige situatie te maken?' vroeg ze.

'De Societas Draconis is ook vandaag de dag nog actief. Ze worden door de EU erkend, net zoals dat het geval is met de Orde van Malta, die waarnemers bij de Verenigde Naties heeft. De schimmige Societas Draconis wordt in verband gebracht met Le Conseil Européen des Princes, de Tempeliers en de Rozenkruisers. De Societas Draconis geeft openlijk toe dat ze leden binnen de katholieke Kerk hebben. Zelfs hier, in het Vaticaan.'

'Hier?' Rachel klonk ontdaan. Haar oom en zij waren aangevallen. Door iemand binnen het Vaticaan.

'Een paar jaar geleden was er een schandaal,' ging oom Vigor verder. 'Een voormalig jezuïetenpriester, vader Malachi Martin, schreef over een "geheime Kerk" binnen de Kerk. Deze geleerde sprak zeventien talen, schreef talloze wetenschappelijke werken en was een van de naaste medewerkers van paus Johannes XXIII. Twintig jaar lang werkte hij hier, in het Vaticaan. In zijn laatste boek, dat hij schreef vlak voordat hij stierf, had hij het over een sekte van alchemisten binnen het Vaticaan die in het geheim hun rituelen uitvoerden.'

Rachel voelde zich misselijk, en dat had niets te maken met de bocht die de helikopter maakte om naar de internationale luchthaven van Fiumicino te vliegen. 'Een geheime Kerk binnen de Kerk? En die is misschien betrokken bij de massamoord in Keulen? Waarom? Met welk oogmerk?'

'Om het gebeente van de Wijzen te stelen? Geen idee.'

Rachel dacht na over dit uitgangspunt. Om een misdadiger te pakken te krijgen moest je eerst alles over hem weten. Het motief vaststellen zette vaak meer zoden aan de dijk dan materieel bewijs.

'Wat weet je nog meer over de Societas?' vroeg ze.

'Ondanks hun lange geschiedenis, niet veel. In de achtste eeuw veroverde Karel de Grote Europa in naam van de Heilige Kerk, hij roeide de heidense natuurgodsdiensten uit en stelde daarvoor het katholieke geloof in de plaats.'

Rachel knikte, ze kende de nietsontziende methoden van Karel de Grote.

'Maar dingen veranderen,' ging oom Vigor verder. 'Wat uit de mode is, komt weer terug. Tegen de twaalfde eeuw was er een opleving van het gnostische of mystieke geloof; keizers die dat geloof hadden uitgeroeid, hingen het nu zelf aan. Er ontstond een schisma toen de Kerk naar het katholicisme verschoof zoals we dat heden ten dage kennen, en de keizers vasthielden aan hun gnostische praktijken. Tegen het einde van de veertiende eeuw kwam het tot een breuk. De verbannen paus was uit Frankrijk teruggekomen. Omwille van de lieve vrede steunde de Heilige Roomse keizer Sigismund van Luxemburg de paus in politiek opzicht en verbood gnostische praktijken voor de laagste standen.'

'Alleen voor de laagste standen?'

'De adel bleef buiten schot. Terwijl de keizer het mystieke geloof bij de gewone man uitroeide, stichtte hij een geheim genootschap onder de koninklijke geslachten van Europa, een genootschap dat alchemistische en mystieke doelen had. De Societas Draconis. Die orde bestaat nog steeds. Maar in verschillende landen bestaan verschillende sekten; sommige zijn onschuldig en niet meer dan ceremoniële broederschappen, maar er zijn andere opgekomen die door kwaadwillende leiders worden voorgezeten. Als de Societas Draconis hier inderdaad bij is betrokken, durf ik te wedden dat het hier om zo'n fanatieke splintergroepering gaat.'

Instinctief begon Rachel aan een verhoor. Ken je vijand... 'En welk doel hebben die kwaadwillende sektes voor ogen?'

'Als sekte van aristocraten geloven de meer extreme leiders dat zij en hun aanhangers de rechtmatige en verkozen heersers over de mensheid zijn. Dat ze vanwege hun zuivere bloedlijn geboren zijn om te heersen.'

'Hitlers superieure ras.'

Een knikje. 'Maar ze willen meer. Ze willen niet alleen een koningskroon. Ze zijn op zoek naar alle vormen van oude kennis om hun doel van apocalyptische overheersing een handje te helpen.'

'Ze gaan dus verder dan Hitler,' mompelde Rachel.

'Tot nu toe hebben ze met een hooghartige houding de politiek gemanipuleerd achter een scherm van geheimzinnigheid en rituelen. Ze werkten samen met zulke elitaire genootschappen als het Amerikaanse Skull and Bones en de Europese denktank van de Bilderberggroep. Maar nu gooit iemand brutaal zijn kaarten op tafel, met alle bloederige gevolgen van dien.'

'Wat wil dat zeggen?'

Oom Vigor schudde zijn hoofd. 'Ik ben bang dat deze sekte iets uiterst belangrijks heeft ontdekt, iets waarvoor ze uit het verborgene zijn gekomen.'

'En die slachting?'

'Een waarschuwing aan het adres van de Kerk. Net als de aanslagen op ons. Het kan geen toeval zijn dat we daar allebei tegelijkertijd het slachtoffer van zijn geworden. De Societas Draconis moet daar opdracht toe hebben gegeven. Het is bedoeld om ons af te remmen, om ons bang te maken. Het kan gewoon geen toeval zijn. Deze Societas scherpt zijn klauwen, hij waarschuwt de Kerk dat ze er zich niet mee moet bemoeien, hij schudt de huid af waarin hij zich al die eeuwen heeft gehuld.'

'Maar met welk doel?'

Met een zucht leunde oom Vigor naar achteren. 'Iets wat iedere krankzinnige voor ogen heeft.'

Rachel staarde hem aan.

Zijn antwoord bestond uit een enkel woord: 'Armageddon.'

16:04 EST

BOVEN DE ATLANTISCHE OCEAAN

Gray schudde zijn glas zodat het ijs tinkelde.

Vanaf haar stoel even verderop in de luxecabine van het privé-straalvliegtuig keek Kat Bryant hem aan. Ze zei niets, maar haar frons sprak boekdelen. Ze probeerde zich op het dossier te concentreren – voor de tweede keer. Gray had het al gelezen. Hij zag er de noodzaak niet van in dat nog eens te doen. In plaats daarvan bestudeerde hij het glanzende wateroppervlak van de Atlantische Oceaan terwijl hij erachter probeerde te komen waarom hij tot leider was gebombardeerd. Op een hoogte van vijf-enveertigduizend voet wist hij het nog steeds niet.

Hij draaide zijn stoel en liep naar de bar van antiek mahoniehout achter in de cabine. Hoofdschuddend bekeek hij de overdadige luxe: kristallen glazen, wortelnotenhout, leren stoelen. Het zag eruit als een te deftige Engelse pub.

In ieder geval kende hij de barman.

'Nog een cola?' vroeg Monk.

Gray zette zijn glas op de bar. 'Ik zit aan mijn taks.'

'Jij kunt ook niets hebben,' mompelde zijn vriend.

Gray draaide zich om in de richting van de cabine. Zijn vader had ooit gezegd dat als je in de huid kroop van de persoon wiens rol je speelde, je hard op weg was die persoon te worden. Natuurlijk had hij toen gedoeld op Grays rol als hulpje op een olieveld dat onder supervisie van zijn vader stond. Gray was toen nog maar zestien, het was een zomer in het bloedhete Texas. Hij had behoorlijk moeten aanpoten terwijl zijn vrienden van de middelbare school op de stranden van South Padre Island luierden. Nog steeds hoorde hij zijn vaders wijze woorden: als je een man wilt zijn, moet je je als een man gedragen.

Misschien gold zoiets ook voor het leiderschap.

'Goed, genoeg gelezen,' zei hij, en weer keek Kat naar hem op. Even keek hij Monk aan. 'En dit vliegende drankpaleis ken ik nu ook wel.'

Monk haalde zijn schouders op en liep de cabine in.

'We hebben nog vier uur voordat we landen,' zei Gray. Hun vliegtuig, een Citation x, bleef iets onder de snelheid van het geluid en ze zouden om twee uur lokale tijd in Duitsland aankomen, midden in de nacht. 'Ik stel voor dat we allemaal proberen te slapen. Zodra we eenmaal daar zijn, krijgen we het druk.'

Monk geeuwde. 'Dat hoef je geen twee keer te zeggen, commandant.'

'Maar laten we eerst overleggen. We hebben veel informatie over ons heen gekregen.'

Gray gebaarde naar de stoelen. Monk plofte er op eentje neer. Gray ging ook zitten en keek Kat over een tafel aan.

Gray kende Monk al vanaf dat hij bij Sigma was gekomen, maar van kapitein Kathryn Bryant wist hij weinig. Ze studeerde zo fanatiek dat niemand van Sigma haar echt kende. Sinds ze erbij was gekomen, had ze wel een reputatie opgebouwd. Een van de agenten had haar beschreven als een wandelende computer. Maar haar reputatie werd vertroebeld door haar eerdere rol bij de inlichtingendienst. Er werd gefluisterd dat ze aan vreemde zaakjes had meegewerkt, maar niemand wist er het fijne van.

Zelfs voor haar collega's bij Sigma werd haar verleden geheimgehouden, en dat isoleerde haar nog verder van de mannen en vrouwen die voor hun rang hadden moeten werken in hun eenheid, hun peloton of hun team.

Gray had zo zijn eigen problemen met haar verleden en persoonlijke redenen om een afkeer van de inlichtingendienst te hebben. De mensen van die inlichtingendienst werkten ver van het slagveld, verder nog dan piloten van bommenwerpers, en toch waren ze dodelijker. Er kleefde bloed aan Grays handen omdat de inlichtingendienst zijn werk niet goed had gedaan. Bloed van onschuldigen. Hij vertrouwde de inlichtingendienst niet meer.

Hij staarde Kat aan. Haar groene ogen hadden een harde blik en het leek of haar hele lichaam door de stijfsel was gehaald. Maar hij mocht niet bij haar verleden stilstaan, ze was nu lid van zijn team.

Hij haalde diep adem. Hij was haar leider.

Handel daar dan naar, dacht hij en schraapte zijn keel. Het werd tijd om terzake te komen. Hij tilde een vinger op. 'Oké, wat weten we allemaal?'

Met een doodernstige uitdrukking op zijn gezicht antwoordde Monk: 'Niet veel.'

Kat bleef die strakke blik in haar ogen behouden. 'We weten dat de daders op de een of andere manier betrokken zijn bij een geheime sekte die bekendstaat als de Societas Draconis.'

'Dan kun je net zo goed beweren dat ze met de hare krisjna-beweging te maken hebben,' wierp Monk tegen. 'Het is een vage club. Eigenlijk hebben we geen flauw idee wie erachter steekt.'

Gray knikte. Deze informatie hadden ze onderweg per fax gekregen, samen met het verontrustende nieuws dat er een aanslag was gepleegd op hun collega's in het Vaticaan. Dat moest opnieuw het werk van de Societas Draconis zijn. Naar wat voor oorlogsgebied waren ze op weg? Hij moest antwoorden hebben.

'Terzake,' zei Gray, en hij besefte zelf dat hij net als directeur Crowe klonk. Verwachtingsvol keken de twee anderen hem aan. Weer schraapte hij zijn keel. 'Terug naar de basis. Middelen, motief en gelegenheid.'

'Gelegenheid hadden ze zeker,' zei Monk. 'Ze sloegen na middernacht toe, wanneer er bijna geen mens meer op straat is. Maar waarom wachtten ze niet totdat de kathedraal ook verlaten was?'

'Het was een boodschap,' antwoordde Kat. 'Gericht aan de katholieke Kerk.'

'Dat mogen we nog niet zomaar aannemen,' zei Monk. 'We moeten dit in een breder perspectief plaatsen. Misschien was het een list om iedereen op het verkeerde spoor te zetten. Door zo'n bloederige moord-partij aan te richten ging alle aandacht daarnaar uit, niet naar de diefstal van een paar stoffige botten.'

Kat keek niet erg overtuigd, maar ze was moeilijk te doorgronden. Alsof ze daarin was getraind.

Gray beslechtte de zaak. 'Hoe dan ook, over de gelegenheid nadenken brengt ons niet nader tot degenen die de slachting op hun geweten hebben. Laten we het over het motief hebben.'

'Waarom steel je botten?' vroeg Monk hoofdschuddend. Hij leunde naar achteren. 'Misschien willen ze er losgeld voor vragen?'

Kat schudde haar hoofd. 'Als het hun uitsluitend om geld ging, hadden ze de gouden reliekschrijn wel gestolen. Dus er moet iets met die beenderen aan de hand zijn. Iets waar wij geen flauw benul van hebben. Misschien kunnen we die kant van de zaak beter aan de agenten van het Vaticaan overlaten.'

Hoofdschuddend zei Gray: 'Voorlopig zetten we een groot vraagteken bij het motief. Daar hebben we het nog over wanneer de anderen er ook bij zijn. Dus blijven alleen de middelen over.'

'En dan zijn we weer terug bij de financiën,' zei Monk. 'De operatie was goed voorbereid en werd snel uitgevoerd. Ze hadden veel mankracht, het was een kostbare operatie. Ze beschikken over geld.'

'Geld, en technisch inzicht. Op een niveau waar wij niet aan kunnen tippen,' zei Kat.

Monk knikte. 'En dat vreemde goud in de hosties dan?'

'Monoatomair goud,' mompelde Kat. Ze kneep haar lippen samen.

Gray zag de elektrode met het goud erop weer voor zich. In het dossier stonden eindeloos veel gegevens over dit vreemde goud, informatie die van laboratoria uit de hele wereld afkomstig was: van British Aerospace, Argonne National Laboraties, Boeing Labs in Seattle, het Niels Bohr Institutet in Kopenhagen.

Het poeder had niet uit gewoon goudstof bestaan, de schilferige vorm van goudmetaal. Het was een geheel nieuwe elementaire staat van goud, geclassificeerd als de *m-state*. Het was dus niet zoals gebruikelijk een metaallegering; het witte poeder was goud dat tot individuele atomen was teruggebracht. Monoatomair, oftewel de m-state. Tot voor kort wisten wetenschappers niet dat goud een transmutatie kon ondergaan, zowel natuurlijk als kunstmatig, tot een inert wit poeder.

Maar wat hield dat allemaal in?

'Oké,' zei Gray. 'We hebben allemaal het dossier gelezen. De rondvraag. Misschien brengt die ons op ideeën.'

Monk zei: 'Om te beginnen kan dit niet alleen met goud. Dat moeten we niet vergeten. Kennelijk kunnen alle andere overgangsmetalen van het periodiek systeem – platina, rodium, iridium en andere – tot poedervorm smelten.'

'Niet smelten,' zei Kat. Ze keek naar het dossier met de gekopieerde artikelen uit *Platinum Metals Review, Scientific American* en zelfs *Jane's Defense Weekly*, het blad van het ministerie van Defensie van het Verenigd Koninkrijk. Kennelijk popelde ze om het dossier open te slaan.

'De juiste term is desaggregeren,' ging ze verder. 'Deze m-state metalen breken af tot zowel individuele atomen als microclusters. Van het standpunt van de fysica bezien, wordt deze staat bereikt wanneer in tegengestelde richting bewegende elektronen fuseren rond de kern van het atoom waardoor elke atoom zijn scheikundige reactiviteit aan zijn buurman verliest.'

'Je bedoelt dat ze niet meer aan elkaar plakken.' Er dansten pretlichtjes in Monks ogen.

'Zo zou je het kunnen zeggen,' zei Kat met een zucht. 'Door dit gebrek aan scheikundige reactiviteit verliest het metaal zijn metalige hoedanigheid en desaggregeert tot een poeder. Een poeder dat met normale laboratoriumapparatuur niet kan worden opgemerkt.'

'Aha...' mompelde Monk.

Gray keek Monk fronsend aan. Die haalde zijn schouders op. Gray wist dat zijn vriend een spelletje speelde.

'Ik denk,' ging Kat zich van niets bewust verder, 'dat de daders op de hoogte waren van dit gebrek aan scheikundige reactiviteit en erop vertrouwden dat het goudpoeder niet zou worden ontdekt. Dat was hun tweede fout.'

'Hun tweede?' vroeg Monk.

'Ze lieten een getuige in leven. Die jongen, Jason Pendleton.' Kat sloeg het dossier open, kennelijk kon ze de verleiding niet langer weerstaan. 'Maar terug naar dat goud. Dit artikel over supergeleiding bijvoorbeeld.'

Gray knikte. Hij moest toegeven dat Kat het intrigerendste aspect van de m-state metalen meteen had aangestipt. Zelfs Monk ging rechtop zitten.

Kat ging verder. 'Hoewel het poeder voor de analyserende apparatuur inert lijkt, is de atomaire staat wel degelijk energiek. Het is alsof elke atoom de energie die nodig was om te reageren met zijn buurman, op zichzelf richt. De energie vervormt de atoomkern. Die wordt uitgerekt tot een vorm die bekendstaat als...' Ze zocht in het artikel. Het viel Gray op dat ze er met een markeerstift gele strepen in had gezet.

'Een asymmetrische high-spin,' zei ze. 'Fysici weten dat zulke high-spin atomen energie van het ene atoom naar de andere kunnen overbrengen zonder zelf energie kwijt te raken.'

'Supergeleiding,' zei Monk, deze keer serieus.

'Energie die door een supergeleider trekt blijft zonder krachtverlies door het materiaal stromen. Een perfecte supergeleider zou deze energie tot in het oneindige kunnen laten stromen, tot het einde der tijden.'

Er viel een stilte terwijl ze dat allemaal lieten bezinken.

Na een poosje rekte Monk zich uit. 'Geweldig. We hebben het probleem teruggebracht tot de atomaire kern. Laten we even teruggaan naar het grotere geheel. Wat heeft dit allemaal met de moorden in de kathedraal te maken? Waarom is de hostie met dat vreemde poeder vergiftigd? En waarom is het poeder dodelijk?'

Dat waren goede vragen. Kat sloeg het dossier dicht, in de wetenschap dat er op deze vragen geen antwoorden in stonden.

Gray begreep langzamerhand waarom hij deze twee partners had gekregen. Dit ging verder dan hun ervaring als inlichtingenspecialist en gerechtelijk medicus. Kat bezat het talent belangrijke details eruit te pikken, details die anderen misschien over het hoofd zouden zien. En Monk, die net zo'n scherpe geest bezat, was beter in het grote geheel zien, hij kon goed verbanden leggen.

En hijzelf?

'Kennelijk valt er nog veel te onderzoeken,' zei hij.

Monk trok zijn wenkbrauwen op. 'Zoals ik al zei toen we begonnen, we hebben maar weinig aanwijzingen.'

'Daarom hebben ze mij ingeschakeld. Om het onmogelijke te doen.' Terwijl Gray een geeuw onderdrukte, keek hij op zijn horloge. 'En als we dat goed willen doen, kunnen we beter zoveel mogelijk slapen voordat we in Duitsland aankomen.'

De anderen knikten. Gray stond op en liep naar een stoel een eindje verderop. Monk pakte kussens en dekens. Kat trok het gordijntje dicht, waardoor het schemerig werd in de cabine. Gray keek naar hen.

Zijn team. Waar hij verantwoordelijk voor was.

Hij pakte een kussen aan en maakte het zich gemakkelijk. Hij zette de stoel niet in de ligstand, want hoewel hij doodmoe was, dacht hij niet te kunnen slapen. Monk knipte de lampjes uit en het werd donker.

'Welterusten,' zei Kat van de andere kant van de cabine.

Terwijl de anderen gingen slapen, bleef Gray in het duister zitten en vroeg zich af hoe hij hier terecht was gekomen. Het werd later, het geluid van de motoren klonk gedempt en toch kon hij de slaap niet vatten.

Hij voelde in zijn broekzak en haalde daar een rozenkrans uit. Het kruisje sneed in zijn handpalm. Deze rozenkrans had hij na zijn eindexamen van zijn grootvader gekregen die twee maanden daarna was overleden. Gray was toen op trainingskamp en had de begrafenis niet kunnen bijwonen. Hij ging even verzitten. Na de bespreking van vandaag had hij zijn ouders gebeld en gelogen over een plotselinge zakenreis.

Hij was weer op de vlucht...

Hij liet de kraaltjes door zijn vingers glijden.

Maar hij bad er niet bij.

22:24

LAUSANNE, ZWITSERLAND

Als een reus stond Château Sauvage in de bergpas van de Savoyse Alpen. De muren waren drie meter dik en boven de muren rees een vierkante toren uit. De enige weg naar de poort liep over een stenen brug over de pas. Het was niet het grootste kasteel in dit Zwitserse kanton, maar zeker een van de oudste, gebouwd in de twaalfde eeuw. De fundamenten waren echter nog ouder en de muren waren gebouwd op de ruïnen van een Romeins *castra*, een oud legerkamp uit de eerste eeuw.

Het was ook een van de oudste kastelen in privé-bezit en sinds de vijftiende eeuw eigendom van het geslacht Sauvage, toen het Bernse leger tijdens de Reformatie de macht in Lausanne overnam van de decadente bisschoppen. Vanaf de borstwering had men uitzicht over het Meer van Genève diep beneden, en de mooie stad Lausanne, ooit een vissersdorp, nu een kosmopolitische stad met parken, musea, hotels, nachtclubs en cafeetjes.

De huidige eigenaar van het kasteel, baron Raoul de Sauvage, sloeg geen acht op de lichtjes van de verder donkere stad en liep de trap af die naar onder het kasteel leidde. Hij was opgeroepen. Achter hem aan kwam een enorme hond, een wolbaal van wel zeventig kilo. De ruige zwart en bruine vacht van de Berner Sennenhond veegde over de oeroude stenen treden.

Raoul had ook een kennel vol vechthonden, enorme, honderd kilo wegende beesten uit Gran Canaria, met een korte vacht, stevige nekken en een wreed karakter. Hij fokte kampioenen voor de bloedige vechtsport.

Maar op dit moment had Raoul veel bloediger zaken die moesten worden geregeld.

Hij kwam voorbij de verdieping met de kerkers, waar hij tegenwoordig zijn kostbare wijnen opsloeg. De stenen kerkers waren perfect om als wijnkelder dienst te doen, maar er was een gedeelte dat aan de goede, oude tijd deed denken. Vier kerkers waren gemoderniseerd, ze waren voorzien van roestvrijstalen hekken, elektronische sloten en videobewaking. Bij die cellen was ook een groter vertrek waarin nog oude martelwerktuigen stonden. En enkele moderne. Na de Tweede Wereldoorlog had zijn familie een paar nazi-kopstukken uit Oostenrijk helpen ontsnappen, leden van families die banden met het geslacht Habsburg hadden. Hier hadden ze zich mogen schuilhouden. Als beloning had Raouls grootvader 'tol' betaald gekregen, zoals hij dat noemde, en daarmee had het kasteel voor de familie behouden kunnen blijven.

Maar op zijn drieëndertigste beloofde Raoul zijn grootvader voorbij te streven. Raoul was een onecht kind, maar op zijn zestiende had hij toch het kasteel en de titel van zijn vader geërfd. Hij was de enige nog levende mannelijke nakomeling. En bij het geslacht Sauvage legden genetische banden meer gewicht in de schaal dan die van het huwelijk. Zelfs zijn geboorte was gepland.

Weer zo'n 'tol' van zijn grootvader.

De baron De Sauvage klom dieper de berg in, gebogen omdat het plafond laag was, en gevolgd door zijn hond. Een paar elektrische peertjes verlichtten zijn weg.

De gemetselde treden gingen over in treden van natuurlijke rots. Langgeleden waren Romeinse legionairs naar de grot afgedaald, vaak met een offerstier of -geitje. De Romeinen hadden de grot tot een *mithraeum* getransformeerd, een tempel van de god Mithras, de zonnegod die uit Iran was geïmporteerd en die de soldaten van het keizerrijk hadden omarmd. Het mithraïsme was ouder dan het christendom, maar er waren griezelig veel overeenkomsten. De geboorte van Mithras werd op 25 december gevierd. Bij de eredienst was sprake van doop en het deelnemen aan een gewijde maaltijd bestaande uit brood en wijn. Ook Mithras had twaalf discipelen, de zondag was de gewijde dag en er was sprake van een hemel en een hel. Ook Mithras was na zijn dood in een graftombe gelegd en na drie dagen herrezen.

Door al deze overeenkomsten hadden wetenschappers gesteld dat het christendom elementen uit de mithraïsche mythologie had overgenomen. Dat was met dit kasteel niet anders, het nieuwe stond boven op het oude, de sterke elementen overleefden de zwakke. Raoul zag daar niets verkeerds in, hij kon het zelfs wel waarderen.

Het was niet meer dan de natuurlijke orde der dingen.

Raoul liep de laatste treden af en betrad de ruime ondergrondse grot.

Het plafond was een natuurlijk rotsgewelf met ruw uitgehakte sterren en een gestileerde zon. Achterin stond een oud mithrasaltaar, waar de jonge stieren werden geslacht. Daar weer achter liep een ijskoud beekje. Raoul stelde zich voor dat daar de karkassen in werden gegooid nadat de dieren waren geofferd, om vervolgens te worden meegevoerd door het water. Zelf had hij zich op die manier ook van een paar karkassen ontdaan, als hij die niet voor de honden had gegooid.

Bij de ingang trok Raoul zijn leren kamerjas uit. Onder die jas droeg hij een oud, ruw geweven hemd waarop een draak stond geborduurd, het symbool van de Societas Draconis, de orde waarvan zijn familie al generaties lang deel uitmaakte.

'Blijf, Drakko,' beval hij de hond.

De Berner Sennenhond ging zitten. Hij wist dat hij maar beter gehoorzaam kon zijn.

Dat wist de eigenaar van de hond ook...

Raoul boog voor degene die zich in de grot bevond en liep vervolgens naar voren.

Voor het altaar wachtte de grootimperator van de Orde hem op, gekleed in een zwartleren motorpak. Hoewel hij twintig jaar ouder was dan Raoul, was hij net zo lang en breedgeschouderd. Hij vertoonde geen tekenen van veroudering en was nog net zo fit en gespierd als vroeger. Hij hield zijn helm op, het vizier neer.

De leider was door de geheime ingang de grot binnengekomen. Met een onbekende.

Niemand buiten de Orde mocht het gezicht van de imperator aanschouwen en daarom was de onbekende als extra veiligheidsmaatregel ook nog geblinddoekt.

Raoul zag vijf lijfwachten achter in de grot staan, allen bewapend met automatische geweren. De elitetroepen van de imperator.

Raoul liep naar voren met zijn rechterarm voor de borst en knielde neer voor de imperator. Raoul was weliswaar lid van de beruchte *adepti exempti*, een militaire orde die terugging op Vlad Tepes, de Spietser, een voorouder van het geslacht Sauvage, maar net als iedereen boog hij voor de imperator. Raoul hoopte ooit zelf die functie te bekleden.

'Sta op,' werd hem bevolen.

Raoul ging staan.

'De Amerikanen zijn al onderweg,' zei de imperator. Door de helm klonk zijn stem gesmoord, maar daarom niet minder gebiedend. 'Staan je mannen klaar?'

'Ja, heer. Ik heb eigenhandig een twaalftal mannen uitgekozen. We wachten alleen nog op uw bevel.'

'Goed. Onze bondgenoten hebben iemand gestuurd die bij de operatie hulp kan bieden. Iemand die deze Amerikaanse agenten kent.'

Raoul vertrok zijn gezicht. Hij had geen hulp nodig.

'Heb je daar bezwaar tegen?'

'Nee, heer.'

'Op het vliegveld van Yverdon staat een vliegtuig voor jullie klaar. Een tweede mislukking zal niet worden gedoogd.'

Raouls maag kromp samen. Hij was leider van de missie geweest die het gebeente uit de dom van Keulen had geroofd, maar hij had gefaald bij het zuiveren van het heiligdom. Er was een overlevende, en zijn getuigenis had in hun richting gewezen. Een smet op Raouls blazoen.

'Ik zal niet falen,' stelde hij hun leider gerust.

De imperator keek hem strak aan, Raoul voelde zijn blik door het vizier op zich rusten. 'Je kent je plicht.'

Raoul knikte.

Vergezeld van zijn lijfwacht liep de imperator langs Raoul heen. Hij ging naar het kasteel dat hij in bezit nam totdat het spel ten einde was gekomen. Maar eerst moest Raoul de rommel opruimen die hij had achtergelaten.

Dat hield in dat hij weer naar Duitsland moest.

Hij wachtte totdat de imperator weg was. Drakko draafde achter de mannen aan, alsof hij kon ruiken dat de ware macht bij hen berustte. De afgelopen tien jaar had de leider vaak een bezoek aan het kasteel gebracht, toen de sleutels tot verdoemenis en verlossing hen in de schoot waren geworpen.

En dat dankzij een toevallige ontdekking in het museum van Caïro...

Ze waren er zo dichtbij.

Zodra de leider was verdwenen, draaide Raoul zich naar de onbekende om. Wat hij zag, beviel hem maar matig, en dat liet hij merken door te fronsen. In ieder geval was de onbekende passend in het zwart gekleed.

En de zilveren ketting van de vrouw was ook passend.

Er hing een zilveren draakje aan.

DAG
TWEE

5

PANIEK

Gray vond kerken 's nachts altijd al spookachtig, maar dit godshuis spande de kroon. Na de slachtpartij straalde het gotische gebouw een bijna tastbare dreiging uit.

Terwijl Gray met zijn team over het plein liep, bestudeerde hij de dom. Die werd van buiten verlicht en kreeg daardoor een zilveren gloed met diepe schaduwen. De westelijke façade bestond uit twee enorme torens. Deze rezen dicht bij elkaar op aan weerskanten van de hoofdingang. Aan de voet zat er slechts een paar meter tussen, maar hogerop liepen ze uit in hoge spitsen met een kruisje erop. Beide torens waren van gedetailleerd beeldhouwwerk voorzien, en de gotische ramen wezen allemaal naar de nachtelijke hemel en de maan hoog in de lucht.

'Ze hebben zeker het licht voor ons aangelaten,' zei Monk die zich vergaapte aan de in het licht badende domkerk. Hij verschoof zijn rugzak.

Ze droegen allemaal burgerkleding in donkere kleuren, kleding die zo onopvallend mogelijk was, maar daaronder droegen ze stuk voor stuk nauwsluitende vloeistofpantsers. In hun rugzakken, zwarte van Arcteryx, zat hun gereedschap, waaronder wapens die de CIA-agent hun op het vliegveld had gegeven: Glock M-27 pistolen voorzien van .40 *hollowpoint*-munitie en tritium nachtvizieren.

Monk beschikte ook nog over een Scattergun, op zijn dij gebonden en verborgen onder zijn lange jas. Het wapen was speciaal ontworpen, het had een stompe loop en was compact, net als Monk zelf, en had een Ghost Ring-vizier om zelfs met slecht licht nog accuraat te kunnen richten. Kat had niet zo'n technisch hoogstandje tot haar beschikking, maar had wel acht dolken op haar lichaam weten te verbergen. In elke houding kon ze in een oogwenk een dolk trekken.

Gray keek op zijn Breitling-duikhorloge. Kwart over twee. Mooi op tijd.

Ze staken het plein over. Gray keek naar de donkere hoekjes om na te gaan of er niets verdachts was. Alles leek rustig. Op een doordeweekse dag was het hier om deze tijd nagenoeg verlaten. Er liepen maar een paar mensen, van wie de meesten een beetje wankelden omdat de kroegen net dicht waren gegaan. Maar je kon zien dat het hier eerder op de dag druk was geweest. Er lagen bloemen rond het plein, en ook bierflesjes die nieuwsgierigen daar hadden achtergelaten. Hier en daar was een soort monumentje aan een geliefde opgericht, met foto's van de overledene en waxinelichtjes ervoor. Sommige brandden nog, flikkerende lichtjes in de nacht die iets heel eenzaams uitstraalden.

In een kerk in de buurt werd een wake gehouden die de hele nacht zou duren, de paus zelf zou de gemeente via een videoscherm toespreken. Dat was speciaal zo geregeld om ervoor te zorgen dat het plein deze nacht verlaten zou zijn.

Toch merkte Gray dat zijn teamgenoten op hun qui-vive waren. Ze hielden de omgeving nauwlettend in de gaten en namen geen enkel risico.

Voor de dom stond een busje geparkeerd met op de zijkant in grote letters POLIZEI. Dat was de verbindingswagen van de verschillende gerechtelijke diensten. Nadat het vliegtuig was geland, had Gray van de coördinator van de missie, Logan Gregory, de onderbevelhebber van Sigma, gehoord dat alle lokale onderzoeksteams tegen middernacht waren teruggetrokken, maar dat ze om zes uur 's ochtends zouden terugkeren. Tot die tijd hadden ze de kerk voor zichzelf.

Nu ja, niet helemaal.

Een van de zijdeuren van de dom zwaaide open toen ze die naderden. Een magere, lange gestalte stond scherp afgetekend tegen het licht. Een arm werd opgestoken.

'Monseigneur Verona,' fluisterde Kat zacht zodra ze hem herkende.

De geestelijke liep naar het politiekordon dat rond de kathedraal stond. Hij sprak met een van de twee agenten die nieuwsgierigen moesten weghouden van de plaats delict en gebaarde vervolgens dat het drietal door de afzetting mocht.

Ze liepen achter hem aan de deur door.

'Kapitein Bryant,' zei monseigneur Verona met een warme lach. 'Ook al is het onder tragische omstandigheden, het is toch prettig je weer te zien.'

'Dank u, monseigneur,' reageerde Kat met net zo'n warme lach. Haar gezicht zag er ineens veel vriendelijker uit; ze was echt op deze man gesteld.

'Noem me alsjeblieft Vigor.'

Ze liepen het voorportaal in. Monseigneur Verona deed de deur achter hen dicht en draaide die op slot. Vervolgens nam hij Kats metgezellen eens goed op.

Gray was zich bewust van zijn onderzoekende blik. De geestelijke was ongeveer van zijn lengte, maar peziger. Zijn golvende, grijzende haar was achterovergekamd, hij had een baardje en was gekleed in een donkerblauwe spijkerbroek en een zwarte pull-over met een v-hals waaronder zijn priesterboord zichtbaar was.

Het opvallendste aan hem was echter zijn doordringende blik. Ook al had de man hen hartelijk verwelkomd, onder al die vriendelijkheid ging een man van staal schuil. Zelfs Monk rechtte zijn rug.

'Kom binnen,' zei Vigor. 'We moeten zo gauw mogelijk beginnen.'

Hij ging hun voor naar de gesloten deuren van het schip van de kerk, gooide die open en gebaarde dat ze verder moesten lopen.

Zodra Gray de kerk betrad, vielen hem twee dingen op. Om te beginnen de geur. Het rook hier nog naar wierook, maar er hing ook een vage brandlucht.

Toch was er meer dat zijn aandacht trok. In een kerkbank stond een vrouw op om hen te begroeten. Ze zag eruit als een jonge Audrey Hepburn; bleke huid, kort donkerbruin haar dat ze achter haar oren had gestopt en bruine ogen. Ze lachte niet. Ze liet haar blik over het drietal gaan, en liet die net iets langer op Gray rusten.

Meteen viel hem de gelijkenis op tussen haar en monseigneur Verona, meer door de doordringende blik dan door hun uiterlijk.

'Mijn nichtje,' stelde Vigor haar voor. 'Luitenant Rachel Verona.'

Snel stelde iedereen zich voor. Hoewel er geen sprake van vijandelijkheid was, bleven ze toch twee teams. Rachel hield afstand, alsof ze hen indien nodig zo zou neerknallen. Het was Gray opgevallen dat ze een pistool onder haar vestje droeg, een 9mm Beretta.

'We moeten maar meteen beginnen,' zei Vigor. 'Het is het Vaticaan gelukt ons hier ongestoord te laten werken, onder het mom dat er tijd nodig was om het schip opnieuw te wijden nadat het laatste lijk naar buiten was gedragen.'

Hij ging hun voor door het middenpad.

Gray zag dat sommige kerkbanken waren afgezet met tape. Er lagen ook kaartjes met de naam erop van degene die daar was gestorven. Hij stapte over de gekrijte contouren op de vloer. De vloer was gedweild, maar het bloed was in het cement tussen de plavuizen getrokken. Er stonden gele bordjes om te markeren waar de patroonhulzen hadden gelegen die nu naar het gerechtelijk laboratorium waren gestuurd.

Terwijl hij om zich heen keek, stelde hij zich voor hoe het er hier moest hebben uitgezien. Overal lijken, de geur van verbrand bloed. Hij voelde bijna de pijn die net als de geur was blijven hangen. Hij kreeg er kippenvel van. Hij was nog katholiek genoeg om een dergelijke moordpartij aangrijpender te vinden dan normaal geweld. Het was een openlijke belediging van God. Het had iets satanisch.

Was dat misschien een achterliggend motief geweest? Om van een kerkelijke bijeenkomst een Zwarte Mis te maken?

De geestelijke onderbrak zijn gedachten. 'Hier is de jongen gevonden die zich had verstopt.' Hij wees naar een biechthokje tegen de noordelijke muur, halverwege het schip.

Jason Pendleton, de enige overlevende.

Het deed Gray op een grimmige manier deugd dat niet iedereen in die bloedige nacht was omgekomen. De aanvallers hadden een fout gemaakt, ze waren niet onfeilbaar, ze waren menselijk. Daar concentreerde hij zich op. Hoewel de daad duivels was geweest, was de hand die de misdaad had begaan die van een mens. Niet dat er geen duivels in mensengedaante bestonden...

Maar mensen konden worden opgepakt en bestraft.

Ze kwamen bij de verhoging van het marmeren altaar en de katheder met de hoge rugleuning waar de bisschop had gezeten. Vigor en zijn nichtje sloegen een kruis waarbij Vigor even neerknielde en toen weer opstond. Hij ging hun voor door een hekje bij de kansel. Achter het hekje waren ook krijtcontouren op het altaar en in de travertijn zaten vlekken. Rechts was een stukje met politietape afgezet.

Op de vloer, op een gebarsten plavuis, lag een gouden kist op zijn kant. Het deksel lag twee treden lager. Gray deed zijn rugzak af en knielde erbij neer.

De gouden reliekschrijn had de vorm van een kerkje. Het had boogvensters en was versierd met robijnen en smaragden, en met reliëfvoorstellingen uit het leven van Jezus, van de aanbidding door de Wijzen tot zijn geseling en uiteindelijke kruisiging.

Gray trok latex handschoenen aan. 'En hier zat het gebeente in?'

Vigor knikte. 'Al vanaf de dertiende eeuw.'

Kat knielde naast Gray neer. 'Ik zie dat er al vingerafdrukken zijn genomen.' Ze wees naar het fijne witte poeder dat in de hoekjes zat en in de lijntjes van de reliëfs.

'Er zijn geen vingerafdrukken aangetroffen,' zei Rachel.

Monk keek om zich heen. 'En verder is er niets gestolen?'

'De hele inventaris is nagegaan,' ging Rachel verder. 'We hebben met iedereen die hier werkzaam is kunnen praten, ook met de priesters.'

'Misschien wil ik die zelf ook nog spreken,' mompelde Gray terwijl hij de schrijn bestudeerde.

'Ze wonen aan de overkant van een binnenhof,' zei Rachel een beetje gepikeerd. 'Niemand heeft iets gehoord of gezien. Maar als je je tijd wilt verspillen, ga je gang.'

Gray keek haar aan. 'Ik zei: misschien.'

Zonder met haar ogen te knipperen keek ze terug. 'Ik meende dat we een gezámenlijk onderzoek instelden. Als we voortdurend elkaars werk controleren, komen we nergens.'

Gray haalde diep adem. Na een paar minuten had hij al op iemands ambtelijke tenen getrapt. Hij had eraan moeten denken dat ze afstandelijk was en beter op zijn woorden moeten letten.

Vigor legde zijn hand op haar schouder. 'Ik kan u verzekeren dat ze hen grondig heeft ondervraagd. Mijn collega's zijn meestal nogal zwijgzaam, soms meer dan nodig is, en zouden waarschijnlijk niet meer details loslaten wanneer ze werden ondervraagd door iemand die geen priesterboord draagt.'

Monk zei: 'Dat kan allemaal wel, maar willen jullie nu even naar mij luisteren?' Iedereen keek hem aan. Hij grijnsde. 'Ik geloof dat ik vroeg of er nog meer was gestolen.'

Gray merkte dat de aandacht van hem werd afgeleid. Zoals gewoonlijk was Monk voor hem opgekomen. Een diplomaat in gevechtstenue.

Met haar onvermurwbare blik keek Rachel Monk aan. 'Zoals ik al zei, er is niets...'

'Ja, dank u, luitenant. Ik vroeg me alleen af of er in de dom nog meer relikwieën worden bewaard. Relikwieën die níét door de rovers zijn meegenomen.'

Rachel fronste in verwarring gebracht haar voorhoofd.

'Ik dacht dat het misschien even veelzeggend kon zijn dat ze iets níét hadden meegenomen,' legde Monk uit. Hij haalde zijn schouders op.

Haar gezicht ontspande terwijl ze daarover nadacht. De verontwaardiging smolt weg.

Gray schudde zijn hoofd. Hoe kreeg Monk dat toch voor elkaar?

Vigor gaf antwoord op Monks vraag. 'Naast het schip is een thesaurie. Daarin worden de relieken bewaard uit de oorspronkelijke romaanse kerk die hier vroeger stond: de staf en keten van Petrus en een paar splinters van het kruis van Christus. En ook nog een gotische bisschopsstaf uit de veertiende eeuw en een met edelstenen bezet zwaard van een keurvorst uit de vijftiende eeuw.'

'En uit die schatkamer is niets gestolen?'

'De hele inventaris is gecontroleerd,' antwoordde Rachel. Geconcentreerd kneep ze haar ogen tot spleetjes. 'Er is verder niets gestolen.'

Kat knielde bij Gray neer, maar ze hield haar blik op Vigor en Monk gericht. 'Dus alleen de beenderen zijn ontvreemd. Waarom?'

Gray richtte zijn aandacht op de open reliekschrijn. Hij haalde een zaklampje uit zijn rugzak en bestudeerde de binnenkant. Die was niet gevoerd, alleen gladde gouden wanden. Op de bodem zag hij een beetje wit poeder. Nog meer van dat poeder of gewoon stof?

Er was maar één manier om daarachter te komen.

Hij draaide zich om en haalde het doosje met zijn instrumentarium uit zijn rugzak. Met een door batterijen aangedreven stofzuigertje zoog hij iets van het poeder op in een gesteriliseerd reageerbuisje.

'Wat doe je?' vroeg Rachel.

'Als dit poeder van de beenderen is, kan dat heel wat vragen beantwoorden.'

'Welke vragen?'

Hij kwam overeind en keek naar het reageerbuisje. Er zat maar een paar gram grijzig poeder in. 'Misschien kunnen we de ouderdom vaststellen. Kijken of de gestolen beenderen toebehoorden aan iemand die in Jezus' tijd leefde. Of misschien is dat niet het geval. Misschien wilden de daders het gebeente terug van een lid van de Societas Draconis. Van de een of andere prins of edelman.'

Gray sloot het buisje en borg het monster op. 'Ik wil ook graag een monster van het gebroken glas. Misschien zijn er aanwijzingen over hoe dat apparaat het kogelvrije glas kon versplinteren. In onze laboratoria kunnen ze de kristallijne microstructuur op eventuele breuklijnen onderzoeken.'

'Daar zorg ik wel voor,' zei Monk terwijl hij zijn rugzak van zijn rug liet glijden.

'En de steen?' vroeg Rachel. 'Of de andere materialen in de dom?'

'Wat bedoel je?' vroeg Gray.

'Datgene wat de dood van de kerkgangers heeft veroorzaakt, kan ook de steen, het marmer, het hout of de kunststof hebben aangetast. Misschien zijn er dingen die met het blote oog niet waarneembaar zijn.'

Daar had Gray niet aan gedacht en dat had hij wel moeten doen. Hij ontmoette Monks blik en die haalde zijn schouders op. De luitenant van de carabinieri was meer dan een leuk gezichtje.

Gray richtte zich tot Kat om te overleggen hoe ze op een systematische manier monsters konden nemen. Maar ze keek afwezig. Vanuit zijn ooghoeken had hij gezien dat ze zo hevig in de reliekschrijn was geïnteresseerd dat ze er zowat met haar hoofd in zat. Nu knielde ze op de marmeren vloer, gebogen over iets waarmee ze bezig was.

'Kat?'

Ze stak een piepklein marterharen penseeltje op. 'Wacht even.' In haar andere hand had ze een kleine gasaansteker in de vorm van een pistool. Ze drukte tegen de trekker en een blauw vlammetje spoot sissend uit de loop. Ze hield de vlam bij een bergje poeder dat ze waarschijnlijk met het penseeltje uit de reliekschrijn had geveegd.

Na een paar seconden smolt het grijzige poeder, het veranderde bubbelend en schuimend in een doorzichtige amberkleurige vloeistof. Die vloeide uit over het koude marmer en verhardde zich tot glas. De glans was onmiskenbaar.

'Goud,' zei Monk. Iedereen keek naar het experiment.

Kat kwam overeind en deed de aansteker uit. 'Het laagje poeder in de reliekschrijn is hetzelfde als wat in de vergiftigde hosties werd aangetroffen. Monoatomair goud, in de m-state.'

Gray herinnerde zich de uitleg van directeur Crowe over de proeven in het laboratorium, dat het poeder kon worden omgesmolten tot glas. Glas dat van goud was gemaakt.

'Is dat goud?' vroeg Rachel. 'Hetzelfde als het kostbare edelmetaal?'

Sigma had het Vaticaan oppervlakkige informatie over de vergiftigde hosties verstrekt zodat de bakkerijen en voorraden konden worden gecontroleerd op knoeierij. De twee agenten was het ook verteld, maar kennelijk hadden ze zo hun twijfels.

'Weten jullie dat zeker?' vroeg Rachel.

Maar Kat was al bezig haar stelling te bewijzen. Ze hield een pipetje vast en druppelde iets op het glas. Gray wist wat het was. In het lab van Sigma hadden ze dat allemaal uitgereikt gekregen, juist voor dit doel. Het was een cyanideverbinding. Al jaren gebruikten mijnwerkers die bij een proces om goud uit afvalslib te winnen.

Waar de druppel op het glas viel, reageerde het glas of er een brandend zuur op was terechtgekomen. Maar in plaats van het glas ondoorzichtig te maken door het te etsen, ontstond er een goudkleurige ader. Er was geen twijfel meer mogelijk.

Zonder met zijn ogen te knipperen staarde monseigneur Verona ernaar terwijl hij zijn vinger tussen zijn priesterboord stak. Hij mompelde: 'En de straten van het nieuwe Jeruzalem waren van zuiver goud, doorzichtig als glas.'

Verwonderd keek Gray de geestelijke aan.

Vigor schudde zijn hoofd. 'Uit het boek Openbaringen... Let maar niet op mij.'

Gray zag dat Vigor zich in zichzelf terugtrok. In gedachten verzonken draaide de oudere man zich af. Wist hij soms meer? Gray voelde aan dat de geestelijke niet zozeer iets achterhield, maar eerder tijd nodig had om iets te overdenken.

Kat, die het monster met een vergrootglas en een ultravioletlamp had bestudeerd, zei: 'Ik denk dat er meer dan alleen goud is. In het goud zie ik spikkeltjes zilver.'

Gray kwam dichterbij. Kat liet hem door haar vergrootglas kijken en hield haar hand zodanig dat het ultraviolette licht het monster onbelemmerd kon verlichten. In de goudadertjes zaten inderdaad zilverige verontreinigingen.

'Misschien is het platina,' zei Kat. 'Je weet toch nog dat de monoatomaire staat niet alleen bij goud voorkomt, maar bij álle veranderlijke metalen van het periodieksysteem? Dus ook bij platina.'

Gray knikte. 'Het poeder is misschien geen zuiver goud, maar een mengeling uit de platina-reeks. Een amalgaam van verschillende m-state metalen.'

Rachel bleef naar het geëtste glas staren. 'Kan het poeder zijn ontstaan door veroudering van de schrijn? Dat het is verpulverd door slijtage of zoiets?'

Gray schudde zijn hoofd. 'Goudmetaal tot de m-state brengen is een ingewikkeld proces. De tand des tijds alleen kan daar niet voor zorgen.'

'Maar de luitenant heeft misschien wel een punt,' zei Kat. 'Misschien heeft het apparaat het goud in de schrijn beïnvloed en ervoor gezorgd dat het werd omgezet. Maar we hebben nog geen idee hoe het apparaat...'

'Ik heb misschien een idee,' viel Monk haar in de rede.

Hij stond bij de vernielde vitrine waar hij glassplinters had verzameld. Hij liep naar een fors ijzeren kruisbeeld dat in een beugel niet ver van de vitrine zat.

'Het ziet ernaar uit dat onze gerechtelijke experts een huls over het hoofd hebben gezien,' zei Monk. Hij pakte een lege huls vanonder de voeten van de gekruisigde Jezus vandaan. Daarna zette hij een stap naar achteren, hield de huls voor het kruisbeeld en liet de huls los. De huls vloog tien centimeter door de lucht en bleef met een ping-geluid aan het kruisbeeld plakken.

'Het is magnetisch,' zei Monk.

Nog zo'n ping. Harder, scherper. Het kruis draaide een kwartslag in zijn houder.

Het duurde even voordat Gray begreep wat er aan de hand was.

Monk dook achter het altaar. 'Liggen!' brulde hij.

Er klonken schoten.

Gray voelde een klap tegen zijn schouder waardoor hij uit balans werd gebracht, maar zijn vloeistofpantser voorkwam dat hij echt werd verwond. Rachel greep hem bij zijn arm en trok hem een kerkbank in terwijl kogels zich in het hout boorden en afketsten tegen marmer en steen.

Kat dook weg met de geestelijke en beschermde zijn lichaam met het hare. Ze kreeg een schampschot in haar dij, maar toch lukte het hun zich bij Monk achter het altaar te verschuilen.

Gray had niet meer dan een glimp van hun aanvallers opgevangen.

Mannen in pijen, de capuchon diep over hun gezichten getrokken.

Een scherpe klik. Gray keek op en zag een zwart voorwerp ter grootte van een vuist door de kerk vliegen.

'Granaat!' schreeuwde hij.

Hij griste zijn rugzak mee en duwde Rachel verder de kerkbank in. Gebogen renden ze naar de zuidmuur.

3:20

Monk kreeg nauwelijks de tijd om te reageren op Grays waarschuwingskreet. Hij stortte zich op Kat en Vigor en drukte hen plat op de grond achter het altaar.

De granaat ontplofte aan de andere kant. Het klonk als een mortiergranaat. Marmeren brokstukken vlogen door de lucht en regenden vervolgens op de houten kerkbanken neer. Overal kolkte rook en stof.

Met suizende oren van het lawaai trok Monk Kat en Vigor overeind. 'Kom mee!'

Hier blijven liggen betekende een zekere dood. Iemand hoefde maar een granaat achter het altaar te werpen en ze waren hacheevlees. Ze moesten ergens zien te komen waar ze zich konden verdedigen.

Monk rende naar de noordmuur. Achter hem werd hevig geschoten.

Gray was op weg naar de tegenoverliggende muur. Des te beter. Zodra ze positie hadden ingenomen, konden ze een kruisvuur aanleggen door het midden van de kerk.

Eenmaal voorbij het altaar rende hij verder, op weg naar de dichtstbijzijnde schuilplaats. Hij zag een brede houten deur. Eindelijk hadden de schutters door dat ze ontsnapt waren. Kogels ketsten af op de marmeren vloer en vervolgens tegen een pilaar waarna ze zich in de kerkbanken boorden. De schoten kwamen nu van alle kanten. De schutters hadden positie ingenomen dieper in de kerk, ze kwamen door andere deuren binnen en sneden ontsnappingsroutes af. Ze omsingelden hen.

Het team moest zich ergens verbergen.

Monk rukte zijn wapen van zijn dijbeen. Het geweer met de stompe loop. Al rennend liet hij de loop in zijn elleboog rusten en haalde de trekker over. Samen met het geluid van het schot hoorde hij in een paar kerkbanken verder gekreun. Met een Scattergun hoefde je niet echt goed te mikken.

Hij richtte de loop naar voren en mikte ruwweg op de deurknop. Het was te veel gevraagd dat dit een deur naar buiten was, maar in ieder geval konden ze uit het schip weg. Op een afstand van een paar meter haalde hij onder zwak protest van monseigneur Verona de trekker over.

Er was geen tijd om te overleggen.

Het schot blies een gat ter grootte van een vuist in de deur, de deurknop en het slot waren verdwenen. In volle vaart zette Monk zijn schouder tegen de deur. Die vloog open. Hij viel door de deuropening, gevolgd door Kat en de geestelijke. Hinkend draaide Kat zich om en duwde de deur dicht.

'Nee,' zei de geestelijke.

Nu begreep Monk waarom hij had geprotesteerd.

De ruimte met het gewelfde plafond was zo groot als een garage voor één auto. Hij staarde naar de vitrines met oude gewaden en ordetekens erin, beeldjes ook. Goud blonk hem toe.

Dit was de schatkamer van de dom.

Er was geen uitgang.

Ze zaten in de val.

Kat nam positie in. Met de Glock in haar hand tuurde ze door het gat in de deur. 'Daar komen ze.'

Buiten adem bereikte Rachel het andere einde van de kerkbank. Ze hoorde het bloed in haar oren kloppen. Nog steeds werden ze beschoten, het kwam van alle kanten en stukken hout werden uit de kerkbanken geslagen.

Het geluid van de granaatontploffing had haar oren doen suizen, maar langzamerhand kwam haar gehoor terug. De priesters en het andere personeel zouden de explosie in hun verblijven ongetwijfeld hebben gehoord en hadden waarschijnlijk de politie al gebeld.

Even hield het geweervuur op terwijl de in pijen gehulde aanvallers andere posities innamen langs het middenpad.

'Ga naar die muur daar,' zei Gray. 'Achter de pilaren. Ik geef je dekking.'

Rachel zag de bij elkaar staande pilaren die het gewelfde plafond steunden. Daar konden ze zich beter verschuilen dan hier tussen de kerkbanken. Even keek ze achterom naar de Amerikaan.

'Op mijn teken,' zei hij terwijl hij achter haar hurkte. Hun blikken ontmoetten elkaar. In zijn ogen zag ze een gezonde dosis angst, maar ook vastberadenheid. Hij knikte, zette zich schrap en riep toen: 'Nu!'

Rachel stoof de kerkbank uit. Pistoolvuur barstte los, harder dan dat van hun aanvallers. Het pistool van hun bevelhebber beschikte niet over een geluiddemper.

Ze liet zich op de marmeren vloer vallen en rolde achter de drie pilaren. Onmiddellijk sprong ze weer op en drukte haar rug tegen de dikste pilaar. Voorzichtig gluurde ze erlangs en zag commandant Pierce gebogen op haar toe rennen terwijl hij met beide pistolen vuurde.

Een in een pij gehulde man aan de andere kant van hun kerkbank viel naar achteren toen hij werd getroffen. Op het middenpad schreeuwde een ander en sloeg zijn handen tegen zijn hals. Het bloed droop tussen zijn vingers door. De anderen hadden dekking gezocht. Aan de andere kant zag Rachel een groepje van vijf, zes man naar de deur van de schatkamer lopen, onafgebroken vurend.

Toen commandant Pierce haar positie had bereikt, gluurde ze om de andere kant van de pilaar. Niemand was nog deze kant op gekomen, maar dat zou ongetwijfeld gauw veranderen.

'En wat nu?' vroeg ze. Ze haalde het pistool uit haar schouderholster, de Beretta die ze in Rome van de carabiniere had gekregen.

'Deze pilaren lopen parallel aan de muur. Dat geeft ons dekking. Schiet op alles wat beweegt.'

'En ons doel is?'

'Hier weg te komen. We zitten als ratten in de val.'

Rachel fronste diep. En de anderen dan?

De Amerikaan had blijkbaar begrepen waarmee ze zat. 'We gaan naar buiten, de straat op. Zo leiden we zo veel mogelijk van die rotzakken af.'

Ze knikte. Fungeren als lokaas... 'Oké, kom op.'

De pilaren langs de zuidmuur stonden maar twee meter uit elkaar. Gebogen renden ze van de ene naar de andere met gebruikmaking van de kerkbanken als extra dekking. Commandant Pierce schoot hoog en Rachel laag om te voorkomen dat iemand het in zijn hoofd zou halen het zijpad tussen de pilaren en de muur te gebruiken.

De afleidingsmanoeuvre werkte. Hun positie kreeg meer geweervuur te verduren en daardoor konden ze geen vorderingen maken, het vertraagde hen en bracht het gevaar van een tweede granaataanval met zich mee. Ze waren nog maar halverwege het schip en het was niet langer mogelijk van pilaar naar pilaar te rennen.

De Amerikaan werd in de rug getroffen en viel languit op de grond. De adem stokte in Rachels keel. Maar hij kwam weer overeind.

Dicht tegen de muur gedrukt schuifelde Rachel verder, voortdurend met haar pistool van links naar rechts gaand. Ze was er zo op geconcentreerd om de kerk uit te komen dat ze dezelfde fout beging die de aanvallers de nacht daarvoor hadden gemaakt.

Achter haar zwaaide de deur van een biechthokje open. Voordat ze iets kon doen, werd er een arm om haar hals geslagen. Het wapen werd uit haar hand geslagen en de koude loop van een pistool drukte in haar nek.

'Geen beweging,' hoorde ze een diepe basstem zeggen terwijl de commandant zich met een ruk omdraaide. Degene die haar vasthield, was enorm sterk, ze kon nauwelijks ademen. Hij was lang, een reus, ze kon maar net met haar tenen bij de grond. 'Laat jullie wapens vallen.'

Het geweervuur stierf weg. Het werd nu duidelijk waarom er geen tweede granaat naar hen was geworpen. Terwijl zij dachten dat ze bezig waren te ontsnappen, werden ze door de schutters in de val gedreven.

'Ik zou maar doen wat hij zegt,' hoorden ze een nieuwe, honingzoete stem vanuit het biechthokje, van de kant waar de boeteling moest zitten. De deur ging open en er kwam een in zwart leer geklede gestalte uit.

Het was geen monnik, maar een vrouw. Een slanke vrouw van Euraziatische afkomst.

Ze hield haar zwarte Sig Sauer op Grays gezicht gericht. 'Déjà vu, commandant Pierce?'

De deur was een probleem. Met het slot eraf geschoten bestond het gevaar dat de inslag van een kogel de deur kon doen openzwaaien. En ze durfden de deur ook niet met hun schouders dicht te drukken. De meeste schoten boorden zich in het hout, maar een paar drongen erdoorheen zodat de deur er als Zwitserse gatenkaas begon uit te zien.

Monk lag vlak naast de deur en drukte die met zijn gelaarsde voet dicht. Iedere keer dat een kogel de deur trof, voelde hij de dreun door zijn been trekken.

'Schiet op,' zei hij gespannen.

Hij stak de loop van zijn geweer door een gat in de deur en vuurde blindelings. De nog rokende patroonhuls vloog uit de kamer tegen een van de glazen vitrines aan en viel op de grond. Achter de deur hielden de aanvallers rekening met de Scattergun, ze vuurden vanaf een afstand. Kennelijk wisten de aanvallers dat hun prooi in de val zat.

Maar waar wachtten ze nog op?

Monk verwachtte ieder moment dat er een granaat tegen de deur zou worden gegooid. Hij hoopte dat de stenen muren genoeg bescherming boden. Maar als de deuren uit hun scharnieren werden geblazen, waren ze hier volslagen kansloos.

Het was onwaarschijnlijk dat er redding op komst was. Monk had Gray horen schieten terwijl hij door de kerk bewoog. Zo te horen was hij op weg naar de uitgang. Monk wist dat de commandant met een afleidingsmanoeuvre bezig was en dat had ook geholpen, anders waren ze allang dood geweest.

Maar nu zweeg Grays pistool.

Ze waren op zichzelf aangewezen.

Weer werd de deur door spervuur getroffen. De deur bewoog en die beweging trok door zijn been. Hij kreeg kramp in zijn dij van de inspanning de deur dicht te houden, zijn been begon te trillen. 'Nu of nooit, jongens!'

Hij hoorde sleutels rammelen. Monseigneur Verona worstelde met de sleutelring die hij had gekregen. Hij probeerde de derde kogelvrije vitrine te openen. Uiteindelijk vond hij met een kreet van opluchting de juiste sleutel en zwaaide de vitrinedeur open.

Kat stak haar hand uit en pakte een lang zwaard uit de vitrine. Een sierwapen uit de vijftiende eeuw met een gouden gevest, ingelegd met edelstenen. Maar de kling van een meter lang was van gepolijst staal. Ze rukte het los en sleepte het zwaard door het vertrek. Ze bleef uit de vuurlinie en stak het zwaard tussen de deur en de sponning, zodat die onwrikbaar vast kwam te zitten.

Nadat Monk zijn been had teruggetrokken, wreef hij over zijn pijnlijke knie. 'Dat werd tijd.' Weer stak hij de loop van zijn geweer door het gat in de deur en vuurde – meer uit frustratie dan dat hij hoopte iemand te raken.

De schoten dreven de aanvallers terug en Monk durfde even snel naar buiten te kijken. Een van de aanvallers lag languit op zijn rug in een plas bloed. Zijn hoofd was er half afgeschoten. Een van zijn blindelings afgevuurde schoten had doel getroffen.

Maar nu schoten de aanvallers er niet meer zomaar op los.

Een voorwerp in de vorm van een zwarte dennenappel stuiterde over de kerkbanken recht naar de deur toe. Monk drukte zich plat tegen de stenen.

'Kijk uit!'

3:28

De explosie trok ieders aandacht – behalve die van Gray. Hij kon niets meer voor de anderen doen.

Er verscheen een grimmige lach op het gezicht van de lange man. 'Kennelijk zijn je maten...'

Rachel kwam in actie. Door de afleiding van de explosie moest de man zijn greep hebben verslapt, of misschien had hij de slanke vrouw onderschat. Ze wierp haar hoofd naar voren en toen met kracht naar achteren waardoor ze de kaak van de man zo hard raakte dat ze zijn tanden op elkaar hoorde klappen.

Verrassend snel sloeg ze met de zijkant van haar hand op zijn arm en liet zich tegelijkertijd vallen. Vervolgens stootte ze met haar elleboog in zijn middenrif, draaide zich razendsnel om en trof hem met haar vuist in zijn kruis.

Gray richtte zijn pistool op de Drakenvrouw. Maar de vrouw was sneller dan hij, ze deed een stap op hem toe en richtte van een afstand van een paar centimeter haar pistool op het plekje tussen zijn ogen.

Naast hen sloeg de man dubbel en viel toen op zijn knieën. Rachel schopte zijn pistool weg.

'Rennen!' siste Gray haar toe terwijl hij zijn blik op de Drakenvrouw hield gevestigd.

De agent van het Gilde keek strak terug – en deed toen iets heel vreemds. Ze bewoog de loop van het pistool naar de uitgang en gebaarde met haar hoofd.

Ze liet hem gaan.

Gray zette een pas naar achteren. Ze schoot niet, maar hield het pistool op hem gericht voor het geval hij iets met haar wilde uithalen.

Liever dan het onmogelijke te proberen draaide Gray zich abrupt om en vuurde op de monniken die het meest dichtbij waren. Hij schoot er twee neer. Ze waren afgeleid door de explosie en hadden gemist dat er een machtswisseling had plaatsgehad.

Gray greep Rachel bij de arm en trok haar mee naar de uitgang.

Vlak achter hem klonk een pistoolschot. Hij werd in de bovenarm geraakt en wankelde even. Hij keek om en zag rook uit de loop van het pistool van de Drakenvrouw komen. Ze had op hem geschoten terwijl ze de lange man overeind hielp. Er droop bloed over haar gezicht. Ze had zichzelf een wond toegebracht als excuus voor het feit dat ze hen had laten gaan. Ze had expres misgeschoten.

Rachel pakte hem beet en dook achter de laatste pilaar. De deur naar het voorportaal lag voor hen. Niemand die hun in de weg stond.

Even keek Gray achterom in de kerk, waar achterin nog werd geschoten. Uit de deuropening in de muur kwam rook en stof. Het handjevol schutters schoot onophoudelijk naar binnen zodat deze keer niemand zou kunnen ontsnappen. Toen gooide een van de mannen nog een granaat door de weggeblazen deur.

De andere schutters doken weg toen die ontplofte. Er kolkte rook en puin naar buiten.

Gray wendde zich af. Rachel had de ontploffing ook gezien. In haar ogen welden tranen op. Hij voelde haar tegen zich aan verslappen toen haar benen haar nauwelijks meer konden dragen. Hij voelde met haar mee. In het verleden had ook hij teamgenoten verloren, maar hij was erop getraind pas later te rouwen.

Zij had echter een familielid verloren.

'Doorgaan,' zei hij bars. Meer kon hij nu niet doen. Hij moest haar in veiligheid brengen.

Ze keek naar hem om en leek kracht te putten uit de verbeten uitdrukking op zijn gezicht. Dat had ze nodig, meer dan medeleven. Zoiets had hij al eerder meegemaakt wanneer mannen op het slagveld onder vuur kwamen te liggen. Ze rechtte haar rug.

Even kneep hij in haar arm.

Ze knikte. Ze was er klaar voor.

Samen renden ze naar de toegangsdeuren en stormden naar buiten.

In het voorportaal hielden moordenaars de wacht bij de lijken van twee mannen die een Duits politie-uniform droegen. De agenten van de afzetting. De twee monniken lieten zich niet verrassen. Een van hen opende meteen het vuur zodat Gray en Rachel naar de muur werden gedreven. De buitendeur konden ze niet bereiken, maar links van hen bevond zich nog een deur.

Omdat ze geen andere keus hadden, glipten ze erdoor. De tweede man richtte zijn wapen. Een muur van vlammen. Hij beschikte verdomme over een vlammenwerper... Gray sloeg de deur dicht, maar de vlammen likten eronderdoor. Gray keek om. Er zat geen slot op de deur.

Ze stonden voor een wenteltrap.

'De toren,' zei Rachel.

Kogels boorden zich in de deur.

'Naar boven,' zei hij.

Hij duwde Rachel voor zich uit de trap op. Ze renden naar boven de wenteltrap op. Beneden werd de deur opengegooid. Gray hoorde een bekende stem in het Duits roepen: 'Pak die klootzakken! Verbrand ze levend!'

Dat was de lange man, de leider van de monniken.

Dreunende voetstappen op de stenen treden.

Door de ronding van de wenteltrap kon geen van beide partijen op elkaar schieten, maar dat was eerder in het voordeel van de achtervolgers. Terwijl Gray en Rachel naar boven renden, werden ze opgejaagd door een fontein van vonken en vlammen die rond de kromming schoten.

De trap draaide steeds verder naar boven en versmalde toen ze bij de torenspits kwamen. In de muren zaten glas-in-loodramen, maar die waren te smal om doorheen te klimmen, ze waren niet breder dan schietgaten.

Eindelijk bereikten ze de klokkenstoel. Een enorme kerkklok hing boven in de toren met daaronder een stalen rooster en eromheen een houten vloer.

Hier waren brede openingen om door naar buiten te klimmen, en er zat geen glas in om het geluid van de kerkklokken niet te smoren, maar wel tralies.

'Het uitkijkpunt,' zei Rachel. 'Toegankelijk voor het publiek.' Ze hield het pistool dat ze van Gray had geleend op de trap gericht.

Gray liep snel de toren rond. Er was geen andere uitgang. Hij had een prachtig panorama over de stad. Over de glanzende Rijn spande zich de Hohenzollern-brücke. Het Museum Ludwig werd prachtig verlicht, evenals de blauwe vleugels van de Musical Dome. Maar ontsnappen naar de straten beneden was onmogelijk.

In de verte hoorde hij sirenes, een eenzaam en spookachtig huilen.

Gray keek omhoog en maakte berekeningen.

Rachel schreeuwde iets. Met een ruk draaide Gray zich om net toen een vuurstraal uit het gat van de wenteltrap spoot. Rachel deinsde terug en kwam bij hem staan.

Er was geen tijd meer.

3:34

Beneden in de dom betrad Yaeger Grell de vernielde schatkamer, zijn geweer in de hand. Hij had gewacht tot het stof van de tweede ontploffing was gaan liggen. Zijn twee partners gingen zich bij de anderen voegen om de laatste brandbommen bij de ingang van de kerk te plaatsen.

Later zou hij naar hen toe gaan, maar eerst wilde hij de lijken zien van degenen die zijn wapenbroeder Renard hadden gedood. Hij liep naar binnen, voorbereid op de stank van verbrand vlees en opengebarsten ingewanden.

Het was moeilijk lopen over de restanten van de deur. Met zijn geweer voor zich uit deed hij nog een stap, en toen werd zijn arm door iets geraakt. Verrast en niet-begrijpend deinsde hij achteruit. Hij staarde naar de stomp van zijn pols waar het bloed uit spoot. Pijn voelde hij niet.

Net op tijd keek hij op om het zwaard te zien – een zwaard! – dat door de lucht kliefde. Voordat zijn verraste blik was verdwenen, kwam het in zijn hals terecht. Hij voelde niets toen hij viel met zijn hoofd onmogelijk ver naar achteren gebogen.

En hij bleef maar vallen terwijl alles zwart werd.

3:35

Kat stapte naar achteren en liet het met edelstenen bezette zwaard zakken. Ze boog, greep een arm beet en trok het lichaam uit het zicht. Haar oren suisden nog van de ontploffing.

Ze fluisterde iets tegen Monk; tenminste, ze hoopte dat ze fluisterde, zelf kon ze niet horen wat ze zei. 'Help de geestelijke.'

Monk staarde van het onthoofde lichaam naar het bebloede zwaard in haar hand. Hij had grote ogen van de schrik, maar daar stond ook iets van respect in te lezen. Nadat hij over een van de vitrines was gestapt, trok hij monseigneur Verona onder het puin vandaan. Ze hadden zich met zijn drieën in een kogelvrije vitrine verschanst omdat ze wisten dat er een tweede granaat zou worden geworpen.

En dat was inderdaad gebeurd.

De vitrines hadden echter hun werk gedaan, ze hadden de kostbaarste schat van alles beveiligd: hun leven. De scherven hadden door het vertrek gevlogen, maar achter het kogelvrije glas waren ze ongedeerd gebleven.

Zij had dat bedacht.

Daarna, terwijl haar oren nog tuitten, was ze uit haar vitrine geklommen en had het zwaard op de grond gevonden. Dat was een minder opvallend wapen dan haar pistool. Ze had niet met een schot de aandacht van de andere schutters willen trekken.

Toch trilden haar handen. Haar lichaam herinnerde zich het laatste messengevecht waarbij ze betrokken was geweest... En de nasleep daarvan. Ze verstevigde haar greep op het gevest terwijl ze kracht aan het harde staal ontleende.

Achter haar krabbelde monseigneur Verona op. Hij keek naar zijn armen en benen alsof het hem verwonderde dat die er nog aan zaten.

Kat liep terug naar de deuropening. Niemand van de andere schutters leek aandacht aan deze ruimte te besteden, ze stonden op een kluitje bij de ingangsdeuren.

'We moeten hier weg.' Kat gebaarde dat ze naar buiten moesten. Met haar rug tegen de muur gedrukt schoof ze weg van de ingang van de kerk, steeds verder weg van de schutters. Ze bereikte de kruising tussen schip en dwarsschip. Kat wuifde de anderen dat ze de hoek om moesten gaan.

Buiten het zicht van de schutter wees monseigneur Verona door het dwarsschip. 'Die kant op,' fluisterde hij.

Er waren daar meer deuren. Nog een uitgang, en deze werd niet bewaakt.

Met het vijftiende-eeuwse zwaard in haar hand liep Kat snel verder. Zij hadden het overleefd.

Maar gold dat ook voor de anderen?

3:38

Rachel vuurde haar pistool in het trapgat af terwijl ze de patronen in de tweede patroonhouder telde. Negen stuks. Ze beschikten over wel meer munitie, maar hadden geen tijd om een andere patroonhouder te vullen. Commandant Pierce had het te druk.

Omdat ze geen andere keus had schoot ze blindelings en met tussenpozen om de aanvallers beneden te houden. Af en toe werd ze gehinderd door een vuurstraal, net lekkende vlammen uit de muil van een draak.

Deze patstelling kon niet veel langer duren.

'Gray!' riep ze zonder zich aan de formele codes te storen.

'Nog heel even,' reageerde hij vanaf de andere kant van de kerkklok.

Toen de vlammen op de wenteltrap uitdoofden, haalde Rachel de trekker weer over. Ze moest hen op afstand zien te houden. De kogel schampte de stenen muur, ketste af en vloog de trappen af.

En toen schoof de patroonhouder eruit.

Geen ammunitie meer.

Ze kroop achteruit naar de achterzijde van de klok.

Gray had zijn rugzak afgedaan en een touw rond een van de tralies in het raam geknoopt. Het andere uiteinde had hij om zijn pols gewikkeld en een stuk slaphangend touw hing over zijn arm. Hij had de handkrik uit zijn verzameling gereedschap gebruikt om de tralies uit elkaar te buigen. Er was nu een opening die net breed genoeg was om erdoor te kunnen.

'Hou het touw vast,' zei hij.

Ze pakte het nylon koord dat een meter of vijf lang was. Achter haar spoot een nieuwe vuurstraal uit het trapgat. Hun achtervolgers kwamen naar boven.

Gray greep zijn rugzak en perste zich tussen de tralies door. Eenmaal op de stenen borstwering hees hij de rugzak op zijn rug en draaide zich naar Rachel om. 'Het touw.'

Ze gaf het hem. 'Voorzichtig.'

'Daar is het nu te laat voor.'

Hij keek naar beneden. Niet erg verstandig, vond Rachel. Van een afgrond van honderd meter konden iedereens knieën gaan knikken... En op dit moment was het belangrijk sterke benen te hebben.

Gray stond met zijn rug naar de zuidelijke torenspits van de dom.

Vier meter verderop bevond zich de noordelijke toren, het evenbeeld van deze. Die was niet opengesteld voor het publiek en daar zaten dan ook geen tralies voor de ramen. Maar je kon niet van raam naar raam springen, niet vanuit een staande positie. In plaats van springen besloot Gray een duiksprong te maken en zich vast te houden aan wat er maar voorhanden was op de met beeldhouwwerk versierde gevel van de andere toren.

Hij nam een enorm risico, maar iets anders zat er niet op. Ze moesten hier weg.

Gray boog zijn knieën. Met ingehouden adem legde Rachel haar gebalde vuist tegen haar keel.

Zonder een moment te aarzelen boog Gray zich voorover en sprong. De rol touw ontrolde zich. Hij vloog over de afgrond tussen de torens en sloeg tegen de andere aan, net onder een kozijn. Hij stak zijn beide handen uit en wist zich toen op haast wonderbaarlijke wijze vast te grijpen aan het kozijn. Maar door de schok werd hij teruggeworpen. Hij kon zich niet vasthouden en begon te vallen.

'Je linkervoet!' gilde Rachel.

Hij had het gehoord. De neus van zijn linkerlaars kwam tegen het stenen oppervlak aan en hij wist die op de kop van een gargouille met een duiveltjesgezicht te plaatsen. Hij trok zijn andere voet bij.

Nu hij houvast had, wist hij de rand boven zich te grijpen en toen vond hij ook houvast voor zijn rechterknie. Hij kleefde als een vlieg tegen de muur. Nadat hij diep adem had gehaald, klom hij hoger en hees zichzelf door een raam.

Rachel bukte even om onder de kerkklok door te kijken. Geen vlammen meer. Ze wist dat de achtervolgers begrepen waarom er niet meer werd geschoten.

Ze kon niet langer wachten. Ze schoof tussen de tralies door. De stenen rand was glibberig van de duivenpoep en er stond een verraderlijke wind.

Aan de overkant had Gray het touw gespannen. 'Schiet op! Ik hou je vast.'

Over de afgrond heen ontmoette ze zijn blik. Hij keek zelfverzekerd.

'Ik hou je vast,' zei hij nog eens.

Ze slikte moeizaam en pakte het touw. Niet naar beneden kijken, hield ze zich voor. Hand over hand, meer hoefde ze niet te doen.

Haar knokkels waren wit door de kracht waarmee ze het touw vasthield. Ze stond alleen nog met haar tenen op de borstwering. Plotseling kwam er geluid uit de klok achter haar. Geschrokken keek ze om en zag een zilverkleurige cilinder in de vorm van een dumbbell over de vloer stuiteren.

Ze hoefde niet te weten wat het precies was, want iets goeds kon het nooit zijn.

Zonder verdere aanmoediging ging ze aan het touw hangen en scharrelde hand over hand verder, zwaaiend met haar benen. Even later greep Gray haar bij haar middel.

'Bom,' bracht ze ademloos uit terwijl ze een hoofdgebaar naar de andere toren maakte.

'Wat?'

De explosie maakte verder spreken onmogelijk. Door de luchtdruk werd Rachel naar binnen geblazen tegen Grays borstkas aan. Samen vielen ze op de vloer van de klokkentoren. Een muur van blauwe vlammen raasde door het raam naar binnen en over hen heen, met de hitte van een oven.

Gray drukte haar tegen zich aan en beschermde haar lichaam met het zijne, maar door de stevige wind verdwenen de vlammen al snel.

Gray rolde zich van Rachel af en Rachel kwam overeind. Ze keek om naar de zuidelijke toren. De spits stond in brand, de vlammen schoten uit de vier ramen. In de vuurzee beierde de klok.

Gray stond ook op en haalde het touw binnen. De knoop waarmee het aan de tralies had vastgezeten, was weggebrand en daarmee was de verbinding met de andere toren verbroken.

'Een brandbom,' zei hij.

De vlammen bewogen in de wind, de toren leek wel een brandende kaars. Een laatste groet voor degenen die waren gedood, zowel in de nacht hiervoor als in deze nacht. Rachel dacht aan de kwajongensachtige lach van haar oom. Hij was dood en ze voelde verdriet, maar ook iets anders, iets veel krachtigers. Ze wankelde achteruit en Gray ving haar op.

Door de hele stad hoorden ze sirenes loeien.

'We moeten hier weg,' zei hij.

Ze knikte.

'Ze denken vast dat we dood zijn. Dat moeten we maar zo houden.'

Ze liet zich door hem naar de wenteltrap brengen en ze liepen die haastig af, rond en rond en rond. Het geluid van de sirenes werd doordringender, en ze hoorden ook een startende motor en daarna nog eentje.

Gray gluurde uit een raampje. 'Ze smeren 'm.'

Ook Rachel keek naar buiten. Drie verdiepingen lager trokken twee zwarte busjes op om daarna met hoge snelheid over het plein weg te rijden.

'Kom,' zei Gray. 'Ik heb hier geen goed gevoel over.'

Nog sneller rende hij naar beneden, met twee treden tegelijk. Rachel volgde hem op de voet, vol vertrouwen op zijn intuïtie.

Ze stormden het voorportaal in. Een van de deuren naar het schip stond op een kier. Rachel keek de kerk in, naar de plek waar haar oom om het leven was gekomen. En toen zag ze iets op de vloer, niet ver weg in het middenpad.

Zilverkleurige dumbbells. Een stuk of tien, door rode kabeltjes met elkaar verbonden.

'Wegwezen!' schreeuwde ze terwijl ze zich met een ruk omdraaide.

Samen duwden ze de grote deuren open en renden het plein op.

Zonder een woord te zeggen vlogen ze naar de enige plek die dekking bood. De verbindingswagen van de politie. Net op het moment van de explosies doken ze daarachter.

Het klonk of er vuurwerk werd afgestoken toen de ene explosie op de andere volgde.

Boven alle lawaai uit hoorden ze glasgerinkel en Rachel keek omhoog. Het enorme glas-in-loodraam boven de deuren, dat nog uit de Middeleeuwen stamde, vloog eruit in een schitterende waterval van vuur en fonkelend glas.

Ze maakte zichzelf zo klein mogelijk achter het busje terwijl om hen heen een dodelijke glasregen neerkwam.

Met een daverende knal kwam er iets op het busje terecht. Rachel bukte en keek tussen de wielen door. Aan de andere kant van het busje lag brandend een van de reusachtige deuren van de dom.

Toen kwamen er nieuwe geluiden. Verraste stemmen, gesmoord. Ze kwamen vanuit het busje. Rachel keek naar Gray. Opeens had hij een mes in zijn hand, alsof dat daar als bij toverslag was verschenen.

Voorzichtig slopen ze naar de achterkant van het busje.

Voordat ze aan de deurknop konden komen, zwaaide de deur open.

Vol ongeloof zag Rachel Grays stevig gebouwde teamgenoot uitstappen. Achter hem aan kwam zijn vrouwelijke partner die een enorm zwaard vasthield, en als laatste verscheen een vertrouwd iemand.

'Oom Vigor!' Rachel vloog op hem af en sloeg haar armen om hem heen.

Hij beantwoordde haar omhelzing. 'Waarom probeert iedereen me toch op te blazen?' vroeg hij.

4:45

Een uur later ijsbeerde Gray gespannen door de hotelkamer die ze onder valse namen hadden gehuurd. Ze dachten dat ze beter zo snel mogelijk van de straat konden zijn. Hotel Cristall op de Ursulaplatz lag maar een paar honderd meter van de domkerk vandaan, een knus hotelletje met een typische design-inrichting met veel primaire kleuren.

Hier zouden ze zich schuilhouden om een nieuw plan de campagne op te stellen. Maar eerst moesten ze meer informatie hebben.

Een sleutel werd in het slot gestoken. Gray legde zijn hand op zijn pistool. Hij nam geen enkel risico. Maar het was monseigneur Verona slechts, die terugkwam van een verkenningstocht.

Vigor stapte de kamer in met een grimmige uitdrukking op zijn gezicht.

'En?'

'De jongen is dood,' zei hij.

De anderen kwamen om hem heen staan.

Vigor deed verslag. 'Jason Pendleton, de jongen die de slachting had overleefd. Ik hoorde het net op de BBC. Hij is in het ziekenhuis gestorven. Doodsoorzaak onbekend, maar men vermoedt dat er iets niet in de haak is. Vooral omdat het samenvalt met de brandstichting in de domkerk.'

Verslagen schudde Rachel haar hoofd.

Eerder was Gray opgelucht geweest dat iedereen het er op een paar blauwe plekken na heelhuids van af had gebracht, en iedereen was natuurlijk geschrokken. Maar aan de enige overlevende van de eerste moordpartij had hij niet gedacht. Het paste allemaal in elkaar. De aanval op de dom was bedoeld om sporen uit te wissen, en uiteraard moest de enige getuige ook het zwijgen worden opgelegd.

'Ben je verder nog ergens achter gekomen?' vroeg Gray.

Hij had Vigor naar de lounge gestuurd nadat ze zich hadden ingecheckt om te kijken hoe het er met de domkerk voor stond. Voor die klus was de geestelijke het meest geschikt omdat hij de taal vloeiend sprak en omdat iemand met een priesterboord niet zou worden verdacht.

Zelfs nu nog loeiden de sirenes door de hele stad. Uit het raam hadden ze uitzicht op de kathedraal. Eromheen stonden brandweerwagens en busjes van andere hulpdiensten, alle met blauw en rood zwaailicht. Rook steeg op. Op straat dromden de nieuwsgierigen samen en overal stonden busjes van televisiestations.

'Ik ben niets te weten gekomen wat we al niet wisten,' zei Vigor. 'In de kerk woedt nog brand, maar het vuur heeft zich niet verspreid. Ik zag een interview met een van de geestelijken uit de pastorie. Niemand is gewond geraakt, maar ze vragen zich af wat er van mij en mijn nichtje is geworden.'

'Mooi zo,' zei Gray. Rachel keek hem even aan. 'Zoals ik al zei, denken ze dat we zijn omgekomen en dat moet zo lang mogelijk zo blijven. Zolang ze niet weten dat we nog in leven zijn, zullen ze minder op hun hoede zijn.'

'En niet achter ons aan gaan,' reageerde Monk. 'Dat bevalt me wel.'

Kat zat achter een laptop waarmee ze een digitale camera had verbonden. 'De foto's worden geladen,' zei ze.

Gray liep naar het bureau. Monk en de anderen hadden na hun ontsnapping niet alleen een schuilplaats in het busje gezocht, maar ze hadden meteen van de gelegenheid gebruikgemaakt om foto's van de aanvallers te maken. Gray was onder de indruk.

Zwart-witbeelden verschenen op het scherm.

'Daar,' zei Rachel terwijl ze wees. 'Dat is de kerel die me vastgreep.'

'De leider,' zei Gray.

Kat klikte op de foto en die verscheen nu groot op het scherm. De man was gefotografeerd op het moment dat hij de kerk uit liep. Hij had donker haar tot bijna op zijn schouders. Geen snor of baard. Regelmatige trekken. Uitdrukkingsloos, vastberaden. Zelfs op de foto straalde hij superioriteit uit.

'Moet je die zelfvoldane rotzak zien!' zei Monk. 'Gottegot, wat zijn we in onze sas.'

'Herkent iemand hem?' vroeg Gray.

Iedereen schudde van nee.

'Ik kan verbinding maken met Sigma en kijken of hij in de database voorkomt.'

'Nog niet,' zei Gray. Toen ze fronsend naar hem opkeek, legde hij uit: 'Het is beter om geen contact te maken.'

Hij keek om zich heen. Hoewel hij normaal gesproken graag zelfstandig opereerde zonder dat Big Brother over zijn schouder meekeek, kon daar nu geen sprake van zijn. Hij stond aan het hoofd van een team, hij was voor meer verantwoordelijk dan voor zijn eigen leven. Zijn blik bleef op Vigor en Rachel rusten. Het was niet eens meer zijn eigen team. Iedereen wachtte op zijn orders. Plotseling drukte de verantwoordelijkheid zwaar op hem. Hij wilde niets liever dan contact maken met Sigma, met directeur Crowe overleggen en de verantwoordelijkheid afschuiven...

Maar dat kon niet, nog niet tenminste.

Gray schraapte zijn keel. 'Iemand wist dat we alleen in die kerk waren. Of ze hielden de dom in de gaten, óf ze waren op de hoogte gebracht.'

'Een lek,' zei Vigor terwijl hij over zijn baardje streek.

'Misschien. Maar ik zou niet kunnen zeggen waar het lek zit.' Hij keek Vigor recht aan. 'Bij jullie of bij ons.'

Met een zucht knikte Vigor. 'Ik ben bang dat de schuld bij ons ligt. De Societas Draconis beroemt zich erop dat ze binnen het Vaticaan aanhangers hebben. En na deze hinderlaag volgend op de aanslagen op Rachel en mijzelf, moet ik er bijna van uitgaan dat het probleem in de richting van het Vaticaan wijst.'

'Dat hoeft niet,' reageerde Gray. Hij draaide zich om naar de laptop en wees een ander fotootje aan. 'Maak dat eens groot.'

Kat klikte erop. Het beeld verscheen van een slanke vrouw die achter in een van de twee busjes klom. Van haar gezicht was alleen het profiel te zien.

Gray keek de anderen aan. 'Herkent iemand haar?'

Weer werden er hoofden geschud.

Monk boog zich over de laptop heen. 'Maar ik zou haar graag beter leren kennen.'

'Dit is de vrouw die me in Fort Detrick aanviel.'

Monk deinsde achteruit, ineens was de vrouw toch niet zo aantrekkelijk. 'De agent van het Gilde?'

Vigor en Rachel begrepen er niets van. Gray had geen tijd om hun precies uit te leggen wat het Gilde was, maar hij kon wel de organisatie schetsen: de terroristische cellen, de banden met de Russische *mafiya*, en hun interesse in nieuwe technologie.

Zodra hij was uitgesproken, vroeg Kat: 'Dus je denkt dat het misschien bij ons ligt?'

'Na Fort Detrick?' Gray fronste. 'Wie weet waar het lek is? Maar het feit dat het Gilde hier aanwezig is, dat het samenwerkt met de Societas Draconis, zou erop kunnen wijzen dat hun hulp is ingeroepen omdat wij erbij betrokken zijn. Maar ik denk dat het niet van harte gaat.'

'Waarom zeg je dat?' vroeg Rachel.

Gray wees naar het scherm. 'De Drakenvrouw liet me ontsnappen.'

Een geschokte stilte volgde.

'Weet je dat zeker?' vroeg Monk.

'Heel zeker.' Gray wreef over de blauwe plek op zijn arm waar ze hem had geraakt toen hij vluchtte.

'Waarom zou ze dat doen?' vroeg Rachel.

'Omdat ze met de Societas Draconis speelt. Zoals ik al zei, denk ik dat het Gilde erbij geroepen is omdat Sigma erbij betrokken raakte. De Societas heeft het Gilde om assistentie gevraagd met het doel ons gevangen te nemen of te elimineren.'

Kat knikte. 'En als we allemaal dood zijn, is het Gilde niet meer nodig. Dat betekent het einde van de samenwerking, en zo hoeft het Gilde er nooit achter te komen wat de Societas Draconis allemaal weet.'

'Maar nu denkt de Societas dat we dood zijn,' merkte Rachel op.

'Precies. Nog een reden om hen dat zo lang mogelijk te laten denken. Als wij dood zijn, verbreekt de Societas de banden met het Gilde.'

'Een tegenstander minder,' zei Monk.

Gray knikte.

'En wat doen we nu?' vroeg Kat.

Dat was nog een raadsel. Ze hadden geen aanwijzingen, op eentje na. Gray keek om naar zijn rugzak. 'Het poeder dat we uit de reliekschrijn wisten te verzamelen, dat moet de sleutel tot dit alles zijn. Maar ik weet niet op welk slot die sleutel past. En we kunnen het ook niet naar Sigma opsturen om te laten testen...'

Vigor zei: 'Ik denk dat je gelijk hebt. Het antwoord ligt in het poeder besloten. Een betere vraag is: wat is het?'

Plotseling kneep hij zijn ogen tot spleetjes en sloeg zijn hand tegen zijn voorhoofd. 'Wat is het...' prevelde hij voor zich uit.

'Oom Vigor?' vroeg Rachel bezorgd.

'Wacht, ik kan er niet opkomen...'

Gray herinnerde zich dat hij die geconcentreerde uitdrukking ook op Vigors gezicht had gezien toen die iets uit het boek Openbaringen citeerde.

Vigor balde zijn vuist. 'Ik kom er maar niet op. Het is net zeepbellen vangen.' Hij schudde zijn hoofd. 'Waarschijnlijk ben ik te moe.'

Gray voelde dat de man de waarheid sprak. Voor het grootste gedeelte althans. Maar hij hield ook iets achter, iets wat in hem opgekomen was toen hij vroeg: wat is het? Even zag Gray iets van angst in Vigors ogen opflitsen.

'Nou, welke vraag is beter?' zei Monk. 'Je zei iets over een betere vraag dan de vraag waaruit het poeder bestaat.'

Vigor knikte en kwam terug tot de werkelijkheid. 'Ja, misschien kunnen we ons beter afvragen hoe het poeder daar terechtkwam. Om de zoveel jaar wordt het gebeente voorzichtig uit de schrijn gehaald zodat die kan worden schoongemaakt. Ik weet zeker dat die van binnen en van buiten wordt afgestoft.'

Kat ging rechtop zitten. 'Voor de aanslag vroegen we ons af of het apparaat misschien het goud van de schrijn had veranderd, of dat het de binnenkant had veranderd in wit poeder.'

'Kwam het er op die manier in?' vroeg Rachel.

'Zou kunnen,' reageerde Monk. 'Weet je nog dat gemagnetiseerde kruisbeeld achter in de kerk? Er is daar iets vreemds gebeurd wat invloed op het metaal heeft gehad. Dus waarom zou het geen uitwerking op goud hebben?'

Het speet Gray dat ze geen tijd hadden gehad om meer monsters te nemen, meer testen uit te voeren. Maar nu de kerk in brand was gestoken...

'Nee,' zei Kat met een zucht van ergernis. 'Het poeder bestond immers niet alleen uit goud? We troffen ook andere metalen aan. Misschien platina of een ander veranderlijk metaal dat ook kan desaggegreren in de poedervorm van de m-state.'

Nadenkend knikte Gray. Hij herinnerde zich de zilverige spikkels in het gesmolten goud.

'Ik denk niet dat het goud afkomstig was van de binnenkant van de schrijn,' zei Kat.

Monk fronste diep. 'Maar als het niet van het goud aan de binnenkant afkomstig is, en als de schrijn regelmatig wordt gereinigd... Waar kan het dan van afkomstig zijn?'

Grays ogen werden groot. Ineens begreep hij waar Kat naartoe wilde. 'Van de beenderen.'

'Een andere verklaring is er niet voor,' was Kat het met hem eens.

Monk schudde zijn hoofd. 'Makkelijk praten. We hebben geen beenderen om je hypothese aan te toetsen. Zíj hebben alle botten.'

Rachel en Vigor keken elkaar aan.

'Wat?' vroeg Gray.

Rachel ontmoette zijn blik. Hij zag dat ze opgewonden was. 'Ze hebben niet alle beenderen.'

Gray fronste zijn voorhoofd. 'Maar waar...'

Vigor gaf antwoord. 'In Milaan.'

6

ONGELOVIGE THOMAS

Gray en de anderen stapten uit de gehuurde Mercedes E55 sedan en strompelden het plein van Como op, de stad aan het meer. Over de keitjes van de promenade naast het spiegelgladde blauwe water flaneerden vroege wandelaars en mensen die de etalages bekeken.

Kat geeuwde en rekte zich uit als een echte kat die langzaam wakker wordt. Ze keek op haar horloge. 'Drie landen in vier uur.'

De hele nacht hadden ze doorgereden. Door Duitsland naar Zwitserland en toen over de Alpen Italië in. Om hun anonimiteit te garanderen hadden ze de voorkeur aan de auto gegeven boven de trein of het vliegtuig, en bij de grens hadden ze valse papieren laten zien. Niemand mocht weten dat het groepje de aanslag in Keulen had overleefd.

Gray was van plan contact met Sigma op te nemen zodra ze de botten uit de basiliek van Milaan in hun bezit hadden en in Vaticaanstad waren aangekomen. Eenmaal in Rome zouden ze zich hergroeperen en met hun respectieve superieuren een nieuwe strategie uitstippelen. Ondanks het gevaar van een lek moest Gray Washington op de hoogte brengen van de gebeurtenissen in Keulen om de instructies voor de missie bij te stellen.

Ondertussen waren ze van plan geweest steeds van bestuurder te wisselen terwijl ze van Keulen naar Milaan reden, zodat iedereen de kans kreeg een dutje te doen. Maar zo was het niet gegaan.

Monk stond bij de rand van het plein voorovergebogen, met zijn handen op zijn knieën. Hij zag erg bleek.

'Het ligt aan haar rijstijl,' zei Vigor terwijl hij over Monks rug wreef. 'Ze rijdt nogal snel.'

'Ik heb in gevechtsvliegtuigen gezeten die verdomme loops maakten,' mopperde Monk. 'Dit was veel en veel erger.'

Rachel was ook uitgestapt en smeet het portier van de gehuurde auto dicht. Ze had in razende vaart over de Autobahn gereden en de haarspeldbochten in de Alpen met een snelheid genomen die tegen de wetten van de natuurkunde indruiste.

Ze schoof haar blauwgetinte zonnebril naar boven. 'Je moet gewoon iets eten,' stelde ze Monk gerust. 'Ik ken een leuke bistro op de Piazza Cavour.'

Hoewel Gray zo zijn bedenkingen had, stemde hij er toch mee in dat ze iets gingen eten. Ze moesten ook tanken, en dit stadje lag tamelijk afgelegen. De aanslag was pas zes uur geleden gepleegd, Keulen stond nog op zijn kop. Tegen de tijd dat bekend werd dat hun lijken niet in de domkerk waren aangetroffen, zaten ze al hoog en breed in Rome. Over een paar uur was het niet meer nodig iedereen te laten denken dat ze waren omgekomen.

Ondertussen waren ze allemaal doodmoe en uitgehongerd.

Rachel ging hun voor over het plein in de richting van de oever van het meer. Hoewel ze de hele nacht achter het stuur had gezeten, toonde ze geen enkel teken van vermoeidheid. Het jakkeren door de Alpen leek haar juist te hebben opgekikkerd, alsof het haar persoonlijke vorm van yoga beoefenen was. Die gejaagde blik in haar ogen na een nacht van doodsangsten uitstaan, werd bij elke kilometer die ze aflegden minder.

Dat ze zo veerkrachtig was, was voor Gray zowel een opluchting als een teleurstelling. Hij herinnerde zich dat ze zijn hand stevig had vastgehouden terwijl ze vluchtten, en de verontruste blik in haar ogen toen ze over de borstwering van de toren klom. Toen had ze naar hem gekeken alsof ze op hem vertrouwde en hem nodig had.

Die vrouw was verdwenen.

Voor hem uit ontrolde zich een panorama. Het meer was een blauw juweel, gezet tussen de ruige groene bergkammen van de uitlopers van de Alpen. Besneeuwde pieken werden weerspiegeld in het rimpelloze wateroppervlak.

'Lago di Como,' zei Vigor, die naast Gray liep. 'Vergilius beschreef het ooit als het prachtigste meer op aarde.'

Ze kwamen bij een promenade omzoomd met camelia's, azalea's, rododendrons en magnolia's. De met keitjes geplaveide promenade liep verder langs de oever van het meer, waar ook kastanjes groeiden, cipressen en laurierbomen met hun bleke schors. Over het water gleden zeilbootjes met witte zeilen in het ochtendbriesje. Op de groene heuvels stonden huisjes in groepjes bij elkaar tegen de helling aan gedrukt, de muren wit, geel of terracotta van kleur.

Gray genoot ervan, en Monk leek op te knappen van de frisse ochtendlucht, of in ieder geval van de vaste grond onder zijn voeten. Ook Kat keek nieuwsgierig om zich heen.

'Ristorante Imbarcadero,' zei Rachel terwijl ze wees.

'Een afhaalrestaurant is ook goed,' zei Gray terwijl hij op zijn horloge keek.

'Voor jou misschien,' merkte Monk zuur op.

Vigor zei: 'We hebben flink tempo gemaakt. Over een uurtje zijn we in Milaan.'

'Maar de botten...'

Met een frons legde Vigor hem het zwijgen op. 'Commandant, het Vaticaan is zich bewust van het gevaar dat de relikwieën in de Basilica di Sant'Eustorgio lopen. Ik moest toch langs Milaan om ze onderweg naar Rome op te halen. Ondertussen heeft het Vaticaan opdracht gegeven het gebeente in de kluis van de basiliek te bewaren. De kerk zelf is afgesloten en de plaatselijke politie is op de hoogte gebracht van het dreigende gevaar.'

'Daar zal de Societas Draconis zich niet door laten weerhouden,' zei Gray, denkend aan de ravage in Keulen.

'Ik denk niet dat ze midden op de dag zullen toeslaan. Ze houden zich liever in het duister op. En we zijn nog voor de middag in Milaan.'

Kat voegde daaraan toe: 'We kunnen het eten toch laten inpakken? Dan zijn we binnen de kortste keren weer onderweg.'

Hoewel het Gray niet beviel, gaf hij toch toe. Zelf moesten ze net zo nodig bijtanken als de auto.

Eenmaal bij het restaurant gekomen opende Rachel het hekje dat toegang gaf tot het terras met bloeiende bougainvilles en uitzicht over het meer. 'Het Imbarcadero heeft de beste lokale gerechten op de kaart staan. Jullie moeten de *risotto con pesce persico* eens proberen.'

'Rijst met goudbaars,' vertaalde Vigor voor hen. 'Hier maken ze dat echt verrukkelijk. De filets worden door de bloem en salie gehaald, dan gebakken en krokant opgediend op een dikke laag risotto met veel boter.'

Rachel ging hun voor naar een tafel.

Een beetje vermurwd stond Gray zichzelf toe Rachels enthousiasme te waarderen. In rap Italiaans sprak ze met een oudere man met een schort voor die hen kwam verwelkomen. Ze lachte en babbelde, en uiteindelijk omhelsden ze elkaar.

Rachel draaide zich naar de anderen om en gebaarde naar de stoelen. 'Als jullie iets lichters willen, kun je de courgettebloemen proberen. Die zijn gevuld met brood en *boraggine*. Maar neem daar in ieder geval een bordje *agnolotti* bij.'

Vigor knikte. 'Ravioli met aubergine en buffelmozzarella.' Hij kuste zijn vingertoppen om te laten zien hoe heerlijk dat was.

'Dus jullie hebben hier al vaker gegeten,' zei Monk terwijl hij op een stoel plofte. Hij keek op naar Gray.

Daar ging hun anonimiteit.

Vigor gaf Monk een schouderklopje. 'Onze familie is bevriend met de eigenaars, al drie generaties lang. Rustig maar, ze zijn uiterst discreet.' Hij wuifde naar een gezette ober. 'Ciao, Mario! *Bianco secco di Montecchia, per favore!*

'Komt eraan, *Padre*! Ik heb ook een verrukkelijke *chiaretto* uit Bellagio. Die is gisteren met de veerboot gekomen.'

'*Perfetto!* Een fles van allebei terwijl we wachten.'

'*Antipasti?*'

'Maar natuurlijk, Mario! We zijn geen barbaren.'

Ze bestelden met veel vertoon en gelach: zalmsalade met appelazijn, minestrone, scalopine, tagliatelle met witvis, en iets wat pappardelle heette.

Mario bracht een enorme schotel zo groot als de tafel vol olijven en andere antipasti... en ook twee flessen wijn, wit en rood.

'*Buon appetito!*' zei hij met luide stem.

Kennelijk maakten Italianen van iedere maaltijd een feestmaal, zelfs als het een afhaalmaaltijd was. De wijn vloeide, de glazen werden geheven, de salami en kaas werden rondgedeeld.

'*Salute*, Mario!' riep Rachel toen de schaal leeg was.

Monk leunde achterover en probeerde tevergeefs een boer binnen te houden. 'Zo, ik ben vol.'

Kat had net zoveel gegeten, maar ze bestudeerde de menukaart even geconcentreerd als eerder het dossier.

'Signorina?' vroeg Mario, die haar interesse was opgevallen.

Ze wees op de kaart. '*Macedonia con panna.*'

Monk kreunde.

'Het is maar fruitsalade met room.' Met grote ogen keek ze de anderen aan. 'Dat is licht.'

Gray greep niet in. Hij wist dat ze deze luchthartige stemming goed konden gebruiken. Zodra ze verder gingen, kregen ze het druk genoeg. Ze moesten naar Milaan om de botten op te halen en meteen daarna met de hogesnelheidstrein naar Rome opdat ze daar voor donker aankwamen.

Hij had van dit intermezzo gebruikgemaakt om monseigneur Verona te bestuderen. Ondanks de haast feestelijke sfeer was die weer in gedachten verzonken, Gray zag de radertjes bijna draaien.

Plotseling keek Vigor hem recht aan. Hij stond op. 'Commandant Pierce, ik zou graag even onder vier ogen met je praten. Misschien kunnen we even over de promenade wandelen.'

Gray zette zijn glas neer en stond ook op. De anderen keken hen nieuwsgierig aan, maar Gray gebaarde dat ze moesten blijven waar ze waren.

Vigor ging hem voor over het terras en de promenade op die langs het meer liep. 'Ik wil iets met je bespreken, misschien wil je je mening geven.'

'Prima.'

Ze liepen een eindje verder en toen stapte Vigor naar een hekje bij een verlaten steiger. Daar konden ze rustig praten.

Met zijn blik op het water gericht sloeg Vigor met zijn vuist op het hek. 'Ik begrijp dat het Vaticaan vooral is geïnteresseerd in de diefstal van de relieken. Zodra we in Rome zijn, maak je zeker een einde aan de samenwerking en ga je zonder ons achter de Societas Draconis aan.'

Gray dacht erover zich op de vlakte te houden, maar de man had recht op een eerlijk antwoord. Hij wilde hem en zijn nichtje niet nog meer gevaar laten lopen. 'Dat lijkt me het beste,' zei hij. 'En onze superieuren zullen het daar zeker mee eens zijn.'

'Maar ik niet.' Het klonk nogal heftig.

Gray fronste.

'Als jullie gelijk hebben en het gebeente de bron van het vreemde poeder is, geloof ik dat onze organisaties er meer bij betrokken zijn dan ze konden vermoeden.'

'Dat begrijp ik niet.'

Vigor wierp hem een blik toe met de doordringendheid die een familietrekje van de Verona's leek te zijn. 'Laat me je dan overtuigen. Om te beginnen weten we dat de Societas Draconis een aristocratisch genootschap is dat zich bezighoudt met de zoektocht naar geheime of verloren gegane kennis. Ze concentreren zich op gnostische teksten en andere esoterie.'

'Mystieke abracadabra.'

Met schuin gehouden hoofd keek Vigor hem aan. 'Commandant

Pierce, ik geloof dat jij ook alternatieve geloofsrichtingen en filosofieën hebt bestudeerd. Van het taoïsme tot hindoesekten.'

Gray bloosde. Hij was vergeten dat de geestelijke agent was van de Vaticaanse *intelligenza*. Kennelijk hadden ze een dossier over hem aangelegd.

'Met zoeken naar spirituele waarheden is niets mis,' ging Vigor verder. 'Welk pad men ook bewandelt. In feite betekent *gnosis*: "Het zoeken van de waarheid om God te vinden." Ik kan dat de Societas Draconis dan ook niet kwalijk nemen. Vanaf het begin is de gnostiek onderdeel van de katholieke Kerk. Zelfs ouder.'

'Goed,' zei Gray, die zijn ergernis niet kon verhullen. 'Maar wat heeft dit met de slachting in Keulen te maken?'

Vigor zuchtte. 'De aanslag van vandaag heeft zijn oorsprong in een conflict tussen twee apostelen, Thomas en Johannes.'

Gray schudde zijn hoofd. 'Waar heb je het over?'

'In het begin werd het christelijke geloof niet getolereerd. In die tijd ontstonden er zoveel sekten. Maar in tegenstelling tot de volgelingen van andere godsdiensten die verplicht bepaalde geldsommen moesten afdragen, droegen de aanhangers van het jonge christelijke geloof vrijwillig geld af. Dat geld werd gebruikt om voor de wezen te zorgen, voedsel en geneesmiddelen voor de zieken te kopen, en doodskisten voor de armen. Dat de misdeelden zo goed werden verzorgd, maakte dat velen zich tot het christendom voelden aangetrokken, ook al liepen ze risico op vervolging.'

'Ja, dat weet ik, goede werken en zo. Maar wat heeft dat...'

Vigor onderbrak hem met een handgebaar. 'Als je me laat uitspreken, steek je er misschien nog iets van op.'

Tegen zijn zin hield Gray zijn mond. Vigor was niet alleen spion voor het Vaticaan, maar ook professor aan de universiteit. Kennelijk stelde hij er geen prijs op onderbroken te worden wanneer hij doceerde.

'In de eerste jaren dat de Kerk bestond, was geheimhouding van het grootste belang. Daarom kwamen de volgelingen bij elkaar in grotten en crypten. Hierdoor ontstond er verwijdering tussen de verschillende groepen. Eerst door de afstand. Er waren aanzienlijke gemeenschappen in Alexandrië, Antiochië, Carthago en Rome. Door deze isolatie gingen de praktijken van elkaar verschillen, en dat ging gepaard met afwijkende opvattingen. Overal doken evangeliën op. Sommige daarvan werden in de bijbel opgenomen: de evangeliën van Mattheus, Marcus, Lucas en Johannes. Maar er waren ook andere. Het geheime Evangelie van Jacobus, van Maria Magdalena, van Filippus. Het Evangelie van de Waarheid. De

Apocalyps van Petrus. En nog veel meer. Door al deze evangeliën ontstonden verschillende sekten. De jonge Kerk raakte versplinterd.'

Gray knikte. Hij had de jezuïetenschool bezocht waar zijn moeder les gaf. Hij kende de geschiedenis.

'Maar in de tweede eeuw,' ging Vigor verder, 'schreef de bisschop van Lyon, de Heilige Irenaeus, vijf boekdelen met de titel *Adversus Heareses*. *Tegen de ketters*. De volledige titel is: *Ontmaskering en weerlegging van de valselijk dusgenaamde gnosis*. In die periode werden gnostische denkbeelden uit het christelijke geloof gezeefd en het kanon van de vier evangeliën gecreëerd. Alleen de evangeliën van Mattheus, Marcus, Lucas en Johannes werden opgenomen, de andere werden als ketters beschouwd. Om met Irenaeus te spreken, net zoals het universum vier gewesten kent en er vier windstreken bestaan, zo heeft de Kerk slechts vier pilaren nodig.'

'Maar waarom alleen deze vier evangeliën opgenomen?'

'Ja, waarom? Dat baart me juist zorgen.'

Gray probeerde zich beter te concentreren. Ook al ergerde het hem dat hij onderricht kreeg, toch was hij nieuwsgierig waartoe dit zou leiden.

Vigor staarde over het meer uit. 'Drie van de evangeliën – die van Mattheus, Marcus en Lucas – vertellen hetzelfde verhaal. Maar het evangelie van Johannes schetst een heel ander verhaal. Daar komen gebeurtenissen uit Jezus' leven in voor die chronologisch niet overeenkomen met de andere. Maar er is nog een achterliggende reden waarom Johannes in de bijbel is opgenomen zoals wij die kennen.'

'Waarom dan?'

'Dat ligt aan zijn medeapostel Thomas.'

'Ongelovige Thomas?' Gray kende het verhaal van de apostel die niet wilde geloven dat Jezus was opgestaan, niet totdat hij hem met eigen ogen had gezien.

Vigor knikte. 'Maar wist je dat het verhaal van de ongelovige Thomas uitsluitend in het evangelie van Johannes voorkomt? Alleen Johannes schetst het beeld van een domme en ontrouwe discipel. In de andere evangeliën wordt Thomas vereerd. Weet je waarom Johannes hem kleineert?'

Gray schudde zijn hoofd. In al zijn jaren als rooms-katholiek was hem dit afwijkende standpunt nooit opgevallen.

'Johannes wilde Thomas in diskrediet brengen, of, beter gezegd, de volgelingen van Thomas, die toen met zeer velen waren. Zelfs heden ten dage kent Thomas in India nog vele aanhangers. Maar in de vroege Kerk ontstond er een breuk tussen de evangeliën van Thomas en Johannes. Ze verschilden zo sterk dat slechts een van de twee het overleefde.'

'Wat bedoel je? Hoe verschillend kunnen ze nou zijn?'

'Het gaat terug tot het allereerste begin van de bijbel, tot Genesis. "Daar zij licht!" Zowel Johannes als Thomas vereenzelvigt Jezus met dit eerste licht, het licht van de schepping. Vandaar af interpreteren ze heel verschillend. Volgens Thomas ontstond door het licht niet alleen het universum, maar bestaat het nog in alle dingen, vooral in de mens die naar Gods evenbeeld is geschapen, en dat licht is in iedereen verborgen en wacht er slechts op te worden gevonden.'

'En Johannes?'

'Johannes had er een heel andere kijk op. Net als Thomas geloofde hij dat het eerste licht door Jezus werd belichaamd, maar Johannes beweerde dat het licht uitsluitend in Jezus kon worden gevonden. De rest van de wereld blcef voor eeuwig in duisternis gehuld, ook de mens. En het pad terug naar dit licht, naar verlossing en God, kon alleen worden gevonden door het aanbidden van de goddelijke Christus.'

'Een veel benepener visie.'

'En pragmatischer voor de jonge Kerk. Johannes bood een meer orthodoxe methode voor verlossing, die van in het licht komen. Uitsluitend te bereiken door het aanbidden van Jezus. Deze eenvoud en rechtlijnigheid stond de kerkleiders in die roerige periode zeer aan. Dit in tegenstelling tot wat Thomas beweerde, dat iedereen over de mogelijkheid beschikte om God te vinden door in zichzelf te kijken. Daar was geen aanbidding voor nodig.'

'En die overtuiging moest worden uitgeroeid.'

Vigor haalde zijn schouders op.

'Maar wie heeft gelijk?'

Met een grijns zei Vigor: 'Wie weet? Ik ben niet in het bezit van alle antwoorden. Zoals Jezus al zei: "Zoekt en gij zult vinden."'

Gray trok zijn wenkbrauwen op. Dat klonk hem erg gnostisch in de oren. Hij keek uit over het meer en zag de zeilbootjes over het water scheren. Het licht weerkaatste schitterend op het water. Zoekt en gij zult vinden... Was dat het pad dat hij had gevolgd toen hij al die levensbeschouwingen had bestudeerd? In ieder geval had hij daarin geen bevredigend antwoord gevonden.

En over onbevredigende antwoorden gesproken...

Beseffend hoe ver ze van het onderwerp waren afgedwaald, draaide hij zich naar Vigor om. 'Wat heeft dat allemaal met de slachting in Keulen te maken?'

'Dat zal ik je vertellen.' Vigor stak zijn vinger op. 'Ten eerste denk ik dat deze aanslag voortkomt uit het eeuwenoude conflict tussen Johannes' orthodoxe geloof en Thomas' oude, gnostische traditie.'

'Met de katholieke Kerk en de Societas Draconis recht tegenover elkaar?'

'Nee, dat is het hem nu juist. Daar heb ik de hele nacht over moeten nadenken. De Societas Draconis is dan wel op zoek naar kennis in de gnostische mysteriën, maar de leden zijn niet op zoek naar God, doch naar macht. Ze streven een nieuwe wereldorde na, een terugkeer naar het feudalisme met henzelf aan het roer, omdat ze ervan overtuigd zijn dat ze genetisch superieur zijn. Natuurlijke leiders van het mensdom. Dus nee, ik denk niet dat de Societas Draconis de gnostische kant van dit oude conflict vertegenwoordigt. Ik denk dat het geperverteerde machtswellustelingen zijn. Maar ze wortelen absoluut in die traditie.'

Tegen zijn zin moest Gray hiermee instemmen, maar hij was verre van overtuigd.

Vigor voelde dat zeker aan, want hij hief nog een vinger op. 'Ten tweede. In het evangelie van Thomas komt een verhaal voor over Jezus die Thomas op een dag apart neemt en hem in het geheim drie dingen vertelt. Toen de andere apostelen hem daarnaar vroegen, zei hij: "Als ik jullie ook maar een van die dingen vertel, zullen jullie me stenigen; en een vuur zal uit die stenen komen en jullie verteren."'

Afwachtend keek Vigor Gray aan, alsof het een soort test was.

Gray stelde hem niet teleur. 'Een vuur uit stenen dat hen verteert. Dat klinkt als wat er met de kerkgangers in de domkerk is gebeurd.'

Vigor knikte. 'Vanaf het moment dat ik van de slachting hoorde, moest ik aan dat citaat denken.'

'Veel verband is er niet,' reageerde Gray, nog steeds niet overtuigd.

'Misschien wel als ik nog een historisch feit mag aanstippen.' Vigor stak nog een vinger op.

Gray voelde zich net een lam dat naar de slachtbank wordt geleid.

'Volgens geschiedkundige teksten,' legde Vigor uit, 'ging Thomas naar het Oosten om het evangelie te verkondigen, helemaal naar India. Hij doopte duizenden mensen, liet kerken bouwen, verspreidde het geloof en stierf uiteindelijk in India. Maar daar stond hij vooral bekend om één bepaalde handeling, een doop.'

Gray wachtte af.

Met nadruk zei Vigor: 'Thomas doopte de drie Wijzen.'

Gray sperde zijn ogen open. De gedachten tolden door zijn hoofd. De Heilige Thomas en zijn gnostische achtergrond, Jezus die hem geheimen toefluisterde, dodelijk vuur dat uit stenen kwam, en dat stond allemaal in verband met de Wijzen. Waren er nog meer verbanden? Hij haalde zich de foto's van de Keulse lijken voor ogen. De toegetakelde lichamen. Het lijkschouwingsrapport waarin stond dat de buitenste delen van de hersenen van de slachtoffers gesmolten waren. Hij herinnerde zich ook de geur van geschroeid vlees die in de domkerk hing.

Op de een of andere manier bestond er verband tussen het gebeente en de sterfgevallen.

Maar hoe?

Als er historische aanwijzingen waren, dan lagen die buiten zijn ervaring en kennis. Dat moest hij onder ogen zien. Hij draaide zich om naar de geestelijke.

Vol vertrouwen zei Vigor: 'Zoals ik in het begin al zei, denk ik dat de sterfgevallen in de domkerk niet alleen aan een technisch hoogstandje zijn toe te schrijven. Ik denk dat wat er is gebeurd met de katholieke Kerk te maken heeft, met de vroegste geschiedenis daarvan, misschien wel van nog voor de stichting. En ik weet zeker dat ik bij het onderzoek van groot nut zal zijn.'

Bedachtzaam boog Gray zijn hoofd, hij had zich bijna laten overtuigen.

'Maar mijn nichtje niet,' besloot Vigor, en plotsklaps werd duidelijk waarom hij Gray apart had genomen. Hij stak zijn hand uit. 'Zodra we in Rome zijn aangekomen, stuur ik haar terug naar de carabinieri. Ik wil niet dat ze nog eens gevaar loopt.'

Gray schudde zijn hand.

Eindelijk waren ze het over iets eens.

10:45

Toen Rachel voetstappen achter zich hoorde, dacht ze dat het Mario was die het bestelde eten kwam brengen. Ze keek op en viel bijna van haar stoel toen ze opkeek naar de bejaarde vrouw die daar stond. Ze leunde op een wandelstok en was gekleed in een marineblauwe broek en een zomers jurkje, blauw met narcissen erop. Ze had krullend wit haar en ogen die geamuseerd fonkelden.

Mario stond met een brede grijns achter haar. 'Verrassing, nietwaar?'

Onder de verbaasde blikken van de anderen stond Rachel op. 'Nonna? Wat doe jij hier?'

Haar grootmoeder tikte tegen Rachels wang en zei in het Italiaans: 'Je malle moeder!' Ze knipte in haar vingers. 'Ze gaat naar Rome om jou te bezoeken. Mij laat ze bij signore Barbari achter zodat hij op me kan passen. Alsof dat nodig is. Bovendien stinkt hij naar kaas.'

'Nonna...'

Met een handgebaar werd haar het zwijgen opgelegd. 'Dus ga ik naar onze villa. Ik neem de trein. En dan hoor ik van Mario dat jij en Vigor hier zijn. Ik zeg dat hij niets moet verklappen.'

'Verrassing, nietwaar?' zei Mario nogmaals. Hij straalde van trots. Waarschijnlijk had het hem grote moeite gekost niets te zeggen.

'Wie zijn je vrienden?' vroeg nonna.

Rachel stelde hen voor.

Haar grootmoeder schudde iedereen de hand en ging toen over op Engels. 'Noem me maar Camilla.' Ze bekeek Monk van top tot teen. 'Waarom heeft u uw haar afgeschoren? Jammer. Maar u heeft mooie ogen. Bent u soms *italiano*?'

'Nee, ik ben van Griekse afkomst.'

Ze knikte wijs. 'Dat is niet heel erg.' Ze richtte zich tot Kat. 'Is signore Monk uw vriend?'

Verrast trok Kat haar wenkbrauwen op. 'Nee,' zei ze iets te zuur. 'Absoluut niet.'

'Zeg eens!' riep Monk uit.

'Jullie zouden een mooi stel zijn,' vond nonna Camilla. Tegen Mario zei ze: 'Een glas van die verrukkelijke chiaretto, per favore, Mario.'

Nog steeds stralend stoof hij weg.

Rachel ging weer zitten en zag toen Gray en haar oom terugkomen van hun onderonsje. Terwijl ze op haar toe liepen, viel het haar op dat Gray haar blik ontweek. Meteen wist ze waarom haar oom commandant Pierce privé had willen spreken, en omdat ook hij haar blik niet wilde ontmoeten, kon ze de afloop wel raden.

Plotseling smaakte de wijn haar niet meer.

Oom Vigor had de extra gast aan tafel opgemerkt en de grimmige uitdrukking op zijn gezicht verdween.

Weer werd de verrassing uitgelegd.

Terwijl Gray aan nonna werd voorgesteld, keek ze Rachel met opgetrokken wenkbrauwen aan. Vervolgens nam ze de Amerikaan eens goed op, en kennelijk beviel haar wat ze zag: een kaak met stoppeltjes erop, blauwe ogen en donker haar. Rachel wist dat haar oma een echte koppelaarster was, dat waren Italiaanse matrones allemaal.

Haar grootmoeder boog zich naar Rachel toe. 'Ik zie mooie kinderen,' fluisterde ze met haar blik op Gray gericht. '*Bellissimi bambini.*'

'Nonna!' reageerde Rachel waarschuwend.

Haar oma haalde haar schouders op en zei hardop: 'Signore Pierce, bent u italiano?'

'Nee, ik ben bang van niet.'

'Zou u dat niet graag willen zijn? Mijn kleindochter...'

Rachel viel haar in de rede. 'Nonna, we hebben maar weinig tijd.' Opvallend keek ze op haar horloge. 'We hebben iets in Milaan te doen.'

Haar grootmoeder klaarde op. 'Carabiniere-werk? Gestolen kunstvoorwerpen opsporen?' Ze keek op naar oom Vigor. 'Is er iets uit een kerk gestolen?'

'Iets in die trant, nonna. Maar het onderzoek loopt nog, we mogen er nu niets over vertellen.'

Nonna sloeg een kruis. 'Verschrikkelijk... stelen uit een kerk. Ik heb over de moorden in Duitsland gelezen. Vreselijk, afschuwelijk.' Ze keek op en ging de gezichten langs. Ze kneep haar ogen tot spleetjes en liet haar blik op Rachel rusten.

Rachel had het plotselinge begrip in de ogen van haar oma gezien. Ook al zag ze er nog zo wereldvreemd uit, niets ontging haar. De kranten stonden bol van het nieuws over de diefstal van het gebeente van de Wijzen. En hier was ze met een stel Amerikanen, vlak bij de Zwitserse grens, en op reis dieper Italië in. Had haar nonna alles geraden?

'Afschuwelijk,' herhaalde nonna.

Er kwam een ober met twee zware tassen vol eten. Uit de tassen stak een stokbrood. Met een brede lach nam Monk de beide tassen aan.

Oom Vigor kuste haar op beide wangen. 'Mama, over een paar dagen zien we je in Gandolfo. Zodra dit achter de rug is.'

Toen Gray langs nonna Camilla liep, pakte ze zijn hand en trok hem naar zich toe. 'Pas goed op mijn kleindochter.'

Gray keek naar Rachel. 'Dat zal ik doen, maar ze kan heel goed op zichzelf passen.'

Rachel werd helemaal warm. Belachelijk. Gauw keek ze weg. Ze was geen zwijmelend schoolmeisje meer. Verre van dat.

Nonna kuste ook Gray op zijn wang. 'Wij vrouwen uit de familie Verona staan ons mannetje. Onthou dat goed.'

Gray lachte. 'Zal ik doen.'

Voordat hij wegliep, gaf ze hem een schouderklopje. *Ragazzo buono.*

Terwijl de anderen de deur uit liepen, gebaarde nonna dat Rachel moest blijven. Ze sloeg Rachels vestje open en onthulde zo het lege holster. 'Ben je soms iets kwijt?'

Rachel was vergeten dat ze het lege schouderholster om had. De geleende Beretta lag nog in de domkerk. Maar haar nonna was het opgevallen.

'Een vrouw moet nooit naakt het huis verlaten.' Nonna Camilla pakte haar tasje, opende dat en haalde er haar dierbare dofzwarte p-08 Luger uit. 'Neem de mijne maar.'

'Nonna! Daar moet je niet mee over straat!'

Die opmerking wuifde haar oma weg. 'In de trein is het niet veilig voor een vrouw alleen. Al die zigeuners... Maar ik denk dat jij hem meer nodig zult hebben dan ik.'

Haar nonna keek haar doordringend aan. Het was duidelijk dat ze wist dat Rachel op een gevaarlijke missie was.

Rachel klikte het tasje dicht. '*Grazie*, nonna. Het is niet nodig.'

Haar grootmoeder haalde haar schouders op. 'Vreselijk wat er in Duitsland is gebeurd,' zei ze met een veelbetekenende blik. 'Wees maar voorzichtig.'

'Doe ik, nonna.' Rachel draaide zich af, maar nonna greep haar pols.

'Hij vindt je leuk,' zei ze. 'Signore Pierce.'

'Nonna!'

'Jullie zouden bellissimi bambini krijgen.'

Rachel zuchtte. Zelfs nu er gevaar dreigde, kon nonna alleen maar aan kindertjes denken. De grootste schat van alle oma's ter wereld.

Ze werd gered door Mario die met de rekening kwam aanzetten. Ze betaalde contant, met iets extra's om de lunch van nonna te betalen. Daarna pakte ze haar spullen, gaf haar oma een zoen en liep de piazza op om zich bij de anderen te voegen.

Het elan van haar grootmoeder nam ze mee. De vrouwen uit de familie Verona konden goed voor zichzelf zorgen. Bij de auto trof ze haar oom en de anderen. Ze vergastte Gray op een giftige blik. 'Als je denkt dat je me van het onderzoek kunt halen, lóóp je maar naar Rome.'

Met de sleuteltjes in haar hand liep ze rond de auto, tevreden met de verbaasde uitdrukking waarmee Gray naar oom Vigor keek.

Ze was aangevallen, ze was beschoten en er was een brandbom naar haar gegooid. Ze liet zich echt niet opzijschuiven.

Ze rukte het portier open, maar liet de andere afgesloten. 'En dat geldt ook voor jou, oom Vigor.'

'Maar, Rachel...'

Ze nam plaats achter het stuur, trok het portier met een knal dicht en stopte het sleuteltje in het contact.

'Rachel!' Haar oom klopte op het raampje.

Ze startte de motor.

'*Va bene!*' schreeuwde haar oom boven het lawaai uit. 'Goed, we blijven bij elkaar.'

'Zweer het,' riep ze terug, met haar hand op de koppeling.

'*Dio mio...*' Hij sloeg zijn ogen ten hemel. 'En jij vraagt je af waarom ik priester ben geworden...'

Ze liet de motor brullen.

Oom Vigor legde zijn hand op de voorruit. 'Ik geef me over. Ik zweer het. Ik had nooit moeten proberen een vrouw uit de familie Verona te dwarsbomen.'

Rachel draaide zich om en keek Gray recht aan. Hij had niets gezegd, maar zijn gezicht stond grimmig. Hij zag eruit of hij in staat was op illegale wijze een auto aan de praat te krijgen en er in zijn eentje vandoor te gaan. Was ze te ver gegaan? Maar ze wist dat dit een beslissend moment was en dat ze haar poot stijf moest houden.

Langzaam liet Gray zijn ijskoude blik naar oom Vigor gaan en toen weer terug naar haar. Terwijl ze elkaar aankeken, besefte Rachel dat ze dolgraag wilde blijven. Misschien begreep hij dat, want hij knikte kortaf.

Dat was genoeg. Ze ontgrendelde de portieren, en de anderen stapten in.

Monk was de laatste. 'Ik zou anders best willen lopen.'

11:05

Vanaf de achterbank keek Gray naar Rachel.

Ze had de zonnebril met blauwgetinte glazen weer op waardoor hij niet kon zien wat er in haar omging. Maar haar lippen had ze op elkaar geknepen en de spieren in haar hals stonden strak. Ook al hadden ze haar haar zin gegeven, ze was nog steeds pisnijdig.

Hoe had ze geweten wat haar oom en hij hadden besloten? Hij was onder de indruk van haar intuïtie, en ook van de zakelijke manier waarop ze conflicten oploste. Maar hij herinnerde zich ook hoe kwetsbaar ze in de toren was geweest, dat ze zijn blik had ontmoet aan de andere kant van de afgrond tussen de twee torenspitsen. Toch was ze niet ingestort daar tussen de kogels en de vlammen.

Ineens zag hij dat ze via de achteruitkijkspiegel naar hem keek. Ook al waren haar ogen achter die zonnebril verborgen, hij wist dat ze hem bestudeerde. In verlegenheid gebracht keek hij weg.

Hij balde zijn vuist uit ergernis om die reactie.

Gray had nog nooit een vrouw ontmoet die hem zo van slag kon brengen. Hij had een aantal vriendinnen gehad, met als record een half jaar en dat was op de middelbare school geweest. In zijn jeugd was hij een opgewonden standje geweest en daarna had hij alles op alles gezet om carrière te maken, eerst in het leger en later bij de Rangers. Nooit was hij ergens meer dan een maand of zes gebleven, en een romance duurde meestal niet langer dan een weekendverlof. Maar ook al had hij veel vrouwen gekend, nooit had hij er eentje ontmoet die zowel irritant als boeiend was; een vrouw die op haar gemak zat te lachen tijdens de lunch, maar die even gemakkelijk hard als staal kon zijn.

Hij leunde naar achteren en keek naar het voorbijflitsende landschap. Ze waren al uit het Noord-Italiaanse merengebied en reden nu door de uitlopers van de Alpen. Dit gedeelte van de reis zou niet lang duren, de rit naar Milaan was maar iets van drie kwartier.

Gray kende zichzelf goed genoeg om te weten waarom hij zich tot Rachel voelde aangetrokken. Het alledaagse interesseerde hem niet, net zomin als doorsnee of besluiteloze vrouwen. Maar hij was evenmin liefhebber van extremen: brutale vrouwen, veeleisende ruziezoekers. Hij ging meer voor harmonie, waarbij uitersten bij elkaar kwamen zonder dat het eigene verloren ging.

Eigenlijk was dat de taoïstische yin yang-kijk op de kosmos.

Dat kwam zelfs tot uiting in zijn eigen carrière – de wetenschapper en de militair. Hij had niet voor niets interesse in biologie en fysica. Ooit had hij die keuze aan Painter Crowe uitgelegd: 'Het principe van scheikunde, biologie en wiskunde komt neer op positief en negatief, de nul en de een, het donker en het licht.'

Hij richtte zijn aandacht weer op Rachel. Zij was de fraai gevormde belichaming van die filosofie.

Hij zag dat ze haar hand in haar nek legde om een pijnlijke spier te masseren. Ze had haar lippen een beetje van elkaar terwijl ze dat deed. Hij vroeg zich af hoe die lippen zouden voelen.

Voordat hij die gedachte verder kon uitwerken, stuurde ze de Mercedes door een scherpe bocht waardoor Gray tegen het portier werd geworpen. Ze bracht haar hand naar de koppeling, gaf gas en nam de bocht met nog grotere snelheid.

Gray hield zich vast. Monk kreunde.

Er speelde een lachje om Rachels lippen.

Wie zou niet door zo'n vrouw gefascineerd raken?

Na acht uur nog steeds geen bericht.

Painter ijsbeerde door zijn werkkamer. Hij was hier al sinds tien uur de vorige avond – zodra hij het nieuws had gehoord van de explosie in de dom van Keulen. Sindsdien druppelde er langzaam informatie binnen.

Te langzaam.

De oorzaak van de ontploffing: bommen gevuld met zwart poeder, witte fosfor en de licht ontvlambare olie LA-60. Het had drie uur geduurd voordat men de brand zover meester was dat de kerk kon worden betreden. Maar het interieur was uitgebrand en stond vol giftige rook. Verkoolde lichamen waren aangetroffen.

De lichamen van zijn team?

Na twee uur kwam er bericht dat er bij twee van de lijken restanten van wapens waren gevonden. Geweren van onbekende herkomst. Zijn team had niet zulke wapens ter beschikking gehad. Dus sommige lijken waren in ieder geval van onbekende aanvallers.

Maar van wie waren de andere lichamen?

De satellietbewaking van NRO bleek van geen enkel nut te zijn. Op dat tijdstip was er op dat gebied geen enkel ruimteoog gericht geweest. Op de grond werd het materiaal uit de bewakingscamera's nog onderzocht. Er waren maar weinig ooggetuigen. Een zwerver die op de Domhügel sliep, had een handjevol mensen uit de brandende domkerk zien vluchten. Maar het alcoholgehalte in zijn bloed was boven de 1,5 promille. Stomdronken.

Verder was alles rustig. Het safe house in Keulen was niet gebruikt. En tot dusverre geen enkel bericht van het team.

Helemaal niets.

Painter moest wel het ergste veronderstellen.

Plotsklaps werd hij gestoord doordat er op de deur werd geklopt.

Hij draaide zich om en gebaarde dat Logan Gregory kon binnenkomen. De onderbevelhebber had stapels papier onder zijn arm en zag er vermoeid uit. Logan had niet naar huis willen gaan en was de hele nacht gebleven.

Verwachtingsvol keek Painter hem aan, hopend op goed nieuws.

Logan schudde zijn hoofd. 'Geen enkele treffer onder hun valse namen.' Ieder uur hadden ze vliegvelden, treinstations en busondernemingen gecontroleerd.

'En de grens?'

'Ook niets. Maar de EU kent geen grenscontrole meer. Ze kunnen Duitsland op allerlei manieren hebben verlaten.'

'En het Vaticaan heeft ook nog niets gehoord?'

Weer schudde Logan zijn hoofd. 'Ik heb tien minuten geleden met kardinaal Spera gesproken.'

De computer liet een blieb horen. Hij liep om zijn bureau heen en drukte op de toets om een videoconferentie in gang te zetten. Hij zag het plasmascherm op de linkermuur veranderen. Het beeld verscheen van zijn baas, het hoofd van DARPA.

Dr. Sean McKnight bevond zich in zijn kantoor in Arlington. Hij had zijn gebruikelijke jasje uitgetrokken, de mouwen van zijn overhemd opgerold en hij droeg geen das. Hij liet zijn hand door zijn grijzende rode haar gaan, een teken dat hij moe was.

'Ik heb je verzoek ontvangen,' begon zijn baas.

Painter, die op zijn bureau had geleund, ging rechtop staan. Logan stond bij de deur, buiten bereik van de camera. Hij maakte aanstalten het kantoor uit te lopen om Painter privacy te gunnen, maar Painter hield hem met een gebaar tegen. Het verzoek had niets met beveiliging te maken.

Sean schudde zijn hoofd. 'Ik kan het niet inwilligen.'

Painter fronste. Hij had gevraagd of hijzelf naar Duitsland mocht. Hij wilde persoonlijk bij het onderzoek aanwezig zijn. Misschien waren er aanwijzingen die anderen over het hoofd zagen. Geërgerd balde hij zijn vuisten.

'Logan kan hier de boel in de gaten houden,' zei hij. 'En ik kan voortdurend contact met het commandocentrum houden.'

De uitdrukking op Seans gezicht werd grimmig. 'Painter, jij bestuurt het commandocentrum.'

'Maar...'

'Je zit niet meer in het veld.'

Het verdriet moest hem zijn aan te zien.

Sean zuchtte. 'Weet je hoe vaak ik in mijn werkkamer heb gezeten terwijl ik op nieuws van jou wachtte? Weet je nog je laatste operatie in Oman? Ik dacht dat je dood was.'

Painter keek naar zijn bureaublad. Overal stapels dossiers en documenten. Dat bood geen troost. Hij had nooit geweten hoe zenuwslopend dit werk voor zijn baas was geweest. Hij schudde zijn hoofd.

'Er is maar één manier om met dit soort gevallen om te gaan,' zei zijn baas. 'En geloof me, dit soort dingen komt regelmatig voor.'

Painter keek naar het scherm. Achter zijn borstbeen voelde hij een stekende, brandende pijn.

'Je moet op je agenten vertrouwen. Jij stuurt hen erop uit, maar als ze eenmaal op pad zijn, moet je vertrouwen in hen hebben. Jij hebt dit team samengesteld. Denk je dat ze in staat zijn een vijandige situatie het hoofd te bieden?'

Painter dacht aan Grayson Pierce, Monk Kokkalis en Kat Bryant. Ze waren de beste en slimste agenten over wie hij beschikte. Als iémand het kon overleven...

Langzaam knikte Painter. Hij had vertrouwen in hen.

'Laat hen dan hun gang gaan. Dat deed ik bij jou ook. Een paard rent het snelst als de teugels niet te strak worden gehouden.' Sean boog zich naar voren. 'Je kunt alleen maar wachten totdat ze contact opnemen. Dat is jouw verantwoordelijkheid tegenover hen. Dat je voor hen klaarstaat. Niet dat je spoorslags naar Keulen afreist.'

'Ik snap het,' zei hij, maar het bood geen verlichting. Hij had nog steeds pijn net onder zijn ribben.

'Heb je dat cadeautje nog dat ik je vorige week heb gestuurd?'

Painter keek op en er vormde zich een flauwe glimlach om zijn lippen. Hij had van zijn baas een cadeautje gekregen. Een voordeelverpakking maagzuurremmers. Hij had het als een grap beschouwd, maar nu was hij daar niet meer zo zeker van.

Sean leunde achterover in zijn stoel. 'Wrijven helpt niet.'

Painter begreep wat zijn mentor wilde zeggen. Dit was de zware last die op de schouders van een leider drukte.

'In het veld was het makkelijker,' mompelde hij uiteindelijk.

'Niet altijd,' bracht Sean hem in herinnering. 'Absoluut niet.'

12:10

MILAAN, ITALIË

'Goed op slot,' zei Monk. 'Precies zoals monseigneur Verona zei.'

Gray had daar niets tegen in te brengen. Het zag er goed uit. Hij wilde niets liever dan naar binnen gaan, de botten pakken en wegwezen.

Ze stonden in de schaduw op de stoep naast de niet erg indrukwekkende Basilica di Sant'Eustorgio, vlak bij een van de zij-ingangen. De voorgevel was opgetrokken uit gewone rode baksteen; daarachter rees een enkele klokkentoren op met daarbovenop een kruis. Het zondoorstoofde plein was verlaten.

Een paar minuten geleden was een patrouillewagen van de gemeentepolitie langsgereden, langzaam omdat ze alles goed in de gaten hielden. Het leek allemaal heel rustig.

Op aanbeveling van Kat hadden ze de omgeving van de kerk vanaf een veilige afstand bekeken. Gray had nog met een telescooplens discreet door de ramen gekeken. De vijf kapellen en het schip leken uitgestorven.

De hitte van de zon werd door het plaveisel weerkaatst. Het was een warme dag.

Maar Gray had het koud, hij voelde zich onzeker.

Zou hij minder behoedzaam zijn als hij alleen was geweest?

'Kom,' zei hij.

Vigor liep naar de deur en stak zijn hand uit naar een grote ijzeren klopper, een ring met een eenvoudig kruis.

Gray hield hem tegen. 'Nee. We zijn hier zonder geluid te maken naartoe gegaan, laten we dat ook nu niet doen.' Hij draaide zich om naar Kat en wees op het slot. 'Kun je dat open krijgen?'

Kat ging er op een knie voor zitten. Monk en Gray schermden haar met hun lichaam af. Terwijl Kat het slot bestudeerde, tastte ze naar haar instrumentarium om sloten te openen. Vaardig als een chirurg ging ze aan de slag.

'Commandant,' zei Vigor, 'inbreken in een kerk...'

'Als het Vaticaan je heeft opgedragen naar binnen te gaan, is het geen inbreken.'

Het slot klikte, en daarmee was verdere discussie overbodig geworden. De deur ging op een kiertje open.

Kat stond op en deed haar rugzak weer op haar rug.

Gray wuifde de anderen terug. 'Monk en ik gaan alleen naar binnen. Houden jullie de omgeving in de gaten.' Hij deed zijn oortje in. 'Neem contact op zolang we nog een kans maken. Kat, jij blijft hier bij Rachel en Vigor.'

Gray plakte de keelmicrofoon tegen zijn hals.

Vigor stapte naar voren. 'Zoals ik al eerder zei, priesters zijn meer geneigd openhartig te zijn tegen iemand die ook een priesterboord draagt. Ik ga mee.'

Gray aarzelde, maar de geestelijke had gelijk. 'Blijf dan achter ons.'

Kat protesteerde niet dat ze buiten moest blijven, maar Rachels ogen schoten vuur.

'We hebben iemand nodig om rugdekking te geven als er iets gebeurt,' legde hij uit. Hij keek Rachel recht aan.

Ze kneep haar lippen op elkaar, maar knikte.

Tevredengesteld draaide hij zich om en deed de deur ver genoeg open om naar binnen te kunnen glippen. Het was koel in het voorportaal. De deuren naar het schip waren dicht. Hij zag niets wat niet in de haak was. De stilte drukte zwaar, net of hij zich onder water bevond.

Monk deed de buitendeur dicht en schoof zijn lange jas opzij zodat hij zijn hand op de kolf van zijn geweer kon leggen. Vigor deed wat hem was opgedragen en liep pal achter Monk.

Gray ging naar de middelste deur, die naar het schip. Met zijn vlakke hand duwde hij die open. In zijn andere hand hield hij zijn Glock.

In het schip was het lichter dan in het voorportaal, door de ramen van de basiliek stroomde licht naar binnen. De glanzende marmeren vloer weerkaatste het licht zodat het marmer vochtig leek. De basiliek was veel kleiner dan de dom van Keulen en had ook niet de vorm van een kruis, het was eerder een lange zaal, een recht schip dat eindigde bij het altaar.

Even bleef Gray stokstijf staan kijken. Hoewel er genoeg licht was, waren er ook talloze plekjes waar iemand zich kon verbergen. Een rij pilaren steunde het gewelfde dak. Vijf kapelletjes stonden haaks op de rechtermuur, daarin bevonden zich de graftombes van martelaren en heiligen.

Er bewoog niets. Het enige geluid dat te horen was, was het gedempte lawaai van het verkeer, alsof het iets uit een andere wereld was.

Gray stapte naar binnen en liep door het middenpad, zijn pistool in de hand.

Monk ging een beetje naar opzij en nam een positie in waarvandaan hij de hele kerk kon bestrijken. Zwijgend liepen ze door het schip. Er was geen spoor van de koster of priesters.

'Misschien zijn ze gaan lunchen,' fluisterde Monk in zijn microfoontje.

'Kat, kun je me horen?' vroeg Gray.

'Luid en duidelijk, commandant.'

Ze kwamen bij het einde van het schip.

Vigor wees naar rechts, naar de kapel het dichtst bij het altaar.

In een hoekje van de kapel stond een enorme sarcofaag, gedeeltelijk in de schaduw. Net als de reliekschrijn in Keulen had deze de vorm van een kerk, maar in plaats van uit goud en edelstenen te bestaan, was deze uit één blok Proconnesio-marmer gehouwen.

Gray ging hun voor ernaartoe.

De schrijn was van de basis tot het spitse dak een meter of vier hoog, twee meter breed en vier meter lang. In de voorgevel bevond zich een raampje met tralies, de enige manier om bij het binnenste te komen.

'*Finestra confessionis*,' fluisterde Vigor terwijl hij naar het ruitje wees. 'Daardoor kun je de relieken zien wanneer je ervoor knielt.'

Gray kwam naderbij. Monk hield de wacht. Het beviel Gray nog steeds niet. Hij bukte en keek door het raampje. Achter het glas zag hij een ruimte, bekleed met fluweel.

Het gebeente was verwijderd, precies zoals Vigor had verteld. Het Vaticaan nam geen enkel risico. En hij ook niet.

'De verblijven zijn links van het kerkgebouw,' zei Vigor net iets te hard. 'Daar bevinden zich de werkkamers en woonverblijven. Via de sacristie kun je er komen.' Hij wees door de kerk.

Alsof er op dit teken was gewacht, zwaaide een deur naar het schip met veel lawaai open. Gray liet zich op een knie vallen, Monk trok Vigor achter een pilaar en richtte zijn geweer.

Een eenzame gestalte liep de kerk in, zich niet bewust van de indringers.

Het was een jonge man, in het zwart gekleed en met een priesterboord om. Een geestelijke.

Hij was alleen. Hij sloeg een kruis en begon vervolgens kaarsen aan de andere kant van het altaar aan te steken.

Gray wachtte tot de man nog twee meter verwijderd was. Er waren geen anderen verschenen. Langzaam stond hij op en liet zich zien.

De priester verstarde toen hij Gray zag. Toen hij het pistool in Grays hand zag, verscheen er een geschokte uitdrukking op zijn gezicht. *'Chi sei?'*

Nog steeds aarzelde Gray.

Vigor kwam achter de pilaar vandaan. 'Padre...'

De priester maakte een sprongetje van schrik en zijn ogen schoten naar monseigneur Verona. Meteen viel hem de priesterboord op en maakte zijn angst plaats voor verwarring.

'Ik ben monseigneur Verona,' stelde Vigor zichzelf voor. Hij kwam naar voren. 'Wees maar niet bang.'

'Monseigneur Verona?' Bezorgd deinsde de man terug.

'Wat is er?' vroeg Gray in het Italiaans.

De priester schudde zijn hoofd. 'U kunt monseigneur Verona niet zijn.'

Vigor liep op hem toe en liet hem zijn identiteitsbewijs zien.

De man keek ernaar, toen keek hij naar Vigor op.

'Maar... maar er was hier iemand, net na zonsopgang. Een lange man. Heel lang. Hij kon zich als monseigneur Verona identificeren. Hij had documenten met het zegel van het Vaticaan. Hij kwam de beenderen halen.'

Gray wisselde een blik met Vigor. Iemand was hun te slim af geweest. Deze keer had de Societas Draconis geen brute kracht gebruikt, maar een list uit noodzaak vanwege de verhoogde waakzaamheid. Omdat de Societas dacht dat de echte monseigneur Verona dood was, had iemand zich voor hem uitgegeven. Ze moesten dus ook al hebben geweten dat hij het gebeente moest ophalen, en die wetenschap hadden ze gebruikt om zelf de relieken te gaan halen zonder zich iets van de extra beveiliging aan te trekken.

Gray schudde zijn hoofd. Ze bleven maar achter de feiten aan hollen.

'Verdomme,' zei Monk.

De priester keek hem fronsend aan. Ook al werd er gevloekt in een vreemde taal, dit was wel nog steeds een godshuis.

'*Scusi*,' zei Monk.

Gray kon zich Monks ergernis indenken. Als leider van deze missie voelde hij ook grote ergernis. Hij had zelf wel willen vloeken. Ze waren niet goed genoeg opgeschoten, ze waren te voorzichtig geweest.

Zijn zendertje piepte.

Het was Kat. Ze had het gesprek zeker opgevangen. 'Is het veilig, commandant?'

'Heel veilig. We zijn te laat,' reageerde hij wrang.

Kat en Rachel voegden zich bij hem. Vigor stelde hen aan de priester voor.

'Dus de botten zijn weg,' zei Rachel.

De priester knikte. 'Monseigneur Verona, als u de documenten wilt zien, die liggen in de kluis in de sacristie. Misschien heeft u daar iets aan.'

'We kunnen ze op vingerafdrukken controleren,' zei Rachel vermoeid. Eindelijk merkte ze hoe uitgeput ze was. 'Misschien zijn ze onvoorzichtig geweest omdat ze niet verwachtten dat we hen op de hielen zaten. Misschien komen we erachter wie in het Vaticaan ons heeft verraden. Het kan een nieuwe aanwijzing opleveren.'

Gray knikte. 'Oké, ga maar halen, dan bekijken we alles.'

Rachel en monseigneur Verona liepen het middenschip door.

Gray draaide zich om en ging naar de sarcofaag.

'Nog ideetjes?' vroeg Monk.

'We hebben het grijze poeder uit de gouden reliekschrijn nog,' antwoordde Gray. 'We moeten in Vaticaanstad iedereen van de gebeurtenissen op de hoogte brengen en het poeder grondig laten onderzoeken.'

Terwijl de deur naar de sacristie dichtviel, knielde Gray weer bij het venster. Hij vroeg zich af of bidden nut had. 'We moeten hem van binnen stofzuigen,' zei hij in een poging zakelijk te blijven. 'Misschien kunnen we hier ook de aanwezigheid van het geamalgameerde poeder aantonen.'

Hij boog zich er dichter naartoe en hield zijn hoofd schuin, niet zeker wat hij zocht. En toch vond hij het. Een teken in de zijde boven in de re-liekschrijn, een rood zegel op de witte zijde gedrukt. Een draak met een gekrulde staart. De inkt zag er vers uit... te vers.

Maar het was dan ook geen inkt.

Het was bloed.

De Drakenvrouw waarschuwde hem.

Gray krabbelde op. Plotseling besefte hij de waarheid.

7

DOBBELEN MET BEENDEREN

Eenmaal in de sacristie sloot de priester de deur. Dit was de ruimte waar de priesters en misdienaartjes zich voor de aanvang van de mis in hun gewaden hulden.

Rachel hoorde het slot klikken.

Ze draaide zich om en zag de priester die een pistool op haar borst gericht hield. Zijn ogen waren zo kil en hard als marmer.

'Geen beweging,' zei hij.

Rachel deinsde achteruit, Vigor stak langzaam zijn handen omhoog.

Aan de andere kant stonden de kasten waar de misgewaden in hingen die de priesters dagelijks aantrokken voor de mis. Er stond ook een tafel vol zilveren miskelken. Een groot, verguld zilveren kruisbeeld dat bij processies werd gebruikt stond op een gietijzeren voetstuk, een beetje in de hoek geleund.

De deur aan de andere kant van de sacristie ging open.

Er kwam een lange man binnen die de deuropening vulde. Dat was de man die haar in Keulen in de houdgreep had genomen. In zijn hand had hij een lang mes, het lemmet plakkerig van het bloed. Hij liep verder naar binnen en gebruikte een stola uit de kast om het mes schoon te vegen.

Naast zich voelde Rachel Vigor ineenkrimpen.

Het bloed, de afwezigheid van priesters. O god...

De lange man droeg geen pij meer, maar gewone kleren, een antracietkleurige broek en een zwart t-shirt met daaroverheen een zwart jasje. Daaronder zat een schouderholster, in zijn oor had hij een oortje en tegen zijn keel een microfoontje.

'Dus jullie hebben Keulen allebei overleefd,' zei hij terwijl hij Rachel opnam alsof ze een prijskalf op de veemarkt was. 'Hoe aangenaam. Nu kunnen we elkaar beter leren kennen.'

In zijn keelmicrofoon zei hij: 'Maak de kerk leeg.'

Achter zich hoorde Rachel in het schip deuren openknallen. Gray en de anderen zouden worden verrast. Ze wachtte op een salvo of een granaatontploffing, maar hoorde alleen laarzen op het marmer. Verder bleef het stil in de kerk.

Dat moest hun aanvaller ook zijn opgevallen.

'Breng verslag uit,' beval hij in zijn microfoontje.

Het antwoord kon Rachel niet horen, maar ze kon aan het betrekken van zijn gezicht zien dat het geen goed nieuws was.

Hij drong zich tussen Vigor en Rachel door.

'Bewaak ze goed,' grauwde hij naar de neppriester. Een tweede bewapende man had positie achter in de sacristie aangenomen, bij de deur.

De man die hen gevangenhield rukte de deur naar het schip open. Een bewapende man liep op hem toe, vergezeld van een Euraziatische vrouw met een Sig Sauer.

'Er is hier niemand,' zei de man met het geweer.

Rachel zag andere gewapende mannen het schip en de zijkapellen doorzoeken.

'Alle uitgangen zijn bewaakt?'

'Ja, commandant.'

'Voortdurend?'

'Ja, commandant.'

De blik van de reus bleef op de Euraziatische vrouw rusten.

Ze haalde haar schouders op. 'Misschien stond er ergens een raam open.'

Met een nijdige grom keek hij de basiliek nog eens door. 'Blijf zoeken. Stuur drie mannetjes om buiten te zoeken. Ver kunnen ze niet zijn.'

Toen de reus zich weer naar haar toe draaide, greep Rachel haar kans.

Ze bracht haar handen naar achteren, pakte de staf van het zilveren kruisbeeld beet en ramde de man daarmee in zijn maag. Hij kreunde en viel wankelend tegen de priester aan. Ze duwde de staf onder haar elleboog terug en stootte met het kruis in het gezicht van de bewapende man achter haar.

Zijn pistool ging af, maar de kogel trof geen doel. De man viel door de deuropening.

Rachel sprong over hem heen een smalle gang in, met haar oom op haar hielen. Ze smeet de deur dicht en zette die vast met de staf die ze tegen de muur klem zette.

Naast haar stampte oom Vigor op de hand van de gevallen bewaker. Ze hoorde botten breken. Daarna schopte hij de man in zijn gezicht. Met een klap kwam diens hoofd op de stenen vloer neer, daarna bleef hij slap liggen.

Rachel bukte om zijn pistool op te rapen.

Gehurkt keek ze in beide richtingen door de gang zonder ramen. Er was verder niemand. De andere mannen waren zeker ingezet om Gray en zijn team te overvallen. Ineens een harde dreun die de deur deed rammelen in de sponning. Die stier van een man probeerde de deur in te beuken.

Ze liet zich plat op de grond vallen en keek onder de deur door. Ze zag licht en bewegende schaduwen. Ze mikte op de schaduw en vuurde.

De kogels deden vonken van de marmeren vloer springen, maar ze hoorde ook een bevredigende schreeuw van verrassing. De Stier moest dansen, dat zou hem goed doen.

Lenig stond ze op. Oom Vigor was een eindje verder de gang in gelopen.

'Ik hoor iemand kreunen,' fluisterde hij. 'Daar.'

'We hebben geen tijd.'

Zonder acht op haar te slaan liep oom Vigor verder met Rachel achter hem aan. Omdat ze toch de weg niet kenden, maakte het niet veel uit hoe ze liepen. Ze kwamen bij een deur die op een kier stond. Binnen hoorde Rachel gekreun.

Met haar schouder duwde ze de deur open, haar pistool in de aanslag.

Het vertrek was ooit een kleine refter geweest, maar nu was het een slachthuis. Op de vloer lag een priester in een plas bloed, zijn achterhoofd een brij van hersens, botten en haar. Een andere in een zwarte soutane geklede gestalte lag met armen en benen wijd op een van de tafels, vastgebonden aan de tafelpoten. Zijn soutane was tot op zijn middel getrokken, zijn borst een en al bloed. Zijn oren waren afgesneden. Er hing ook de geur van verschroeid vlees.

Gemarteld.

Doodgemarteld.

Links klonk een snikkende kreun. Op de grond, aan handen en voeten gekneveld, lag een jongeman enkel in een boxershort gekleed. In zijn mond zat een prop. Hij had een blauw oog en uit zijn neus sijpelden straaltjes bloed. Omdat hij halfnaakt was, was het wel duidelijk waar de neppriester zijn soutane vandaan had.

Vigor liep om de tafel. Toen de man hem zag, probeerde hij zijn boei-en af te doen. Zijn ogen stonden wild en er kwam schuim langs de prop in zijn mond.

Rachel bleef op haar hoede staan.

'Het is in orde,' zei Vigor geruststellend.

De man richtte zijn blik strak op Vigors priesterboord en hield toen op met worstelen, maar zijn lichaam schokte nog van het ingehouden snikken. Vigor trok de prop uit zijn mond. De man sidderde en de tra-nen biggelden over zijn wangen.

'*Molti... grazie*,' zei hij, zijn stem zwak van de doorstane angst.

Vigor sneed de plastic knevels door.

Terwijl hij daarmee bezig was, deed Rachel de deur van de refter op slot en zette voor de zekerheid een stoel vast onder de kruk. Er waren geen ramen, alleen een deur die toegang gaf tot de pastorie. Ze hield haar pistool daarop gericht terwijl ze naar de telefoon aan de muur liep. Er was geen kiestoon. De telefoonlijn was doorgesneden.

Ze haalde Grays mobieltje tevoorschijn en belde 112, het nummer dat door de hele EU als alarmnummer werd gebruikt. Eenmaal verbonden maakte ze zichzelf bekend als luitenant bij de carabinieri zonder haar naam op te geven, en vroeg om onmiddellijke assistentie van een ambu-lance, de politie en het leger.

Nadat ze alarm had gegeven, stopte ze het mobieltje weer in haar zak.

Ze stond tegenover een overmacht, meer kon ze niet doen.

Niet voor zichzelf en niet voor de anderen.

12:45

In zijn schuilplaats hoorde Gray voetstappen naderen. Hij bleef doodstil liggen en hield zelfs zijn adem in. De voetstappen hielden vlakbij op. Hij spitste zijn oren.

Een mannenstem, een bekende stem, boos. Het was de leider van de monniken. 'De autoriteiten van Milaan zijn gewaarschuwd.'

Er kwam geen antwoord, en toch wist Gray zeker dat er twee perso-nen waren.

'Seichan?' vroeg de man. 'Hoor je me?'

Er klonk een verveelde stem, en ook die herkende Gray. De Draken-vrouw. Maar nu had ze een naam gekregen: Seichan.

'Ze moeten door een raam zijn gekropen, Raoul,' zei ze. Net als de leider noemde ze een naam. 'Sigma is niet te vertrouwen, daar had ik je al voor gewaarschuwd. We hebben de laatste beenderen, we moeten hier weg voordat er versterking komt. Misschien is de politie al onderweg.'

'Maar dat rotwijf...'

'Later kun je met haar afrekenen.'

Geluid van wegstervende voetstappen. Het klonk of de zwaarste van de twee hinkte. De woorden van de Drakenvrouw spookten door Grays hoofd.

Later kun je met haar afrekenen...

Hield dat in dat Rachel was ontkomen?

Het verraste Gray dat hij zich zo opgelucht voelde.

Ergens in de kerk knalde een deur dicht. Terwijl het geluid nog door de kerk galmde, spitste Gray zijn oren. Hij hoorde geen voetstappen meer, geen laarzen, geen stemmen.

Uit voorzichtigheid wachtte hij nog een volle minuut.

In de kerk bleef het stil, en hij stootte Monk aan die vlak naast hem lag. Kat lag aan de andere kant tegen Monk aan geperst. Met een misselijkmakend kraken van uitgedroogde beenderen kwamen ze overeind en duwden het stenen deksel van het sepulcrum.

Licht viel in hun graftombe, hun schuilplaats.

Nadat Gray de waarschuwing in bloed van de Drakenvrouw had gezien, besefte hij dat ze in de val waren gelopen. Alle uitgangen zouden worden bewaakt. Rachel en haar oom waren in de sacristie verdwenen, hij kon niets voor hen doen.

Dus ging Gray de anderen voor naar de dichtstbijzijnde kapel waar een enorm marmeren sepulcrum op gedraaide gotische zuiltjes rustte. Ze hadden het deksel ver genoeg verschoven om erin te kunnen kruipen, daarna hadden ze het deksel teruggeschoven, net op het moment dat aan alle kanten van de kerk deuren werden opengegooid.

Nu de speurtocht naar hen was afgelopen, klom Monk uit het graf, zijn geweer in de aanslag. Met een kreun van ergernis schudde hij zich uit. Er wolkte stof van oude beenderen uit zijn kleren. 'Laten we dat nooit meer doen.'

Gray hield zijn pistool in de hand.

Op de marmeren vloer zag hij iets liggen, een paar stappen verwijderd van hun schuilplaats. Een koperen muntje. Makkelijk om over het hoofd te zien. Hij raapte het op. Het was een Chinese *fen*.

'Wat heb je daar?' vroeg Monk.

Hij verborg het in zijn vuist en stak het muntje in zijn zak. 'Niets. Kom, we gaan.'

Hij liep door het schip naar de sacristie, maar halverwege keek hij achterom naar de crypte. Seichan had het geweten.

12:48

Rachel hield de wacht terwijl Vigor de priester overeind hielp.

'Ze... ze hebben iedereen vermoord,' zei de jongeman. Hij moest op Vigor steunen om te kunnen blijven staan, en hij probeerde niet naar de bloederige gestalte op de tafel te kijken. Kreunend verborg hij zijn gezicht in zijn handen. 'Vader Belcarro...'

'Wat is er gebeurd?' vroeg Vigor.

'Een uur geleden zijn ze gekomen. Ze hadden documenten met het pauselijk zegel, ze konden zich identificeren. Maar vader Belcarro had een gefaxt portret.' De priester sperde zijn ogen open. 'Van u. Gestuurd door het Vaticaan. Vader Belcarro wist meteen dat er iets niet klopte, maar tegen die tijd waren die monsters al binnen. De telefoon was afgesneden. We zaten opgesloten. Ze wilden de combinatie van vader Belcarro's kluis weten.'

Met een schuldige uitdrukking op zijn gezicht draaide de priester zich af van het toegetakelde lijk. 'Ze hebben hem gemarteld, maar hij wilde niets zeggen. Toen deden ze nog gruwelijker dingen... Afschuwelijk. En ze dwongen me ernaar te kijken.'

De jongeman greep Vigors elleboog vast. 'Ik kon het niet meer aanzien, ik heb het hun verteld.'

'En toen haalden ze de beenderen uit de kluis?'

De priester knikte.

'Dan is alles verloren,' zei Vigor.

'Ze wilden zekerheid,' ging de priester verder. Hij leek wel doof en ratelde maar door. Even keek hij naar de gemartelde man, in het besef dat hij het volgende slachtoffer had moeten zijn. 'En toen kwamen jullie en kleedden ze me uit en stopten ze een prop in mijn mond.'

Rachel dacht aan de man die de soutane van deze priester had gedragen. Het was een list geweest, bedoeld om Rachel en Kat de kerk in te lokken.

Wankelend liep de man naar het lijk van vader Belcarro. Hij trok de soutane over hem heen waardoor het verminkte gezicht werd verborgen, alsof hij daarmee ook zijn eigen schaamte kon verhullen. Vervolgens stak hij zijn hand in de zak van het bebloede gewaad. Hij haalde er een pakje sigaretten uit. Kennelijk had de bejaarde geestelijke niet al zijn on-

166

deugden afgezworen... en de jonge priester ook niet.

Met trillende vingers peuterde hij de klep open en schudde de inhoud uit het pakje. Zes sigaretten – en een stukje krijt. De man liet de sigaretten vallen en stak het gelige stukje naar Vigor uit.

Vigor nam het aan.

Het was geen krijtje. Het was bot.

'Vader Belcarro wilde liever niet alle relieken meegeven,' legde de jonge priester uit. 'Voor het geval er iets mee gebeurde. Daarom hield hij een stukje achter. Voor de kerk.'

Rachel vroeg zich af in hoeverre dit was ingegeven door de onbaatzuchtige wens de relieken veilig te stellen, of uit trots en de herinnering aan de vorige keer dat het gebeente uit Milaan was geroofd en naar Keulen overgebracht. De naam en faam van deze basiliek berustten voornamelijk op deze beenderen. Hoe dan ook, vader Belcarro was een martelaarsdood gestorven. Gemarteld terwijl hij de heilige reliek op zijn lichaam verborgen hield.

Een luide knal deed hen schrikken.

De priester liet zich op de grond vallen.

Maar Rachel herkende het geluid van het geweer.

'Monk...' zei ze, en haar ogen werden groot en hoopvol.

14:04

Gray stak zijn hand door het rokende gat in de deur van de sacristie.

Monk schouderde zijn geweer. 'Ik ben de katholieke Kerk een maandsalaris schuldig alleen al aan de rekening voor de timmerman.'

Gray duwde de staf weg die de deur dichthield en duwde de deur open. Na de knal van het geweer hoefden ze zich niet langer stil te houden. 'Rachel! Vigor!' riep hij terwijl hij de gang in liep.

Verderop klonk geluid. Een deur ging open. Rachel stapte met een pistool in de hand de gang op. 'Hier!' riep ze.

Oom Vigor kwam de gang op, hij ondersteunde een halfnaakte man die er bleek en geschrokken uitzag, maar kracht leek te putten uit hun aanwezigheid.

Of misschien lag dat aan het geloei van sirenes.

'Dit is vader Justin Menelli,' stelde Vigor hem voor.

Ze vertelden snel wat er allemaal was gebeurd.

'Dus we hebben een van de botten,' merkte Gray verrast op.

'Ik stel voor de relikwie zo snel mogelijk naar Rome over te brengen,'

167

zei Vigor. 'Ze weten niet dat we die in ons bezit hebben, en ik wil me achter de Mura Leonine van het Vaticaan bevinden als ze erachter komen.'

Rachel knikte. 'Vader Menelli stelt de autoriteiten in kennis van wat hier is voorgevallen. Maar over ons zegt hij niets – en natuurlijk ook niets over de relikwie die nu in ons bezit is.'

'Over tien minuten vertrekt de hogesnelheidstrein naar Rome.' Vigor keek op zijn horloge. 'Dan zijn we daar rond zessen.'

Gray knikte. Hoe onopvallender ze opereerden, hoe beter. 'Kom, we gaan.'

Ze liepen naar de uitgang. Vader Menelli bracht hen naar de zijuitgang, niet ver van waar hun auto geparkeerd stond. Zoals gewoonlijk klom Rachel achter het stuur. Terwijl de loeiende sirenes steeds dichterbij kwamen, reden ze weg.

Gray leunde achterover en voelde aan het Chinese muntje in zijn zak. Hij wist dat hij iets over het hoofd had gezien.

Iets belangrijks.

Maar wat?

15:39

Een uur later liep Rachel van het toilet naar de eersteklascoupé van de ETR 500 trein. Ze waren overeengekomen dat niemand in zijn eentje mocht zijn. Terwijl Kat voor de deur van het toilet wachtte, had Rachel haar gezicht natgemaakt, haar haar gekamd en haar tanden gepoetst.

Na de verschrikkingen in Milaan had ze een beetje tijd voor zichzelf nodig. Een volle minuut had ze zichzelf in de spiegel aangestaard, verscheurd tussen woede en de behoefte in tranen uit te barsten. Geen van beide gevoelens had de overhand gekregen, dus had ze haar gezicht maar gewassen.

Meer kon ze niet doen.

Toch voelde ze zich er beter door, alsof ze absolutie had gekregen.

Terwijl ze door het gangetje liep, merkte ze nauwelijks dat ze in een trein was. De Elettro Treno Rapide was de nieuwste en snelste trein van Italië en verbond Milaan met Napels. Ze raasden voort met een snelheid van driehonderd kilometer per uur.

'En, hoe zit dat met je commandant?' vroeg Rachel aan Kat. Ze maakte gebruik van het feit dat ze vrouwen onder elkaar waren. Bovendien was het prettig om het eens niet over moorden en beenderen te hebben.

'Hoe bedoel je?' Kat keek haar niet eens aan.

'Heeft hij thuis een vriendin of zo?'

Nu wierp Kat haar een blik toe. 'Ik zie niet in wat zijn persoonlijke...'

'En jij en Monk?' viel Rachel haar in de rede omdat ze ineens besefte hoe haar vraag moest hebben geklonken. 'Hebben jullie eigenlijk wel tijd voor een privé-leven? Jullie hebben zoveel opleidingen gevolgd, en jullie lopen voortdurend gevaar.'

Rachel was nieuwsgierig hoe ze hun werk als geheim agent combineerden met een normaal leven. Zelf had ze het al moeilijk genoeg een man te vinden die geen problemen had met haar werk als luitenant bij de carabinieri.

Kat zuchtte. 'Het is beter geen relatie te hebben,' zei ze. Haar hand dwaalde naar het kikkerspeldje op haar kraag. Het kwam er een beetje stijfjes uit, alsof ze het er zelf niet helemaal mee eens was. 'Als het kan sluit je vriendschap, maar meer dan dat is niet verstandig. Op die manier is het makkelijker.'

Makkelijker voor wie, vroeg Rachel zich af.

Ze liet het er maar bij zitten, want ze waren bij de coupés aangekomen. Het team had er twee genomen. De ene was een slaapcoupé waar ze om de beurt een dutje konden gaan doen. Maar niemand was nog gaan slapen. Ze zaten allemaal in de andere coupé aan weerskanten van het tafeltje. De jaloezieën waren neer.

Rachel ging naast haar oom zitten, Kat bij haar team.

Gray had een compact toestel om mee te analyseren uit zijn rugzak gehaald en dat verbonden met een laptop. Voor hem stonden nog meer instrumenten. In het midden van de tafel lag de reliek van een der Wijzen in een stalen bakje.

'Gelukkig maar dat dit vingerkootje hun niet in handen is gevallen,' zei Monk.

'Dat had niets met geluk te maken,' bitste Rachel. 'Het heeft het leven gekost aan een paar goede mensen. Als we niet net op tijd waren geweest, hadden we dit botje ook niet te pakken gekregen.'

'Geluk of niet,' mopperde Gray, 'we hébben het. Laten we eens zien of we de geheimen ervan kunnen ontsluieren.'

Hij zette een bril met een loep op, zoals juweliers die gebruiken, en trok latex handschoenen aan. Met een trepaneerboortje haalde hij een dun stukje bot uit het midden van het kootje dat hij daarna in een vijzel tot poeder vermaalde.

Rachel zag hoe nauwgezet hij te werk ging. Dit was de wetenschapper die in de soldaat school. Ze keek naar de bewegingen die hij met zijn vingers maakte, efficiënt, geen overbodige handelingen. Hij keek geconcentreerd naar wat hij deed. In zijn voorhoofd stonden twee rimpels en hij ademde door zijn neus.

Deze kant van hem had ze niet vermoed. Dit was de man die van toren naar toren was gesprongen... Ze stelde zich zijn blauwgrijze ogen voor en herinnerde zich nog hoe het voelde toen ze hand in hand vluchtten. Ze merkte dat ze bloosde en keek snel weg.

Kat keek haar uitdrukkingsloos aan, en toch voelde ze zich ineens schuldig. Ze herinnerde zich nog goed wat Kat had gezegd: het is beter geen relatie te hebben. Op die manier is het makkelijker.

Misschien had ze wel gelijk...

'Met deze spectrometer,' mompelde Gray, en daardoor richtte ze haar aandacht weer op hem, 'kunnen we zien of er zich metaal in de m-state in het bot bevindt. Zo kunnen we uitsluiten – of juist niet – dat het gebeente van de Wijzen de bron van het poeder was dat we in de gouden reliekschrijn hebben aangetroffen.'

Hij loste het poeder in gedistilleerd water op, zoog de vloeistof vervolgens in een pipet op en bracht die over naar een reageerbuisje. Het buisje met het monster zette hij in de spectrometer. Daarna vulde hij een ander reageerbuisje met puur gedistilleerd water en hield dat hoog.

'Om te kalibreren,' legde hij uit. Hij plaatste het reageerbuisje in een andere holte, daarna drukte hij op een groene knop en draaide de laptop zo dat iedereen het scherm kon zien. Er verscheen een grafiek met een streep door het midden. Er waren maar een paar minieme uitschieters. 'Dit is water. Die onregelmatigheden in de streep zijn een paar onzuiverheden. Zelfs gedistilleerd water is niet honderd procent zuiver.'

Vervolgens draaide hij aan een schakelaar zodat die naar het buisje wees met de troebele vloeistof. Weer drukte hij op de groene knop. 'En dit is de analyse van het vermalen bot.'

Het scherm werd leeg om vervolgens nieuwe gegevens te tonen.

Het zag er precies hetzelfde uit.

'Er is niets veranderd,' zei Rachel.

Fronsend herhaalde Gray de proef, hij haalde het buisje er zelfs uit en schudde het. Het resultaat was hetzelfde. Een streep zonder uitschieters.

'Het ziet er nog steeds uit als gedestilleerd water,' zei Kat.

'Dat zou niet zo moeten zijn,' zei Monk. 'Ook als de Wijze aan botontkalking leed, zou er een uitschieter voor calcium moeten zijn. En dan heb ik het niet eens over koolstof en nog een paar elementen.'

Gray knikte instemmend. 'Kat, heb jij nog een beetje van die cyanideoplossing?'

Ze pakte haar rugzak, zocht erin en haalde er een piepklein flesje uit. Gray doopte er een wattenstaafje in en hield het kootje tussen zijn gehandschoende vingers. Vervolgens wreef hij met het vochtige watje over het stukje bot, alsof hij zilver aan het poetsen was.

Maar het was geen zilver.

Waar hij wreef, veranderde het gelige bot in glanzend goud.

Gray keek op. 'Dit is geen bot.'

Diep onder de indruk en geschokt zei Rachel: 'Het is puur goud.'

17:12

Een groot deel van de treinreis was Gray bezig Rachels constatering te logenstraffen. Er zat meer dan goud in de beenderen. En het was ook geen zwaar metaalachtig goud, maar alweer dat vreemde goudglas. Hij probeerde de precieze samenstelling te achterhalen.

Terwijl hij bezig was, dacht hij ook na over een ander probleem. Milaan. Steeds weer keerden zijn gedachten terug naar de gebeurtenissen in de basiliek. Hij had zijn team in een val laten lopen. Die val in Duitsland van de vorige nacht kon hij zichzelf vergeven, daar waren ze niet op voorbereid. Niemand had kunnen vermoeden dat de dom van Keulen zo heftig onder aanval zou komen te liggen.

Maar in Milaan was het ook kantje boord geweest, en dat kon hij zichzelf niet zo gemakkelijk vergeven. Ze waren goed voorbereid de basiliek in gegaan – en toch hadden ze bijna alles verloren, zelfs hun leven.

Waar zat de fout?

Het antwoord op die vraag kende Gray. Hij had het aan zichzelf te wijten. Hij had nooit mogen toestaan dat ze bij het Comomeer hadden halt gehouden. Hij had niet naar Kats waarschuwende woorden moeten luisteren en niet zoveel tijd moeten verspillen aan het in de gaten houden van de basiliek; daarmee hadden ze zich verraden, de Societas had hen gezien en had een val kunnen opzetten.

Het was niet Kats schuld. Voorzichtigheid hoorde bij het werk van de inlichtingendienst. Maar op een missie moest je snel en doortastend kunnen handelen, je mocht nooit aarzelen. En vooral de leider niet.

Tot nu toe had Gray volgens het boekje gehandeld, hij was voorzichtig geweest en had de leider gespeeld zoals dat van hem werd verwacht. Misschien lag daar de fout. Aarzelen en achteraf kritiek leveren was geen karaktereigenschap van de familie Pierce. Zo was de vader niet en de zoon evenmin. Maar waar lag de grens tussen voorzichtigheid en waaghalzerij? Kon hij ooit het evenwicht vinden?

Het succes van de missie – en waarschijnlijk hun leven – hing ervan af.

Klaar met de analyse leunde Gray naar achteren. Hij had blaren op zijn duim en in de coupé rook het naar methylalcohol. 'Het is geen zuiver goud,' stelde hij vast.

De anderen keken op. Twee van hen waren aan het werk, twee zaten te dommelen.

'Het nepbot bestaat uit een mengeling van elementen uit de platina-groep,' legde Gray uit. 'Wie het ook hebben gemaakt, ze vermengden een poederig amalgaam van verschillende veranderlijke metalen en smolten dat tot glas. Terwijl het glas afkoelde, gaven ze er vorm aan en maakten het oppervlak ruw om het een kalkachtig uiterlijk te geven zodat het er ook echt als bot uitzag.'

Gray ruimde zijn spullen op. 'Het bestaat voornamelijk uit goud, maar er is ook een hoog percentage platina en tevens een beetje iridium en ro-dium, zelfs osmium en palladium.'

'Een echt mengelmoesje,' merkte Monk geeuwend op.

'Maar wel een mengelmoes waarvan we het recept misschien nooit kun-nen achterhalen,' reageerde Gray terwijl hij fronsend naar het stukje bot keek. Driekwart ervan had hij onaangeroerd gelaten, het andere kwart had hij aan allerlei testen onderworpen. 'Omdat het poeder in de m-state kop-pig reactief blijft, kan geen instrumentarium het echt analyseren, en dus weet niemand precies wat de verhoudingen van de metalen zijn. Zelfs het testen verandert het gehalte van de monsters.'

'Net als bij de Onzekerheidsrelatie van Heisenberg,' zei Kat. Ze zat met haar voeten op de bank aan de overkant, een laptop op haar schoot. Ter-wijl ze sprak, bleef ze tikken. 'Zelfs door ergens naar te kijken, verander je de werkelijkheid van wat er wordt bekeken.'

'Dus als het niet helemaal kan worden geanalyseerd...' Monks zin werd afgebroken door weer een enorme geeuw.

Gray gaf Monk een schouderklopje. 'Over een uur zijn we in Rome. Waarom doe je niet in dutje in de coupé hiernaast?'

'Ik ben niet moe,' zei hij terwijl hij nog een geeuw inhield.

'Het is een bevel.'

Monk stond op en rekte zich uit. 'Nou, als het een bevel is...' Wrijvend in zijn ogen liep hij naar de deur.

In de deuropening bleef hij staan. 'Weet je,' zei hij vermoeid, 'misschien hadden ze het allemaal verkeerd. Misschien hebben ze het verkeerd be-grepen toen ze het over het gebeente van de Wijzen hadden. Misschien sloeg het niet op de geraamtes van die kerels, maar bedoelden ze dat de beenderen door de Wijzen waren gemaakt. Alsof ze hun bezit waren. De beenderen van de Wijzen.'

Iedereen staarde hem aan.

Monk haalde zijn schouders op en viel half door de deur. 'Ach, wat weet ik er nou van? Ik kan nauwelijks meer helder denken.' De deur ging dicht.

'Misschien zit je teamgenoot er niet eens zo ver naast,' verbrak Vigor de verbijsterde stilte.

Rachel bewoog. Gray keek op. Rachel had tegen haar oom aan geleund een dutje gedaan. Vanuit zijn ooghoeken had Gray gezien dat ze rustig ademde. In haar slaap zag ze er zacht uit, op en top vrouwelijk. Ze leek ineens veel jonger.

Ze stak een arm op. 'Hoe bedoel je?'

Vigor was aan het werk op Monks laptop. Net als Kat had hij verbinding via DSL waarmee de eersteklascoupés van de nieuwe trein waren uitgerust. Ze waren op zoek naar informatie. Kat concentreerde zich op de wetenschappelijke inzichten met betrekking tot het witte goud, en Vigor zocht naar de geschiedenis van de Wijzen om te zien of er verbanden bestonden tussen hen en het amalgaam.

Vigors blik bleef op het scherm gericht. 'Iemand heeft die nepbeenderen gemaakt. Iemand met een kennis waarover wij heden ten dage niet meer beschikken. Maar wie was dat? En waarom zijn de beenderen in een katholieke kerk verborgen?'

'Zou het iemand kunnen zijn die banden met de Societas Draconis had?' vroeg Rachel. 'Dat genootschap bestond al in de Middeleeuwen.'

'Of iemand binnen de Kerk zelf?' opperde Kat.

'Nee,' reageerde Vigor. 'Ik denk dat we met een derde partij te maken hebben. Een broederschap die al lang voor beide andere groeperingen bestond.'

'Hoe kun je daar zo zeker van zijn?' vroeg Gray.

'In 1982 is een aantal van de lijkwaden van de Wijzen onderzocht. Ze dateerden uit de tweede eeuw. Lang voor het ontstaan van de Societas Draconis. En ook nog voordat koningin Helena, de moeder van Constantijn, het gebeente ergens in het Oosten ontdekte.'

'En niemand heeft de beenderen onderzocht?'

Vigor keek Gray even aan. 'Dat heeft de Kerk verboden.'

'Waarom?'

'Om beenderen te onderzoeken is pauselijke dispensatie vereist, vooral als het om relieken gaat. En voor de relikwieën van de Wijzen zou een buitengewone dispensatie nodig zijn.'

Rachel legde het uit. 'De Kerk wil liever niet dat haar kostbaarste schatten als vervalsingen worden bestempeld.'

Fronsend keek Vigor haar aan. 'De Kerk hecht veel belang aan geloof. Daar zou de wereld best meer van kunnen gebruiken.'

Ze haalde haar schouders op, sloot haar ogen en ging weer gemakkelijk zitten.

'Dus als het niet de Kerk is en ook niet de Societas, wie heeft de beenderen dan vervalst?' vroeg Gray.

'Ik denk dat je vriend Monk gelijk heeft. Ik denk dat een oeroude broederschap van magiërs ze heeft vervaardigd. Een broederschap uit het voorchristelijke tijdperk, misschien gaat die wel terug tot de oude Egyptenaren.'

'De oude Egyptenaren?'

Vigor klikte een bestand aan. 'Luister maar. In 1450 v.C. verenigde farao Thoetmozes III zijn beste vaklui tot een groep bestaande uit negenendertig leden, genaamd de Grote Witte Broederschap – en die naam kregen ze omdat ze een geheimzinnig wit poeder bestudeerden. Het poeder werd beschreven als voortgekomen uit goud, maar gevormd in piramidevormige koeken die "witte broden" werden genoemd. Die koeken staan afgebeeld in de tempel van Karnak, kleine piramides die soms licht uitstralen.'

'Wat deden ze daar dan mee?' vroeg Gray.

'Ze werden uitsluitend voor de farao gemaakt. Om te eten. Waarschijnlijk om hem een dieper inzicht te geven.'

Kat ging rechtop zitten en haalde haar voeten van de bank af.

Gray draaide zich naar haar om. 'Wat is er?'

'Ik heb gelezen over de eigenschappen van high-spin-state metalen. Vooral van goud en platina. Blootstelling daaraan door inname kan de endocriene klieren stimuleren waardoor een staat van hoger bewustzijn wordt bereikt. Weten jullie nog, de artikelen over supergeleiders?'

Gray knikte. High-spin atomen gedroegen zich als volmaakte supergeleiders.

'De U.S. Naval Research Facility heeft bevestigd dat de communicatie tussen hersencellen niet kan worden verklaard door zuiver chemische transmissie via synapsen. Daarvoor communiceren hersencellen te snel. Ze hebben geconcludeerd dat er een vorm van supergeleiding bij komt kijken, maar het mechanisme daarvan wordt nog bestudeerd.'

Gray fronste diep. Uiteraard had hij zich tijdens zijn doctoraalstudie in supergeleiding verdiept. Vooraanstaande fysici geloofden dat die tot grote technologische doorbraken zou leiden, met veel toepassingen. En omdat hij ook biologie had gestudeerd, was hij goed bekend met de huidige theorieën op het gebied van denken, herinneren en de organische werking van de hersenen. Maar wat had dat met wit goud te maken?

Kat boog zich over haar laptop en klikte een ander artikel aan. 'Hier. Ik heb gezocht op metalen uit de platinagroep en het gebruik daarvan. En toen trof ik een artikel aan over kalfs- en varkenshersenen. Metaalanalyse van zoogdierhersenen toont aan dat vier tot vijf procent van het droge gewicht uit rodium en iridium bestaat.' Ze knikte naar het monster op Grays tafeltje. 'Rodium en iridium in de monoatomaire staat.'

'En je denkt dat deze m-state elementen misschien de bron van de supergeleiding in de hersenen zijn? Een communicatieroute? Dat wanneer de farao deze poeders innam, alles werd versneld?'

Kat haalde haar schouders op. 'Moeilijk te zeggen. De studie van supergeleiders staat nog in de kinderschoenen.'

'En toch wisten de Egyptenaren ervan,' merkte Gray schamper op.

'Nee,' wierp Vigor tegen. 'Maar misschien ontdekten ze per ongeluk proefondervindelijk iets. Hoe dan ook, deze interesse in en het experimenteren met deze witte goudpoeders kom je door de hele geschiedenis tegen. Die werden doorgegeven van de ene beschaving op de andere, en de belangstelling nam toe.'

'Hoe ver gaat het terug?'

'Tot hier.' Vigor wees naar het 'kootje' op Grays tafeltje.

Dat prikkelde Grays nieuwsgierigheid. 'Echt?'

Vigor knikte. 'Zoals ik al zei, het begint in Egypte. Dit poeder kent vele namen. Ik heb het al over het "witte brood" gehad, maar het heet ook wel "witte voeding" of "mfkzt". Maar de oudste naam treffen we aan in het Egyptische Dodenboek. Daar wordt de materie honderden keren genoemd, samen met de opmerkelijke eigenschappen. Daar heet het eenvoudigweg "wat is het".'

Gray herinnerde zich dat Vigor dat al eerder had gezegd, toen ze het poeder in glas hadden veranderd.

'Maar,' ging Vigor verder, 'in het Hebreeuws vertaald is het *Ma na*.'

'Manna,' zei Kat.

Vigor knikte. 'Het heilige brood van de Israëlieten. Volgens het Oude Testament viel het uit de hemel om als voedsel te dienen voor de uitgehongerde vluchtelingen die door Mozes uit Egypte werden geleid.' De geestelijke gaf hun de tijd dat te laten bezinken, ondertussen klikte hij verder. 'In Egypte toonde Mozes zoveel wijsheid en vaardigheden dat hij werd beschouwd als mogelijke opvolger van de farao. Door die hoge positie had hij het recht op deelname aan de hoogste vormen van Egyptische mystiek.'

'Je bedoelt dat Mozes het geheim heeft gestolen om dit brood te kunnen maken? Het Egyptische witte brood?'

'In de bijbel kom je het onder verschillende namen tegen. Manna. Heilig brood. Ongedesemd brood. Hemels brood. Het was zo kostbaar dat het werd bewaard in de Ark des Verbonds, samen met de stenen tafelen met de tien geboden. In een gouden kist.'

Het ontging Gray niet dat Vigor zijn wenkbrauwen suggestief optrok bij het leggen van een verband tussen het gebeente van de Wijzen in hun gouden reliekschrijn. 'Dat is wel vergezocht,' mompelde Gray. 'Die naam "manna" kan ook toeval zijn.'

'Wanneer heb je de bijbel voor het laatst gelezen?'

Gray gaf niet eens antwoord.

'Er zijn veel dingen die geschiedkundigen en theologen wat betreft dit mysterieuze manna versteld doen staan. In de bijbel wordt verteld dat Mozes het gouden kalf in brand stak. Maar in plaats van gewoon te smelten, veranderde het goud in poeder... en dat gaf Mozes de Israëlieten te eten.'

Gray fronste zijn wenkbrauwen. Net als het witte brood van de farao.

'En wie vraagt Mozes dit heilige brood te maken, dit manna uit de hemel? In de bijbel vraagt hij dat niet aan een bakker. Hij vraagt het aan Bezaleël.'

Gray wachtte op nadere uitleg. Hij was niet zo goed op de hoogte van alle bijbelse personages.

'Bezaleël was de goudsmid van de Israëlieten, dezelfde man die de Ark des Verbonds bouwde. Waarom een goudsmid vragen het brood te maken tenzij het iets anders was dan brood?'

Gray fronste. Kon het waar zijn?

'Er zijn ook teksten uit de joodse kabbala die spreken over een wit poeder van goud. Het wordt magisch genoemd, maar van een magie die ten goede of ten kwade kan worden aangewend.'

'Maar waar is die kennis dan gebleven?' vroeg Gray.

'Volgens de meeste joodse bronnen ging die verloren toen de tempel van Salomo in de zesde eeuw v.C. door Nebukadnezar werd verwoest.'

'En daarna?'

'Als we er weer iets van willen horen, moeten we twee eeuwen overslaan en ons richten op een andere beroemde persoonlijkheid uit de geschiedenis, een man die een groot deel van zijn leven in Babylon doorbracht waar hij bij geleerden en mystici studeerde.' Voor het extra effect zweeg Vigor even. 'Alexander de Grote.'

Gray ging rechtop zitten. 'De Macedonische koning?'

'In 332 v.C. veroverde Alexander Egypte. Alexander was altijd al in esoterische kennis geïnteresseerd. Terwijl hij de wereld veroverde, zond hij Aristoteles geschenken op wetenschappelijk gebied. Hij verzamelde ook een aantal boekrollen uit Heliopolis met als onderwerp de Oude Egyptische geheime kennis en magie. Zijn opvolger Ptolemaeus I bracht die na Alexanders dood samen in de bibliotheek van Alexandrië. Maar er bestaat ook een Alexandrijnse tekst waarin wordt verhaald van een voorwerp dat de Steen uit het Paradijs wordt genoemd. Er werd gezegd dat die over magische krachten beschikte. Wanneer die steen vaste vorm had, was hij zwaarder dan zijn eigen gewicht in goud, maar wanneer hij tot poeder werd vermalen, woog dat minder dan een veertje en bleef het drijven.'

'Levitatie,' merkte Kat op.

Gray keek haar aan.

'Die eigenschap van supergeleidend materiaal is goed gedocumenteerd. Supergeleiders blijven in een krachtig magnetisch veld zweven. Zelfs de m-state metalen tonen supergeleidende levitatie aan. In 1984 werden in laboratoria in Arizona en Texas proeven gedaan die aantoonden dat snelle afkoeling van monoatomair poeder het geteste gewicht tot vier keer kon verhogen. Maar als het poeder weer werd opgewarmd, zakte het gewicht tot minder dan nul.'

'Hoe bedoel je, minder dan nul?'

'Het schaaltje woog meer zonder het poeder erin, alsof het schaaltje zweefde.'

'De herontdekking van de Steen uit het Paradijs,' zei Vigor.

Langzaam drong de waarheid tot Gray door. Generaties lang was de geheime kennis doorgegeven. 'En waar loopt het poederspoor vervolgens naartoe?'

'Naar de tijd van Jezus,' antwoordde Vigor. 'In het Nieuwe Testament staan aanwijzingen over een geheimzinnig goud. In Openbaring, hoofdstuk 2: "Die overwint, Ik zal hem geven te eten van het manna, dat verborgen is, en Ik zal hem geven een witten keursteen." In het boek Openbaring worden de huizen van het nieuwe Jeruzalem ook beschreven als van zuiver goud, zijnde zuiver glas gelijk.'

Gray herinnerde zich dat Vigor dat vers had gepreveld toen het vloeibare glas op de vloer van de dom van Keulen hard werd.

'Vertel,' ging Vigor verder, 'wanneer ziet goud er ooit uit als glas? Het is onzin, tenzij je denkt aan de mogelijkheid van goud in de m-state... Het zuiverste goud uit de bijbel.'

Vigor wees naar het tafeltje. 'En dan komen we weer bij de Wijzen uit de bijbel. Bij een Perzisch verhaal dat Marco Polo vertelt. Het verhaal over de drie Wijzen die een geschenk van het Christuskind ontvangen. Waarschijnlijk is het een allegorie, maar ik denk dat het heel belangrijk is. Jezus gaf de Wijzen een doffe witte steen, een Heilige Steen. Volgens het verhaal was het een oproep aan de Wijzen om hun geloof trouw te blijven. Tijdens de tocht terug naar huis kwam er een vuur uit de steen dat niet kon worden geblust, een eeuwige vlam die vaak symbool staat voor geestelijke verlichting.'

Vigor merkte dat Gray beduusd keek. Hij vertelde verder: 'In Mesopotamië, waar dit verhaal vandaan komt, noemt met zo'n "steen van hoger vuur" *shemanna*. Afgekort tot "steen van vuur": manna.'

Vigor sloeg zijn armen over elkaar en boog zich naar voren.

Gray knikte. 'Dus nu is het kringetje rond. We zijn weer terug bij het manna en de Wijzen uit de bijbel.'

'Terug naar de periode waarin de beenderen zijn gemaakt,' zei Vigor. Hij knikte in de richting van het tafeltje.

'En daar eindigt het?' vroeg Gray.

Vigor schudde zijn hoofd. 'Ik moet meer onderzoek doen, maar ik denk dat het verder gaat. Ik denk dat wat ik net heb beschreven, geen opzichzelfstaande ontdekkingen van dit poeder zijn, maar een ononderbroken keten vormden van onderzoek onder leiding van een geheim genootschap van alchemisten die dit proces door de eeuwen heen hebben verbeterd. Ik denk dat de wetenschap het pas nu opnieuw bezig is te ontdekken.'

Gray wendde zich tot Kat, hun wetenschappelijke websurfer.

'Vigor heeft gelijk. Er worden onvoorstelbare dingen ontdekt over deze m-state supergeleiders. Van levitatie tot de mogelijkheid van transdimensionale verschuivingen. Maar er wordt momenteel ook gezocht naar meer praktische toepassingen. Cisplatina en koolstofplatina worden al gebruikt bij de behandeling van teelbal- en baarmoederhalskanker. Ik verwacht dat Monk met zijn kennis van gerechtelijke geneeskunde daar meer over kan vertellen. Maar de afgelopen jaren zijn er nog veel interessanter ontdekkingen gedaan.'

Gray gebaarde dat ze moest doorgaan.

'Bristol-Meyers Squibb heeft successen gemeld bij het veranderen van kankercellen door middel van ruthenium. Volgens het *Platinum Metals Review* is dat ook het geval bij platina en iridium. Deze atomen zorgen ervoor dat de DNA-keten zichzelf corrigeert en zich herstelt zonder medicatie of bestraling. Van iridium is bekend dat het de epifyse stimuleert, het heeft invloed op "junk DNA" en dat biedt perspectief op de mogelijkheid van een langer leven en het herstellen van door ouderdom ontstane schade aan de hersenen.'

Kat boog zich naar voren. 'Hier heb ik iets uit augustus 2004. Purdue University meldt succes bij het gebruik van iridium om virussen in het lichaam met licht te bestrijden. Zelfs het West-Nijlvirus.'

'Met licht?' Vigor kneep zijn ogen tot spleetjes.

Kat knikte. 'Er zijn talloze artikelen over deze m-state metalen en licht. Van het veranderen van DNA in supergeleidende ketens tot lichtgolfcommunicatie tussen cellen en gewichtloze energie.'

Eindelijk zei Rachel iets, nog steeds met haar ogen gesloten. Ze had al die tijd stiekem meegeluisterd. 'Je vraagt je toch af...'

'Wat?' Gray draaide zich naar haar om.

Langzaam sloeg ze haar ogen op. Ze stonden helder, alert. 'Wetenschappers hebben het nu over verhoogd bewustzijn, levitatie, transmutatie, wonderbaarlijke genezingen en het voorkomen van veroudering. Net een lijst wonderen uit bijbelse tijden. Ik vraag me af waarom er toen zoveel wonderen plaatsvonden en nu niet meer. In de afgelopen eeuwen mochten we van geluk spreken als we een afbeelding van de Heilige Maagd op een tortilla te zien kregen. En nu herontdekt de wetenschap de grotere wonderen. Veel daarvan gaan terug tot een wit poeder, een materie waar vroeger meer over bekend was dan nu. Kan die geheime kennis de bron zijn van de epidemie aan wonderen in bijbelse tijden?'

Daar dacht Gray even over na. 'En als die magiërs uit het verleden nu eens meer wisten dan wij nu?' zei hij. 'Wat heeft deze verloren gegane broederschap van magiërs met deze kennis gedaan, tot welk peil hebben ze die gebracht?'

Rachel vulde het aan. 'Misschien is het de Societas Draconis daar om te doen! Misschien vonden ze een aanwijzing, iets wat met de beenderen te maken had en wat aangaf waartoe het gezuiverde eindproduct kan leiden. Een niveau dat de magiërs al hadden bereikt.'

'En ondertussen ontdekte de Societas een manier om mensen uit te moorden, zoals ze in Keulen hebben gedaan. Een manier om het poeder als dodelijk wapen te gebruiken.' Hij herinnerde zich wat Vigor over de kabbala had gezegd, dat het poeder ten goede of ten kwade kon worden aangewend.

Rachels gezicht betrok. 'Als ze ooit grote macht krijgen, als ze toegang krijgen tot het heiligdom van de wijzen uit de oudheid, kunnen ze de wereld veranderen en die volgens hun eigen verziekte beeld herscheppen.'

Gray keek de anderen aan. Kat dacht na, Vigor leek met zijn gedachten ergens anders. Kennelijk viel het hem op dat er een stilte was gevallen, want plotseling hief hij zijn hoofd op.

Gray vroeg: 'Wat denk jij ervan?'

'Ik denk dat we hen moeten stoppen. Maar om dat te kunnen doen, moeten we verwijzingen naar die oude alchemisten onderzoeken. Dat betekent dat we de acties van de Societas Draconis moeten volgen.'

Gray schudde zijn hoofd. Hij herinnerde zich dat hij zich had afgevraagd of ze niet te behoedzaam te werk gingen, te voorzichtig. 'Ik heb er genoeg van achter die klootzakken aan te zitten. Ik wil hen voor zijn. Laten zij maar een keer het nakijken hebben.'

'Maar waar moeten we dan beginnen?' vroeg Rachel.

Voordat iemand antwoord kon geven, klonk er een mededeling door de intercom in de coupé.

'*Roma... Stazione Termini... quindici minuti.*'

Gray keek op zijn horloge. Nog een kwartier.

Rachel staarde hem aan.

'*Benvenuto a Roma,*' zei ze toen hij opkeek. '*Lasci i giochi cominciare!*'

Er vormde zich een flauwe glimlach om Grays lippen terwijl hij het vertaalde. Het was of ze zijn gedachten kon lezen. Welkom in Rome... Laat de spelen beginnen!

18:05

Seichan zette haar zwart met zilverkleurige Versace-zonnebril op. Ze was per slot van rekening in Rome en daar droeg iedereen een zonnebril.

Ze stapte uit de bus op het Piazza Pia. Ze droeg een luchtig wit zomerjurkje en verder niets, afgezien van Harley-Davidson-laarzen met naaldhakken en zilveren gespen die bij haar hangertje pasten.

De bus reed weg. Achter haar was het een verkeerschaos van toeterende auto's die helemaal tot aan de Via della Conciliazione stonden. Het was warm en het stonk naar benzinedamp. Ze keek in westelijke richting. Verderop rees de koepel van de Sint-Pietersbasiliek op die zich aftekende tegen de ondergaande zon. De door Michelangelo ontworpen koepel glansde als goud.

Niet onder de indruk keerde Seichan Vaticaanstad de rug toe. Dat was niet haar doel.

Voor haar stond een gebouw dat de enorme Sint-Pieterskerk naar de kroon stak. Een gigantisch rond gebouw, een fort met uitzicht over de Tiber. Castel Sant'Angelo, de Engelenburcht. Bovenop stond een gigantisch bronzen beeld van de aartsengel Michael met het zwaard uit de schede. Het beeld blonk in de zon. Het stenen bouwwerk daaronder was zwart van het roet en de uitlaatgassen, net of er zwarte tranen over waren uitgestort.

Wat passend, dacht Seichan.

De Engelenburcht was in de tweede eeuw gebouwd als mausoleum voor keizer Hadrianus, maar niet lang daarna was het ingelijfd bij de pauselijke macht. Onder de heerschappij van het Vaticaan had het dienstgedaan als fort, gevangenis, bibliotheek en zelfs als bordeel. Het was ook een geheime ontmoetingsplaats geweest voor beruchte pausen die er concubines en maîtresses op na hadden gehouden die hier binnen de muren min of meer als gevangenen werden beschouwd.

Seichan vond het amusant om hier zelf een afspraak te hebben. Ze liep door de tuinen naar de ingang en ging door de zes meter dikke muren naar binnen, waar het donker en koel was. Op dit late tijdstip waren de toeristen al bijna allemaal weg, maar zij ging naar binnen en klom de brede, gebogen Romeinse trap op.

Na de trap werd het kasteel een waar doolhof van kamers en gangen, waarin de toeristen gemakkelijk verdwaalden.

Maar Seichan ging niet verder dan het restaurant met het terras dat uitzicht over de Tiber bood. Daar zou ze haar contactpersoon ontmoeten. Na de brandbom werd het als te gevaarlijk beschouwd om in het Vaticaan zelf af te spreken. Dus moest haar contactpersoon door de Passetto del Burgo, een overdekte gang boven een oud aquaduct dat het apostolisch paleis met het fort verbond. Oorspronkelijk was de geheime gang in de dertiende eeuw gebouwd als ontsnappingsroute voor de paus, maar door de eeuwen heen was die vaker gebruikt voor amoureuze onderonsjes.

Maar aan deze ontmoeting was niets romantisch.

Seichan volgde de borden naar het terras. Ze keek op haar horloge. Tien minuten te vroeg. Ze moest nog opbellen.

Ze pakte haar mobieltje, drukte op de toets om het bericht te vervormen, en daarna op de snelkeuzetoets. Een geheim nummer. Met haar ene hand op haar heup en het mobieltje in de andere tegen haar oor gedrukt wachtte ze op verbinding met het nummer in het buitenland.

Een paar klikjes, daarna een zakelijke stem.

'Goedemiddag. U bent verbonden met het commandocentrum van Sigma.'

8

CRYPTOGRAFIE

'Ik heb pen en papier nodig,' zei Gray. Hij had zijn mobieltje in de hand.

Het groepje wachtte in een trattoria tegenover het station van Rome. Na aankomst had Rachel de carabinieri gebeld en gevraagd om patrouillewagens om hen naar Vaticaanstad te brengen. Terwijl ze wachtten, had Gray besloten de stilte met het commandocentrum te verbreken door te bellen. Hij was meteen doorverbonden met directeur Crowe.

Nadat Gray in grote lijnen had verteld wat er in Keulen en Milaan was gebeurd, kwam de directeur met zijn eigen verrassende nieuws.

'Waarom zou ze jullie bellen?' vroeg Gray terwijl Monk in zijn rugzak naar pen en papier zocht.

Painter antwoordde: 'Seichan speelt onze twee groepen tegen elkaar uit. Daar heeft ze zo haar redenen voor, dat steekt ze niet onder stoelen of banken. De informatie die ze ons gaf, was gestolen van een agent van de Societas Draconis, een man die Raoul heet.'

Gray fronste diep. Hij herinnerde zich wat die man in Milaan had aangericht.

'Ik denk dat ze in haar eentje de informatie niet kan ontcijferen,' ging Painter verder. 'Daarom speelde ze die aan ons door – opdat wij het raadsel oplossen en om jullie achter de Societas aan te sturen. Ze is niet achterlijk. Waarschijnlijk is ze een meester in het manipuleren en heeft het Gilde haar daarom aangewezen om deze opdracht te leiden... Bovendien hebben jullie een verleden. Ook al heeft ze jullie in Keulen en Milaan geholpen, je kunt haar absoluut niet vertrouwen. Uiteindelijk zal ze ze zich tegen je keren en zelf proberen te scoren.'

Gray voelde het metalen muntje zwaar in zijn zak wegen. Deze waarschuwing was overbodig. Die vrouw was bikkelhard.

'Oké,' zei Gray toen hij pen en papier had gekregen. Het mobieltje drukte hij met zijn schouder tegen zijn oor. 'Ik ben klaar.'

Painter dicteerde en Gray schreef alles op.

'Is het in verzen, zoals een gedicht?' vroeg Gray.

'Precies.' De directeur dicteerde verder en Gray noteerde het regel voor regel.

Eenmaal klaar zei Painter: 'Ik heb cryptologen eraan werken, zowel hier als bij het NSA.'

Fronsend keek Gray naar het blocnootje. 'Ik doe mijn best er iets van te bakken. Misschien kunnen we gebruikmaken van de bronnen binnen het Vaticaan.'

'Blijf ondertussen voorzichtig,' waarschuwde Painter hem. 'Die Seichan is misschien gevaarlijker dan de hele Societas bij elkaar.'

Daar had Gray niets tegen in te brengen. Na nog een paar vragen verbrak hij de verbinding en borg het mobieltje op. Vol verwachting keken de anderen hem aan.

'Waar ging dat over?' vroeg Monk.

'De Drakenvrouw heeft Sigma gebeld. Ze heeft een raadsel opgegeven. Kennelijk weet ze niet wat de Societas van plan is, en terwijl zij zich voorbereiden op hun volgende zet, wil ze dat we hen niet met rust laten. Daarom speelde ze een eeuwenoud fragment door dat de Societas Draconis twee maanden geleden in Egypte heeft ontdekt. Wat de inhoud ook moge zijn, ze zegt dat de huidige operatie daaruit voortvloeit.'

Vigor stond op van zijn tafeltje. Met zijn espressokopje in de hand boog hij zich samen met de anderen over het fragment.

Wanneer de volle maan paart met de zon,
Wordt het als oudste geboren.
Wat is het?
Waar het verdrinkt,
Zweeft het in duisternis en staart naar de verloren koning.
Wat is het?
De Tweeling wacht op water,
Maar zal bot voor bot op het altaar worden verbrand.
Wat is het?

'Nou, dat is een hele hulp,' mopperde Monk.

Kat schudde haar hoofd. 'Maar wat heeft dit te maken met de Societas Draconis, *high-spin* metalen en de een of andere verloren gegane broederschap van alchemisten?'

Rachel keek de straat af. 'De geleerden in het Vaticaan weten misschien meer. Kardinaal Spera had beloofd dat hij ons zou helpen.'

Het viel Gray op dat Vigor alleen een vluchtige blik op het papier wierp, zich daarna afwendde en verder dronk van zijn espresso.

Gray ergerde zich aan zijn stilzwijgen en had geen zin meer om rekening te houden met de grenzen die anderen hadden getrokken. Als Vigor bij het team wilde horen, moest hij zich daarnaar gedragen.

'Je weet iets,' zei hij kortaf.

De anderen keken hen aan.

'Dit had jij ook kunnen weten,' reageerde Vigor.

'Hoe bedoel je?'

'Ik heb het hier in de trein al over gehad.' Vigor tikte met zijn vinger op het papier. 'De verzen van dit fragment zouden je vertrouwd in de oren moeten klinken. Ik heb het over een boek gehad met een dergelijke tekst. De herhaling van de frase: "Wat is het."'

Kat was de eerste die het zich herinnerde. 'Het Egyptische Dodenboek.'

'De papyrus van Ani, om precies te zijn,' ging Vigor verder. 'Die is opgesplitst in regels met cryptische omschrijvingen, gevolgd door een zich steeds herhalende regel: "Wat is het."'

'In het Hebreeuws: manna,' zei Gray, die het zich weer herinnerde.

Monk wreef over de stoppeltjes op zijn geschoren hoofd. 'Maar als dit fragment uit een bekend Egyptisch boek komt, waarom zou dat dan uitgerekend nu de Societas tot actie aanzetten?'

'Dit fragment komt niet uit het Dodenboek,' antwoordde Vigor. 'Ik ken de papyrus van Ani goed genoeg om te weten dat het daarin niet wordt aangetroffen.'

'Waar komt het dan vandaan?' vroeg Rachel.

Vigor keek naar Gray. 'Je zei dat de Societas Draconis dit in Egypte heeft ontdekt... Een paar maanden geleden.'

'Precies.'

Vigor wendde zich tot Rachel. 'Ik weet zeker dat jij als lid van de carabinieri TPC hebt gehoord van de huidige chaos in het Egyptisch Oudheidkundig Museum in Caïro. Het museum heeft via Interpol een waarschuwing doen uitgaan.'

Rachel knikte en legde het de anderen uit. 'In 2004 is het Supreme

Council of Antiquities begonnen met het moeizame proces van het leeghalen van de kelder van het museum voordat de renovatie een aanvang kan nemen. Maar toen de kelder werd geopend, ontdekten ze in de doolhof van gangen meer dan honderdduizend voorwerpen. Een archeologische mestvaalt waar bijna niemand meer naar omkeek.'

'Ze denken dat het vijf jaar gaat duren voordat alles is gecatalogiseerd,' zei Vigor. 'Maar als professor in de archeologie heb ik wel iets over de ontdekkingen gehoord. Er was een complete ruimte met in staat van verval verkerende perkamenten. Men vermoedt dat die uit de verloren gegane bibliotheek van Alexandrië komen, het bolwerk van gnostische kennis.'

Gray herinnerde zich wat Vigor over de gnostiek en de speurtocht naar geheime kennis had verteld. 'Zo'n ontdekking zou zeker aantrekkingskracht op de Societas Draconis hebben.'

'Als een kaarsvlam op motten,' merkte Rachel op.

Vigor ging verder: 'Een van de gecatalogiseerde voorwerpen was iets uit de collectie van Abd al-Latif, een gerespecteerd Egyptisch geneesheer en ontdekkingsreiziger die in Caïro woonde. Tot zijn verzameling behoorde een geïllumineerde veertiende-eeuwse kopie van het Dodenboek, een complete kopie van de papyrus van Ani.' Vigor keek Gray recht aan. 'En die is vier maanden geleden gestolen.'

Grays hart begon sneller te kloppen. 'Door de Societas Draconis.'

'Of iemand in hun dienst. Ze hebben overal handlangers.'

'Maar als het een kopie van het origineel is,' zei Monk, 'waarom is het dan zo belangrijk?'

'De papyrus van Ani telt honderden verzen. Ik durf te wedden dat iemand deze kopie vervalste en juist deze belangrijke regels' – Vigor tikte op Grays blocnote – 'verstopte tussen de veel oudere regels.'

'Onze verloren alchemisten,' zei Kat.

'Ze verstoppen spelden in een hooiberg,' zei Monk.

Gray knikte. 'Totdat een geleerde van de Societas Draconis zo goochem was ze eruit te vissen, de aanwijzingen te ontcijferen en daarnaar te handelen. Maar wat moeten wij nu?'

Vigor draaide zich om naar de straat. 'In de trein zei je dat je de Societas Draconis voor wilde zijn. Dit is onze kans.'

'Hoezo?'

'We lossen het raadsel op.'

'Maar dat kan nog dagen duren.'

Vigor keek achterom. 'Niet als ik het al heb opgelost.'

Hij sloeg een bladzij van het blocnootje om. 'Ik zal het jullie laten zien.'

Daarna deed hij iets heel vreemds. Hij doopte zijn vinger in zijn kopje espresso en bevochtigde daarmee de onderkant van het piepkleine kopje. Vervolgens drukte hij het kopje op het papier. Er bleef een volmaakt ronde koffievlek op het lege papier achter. Hij herhaalde het hele proces en drukte nog een kring op het papier die een beetje over de eerste heen kwam. Het geheel leek een beetje op een sneeuwman.

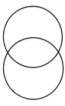

'De volle maan die paart met de zon.'

'En wat bewijst dat?' vroeg Gray.

'*Vesica Pisces*,' zei Rachel. Haar gezicht klaarde helemaal op toen ze het begreep.

Vigor keek haar met een grijns aan. 'Heb ik jullie al verteld dat ik razend trots ben op mijn nichtje?'

19:02

Rachel vond het niet prettig om het escorte van de carabinieri op te geven, maar ze begreep oom Vigors opwinding. Haar oom had erop gestaan dat ze van ander vervoer gebruikmaakten om snel onderzoek te kunnen doen.

Dus had ze naar het bureau gebeld om te zeggen dat de patrouillewagens niet meer nodig waren. Voor generaal Rende had ze een cryptische mededeling achtergelaten dat ze allemaal een boodschap moesten doen. Dat laatste had Gray voorgesteld, het leek hem beter niet te zeggen waar ze naartoe gingen. Niet voordat ze nader onderzoek hadden verricht.

Hoe minder mensen van hun ontdekking wisten, des te beter.

Dus zochten ze naar alternatief vervoer.

Rachel liep achter Grays brede rug aan naar achter in de bus. Kat en Monk hielden plaatsen voor hen vrij. De airconditioning sputterde en de motor deed de vloer trillen toen de bus optrok van de stoeprand en zich in het verkeer voegde.

Rachel ging naast Gray zitten, tegenover Monk, Kat en oom Vigor. Vooral Kat zag er ernstig uit. Ze had voorgesteld toch liever met een escorte naar Vaticaanstad te gaan, maar Gray had daar niets van willen weten.

Rachel keek naar Gray op. Hij leek vastbeslotener dan eerst, met eenzelfde soort zelfverzekerdheid die hij in die brandende toren in Keulen had getoond.

De bus reed schommelend verder.

'Goed,' zei Gray, 'ik heb je op je woord geloofd dat dit uitstapje noodzakelijk is. Misschien kun je het nu nader toelichten?'

Oom Vigor hief zijn hand op. 'Als ik op het terras in detail was getreden, hadden we de bus gemist.'

Hij sloeg het blocnootje weer open. 'In het christendom komen de overlappende cirkels vaak voor. In kerken, kathedralen en basilieken over de hele wereld. Deze vorm vormt de basis voor de hele geometrie. Ik geef een voorbeeld.' Hij draaide het blocnootje horizontaal en bedekte de onderste helft met zijn hand. Daarna wees hij naar de plek waar de twee cirkels elkaar overlapten. 'Hier zie je de vorm van de spitsboog. Bijna alle gotische vensters en deuren hebben deze vorm.'

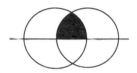

Als kind had Rachel dit allemaal al gehoord. Je kon geen familie van een Vaticaans archeoloog zijn en de betekenis van die twee elkaar overlappende cirkels niet kennen.

'Voor mij ziet het er nog steeds uit als twee donuts die op elkaar zijn gedrukt,' zei Monk.

Vigor zette het plaatje weer recht.

'Of als een volle maan die met de zon paart,' zei haar oom, refererend aan de eerste regel van de cryptische tekst. 'Hoe meer ik ernaar kijk, des te meer lagen zijn er. Net of je een ui pelt.'

'Hoe bedoel je?' vroeg Gray.

'Deze aanwijzingen hebben ze in het Egyptische Dodenboek verborgen. Het allereerste boek waarin manna wordt genoemd. In latere Egyptische teksten wordt over het "witte brood" gesproken. Ik krijg het idee dat als je te weten wilt komen wat de alchemisten verborgen hielden, je

bij het begin moet beginnen. En toch is het antwoord op deze aanwijzingen te traceren tot de vroegste periode van het christendom. Het principe van vermenigvuldiging. Zelfs het antwoord houdt vermenigvuldiging
in. Het ene dat veel wordt.'

Rachel begreep wat haar oom bedoelde. 'De vermenigvuldiging van de
vissen.'

Vigor knikte.

'Kan iemand dat aan ons lekenbroeders uitleggen?' vroeg Monk.

'Deze vereniging van cirkels wordt Vesica Pisces genoemd, oftewel:
Schaal van de Vissen.' Vigor boog zich naar voren en dekte de boven- en
onderkant af. Op het snijpunt van de twee cirkels ontstond de vorm van
een vis.

Gray tuurde ernaar. 'Dat is de vis die symbool staat voor het christendom.'

'Het is het óúdste symbool,' zei Vigor. '"Wanneer de volle maan paart
met de zon, wordt het als oudste geboren."' Hij tikte op de vis. 'Sommige geleerden denken dat het symbool van de vis werd gebruikt omdat het
Griekse woord voor vis, ICHTYS, een acroniem is voor *Iesus Christos Theou
Yios Soter*, oftewel Jezus Christus, Zoon van God, Verlosser. Maar de waarheid vind je hier, tussen deze cirkels, besloten in gewijde geometrie. In
vroege schilderingen zie je deze overlappende cirkels vaak, met het Christuskind op het snijpunt. Als je de tekening draait, wordt de vis een afbeelding van de vrouwelijke genitaliën en een baarmoeder met daarin een
afbeelding van het kindeke Jezus.'

'En daaróm is de vis een vruchtbaarheidssymbool. Weest vruchtbaar en vermenigvuldigt u.' Vigor keek het groepje rond. 'Zoals ik al zei, laag na laag van betekenissen.'

Gray leunde naar achteren. 'Maar wat hebben wij daaraan?'

Ook Rachel was nieuwsgierig. 'Overal in Rome zie je die vissensymbolen.'

Vigor knikte. 'In de tweede regel wordt gezegd: "wordt het als oudste geboren". Het verwijst dus naar de oudste voorstelling van het vissensymbool. Die vind je in de crypte van Lucina, in de catacomben van Callixtus.'

'Gaan we daarheen?' vroeg Monk.

Vigor knikte.

Het viel Rachel op dat Gray nog niet tevreden was. 'Maar wat als je het bij het verkeerde eind hebt?' vroeg hij.

'Dat is niet het geval. De andere regels wijzen ook in die richting... Mits je het raadsel van de Vesica Pisces hebt opgelost. Kijk maar naar de volgende regel: "Waar het verdrinkt, zweeft het in duisternis." Een vis kan niet verdrinken, tenminste niet in water, maar wel in de aarde. En die duisternis wijst ook op een crypte.'

'Maar er zijn talloze crypten en catacomben in Rome.'

'Maar niet met twéé vissen, tweelingen,' reageerde Vigor.

Grays ogen lichtten op toen het tot hem doordrong. 'Weer een aanwijzing, uit het laatste vers: "De Tweeling wacht op water."'

Vigor knikte. 'Alle drie de verzen wijzen naar één enkele plek. De catacomben van de Heilige Callixtus.'

Monk ging gemakkelijk zitten. 'In ieder geval is het deze keer geen kerk. Ik heb er genoeg van dat ze op me schieten.'

19:32

Vigor voelde dat ze op het goede spoor zaten.

Eindelijk.

Hij ging de anderen voor door de Porta San Sebastiano, een van de opvallendste poorten die de stad rijk was en die de toegangspoort vormde tot de parken langs de Via Appia, een bewaard gebleven gedeelte van de beroemde Romeinse weg. Direct achter de poort stonden echter een paar vervallen werkplaatsen.

Vigor lette niet op de afvalhopen, maar richtte de aandacht op wat verderop lag. Bij een splitsing van de weg rees een kerkje op. 'De kapel van Domine Quo Vadis,' zei hij.

Alleen Kat hoorde wat hij zei omdat ze naast hem liep en een beetje afstand tot Gray leek te willen bewaren. De anderen liepen achter hen aan. Het was prettig even alleen met Kat te zijn. Drie jaar waren voorbijgegaan sinds ze samen een rol hadden gespeeld bij het catalogiseren van bewijs tegen een nazi-oorlogsmisdadiger die in de staat New York woonde. Deze man had in Brussel in gestolen kunstvoorwerpen gehandeld. Het was een langdurig en ingewikkeld onderzoek geweest en allebei hadden ze onder een dekmantel moeten opereren. Vigor was zeer onder de indruk van de jonge vrouw geweest, die van rol kon veranderen met het gemak waarmee ze andere schoenen aantrok.

Hij wist ook van haar grote verdriet van de afgelopen tijd. Hoewel ze goed kon acteren en haar gevoelens verbergen, had Vigor lang genoeg als priester, biechtvader en raadgever voor zijn kudde gewerkt om te zien dat ze nog steeds om iemand rouwde en de wonden nog niet waren geheeld.

Hij wees naar het stenen kerkje, want hij wist dat binnen die muren een boodschap voor Kat aanwezig was. 'De kapel is gebouwd op de plek waar de Heilige Petrus tijdens zijn vlucht voor de christenvervolging onder Nero een visioen van Jezus kreeg. Jezus was op weg naar Rome terwijl Petrus juist uit Rome wegvluchtte. Toen stelde hij die beroemde vraag: "Domine, quo vadis?". Heer, waar gaat U heen? Jezus antwoordde dat hij naar Rome ging om nogmaals gekruisigd te worden. Petrus keerde terug en stierf de martelaarsdood.'

'Sprookjes,' zei Kat. 'Hij had moeten vluchten.'

'Altijd even pragmatisch, hè Kat? Jij zou toch moeten weten dat een leven soms minder belangrijk is dan het doel. We lijden allemaal aan een dodelijke ziekte. Aan de dood kunnen we niet ontkomen. Maar niet alleen onze goede daden zijn onze getuigenis van onze tijd op aarde, onze dood kan dat ook zijn. Iemand die zijn leven opoffert, zou met eerbied moeten worden herdacht.'

Kat keek naar hem op. Ze was slim genoeg om te begrijpen waar hij naartoe wilde.

'Een offer brengen is het laatste geschenk dat wij stervelingen kunnen geven. Zo'n nobel geschenk zouden we niet met verdriet moeten aanvaarden, maar vol respect en zelfs vreugde om een leven dat ten volle is geleefd.'

'Zelfs sprookjes kunnen wijze lessen bevatten,' besloot Vigor. Bij de splitsing stuurde hij het groepje naar links.

Hier was de weg met vulkanische steen geplaveid. Hoewel het niet het oorspronkelijk plaveisel was van de Romeinse weg die vanaf de poorten van de stad helemaal tot Griekenland had geleid, was het beeld zeer romantisch. Groene heuvels gingen over in een parkachtig landschap met hier en daar een paar schapen en parasoldennen. Overal stonden vervallen muren, afgewisseld met graftomben.

Op deze tijd van de dag, terwijl de toeristische trekpleisters sloten en de zon bijna onder was, hadden ze de Via Appia bijna voor zichzelf. Af en toe passeerde een wandelaar of fietser die naar Vigor knikten wanneer ze zijn priesterboord zagen. 'Padre,' mompelden ze in het voorbijgaan, met een blik op het vermoeide clubje rugzaktoeristen dat hij voorging.

Vigor zag schaars geklede vrouwen langs de weg staan, samen met gestalten die er decenter uitzagen. Zodra het donker was, werd de Via Appia een oord voor prostituees en hun klanten, en veranderde in een plek die gevaarlijk was voor argeloze toeristen. Nog steeds vonden hier overvallen en berovingen plaats, net als vroeger.

'Het is niet ver meer,' beloofde Vigor.

Hij ging hun voor door de glooiende, met wijnranken begroeide heuvels. Voor hen verscheen de voorhof van hun bestemming: de catacomben van Sint-Callixtus.

'Commandant,' vroeg Kat, die haar pas inhield, 'moeten we niet eerst de omgeving verkennen?'

'Hou je ogen gewoon maar open,' antwoordde hij. 'Geen oponthoud meer.'

Het viel Vigor op dat Gray erg vastberaden klonk. De commandant was bereid te luisteren, maar boog niet voor andermans wil. Vigor wist niet of dat goed of slecht was.

Gray gebaarde dat ze moesten doorlopen.

De ondergrondse begraafplaats was om vijf uur dichtgegaan, maar Vigor had de toezichthouder gebeld en gevraagd om toegang. Een tenger mannetje met sneeuwwit haar, gekleed in een grijze overall, kwam uit een portiek. Hij liep moeizaam op hen toe en gebruikte een herdersstaf als wandelstok. Vigor kende hem goed. Generaties lang had zijn familie als schaapherders in deze *campagna* gewerkt. Tussen zijn tanden stak een pijp.

'Monseigneur Verona,' zei hij. '*Come va?*'

'*Bene grazie. E lei*, Giuseppe?'

'Prima, Padre. Grazie.' Hij gebaarde naar het hutje waarin hij woonde terwijl hij toezicht op de catacombe hield. 'Ik heb een flesje grappa klaarstaan. Ik weet dat u daarvan houdt. Van druiven van deze heuvels.'

'Een andere keer, Giuseppe. Het wordt al laat en we hebben haast, ben ik bang.'

De man keek de anderen aan alsof dat hun schuld was, en toen viel zijn blik op Rachel. 'Onmogelijk... *Piccola* Rachel! Maar zo klein is ze niet meer.'

Rachel lachte, overduidelijk blij dat de man haar herkende. Ze was hier niet meer geweest sinds een bezoekje met Vigor toen ze negen was. Ze omhelsde het mannetje en kuste hem op de wang. 'Ciao, Giuseppe.'

'We moeten toch zeker op onze piccola Rachel klinken, nietwaar?'

'Misschien wanneer we klaar zijn beneden,' reageerde Vigor. Hij wist dat Giuseppe een beetje eenzaam was in dat hutje en graag gezelschap wilde.

'Si... bene.' Hij gebaarde met zijn staf naar de ingang. 'Het is open. Ik sluit wel af als jullie binnen zijn. Klop maar wanneer jullie eruit willen, dat hoor ik wel.'

Vigor ging hun voor naar de poort die toegang gaf tot de catacomben. Hij trok de deur open en gebaarde dat de anderen naar binnen moesten. Het viel hem op dat Giuseppe de gloeilampen had aangelaten. Voor hen liep een trap naar beneden.

Terwijl Monk met Rachel naar binnen ging, keek hij even om naar de toezichthouder. 'Je moet dat mannetje eens aan je oma voorstellen. Ze zouden goed met elkaar kunnen opschieten.'

Met een grijns liep Rachel achter de gedrongen man naar binnen.

Vigor deed de deur achter hen dicht en ging hun voor de trap af. 'Deze catacombe is een van de oudste van Rome. Ooit was het een christelijke privé-familiebegraafplaats, maar die werd uitgebreid toen een paar pausen hier begraven wilden worden. Nu bestrijkt de begraafplaats zo'n dertig hectare en bestaat uit vier lagen.'

Achter zich hoorde Vigor de deur in het slot klikken. Hoe dieper ze kwamen, des te bedompter het werd, het rook er naar leem en doorsijpelend regenwater. Aan de voet van de trap kwamen ze bij een vestibule met *loculi* in de wanden, horizontale nissen waarin de lichamen ter ruste werden gelegd. De wanden waren overdekt met graffiti, maar dat was niet het werk van moderne vandalen. Sommige van de inscripties dateerden uit de vijftiende eeuw: gebeden, weeklachten, getuigenissen.

'Hoe ver moeten we hierin?' vroeg Gray die naast Vigor kwam lopen. Daar was nauwelijks plaats voor omdat de gang zich versmalde. De commandant keek op naar het lage plafond.

Zelfs degenen die geen last van claustrofobie hadden, voelden zich niet op hun gemak in de vervallen ondergrondse dodenstad. Vooral niet nu die verlaten en stil was.

'De crypte van Lucina ligt nog veel dieper, in het oudste gedeelte van de catacombe.'

Er waren veel zijgangen, maar Vigor kende de weg en sloeg rechts af. 'Blijf bij elkaar,' waarschuwde hij hen. 'Hier kun je gemakkelijk verdwalen.'

De gang werd nog smaller.

Gray draaide zich om. 'Monk, vorm jij de achterhoede op tien passen afstand. Blijf in het zicht.'

'Oké.' Monk haalde zijn geweer tevoorschijn.

Voor hen uit mondde de gang in een vertrek uit. In de muren zaten grotere loculi en ook bewerkte *arcsololia*, graven met een gewelfd plafond.

'De crypte van de pausen,' zei Vigor. 'Hier zijn zestien pausen ter ruste gelegd, van Eutichianus tot Zephyrinus.'

'Van E tot Z,' mompelde Gray.

'De lichamen zijn verwijderd,' zei Vigor terwijl ze door de crypte van Cecilia liepen, steeds dieper naar beneden. 'Vanaf ongeveer de vijfde eeuw werden de buitenwijken van Rome geplunderd. De Goten, de Vandalen, de Lombarden. Veel van de belangrijkste personages die hier begraven lagen, werden overgebracht naar kerken en kapellen in de stad. De catacomben werden zelfs zo grondig leeggehaald dat ze tegen de twaalfde eeuw volledig in de vergetelheid waren geraakt. Pas in de zestiende eeuw werden ze herontdekt.'

Gray kuchte. 'Het lijkt erop dat de tijdlijn zichzelf steeds kruist.'

Vigor keek om.

'Twaalfde eeuw,' legde Gray uit. 'Dat was ook de periode waarin het gebeente van de Wijzen vanuit Italië naar Duitsland werd overgebracht. Je zei ook dat er in die periode een opleving van de gnostiek plaatsvond waardoor er een breuk ontstond tussen de keizers en de pausen.'

Vigor knikte peinzend. Dit was een heel nieuw gezichtspunt. 'Het waren woelige tijden. Tegen het einde van de dertiende eeuw werd de paus uit Rome verdreven. Misschien wilden de alchemisten hun kennis beschermen en moesten ze zich beter verbergen. Misschien lieten ze aanwijzingen achter voor het geval ze zouden omkomen, een spoor broodkruimeltjes voor latere gnostici.'

'Zoals deze sekte binnen de Societas Draconis.'

'Ik denk niet dat ze zich konden voorstellen dat een dergelijke perverse groepering verlicht genoeg zou kunnen zijn om een hogere waarheid te zoeken. Een ongelooflijk misverstand. In ieder geval, ik denk dat je gelijk hebt. Misschien is dat inderdaad de periode waarin deze aanwijzingen werden rondgestrooid. Ik zou zeggen ergens in de dertiende eeuw, toen het conflict op de spits werd gedreven. In die tijd waren maar weinig mensen van het bestaan van de catacomben op de hoogte. Geen betere plek om de aanwijzingen voor een geheim genootschap te verbergen.'

Terwijl Vigor hierover nadacht, ging hij hun voor door gangen, crypten en *cubicula*. 'Het is niet ver meer. Net voorbij de crypten van de Sacramenten.' Hij gebaarde naar een gang met vijf kamertjes. Afgebladderde en vervaagde fresco's lieten ingewikkelde bijbelse voorstellingen zien, afgewisseld met afbeeldingen van het doopsel en de viering van de eucharistie. Vroegchristelijke kunstschatten.

Nadat ze door nog een paar gangen waren gelopen, konden ze hun doel zien liggen. Een eenvoudige crypte. Het plafond was beschilderd met een typisch vroegchristelijk motief: de Goede Herder, Jezus met een lam op de schouders.

Maar Vigor schonk geen aandacht aan het plafond, hij wees naar twee aan elkaar grenzende wanden. 'Dit zoeken we.'

20:10

Gray liep naar de dichtstbijzijnde wand toe. Daarop bevond zich een fresco van een vis tegen een groene achtergrond. Daarboven, bijna alsof de vis dat op de rug droeg, een mandje met brood. Hij draaide zich om naar de andere wand. Dit fresco leek een spiegelbeeld van het eerste te zijn, alleen zat er in het mandje ook nog een kruik wijn.

'Het is een symbolische afbeelding van de eucharistie,' zei Vigor. 'Vis, brood en wijn. Het stelt ook het wonder van de vissen voor, toen Jezus een mandje vis en brood vermenigvuldigde om de menigte volgelingen te voeden die naar zijn prediking waren komen luisteren.'

'Weer dat symbool voor vermenigvuldiging,' zei Kat. 'Net als de geometrie van Vesica Pisces.'

'En wat nu?' vroeg Monk. Hij stond met het geweer tegen zijn schouder naar de uitgang van de crypte toe.

'We volgen het raadsel. Het tweede vers gaat als volgt: "Waar het verdrinkt, zweeft het in duisternis en staart naar de verloren koning." We hebben gevonden waar het in duisternis zweeft, dus kijken we waarnaar het staart.' Hij wees in de richting waarnaar de vis keek.

Dieper de gangen in.

Zoekend om zich heen kijkend beende Gray die kant op. Het duurde niet lang of hij had een afbeelding van koningen gevonden. Hij bleef staan voor een fresco met de aanbidding der Wijzen. Ook al was het vervaagd, het was duidelijk genoeg. De Maagd Maria zat met het kindeke Jezus op schoot op een troon. Voor haar bogen drie in gewaden geklede gestalten en boden geschenken aan.

'De Drie Koningen,' zei Kat. 'Alweer de Wijzen.'

'We komen die gasten voortdurend tegen,' reageerde Monk een paar stappen achter hen in de gang.

Rachel keek fronsend naar de wand. 'Maar wat moet het allemaal betekenen? Wat moeten we hier? Wat heeft de Societas Draconis ontdekt?'

Gray liet alle gebeurtenissen van de afgelopen dag in willekeurige volgorde de revue passeren en liet zijn gedachten de vrije loop. Er vormden zich verbanden die oplosten en zich aanpasten. Langzaam begon hij het te begrijpen.

'De vraag is: waarom brachten die alchemisten uit het verleden ons hiernaartoe?' zei Gray. 'Naar juist deze afbeelding van de Wijzen? Zoals Monk al zei, je kunt hier in Italië je kont niet keren of je ziet die koningen wel ergens. Dus waarom juist dít fresco?'

Niemand wist daar het antwoord op.

Rachel dacht hardop. 'De Societas Draconis zat achter het gebeente van de Wijzen aan. Misschien moeten we die invalshoek gebruiken.'

Gray knikte. Daar had hijzelf aan moeten denken. Ze hoefden het wiel niet opnieuw uit te vinden, de Societas Draconis had het raadsel al opgelost. Ze hoefden alleen maar te kijken wat zij hadden gedaan. Gray dacht daarover na en kwam met maar één logisch antwoord.

'Misschien staart de vis naar juist deze koningen omdat ze begraven zijn. Op een begraafplaats. Onder de aarde, waar een vis zou verdrinken. De aanwijzing duidt niet op levende Wijzen, maar op Wijzen die dood en begraven zijn, in een crypte die ooit vol beenderen lag.'

Vigor maakte een verrast geluidje.

'Dus ging de Societas Draconis achter de beenderen aan,' zei Rachel.

'Ik denk dat de Societas Draconis al wist dat de beenderen geen beenderen waren,' zei Gray. 'Ze volgen dit spoor al eeuwen. Ze moeten het hebben geweten. Kijk maar naar wat er in de domkerk gebeurde. Ze wendden de kracht van het witte poeder aan om te doden. Ze waren al vergevorderd.'

'En ze willen meer poeder,' zei Rachel. 'De *Endlösung* door de Wijzen.'

Geconcentreerd kneep Vigor zijn ogen tot spleetjes. 'Als je gelijk hebt, commandant, over het belang van de overbrenging van het gebeente van de Wijzen vanuit Italië naar Duitsland, was het misschien niet zomaar een plundering zoals de geschiedenis dat wil, maar was het zo geregeld. Om het amalgaam veilig te stellen.'

Gray knikte. 'En de Societas Draconis liet de beenderen veilig opgeborgen in Keulen, waar iedereen het kon zien. Ze wisten dat ze belangrijk waren, maar ze wisten niet wat ze ermee moesten doen.'

'Tot nu,' zei Monk, die een paar passen verderop stond.

'Maar waar duiden al die aanwijzingen uiteindelijk op?' ging Gray verder. 'Tot nu toe alleen op relieken in een kerk. Nergens staat wat je ermee moet, waar ze voor gebruikt worden.'

'We vergeten iets,' zei Kat. Al die tijd had ze zwijgend het fresco bestudeerd. 'In het fragment staat dat de vis naar de verloren koning staart. Niet naar koningen, er wordt geen meervoud gebruikt. Hier zijn drie koningen. Ik denk dat we iets over het hoofd zien, een diepere betekenis, iets symbolisch.' Ze draaide zich naar de anderen om. 'Op welke verloren koning doelt die aanwijzing?'

Gray zocht naar een antwoord. Het was keer op keer een raadsel.

Nadenkend streek Vigor over zijn kin. 'In de catacombe hiernaast bevindt zich ook een fresco. In de catacombe van Domitilla. Op dat fresco staan geen drie koningen afgebeeld, maar vier. Omdat in de bijbel nergens wordt vermeld om hoeveel koningen het gaat, varieerden de vroegchristelijke kunstenaars het aantal. De verloren koning kan op nog een andere Wijze slaan, degene die hier ontbreekt.'

'Een vierde Wijze?' vroeg Gray.

'Iemand die de verloren gegane kennis van de alchemisten vertegenwoordigt.' Vigor knikte en hief zijn hoofd. 'Het tweede vers bevat een aanwijzing dat de beenderen van de Wijze via deze vierde Wijze kunnen worden gevonden. Wie dat dan ook mag zijn.'

Rachel schudde haar hoofd. 'Vergeet niet dat deze aanwijzing in een crypte ligt verborgen. Ik wed dat we niet de vierde Wijze moeten vinden, maar zijn graftombe. Een stel beenderen om andere mee te vinden. Misschien nog een andere bewaarplaats voor het amalgaam.'

'Of voor iets nog veel belangrijkers waar de Societas Draconis opgewonden van raakt.'

'Maar hoe kunnen de beenderen van de Wijzen ons helpen die verloren gegane graftombe te vinden?' vroeg Monk.

Gray liep terug de crypte van Lucina in. 'Het antwoord daarop moet in het derde vers liggen.'

Painter Crowe werd wakker toen er op zijn deur werd geklopt. Hij was weggedommeld in zijn stoel, die hij achterover had gekanteld. Die verdomde ergonomische stoelen ook...

Hij schraapte zijn keel. 'Binnen.'

Logan Gregory kwam binnen. Zijn haar was vochtig en hij droeg een schoon overhemd en jasje. Hij zag eruit of hij net op zijn werk was gekomen in plaats van dat hij daar al een dag en een nacht was.

Logan merkte dat het Painter was opgevallen en wreef even over zijn overhemd. 'Ik ben even naar de fitnessruimte geweest. Daar heb ik altijd schone kleren in een kluisje.'

Painter was sprakeloos. Zelf dacht hij dat hij nauwelijks uit zijn stoel kon komen, laat staan een eindje rennen. Maar Logan was dan ook vijf jaar jonger dan hij. En Painter wist ook dat zijn vermoeidheid voornamelijk aan stress te wijten was.

'Sir,' ging Logan verder. 'Ik heb bericht gehad van generaal Rende, onze contactpersoon bij de carabinieri in Rome. Commandant Pierce en de anderen zijn weer van de aardbodem verdwenen.'

Painter boog zich naar voren. 'Alweer een aanval? Ze zouden langzamerhand in Vaticaanstad moeten zijn aangekomen.'

'Dat is niet het geval, sir. Nadat u hen had gesproken, hebben ze het aanbod van een politie-escorte afgeslagen en zijn ze op eigen houtje ergens heen gegaan. Generaal Rende wil weten wat u hun heeft verteld. Zijn agent, luitenant Rachel Verona, zei hem dat u hun informatie had gegeven. Het beviel generaal Rende helemaal niet dat hij van niets wist.'

'Wat heb je hem gezegd?'

Logan trok zijn wenkbrauwen op. 'Niets, sir. Dat is toch het beleid bij Sigma? Wij weten van niets.'

Painter glimlachte. Daar leek het vaak wel op.

'En commandant Pierce, sir? Wat wilt u dat er gebeurt? Moeten we alarm slaan?'

Painter herinnerde zich wat Sean McKnight had gezegd: heb vertrouwen in je agenten. 'We wachten totdat hij weer belt. Er is geen bewijs dat er iets mis is. Laat hem zijn spelletje maar spelen.'

Dat antwoord leek Logan niet te bevredigen. 'Wat wilt u dan dat ik doe?'

'Logan, ik stel voor dat je een dutje gaat doen. Ik vermoed dat wanneer commandant Pierce er de sokken in zet, we hier niet meer aan slapen toekomen.'

'Goed, sir.' Hij liep naar de deur.

Painter leunde weer achterover en bedekte zijn ogen met zijn arm. Jezus, die stoel zat echt heel gemakkelijk. Hij dommelde een beetje weg, maar er was iets wat voorkwam dat hij echt indutte. Iets wat Gray had gezegd, dat hij Sigma niet vertrouwde. Dat er misschien een lek was.

Zou het waar zijn?

Er was maar één ander die volledig op de hoogte was van deze operatie. Zelfs Sean McKnight wist er het fijne niet van. Langzaam kwam hij overeind, zijn ogen open.

Onmogelijk.

In de crypte van Lucina stond Gray voor het andere fresco met de vis. Ze moesten dit derde raadsel oplossen.

Monk stelde de juiste vraag: 'Waarom heeft de Societas Draconis geen brandbommen in deze catacomben geplaatst? Waarom lieten ze alles gewoon achter zodat anderen het ook konden zien?'

Rachel stond naast hem. 'De Societas heeft het Dodenboek in zijn bezit, ze hebben dus niets te vrezen. Als Seichan dat raadsel niet had gestolen, zou niemand hier gaan kijken.'

Kat voegde daaraan toe: 'Misschien was de Societas er niet helemaal zeker van dat ze alles goed hadden geïnterpreteerd. Misschien wilden ze het hier intact houden tot ze helemaal zeker waren dat ze het bij het rechte eind hadden.'

Gray dacht daarover na, zich bewust van het feit dat ze weinig tijd hadden. Hij tuurde weer naar het fresco. 'Laten we eens kijken wat ze hebben ontdekt. In het derde vers wacht de vis op water. Net als bij de eerste vis denk ik dat we moeten ontdekken waar de vis naar kijkt.'

Gray gebaarde naar een andere gang uit de crypte. De vis wees die kant op.

Maar Vigor bleef van de ene vis naar de andere kijken. Ze waren elkaars spiegelbeeld. 'Een tweeling,' zei hij.

'Wat?'

Vigor wees naar de twee vissen. 'Degene die het raadsel heeft bedacht, was dol op symboliek. Hij koos deze twee vissen. Nagenoeg identiek. Het kan niet zonder reden zijn dat hij de tweede vis de "tweeling" noemde.'

'Ik snap het niet,' zei Gray.

'Je kent gewoon geen Grieks, commandant.'

Gray fronste.

Verrassend genoeg was het Monk die zijn steentje bijdroeg, en daarmee liet hij zien dat zijn Griekse afkomst zich niet beperkte tot een voorliefde voor ouzo en vreemde dansen. '"Tweeling" is *didymus* in het Grieks.'

'Heel goed,' reageerde Vigor. 'En in het Hebreeuws kun je "tweeling" vertalen met *Thomas*. Didymus Thomas dus. Een van de twaalf apostelen.'

Gray herinnerde zich het gesprek bij het Comomeer. 'Thomas was de apostel die onenigheid met Johannes had.'

'En degene die de Wijzen doopte,' bracht Vigor hem in herinnering. 'Thomas vertegenwoordigt de gnostiek. Ik denk dat het woord "tweeling" hier wordt gebruikt als eerbetoon aan het evangelie van Thomas. Ik vraag me af of deze alchemisten zelf geen thomasiaanse christenen zijn geweest... Gelovigen die Rome volgden, maar er in het geheim gnostische praktijken op na hielden. Er hebben altijd geruchten bestaan over een dergelijk soort Kerk binnen de Kerk. Een thomasiaanse Kerk binnen en naast de canonieke Kerk. Dit vormt misschien het bewijs.'

Gray hoorde de opwinding in de stemmen van de anderen.

'Misschien versmolt dit genootschap van alchemisten, dat teruggaat tot de tijd van Mozes in Egypte, met de katholieke Kerk. Ze droegen het kruis en knielden voor de Kerk, en voelden zich verwant met degenen die het geheime evangelie van Thomas vereerden.'

'Verborgen in het openbaar,' zei Monk.

Vigor knikte.

Gray dacht erover na. Het klonk logisch, maar ze hadden eerst een raadsel op te lossen. Hij wees naar de gang. 'Wie die aanwijzingen ook heeft achtergelaten, we staan nog voor een derde uitdaging.'

De Tweeling wacht op water...

Gray ging hun voor de gang in. Hij zocht naar een fresco waarop water werd afgebeeld. Hij kwam langs verschillende bijbelse taferelen, maar niets met water. Er was een schildering van een gezin rond de tafel, maar daar werd alleen wijn geschonken. Daarnaast was een fresco met vier mannen die hun armen ten hemel hieven. Nergens was een spoor van water.

Achter hem riep Vigor iets. Hij draaide zich om.

De anderen stonden bij elkaar voor een nis. Hij voegde zich bij hen. Dat fresco had hij al bekeken. Een man in een lang gewaad die met een stok tegen een steen slaat. Geen druppel water.

'Dit is Mozes in de woestijn,' zei Monk.

Gray wachtte op nadere uitleg.

'Volgens de bijbel sloeg hij tegen een rots, en daaruit ontsprong een bron waaraan de vluchtende Israëlieten hun dorst konden lessen.'

'Net zoiets als die vissen van daarnet,' zei Monk.

'Dit moet het fresco zijn waaraan het derde vers refereert,' zei Vigor. 'Weten jullie nog, Mozes wist van het manna en de wonderbaarlijke witte poeders. Deze verwijzing naar hem is helemaal op zijn plaats.'

'Maar wat voor aanwijzingen bevat deze bladderende schildering?' vroeg Gray.

'"De Tweeling wacht op water, maar zal bot voor bot op het altaar worden verbrand,"' citeerde Vigor. '"Bot voor bot." Denk terug, zoals Rachel al zei. Wat heeft de Societas Draconis in Keulen gedaan? De kerkgangers werden verbrand, een enorme elektrische storm in de hersenen. En er kwam wit goud bij kijken. En misschien het amalgaam in de beenderen van de Wijzen.'

'Is dat de boodschap?' vroeg Rachel. 'Een oproep om te doden? Om zoals in Keulen een altaar te ontwijden, met bloed en moord?'

'Nee,' antwoordde Gray. 'De Societas Draconis heeft de botten in brand gestoken en is daar kennelijk niet wijzer van geworden, want daarna gingen ze op hetzelfde spoor verder. Misschien was Keulen een soort proef. Misschien wist de Societas Draconis niet goed of ze het raadsel juist hadden geïnterpreteerd, zoals je ook al opmerkte. In ieder geval, ze zijn zich duidelijk bewust van enkele van de mogelijkheden van het witte poeder. Met hun apparaat bewezen ze dat ze de energie in deze high-spin supergeleider kunnen activeren en min of meer kunnen sturen om te doden. Maar ik denk niet dat dat de oorspronkelijke bedoeling van de alchemisten is.'

Rachel voelde zich niet op haar gemak.

'Het ware antwoord ligt hier,' besloot Gray. 'Als de Societas Draconis het raadsel kon oplossen, kunnen wij dat ook.'

'Maar zij hadden na de diefstal van de teksten uit Caïro maanden de tijd,' zei Monk. 'En ze wisten al meer van dit gedoe dan wij.'

Iedereen knikte beduusd. Ze hadden te weinig geslapen en stonden stijf van de adrenaline. De raadsels waren te moeilijk voor hun toch al vermoeide hersens, en ze voelden zich verslagen.

Geconcentreerd deed Gray zijn ogen dicht, hij weigerde het op te geven. Hij haalde alles waar hij achter was gekomen naar boven. Het amalgaam bestond uit verschillende metalen uit de platinagroep, de precieze verhoudingen waren onmogelijk te bepalen, zelfs met moderne apparatuur. Daarna was het amalgaam in de vorm van botten geperst en veilig opgeborgen in een domkerk.

Waarom? Behoorden de alchemisten echt tot een Kerk binnen de Kerk? Konden ze zo de beenderen in die turbulente periode verbergen, een tijd van tegenpausen en strijd?

Wat de geschiedenis van de beenderen ook was, Gray wist zeker dat het apparaat van de Societas Draconis gebruikmaakte van de kracht van het m-state amalgaam. Misschien was het vergiftigen van de hostie een manier geweest om het bereik van die kracht te testen? Maar waarvoor kon zo'n kracht in eerste instantie zijn bedoeld? Was het een werktuig, een wapen?

Gray peinsde over de onontcijferbare codex van chemicaliën die eeuwenlang verborgen was gebleven, overgeleverd door middel van een serie aanwijzingen voor een mogelijke bron van oeroude krachten.

Een onontcijferbare codex...

Net toen hij het wilde opgeven, was het antwoord daar, als een plotseling opkomende hoofdpijn.

Het was geen codex.

'Het is een sleutel,' mompelde hij hardop. Hij wist dat hij het goed had en keek de anderen aan. 'Het amalgaam is een onontcijferbare scheikundige sleutel, onmogelijk om te dupliceren. In de unieke samenstelling schuilt het vermogen om de locatie van het graf van de vierde Wijze te bepalen.'

Vigor wilde iets zeggen, maar Gray legde hem met een gebaar het zwijgen op.

'De Societas Draconis weet hoe ze de kracht kunnen doen ontbranden, hoe ze de sleutel in werking kunnen zetten. Maar waar is het slot? Niet in Keulen. Daar heeft de Societas Draconis gefaald. Maar ze moeten van een tweede mogelijkheid op de hoogte zijn. En het antwoord is hier te vinden, in dit fresco.'

Hij liet zijn blik over hun gezichten gaan.

'We moeten dit oplossen,' zei hij. Hij draaide zich om en wees naar het fresco. 'Mozes slaat op een rots. Altaren zijn meestal van steen. Betekent dat iets? Moeten we naar de Sinaï om Mozes' rots te zoeken?'

'Nee,' zei Vigor, die er opeens een stuk opgewekter uitzag. Hij raakte de geschilderde rots aan. 'Denk aan de symboliek in het raadsel. Dit is niet de rots van Mozes. Tenminste, niet van hem alleen. Dit fresco heet eigenlijk: Mozes-Petrus die op de rots slaat.'

Gray fronste diep. 'Waarom die twee namen, Mozes én Petrus?'

'In de catacomben wordt het beeld van Petrus vaak gebruikt bij het weergeven van de handelingen van Mozes. Tot meerdere eer en glorie van de apostel.'

Rachel bestudeerde het geschilderde gezicht. 'Is dit dan de rots van Petrus?'

'Het Griekse woord voor rots is *petros*,' zei Vigor. 'Daarom nam de discipel Simon Barjona de naam Petrus aan, en dat werd uiteindelijk Sint-Pieter. Naar aanleiding van wat Jezus zei: "Gij zijt Petrus, en op deze steenrots zal Ik mijn gemeente bouwen."'

Gray probeerde het allemaal te bevatten. 'Bedoel je daarmee dat het altaar uit het raadsel het altaar in de Sint-Pieter is?'

Met een ruk draaide Rachel zich om. 'Nee. Zo draaien we de symboliek om. In het vers wordt het woord altaar gebruikt, maar in het fresco wordt dat door een rots vervangen. We zoeken geen altaar, maar een steen.'

'Geweldig,' zei Monk cynisch. 'Dat maakt het zoeken een stuk eenvoudiger.'

'Dat is het ook,' reageerde Rachel. 'Mijn oom citeerde de belangrijkste bijbelpassage waarin verband wordt gelegd tussen Sint-Pieter en een rots. Petrus zou de steenrots zijn waarop de gemeente – of de kerk – zou worden gebouwd. En waar bevinden we ons nu? In een crypte.' Ze tikte tegen de steen in het fresco. 'Een rots onder de grond.'

Rachel keek hen aan, zo opgewonden dat haar ogen in het donker leken te stralen. 'Waar is de basiliek van Sint-Pieter op gebouwd? Welke steenrots ligt er onder de funderingen van de kerk begraven?'

Met grote ogen gaf Gray antwoord. 'Het graf van Petrus.'

'De steenrots waarop de kerk is gebouwd,' zei Vigor.

De waarheid drong tot Gray door. De beenderen waren de sleutel en het graf was het slot.

Rachel knikte. 'Daar gaat de Societas Draconis als volgende naartoe. We moeten onmiddellijk kardinaal Spera waarschuwen.'

'O nee...' Vigor verstarde.

'Wat is er?' vroeg Gray.

'Vanavond, tegen de schemering...' Met asgrauw gezicht keek Vigor op zijn horloge, toen draaide hij zich om en liep weg. 'We hebben geen tijd te verliezen.'

Samen met de anderen liep Gray achter hem aan. 'Wat is er dan?'

'Een herdenkingsdienst voor de slachtoffers in Keulen. Tegen zonsondergang wordt de mis opgedragen. Er zullen duizenden aanwezigen zijn, onder wie de paus.'

Plotseling drong het tot Gray door waar Vigor bang voor was. Hij dacht aan de slachting in Keulen. Niemand zou aandacht hebben voor de *sca-*

vi, de necropolis onder de basiliek van Sint-Pieter waar het graf van de apostel was opgedolven.

De steenrots van de kerk.

Als de Societas Draconis daar beneden de beenderen liet ontbranden...

Hij stelde zich de gelovigen voor, samengepakt in de kerk en op het voorplein.

O god...

9

DE SCAVI

Het einde van een zomerdag.

Toen Gray uit de catacombe kwam, schemerde het al. Hij hield zijn hand boven zijn ogen. Na de duisternis in de catacombe deed het licht van de ondergaande zon pijn aan zijn ogen.

Giuseppe, de toezichthouder, hield de deur voor hen open om die vervolgens achter hen op slot te doen. 'Alles in orde, monseigneur Verona?' Kennelijk was het de bejaarde man opgevallen dat ze allemaal stijf stonden van de stress.

Vigor knikte. 'Ik moet even opbellen.'

Gray gaf Vigor zijn mobieltje met satellietverbinding. Het Vaticaan moest worden gewaarschuwd, er moest alarm worden geslagen. Gray wist dat Vigor de aangewezen persoon was om iemand met autoriteit aan de lijn te krijgen.

Even verderop toetste Rachel het nummer van het bureau al in op haar mobiele telefoon.

Ze schrokken allemaal van het schot. Een kogel ketste af op het plaveisel van de voorhof. Vonken schoten door de invallende duisternis.

Gray reageerde meteen. Hij was niet echt verrast.

'Wegwezen!' schreeuwde hij en hij wees naar het huisje van de toezichthouder dat naast de hof stond. Giuseppe had de deur open laten staan.

Ze stormden naar de schuilplaats. Gray ondersteunde de bejaarde toezichthouder aan de ene kant en Rachel aan de andere.

Voordat ze het huisje hadden bereikt, vloog de voordeur eruit met zoveel kracht en vuur dat ze allemaal omver werden geblazen. Gray, Giuseppe en Rachel vielen over elkaar heen. De deur met de boobytrap was finaal uit de sponning geblazen en stuiterde over de stenen. De voorhof lag bezaaid met glasscherven.

Gray hurkte en beschermde Rachel en de toezichthouder met zijn lichaam. Op een dergelijke manier zat Kat voor Vigor geknield. Gray had zijn pistool getrokken, maar er was niets om op te richten. Geen in pijen gehulde gestalten te zien.

De wijngaarden en parasoldennen waren in duisternis gehuld. Doodstil.

'Monk,' zei Gray.

Zijn teamgenoot tuurde door de telescoop met nachtkijker op de loop van zijn geweer.

'Ik zie niks,' zei Monk.

Een mobieltje piepte. Iedereen keek naar Vigor. Hij zat in elkaar gedoken met Grays mobieltje nog in zijn hand, en Gray gebaarde dat hij het gesprek moest aannemen.

Vigor gehoorzaamde en hield het mobieltje tegen zijn oor.

'*Pronto*,' zei hij. Even luisterde hij, toen stak hij Gray het mobieltje toe. 'Voor jou.'

Gray wist dat ze hem daar bewust gehurkt lieten zitten. Er werd niet meer geschoten. Waarom niet? Hij pakte het mobieltje aan.

Voordat hij iets kon zeggen, werd hij begroet. 'Dag commandant Pierce.'

'Seichan.'

'Ik merk dat Sigma mijn boodschap heeft doorgegeven.'

Seichan had hen op de een of andere manier weten op te sporen, ze was hen gevolgd en had een val voor hen gezet. En hij wist waarom. 'Het raadsel...'

'Als ik moet afgaan op de paniekerige manier waarop jij en je vrienden uit de catacombe kwamen, kan ik alleen maar aannemen dat jullie het raadsel hebben opgelost.'

Gray zei niets.

'Raoul wilde ook al niets loslaten,' zei Seichan rustig. 'Kennelijk wil de Societas Draconis het Gilde in de achterhoede hebben, we mogen uitsluitend verdedigen. Dat is niet voldoende. Dus als jij zo vriendelijk wilt zijn me te vertellen waar jullie achter zijn gekomen, laat ik jullie in leven.'

Gray hield zijn hand voor het luidsprekertje. 'Monk?'

'Nog steeds niets,' fluisterde die terug.

Seichan had zich als een sluipschutter verstopt, ze kon alles op de voorhof goed zien, maar zij zagen haar niet. Ze had zich ergens in de wijngaarden verborgen of tussen de bomen op de in schaduwen gehulde glooiende heuvels. Waarschijnlijk was ze hiernaartoe geslopen terwijl zij in de catacombe waren en had ze toen een boobytrap geplaatst bij het huisje, waardoor zij werden gedwongen op de voorhof te blijven.

Ze waren aan haar genade overgeleverd.

'Ik zie dat jullie haast hebben,' zei Seichan. 'Dat wil dus zeggen dat tijd een belangrijke rol speelt. Ik kan hier de hele nacht blijven wachten en jullie een voor een afschieten, net zolang tot je bereid bent te vertellen wat je weet.' Om haar woorden kracht bij te zetten sloeg er een kogel in vlak bij Grays teen en werd hij geraakt door flinters wegspringende steen. 'Wees dus een lieve jongen en vertel op.'

Naast hem fluisterde Monk: 'Ze moet een mondingsvlamdemper op haar geweer hebben. Ik zag nog geen vonkje.'

Omdat ze in de val zaten, had Gray geen andere keus dan te onderhandelen. 'Wat wil je weten?' vroeg hij om tijd te winnen.

'De Societas Draconis slaat vanavond toe. En ik denk dat jullie hebben ontdekt waar hun doel zich bevindt. Vertel me dat en jullie mogen gaan.'

'Hoe weet ik of je je aan je woord houdt?'

'Dat weet je niet. Maar veel keus heb je niet, ik dacht dat dat wel duidelijk was, Gray. Ik mag toch wel Gray zeggen?' Zelfverzekerd ging ze verder: 'Zolang je me van nut kunt zijn, laat ik je je gang gaan, maar ik heb totaal geen behoefte aan zo véél mensen. Als het moet, laat ik zien dat het me ernst is.'

Gray had geen keus. 'Goed dan. Ja, we hebben dat kloteraadsel opgelost.'

'Waar slaat de Societas Draconis toe?'

'In een kerk,' blufte hij. 'Vlak bij het Colosseum staat een...'

Hij hoorde iets langs zijn oor fluiten en bijna gelijktijdig een geschrokken kreet van de toezichthouder. Gray draaide zich om en zag dat de bejaarde man zijn hand tegen zijn schouder drukte en er bloed tussen zijn vingers door droop. Toen hij ruggelings op de stenen viel, schoot Rachel hem meteen te hulp.

'Monk, help hen een handje,' zei Gray, inwendig vloekend.

Zijn teamgenoot had een medische uitrusting, en hij was ervoor opgeleid, maar toch aarzelde Monk. Hij wilde het zoeken naar Seichan liever niet opgeven.

Gray gebaarde dat hij moest doen wat hem werd gezegd. Seichan zou zich heus niet laten zien. Monk haalde het geweer van zijn schouder en ging de toezichthouder verzorgen.

'Dat was als waarschuwing bedoeld,' zei Seichan door de telefoon. 'Nog zo'n leugen en het kost jullie meer dan een beetje bloed.'

Gray omklemde zijn mobieltje steviger.

'Ik beschik zelf ook over de nodige informatie,' ging de vrouw verder. 'Dus ik weet of je liegt of niet.'

Gray zocht naar iets om haar mee om de tuin te leiden, maar het kreunen van de toezichthouder haalde hem uit zijn concentratie. Bovendien had hij geen tijd – en geen keus. Hij moest haar de waarheid vertellen. Al eerder had ze hem de hand boven het hoofd gehouden, hij was haar iets verschuldigd. Of het hem aanstond of niet, hij moest samenwerken met het Gilde. Dit zouden ze wel een andere keer uitvechten, en daarvoor moesten ze nu allebei in leven blijven.

'Als je gelijk hebt wat het tijdstip betreft,' zei Gray, 'dan slaat de Societas Draconis vanavond in Vaticaanstad toe.'

'Waar?'

'Onder de basiliek. Bij het graf van Petrus.' Gray legde vluchtig het raadsel uit als bewijs dat hij de waarheid sprak.

'Slim van jullie,' zei ze. 'Ik wist wel dat er een reden was waarom ik jullie in leven liet. Als jullie nu allemaal zo vriendelijk willen zijn jullie van je mobieltjes te ontdoen? Gooi ze maar in het brandende huis. En geen geintjes, commandant Gray. Denk maar niet dat ik niet weet hoeveel mobieltjes jullie bij jullie hebben.'

Gray gehoorzaamde. Kat verzamelde alle mobieltjes, liet ze zien en gooide ze toen een voor een door de deuropening in de vuurzee.

Behalve het mobieltje dat Gray tegen zijn oor hield gedrukt.

'*Arrivederci*, commandant Gray.'

Plotseling ontplofte het mobieltje tegen zijn oor. Het schoot uit zijn handen door de kogelinslag. Zijn oor tuitte en er liep een straaltje bloed over zijn wang.

Gray verstarde, hij wachtte op nog een schot. Maar in plaats daarvan hoorde hij het brullen van een motor die werd gestart. Het geluid stierf weg. De Drakenvrouw verdween met de informatie die ze hem had ontfutseld.

Gray draaide zich om.

Monk had de schouder van de toezichthouder verbonden. 'Een schampschot. Hij boft.'

Maar Gray wist dat het niets met boffen te maken had. De Drakenvrouw had hen door het hoofd kunnen schieten.

'Hoe gaat het met je oor?' vroeg Monk.

Kwaad schudde Gray zijn hoofd.

Toch kwam Monk naar hem toe en nam niet al te zachtzinnig de schade aan zijn oor op. 'Een schrammetje. Hou je hoofd stil.' Hij maakte het wondje schoon en spoot er iets uit een flesje op dat prikte als een gek.

'Pleisterspray,' legde Monk uit. 'Droog in een paar seconden. Sneller nog als ik erop blaas. Maar dat is te opwindend voor je.'

Achter hen hielpen Rachel en Vigor de toezichthouder overeind. Kat raapte zijn herdersstaf op. De bejaarde man staarde naar zijn huisje. De vlammen sloegen uit de ramen.

Vigor legde zijn hand op zijn schouder. '*Mi dispiace...*' verontschuldigde hij zich.

Giuseppe haalde zijn schouders op en zei met verrassend krachtige stem: 'Ik heb mijn schapen nog. Een huis kun je herbouwen.'

'We moeten naar een telefoon,' zei Rachel zachtjes tegen Gray. 'Generaal Rende en het Vaticaan moeten worden gewaarschuwd.'

Gray wist dat het afsnijden van hun communicatielijn bedoeld was om hen te vertragen, om de Societas Draconis en dus ook het Gilde tijd te laten winnen. Hij keek in westelijke richting.

De zon was onder, er hing alleen nog een rossige gloed.

De Societas Draconis moest in de startblokken staan.

Gray vroeg de toezichthouder: 'Giuseppe, heb je een auto?'

De oude man knikte langzaam. 'Achter het huis.' Hij ging hun voor. Achter het brandende hutje stond een eenvoudige garage. Eigenlijk was het meer een schuur en er zat geen deur in.

Binnen stond iets onder een dekzeil.

Giuseppe gebaarde met zijn staf. 'De sleutels zitten erin, en ik heb vorige week nog getankt.'

Monk en Kat trokken samen het dekzeil eraf, en toen zagen ze dat het een klassieke '66 Maserati Sebring was, zwart als obsidiaan. Het deed Gray aan de vroege Ford Mustang met schuin aflopende achterkant denken. Lange motorkap, stevige banden, gemaakt voor snelheid.

Vigor keek Giuseppe eens aan. 'Van mijn tante... Ze heeft er nauwelijks in gereden.'

Gelukzalig liep Rachel erop toe.

Snel stapten ze in. In zijn functie van toezichthouder besloot Giuseppe op de brandweer te wachten.

Rachel nam plaats achter het stuur. Zij kende Rome het best. Maar niet iedereen was gelukkig met de keuze van bestuurder.

'Monk,' zei Rachel terwijl ze het sleuteltje omdraaide en de motor liet brullen.

'Ja?'

'Misschien kun je beter je ogen dichtdoen.'

21:22

Na een korte stop bij een rij telefooncellen trok Rachel weer op. Ze voegde zich tussen het verkeer en dat leverde een geërgerd getoeter van een boze weggebruiker op. Wat had die man? Er zat een hele handbreedte tussen haar auto en de Fiat daarachter. Plaats genoeg...

Het licht van de koplampen van de Maserati boorde door het duister. Het was nu echt avond. Een spoor van rode achterlichtjes wees de weg naar het centrum. Ze zigzagde tussen de auto's en andere obstakels door. Soms kwam ze op de verkeerde weghelft terecht, het was zonde om die lege stukken straat onbenut te laten.

Vanaf de achterbank klonk gekreun.

Ze ging nog sneller rijden.

Niemand beklaagde zich serieus.

Bij de telefooncellen had Rachel geprobeerd generaal Rende te bereiken terwijl haar oom kardinaal Spera belde. Geen van beiden hadden ze succes gehad. Hun contactpersonen zouden de herdenkingsdienst bijwonen en waren al onderweg. Generaal Rende hield persoonlijk toezicht op de carabinieri die het Sint-Pietersplein bewaakten. Kardinaal Spera woonde de mis bij. Ze hadden boodschappen achtergelaten, alarm geslagen. Maar was dat nog op tijd?

Iedereen was aanwezig bij de herdenkingsdienst, die plaatsvond op een plek die maar een paar stappen verwijderd was van waar de Societas Draconis zou toeslaan. De mensenmenigte zorgde ervoor dat ze niet zouden opvallen.

'Duurt het nog lang?' vroeg Gray naast haar. Hij had zijn rugzak open op zijn schoot en werkte snel door. Omdat ze op het verkeer moest letten, kon ze niet zien wat hij aan het doen was.

Rachel reed met hoge snelheid langs de Markt van Trajanus, het oude, Romeinse equivalent van een winkelcentrum. Het vervallen, halfcirkelvormige gebouw stond op de heuvel van het Quirinaal. Het was een goed oriëntatiepunt. 'Nog drie kilometer,' antwoordde ze op Grays vraag.

'Met die drommen mensen kunnen we nooit de ingang bereiken,' waarschuwde Vigor die zich vanaf de achterbank naar voren boog. 'We kunnen beter langs de spoorbaan naar Vaticaanstad rijden. Ga naar de Via Aurelia bij de zuidelijke muur. Daar kunnen we doorsteken naar de basiliek. De achteringang.'

Rachel knikte. Er ontstonden al files omdat de weg smaller werd bij de brug over de Tiber.

'Vertel eens iets over de opgravingen onder de basiliek,' zei Gray. 'Zijn er meerdere ingangen?'

'Nee,' zei Vigor. 'Het terrein van de scavi ligt apart. Onder de Sint-Pieter liggen de Vaticaanse grotten, bereikbaar via de basiliek. Daar bevindt zich een aantal van de beroemdste crypten en pauselijke graven. Maar in 1939 waren *sampietrini* een graf voor paus Pius XI aan het delven en ontdekten toen een dieper niveau onder de grotten, een enorme necropolis met mausolea die uit de eerste eeuw stamden. Dat werd de scavi genoemd, de opgraving.'

'Hoe uitgestrekt is dat gebied en wat moet ik me erbij voorstellen?'

'Ben je ooit in de ondergrondse stad in Seattle geweest?' vroeg Vigor.

Gray keek achterom naar de geestelijke.

'Ik heb daar ooit een conferentie van archeologen bijgewoond,' legde Vigor uit. 'Onder het moderne Seattle ligt het verleden, een wildwest spookstad. Daar zie je intacte winkels, straatverlichting, planken stoepen. Zoiets is de necropolis ook, een oude Romeinse begraafplaats, verborgen onder de grotten. Archeologen hebben die opgegraven, het is een doolhof van graven, altaren en geplaveide straten.'

Eindelijk reed Rachel over de brug over de Tiber. Aan de overkant sorteerde ze voor, liet het drukke verkeer achter zich en reed weg van het Sint-Pietersplein, naar het zuiden.

Na een paar haarspeldbochten reed ze langs de hoog oprijzende Mura Leonine rond Vaticaanstad. Het was hier donker, er was weinig straatverlichting.

'Voor je uit,' zei Vigor en hij wees.

Over een stenen brug over de weg liep een spoorbaan. Hier verliet de trein Vaticaanstad en vond vervolgens aansluiting op het spoorwegnet van Rome. In de vorige twee eeuwen maakten pausen vaak gebruik van de trein, ze stapten op bij het station van Vaticaanstad, binnen de muren van de soevereine staat.

'De afslag net voor de brug,' zei Vigor.

In het donker reed ze er bijna voorbij. Rachel gaf een ruk aan het stuur en reed met een zwieper de weg af en de steile grindweg op. De kiezelsteentjes vlogen op terwijl ze slippend en slingerend naar boven reed. Daar liep de weg dood op de spoorbaan.

'Die kant op!' Vigor wees naar links.

Er was geen weg, alleen een smalle grasstrook vol onkruid en stenen die evenwijdig aan het spoor liep. Rachel rukte aan het stuur, reed hobbelend van de ventweg af en verder langs de rails.

Ze schakelde en reed ratelend naar de opening in de Mura Leonine. Het licht van de koplampen schoot op en neer. Bij de muur gekomen stuurde ze de Maserati met moeite door de opening, net tussen de rails en de muur.

De koplampen verlichtten een donkerblauw busje dat de weg versperde, met daarnaast een paar Zwitserse gardisten, ook in het donkerblauw, die hun geweren op de indringers richtten.

Rachel remde, stak haar hand uit het raampje, zwaaide met haar identiteitspapieren en schreeuwde: 'Luitenant Rachel Verona! Met monseigneur Verona! Het is een noodgeval!'

Ze werden dichterbij gewuifd, maar een van de gardisten hield zijn geweer op Rachels gezicht gericht.

Snel toonde haar oom zijn identiteitspapieren. 'We moeten kardinaal Spera spreken.'

Met een zaklantaarn werd in de auto geschenen, het licht dwaalde over de andere inzittenden. Gelukkig waren alle wapens uit het zicht. Dit was niet het moment voor ingewikkelde vragen.

'Ik sta voor hen in,' zei Vigor afgemeten. 'En kardinaal Spera ook.'

Het busje werd weggereden zodat ze Vaticaanstad in konden rijden.

Nog steeds had Vigor zijn hoofd uit het raampje. 'Hebben jullie het gehoord? Dat er mogelijk een aanslag wordt gepleegd?'

De gardist sperde zijn ogen open en schudde zijn hoofd. 'Nee, monseigneur.'

Rachel keek Gray aan. O nee... Hier waren ze al bang voor geweest. Met alle drukte rond de herdenkingsdienst kwam de boodschap daar te langzaam door. En de Kerk stond toch al niet bekend om zijn snelle optreden.

'Laat hier verder niemand meer door,' beval Vigor. 'Sluit deze ingang af.'

De gardist hoorde de bevelende toon van de geestelijke en knikte.

Vigor trok zijn hoofd terug in de auto en wees. 'Neem de eerste weg na het perron.'

Niemand hoefde Rachel te vertellen dat ze haast moest maken. Met hoge snelheid reed ze over de kleine parkeerplaats voor het stationnetje en sloeg rechts af. Ze reed langs de mozaïekstudio, de enige industrie die Vaticaanstad rijk was, en scheurde daarna tussen het Palazzo del Tribunale en het Palazzo San Carlo door. Hier was meer bebouwing en de koepel van de Sint-Pieterskerk rees hoog voor hen op.

'Parkeer maar bij de Domus Sanctae Marthae,' zei haar oom.

Rachel stuurde naar de stoeprand. Links van haar bevond zich de Sacristie van de Sint-Pieter die verbonden was met de reusachtige basiliek, rechts de Domus Sanctae Marthae. Een overdekte wandelgang verbond de twee gebouwen met elkaar. Rachel zette de motor af. Vanaf hier moesten ze te voet verder.

Hun bestemming – de ingang tot de scavi – lag aan de andere kant van de sacristie.

Toen ze uitstapten, hoorden ze gedempt gezang. Het pauselijk koor zong het *Ave Maria*. De mis was begonnen.

'Volg me,' zei oom Vigor.

Hij ging hun voor door de overdekte wandelgang naar een open hof aan de overkant. Het was hier vreemd verlaten. Vaticaanstad had zich in zichzelf gekeerd, alle aandacht was gericht op de basiliek, op de paus. Dit had Rachel al eerder meegemaakt. Speciale kerkdiensten zoals deze herdenkingsdienst konden het hele staatje een verlaten indruk geven.

Aan de andere kant van de sacristie vermengde een sonoor geluid zich met de koorzang. Het kwam van recht vooruit, door de Arco della Campana, de poort die toegang tot het Sint-Pietersplein gaf. Het waren de duizenden stemmen van de menigte die zich op het plein had verzameld. Door de nauwe poort ving Rachel een glimp op van kaarsvlammetjes tussen de donkere mensenmassa.

'Hier,' zei Vigor. Hij haalde een enorme sleutelboos tevoorschijn, daarna ging hij hun voor naar een onopvallende deur aan de zijkant van het pleintje. Massief staal. 'Deze deur geeft toegang tot de scavi.'

'Er is geen bewaking,' merkte Gray op.

Er stonden alleen wat Zwitserse gardisten bij de Arco della Campana. Ze waren bewapend en hielden de menigte in de gaten. De nieuw aangekomenen keurden ze geen blik waardig.

'In ieder geval zit de deur op slot,' zei Vigor. 'Misschien zijn we hier toch eerder dan zij.'

'Daar moeten we maar niet op rekenen,' waarschuwde Gray. 'We weten dat ze contactpersonen in het Vaticaan hebben. Misschien beschikken ze over de sleutels.'

'Er zijn maar weinig mensen die deze sleutels hebben. Als hoofd van het Pontificio Instituto di Archeologia Christiana heb ik ze natuurlijk wel.' Hij draaide zich naar Rachel om en stak nog twee sleutels uit. 'Deze zijn voor de deur beneden... en voor het graf van Petrus.'

Rachel weigerde ze aan te nemen. 'Wát?'

'Jij kent de scavi het beste. Ik moet naar kardinaal Spera. De paus moet in veiligheid worden gebracht en iedereen moet zonder paniek de basiliek uit.' Hij voelde aan zijn priesterboord. 'Er is niemand anders die er snel genoeg kan zijn.'

Rachel knikte en nam de sleutels aan. Alleen iemand met de hoge rang van haar oom kon snel gehoor vinden bij de kardinaal, vooral tijdens zo'n belangrijke dienst. Daarom was er waarschijnlijk nog geen alarm geslagen. Moeizame procedures. Zelfs generaal Rende had in Vaticaanstad niets te zeggen.

Vigor keek Gray scherp aan voordat hij zich omdraaide. Rachel nam aan dat dat betekende: pas goed op mijn nichtje.

Ze hield de sleutels stevig vast. In ieder geval probeerde haar oom haar niet weg te sturen. Hij wist hoe groot het gevaar was dat dreigde, en dat duizenden levens op het spel stonden.

Haar oom liep naar de deur van de sacristie, de snelste manier om in de basiliek te komen.

Gray inspecteerde het groepje. Hij liet iedereen een zendertje omdoen, met nog een extra zendertje voor Rachel. Hij bevestigde zelf het keelmicrofoontje en demonstreerde dat het zelfs heel zacht gefluister kon oppikken. Subvocaliseren, noemde hij dat. Het was griezelig, zo zacht maar toch uitstekend verstaanbaar.

Ze oefende terwijl Monk de deur op een kier zette. De weg naar de kelder beneden was donker.

'Naast de deur zit een lichtknopje,' fluisterde ze. Ze was verbaasd hoe hard dat door haar oortje klonk.

'We gaan in het donker,' zei Gray.

Monk en Kat knikten. Ze zetten een brilletje op. Gray gaf Rachel er ook een. Nachtkijkers. Die kende ze van haar militaire opleiding. Ze zette de bril op. Meteen lichtte alles om haar heen groen en zilverig op.

Gray ging voorop, zij liep met Kat achter hem aan. Zacht deed Monk de deur achter hen dicht. Het was donker, zelfs met de nachtkijker, want om daardoor iets te zien, was er toch iets van licht nodig. Gray klikte een zaklamp aan die in het duister fel oplichtte. Hij bevestigde de lamp onder zijn pistool.

Rachel schoof haar bril omhoog. Het was pikdonker. De zaklamp van Gray straalde zeker ultraviolet licht uit, alleen zichtbaar met nachtkijkers.

Ze zette haar bril weer goed.

Op dit niveau werd een voorvertrek onaards verlicht. Er stonden een paar vitrines en schaalmodellen die werden gebruikt bij de rondleidingen.

Er was een schaalmodel van Constantijns eerste kerk op deze plek uit 324 v.C. Het andere schaalmodel stelde een *aedicula* voor, een graftombe in de vorm van een tempeltje van twee verdiepingen. Zo'n tempel stond op het graf van Petrus. Volgens historici had Constantijn een kubus uit marmer en porfier laten maken, een zeldzame steensoort die uit Egypte werd geïmporteerd. Over de aedicula werd de oorspronkelijke kerk gebouwd.

Algauw nadat met de opgravingen was begonnen, werd de oorspronkelijke kubus van Constantijn ontdekt. Die bevond zich recht onder het hoofdaltaar van de Sint-Pieterskerk. Er was ook een muur van de oorspronkelijke tempel bewaard gebleven, volgekrast met christelijke graffiti, waaronder de tekst: *Petros eni*, oftewel: Petrus is hierin.

En inderdaad werden er in een holte van die met graffiti volgetekende muur beenderen en stukjes stof gevonden. De beenderen kwamen overeen met een man van de leeftijd van Petrus. Tegenwoordig werden die bewaard in kogelvrije kunststoffen kisten die vreemd genoeg door het Amerikaans ministerie van Defensie beschikbaar waren gesteld. Deze kisten zaten veilig in de nis in de muur.

Dat was hun doel.

'Deze kant op,' fluisterde Rachel. Ze wees naar een steile wenteltrap die naar beneden liep.

Gray nam de leiding en ze gingen steeds dieper omlaag.

Rachel had het koud, en kreeg even een claustrofobisch gevoel omdat ze door de nachtkijker zo weinig kon zien.

Aan de voet van de trap werd de weg door een deurtje versperd. Rachel drong zich naast Gray en onwillekeurig raakten hun lichamen elkaar toen ze de sleutel pakte en in het slot omdraaide.

Hij hield haar hand tegen toen ze de deur wilde openen en schoof haar zacht maar gedecideerd achter zich. Vervolgens trok hij de deur een paar centimeter open en keek door de kier. Rachel en de anderen wachtten af.

'Niets wat niet pluis is,' zei hij. 'Het is daar donker als het graf.'

'Leuk hoor,' mopperde Monk.

Gray trok de deur helemaal open.

Rachel zette zich schrap voor een ontploffing, geweervuur, of een andere vorm van geweld, maar het bleef stil.

Terwijl ze allemaal naar binnen gingen, draaide Gray zich naar hen om. 'Ik denk dat Vigor gelijk had. Deze keer zijn we de Societas Draconis voor. Het wordt tijd dat wij ze een keer in een hinderlaag laten lopen.'

'Heb je een plan?' vroeg Monk.

'We nemen geen enkel risico. We zetten een hinderlaag op en smeren hem meteen.' Gray gebaarde naar de deur. 'Monk, bewaak jij de deur. Dat is de enige ingang. Hou je ogen goed open.'

'Geen probleem.'

Gray gaf iets aan Kat wat eruitzag als twee kleine eierdozen. 'Sonische granaten en lichtgranaten. Ik vermoed dat ze net als wij door het donker lopen, gespitst op elk geluid. Laten we eens kijken of we hen kunnen verblinden en hun oren laten tuiten. Leg deze neer terwijl we naar het graf lopen. Overal.'

Kat knikte.

Gray draaide zich om naar Rachel. 'Waar is het graf van Petrus?'

Ze ging hem over een oude, Romeinse weg voor door de donkere necropolis. Familiegraven en mausolea stonden aan weerskanten, elk zes meter in het vierkant. De muren waren met flinterdunne bakstenen bedekt, een gebruikelijk bouwmateriaal in de eerste eeuw. Veel van de graftomben waren met fresco's en mozaïeken versierd, maar met een nachtkijker op was daar weinig van te zien. Ook stonden hier en daar beelden die in het spookachtige licht leken te bewegen. De doden die tot leven waren gewekt.

Rachel kende de weg naar het hart van deze dodenstad. Een metalen looppad leidde naar een platform en rechthoekige ramen. Ze wees door zo'n raam.

'Het graf van Petrus.'

21:40

Gray richtte zijn pistool en bescheen zodoende met zijn uv-lantaarn het graf.

Drie meter achter het venster rees een stenen muur op naast een fors blok marmer. Onder in de muur zat een opening. Gray mikte en scheen in het gat. Binnen kon hij een doorzichtige kist zien met daarin iets wat op een bonk klei leek.

Botten.

Van Petrus.

Gray voelde de haartjes op zijn armen overeind komen, hij huiverde van ontzag en angst. Hij voelde zich net een archeoloog die in een donkere grot aan het opgraven was, ergens op een verloren continent, niet gewoon een paar niveaus onder het hart van de rooms-katholieke Kerk. Maar misschien was dit wel het échte hart.

'Commandant?' vroeg Kat. Ze voegde zich bij hem nadat ze klaar was met het distribueren van de explosieven.

Gray ging rechtop staan. 'Kunnen we niet dichterbij komen?' vroeg hij Rachel.

Ze haalde de andere sleutel die haar oom haar had gegeven tevoorschijn en maakte het hekje open dat toegang gaf tot het heiligdom.

'We moeten snel zijn,' zei Gray. Hij wist dat ze niet veel tijd hadden. Maar misschien ook wel. Misschien wilde de Societas Draconis pas om middernacht toeslaan, net zoals in Keulen. Maar hij nam geen enkel risico.

Hij pakte de apparatuur die hij onderweg had gekalibreerd. Zoekend keek hij om zich heen en vond toen een onopvallend plekje. Daar zette hij een minuscule videocamera in een nis van een naburig mausoleum en richtte de lens op de tombe van Petrus. Vervolgens zette hij een tweede camera in tegenovergestelde richting neer die door het venster opnames kon maken van de toegangsweg.

'Wat doe je?' vroeg Rachel.

Zodra Gray klaar was met de camera's gebaarde hij hen weg te gaan. 'Ik wil niet dat de val te gauw openklapt. Ze moeten hier helemaal binnen zijn en hun apparatuur geïnstalleerd hebben. Pas dan slaan we toe. Ik wil niet dat ze er met het gebeente van de Wijzen of hun apparatuur vandoor gaan.'

Nadat ze zich hadden verwijderd, deed Rachel het hek weer op slot.

'Monk,' zei Gray in zijn microfoontje. 'Hoe is het daar?'

'Rustig.'

Mooi zo.

Gray liep naar een vervallen mausoleum dat aan de voorkant open was. De beenderen waren er allang uit gehaald. Hij haalde zijn laptop uit zijn rugzak en verborg die in het mausoleum, waarna hij er een draagbare booster via de usb-poort aan koppelde. Het groene lichtje knipperde. Daarna schakelde hij de dark mode in. Noch de computer, noch de transmitter straalde licht uit. Mooi zo.

Gray kwam overeind en legde alles uit terwijl ze terugliepen. 'De videocamera's zijn niet krachtig genoeg om over grote afstand beeld te verzenden. De laptop pikt het signaal op en versterkt dat. Die heeft voldoende bereik. We bekijken alles op een andere laptop. Zodra de Societas hier beneden in de val zit, nemen we hen onder vuur met geluid en licht, daarna bestormen we de necropolis met een regiment Zwitserse gardisten.'

Kat knikte. 'Als we bij de catacomben te voorzichtig waren geweest en te veel tijd hadden verspild, hadden we deze kans niet gekregen.'

Gray knikte.

Eindelijk was het geluk met hen. Een beetje voortvarendheid had...

Een ontploffing onderbrak zijn gedachtegang. Het waren geen luide explosies, eerder gedempt, net dieptebommen die onder water afgingen. Het geluid weerkaatste door de hele necropolis, vergezeld van het lawaai van vallende stenen.

Gray dook weg toen er van bovenaf gaten in de zoldering ontstonden. Stenen en aarde ploften naar beneden, op de mausolea en de crypten. Voordat het stof was gaan liggen, kronkelden er touwen door de openingen waaraan de ene man na de andere zich liet zakken.

Een heel aanvalsteam.

Ze kwamen neer in de necropolis en verdwenen.

Meteen begreep Gray wat er aan de hand was. De Societas Draconis kwam van boven de necropolis in, vanuit de crypte. De basiliek bood daar toegang toe. Waarschijnlijk had de Societas Draconis de herdenkingsdienst bijgewoond, en hadden ze gebruikgemaakt van hun contactpersoon om toegang te krijgen tot de crypte waar de pausen begraven lagen. Hun apparatuur hadden ze natuurlijk de afgelopen dagen al naar binnen gesmokkeld en in de donkere hoekjes tussen de graftomben verstopt. Daarna waren ze tijdens de dienst hun spullen gaan halen, hadden speciale explosieven geplaatst en hun weg naar beneden gebaand.

Het aanvalsteam zou op dezelfde manier weer verdwijnen, ze gingen gewoon op in de duizendkoppige menigte die zich boven had verzameld.

Maar dat mocht niet gebeuren.

'Kat,' fluisterde Gray. 'Breng Rachel naar Monk. Vermijd contact met de Societas. Ga terug naar boven en waarschuw de Zwitserse Garde.'

Kat greep Rachel bij haar elleboog. 'En jij dan?' vroeg ze.

Maar hij was al op weg, terug naar het graf van Petrus. 'Ik blijf hier. Via de laptop hou ik alles in de gaten. Indien nodig houd ik hen op. Voordat ik ze onder vuur neem, laat ik je dat via het zendertje weten.'

Misschien was alles nog niet verloren.

Ineens hoorde hij Monk via het oortje. 'Kom niet hiernaartoe. Vlak boven de uitgang hebben ze een gat geblazen. Ik liep bijna een schedelbasisfractuur op, een stuk steen kwam recht op mijn kop terecht. Die rotzakken nagelen de deur verdomme dicht.'

Van achter in de necropolis hoorde Gray persluchtgereedschap.

'Niemand kan er hier in of uit,' besloot Monk.

'Kat?'

'Ik heb het gehoord, commandant.'

'Iedereen dekking zoeken,' beval hij. 'Wacht op mijn teken.'

Diep voorovergebogen rende Gray over de straat door de ondergrondse begraafplaats.

Ze waren op zichzelf aangewezen.

21:44

Vergezeld van twee Zwitserse gardisten liep Vigor door de deur van de sacristie de basiliek van Sint-Pieter binnen. Voordat hem toegang was verleend, had hij zich driemaal moeten identificeren. Maar eindelijk sijpelde de waarschuwing langzaam door. Misschien was hij niet overtuigend genoeg overgekomen toen hij een kwartier geleden had gebeld omdat hij niet zeker wist waar de Societas Draconis zou toeslaan om toegang tot de graftombe te krijgen.

Maar nu ging het de goede kant op.

Hij liep langs het monument voor Pius VII en betrad het schip ter hoogte van het midden van de kerk. De basiliek had de vorm van een enorm kruis en besloeg drieëntwintigduizend vierkante meter. Twee voetbalelftallen konden alleen al in het schip met gemak een wedstrijd spelen.

Op dit moment was de kerk afgeladen vol. Elke kerkbank was bezet, zowel in het middenschip als in het dwarsschip. Duizenden kaarsen verspreidden zacht licht en de achthonderd kroonluchters zorgden voor de verdere verlichting van de kerk. Het pauselijke koor was halverwege het *Exaudi Deus*, een passend gezang voor een herdenkingsdienst dat versterkt en galmend het volume van een popconcert bereikte.

Vigor liep haastig verder en dwong zichzelf niet te gaan rennen. Paniek was nergens goed voor. Er was maar een beperkt aantal uitgangen. Hij gebaarde de twee Zwitserse gardisten dat ze links en rechts hun strijdmakkers moesten waarschuwen. Eerst moest Vigor de paus in veiligheid brengen en de kerkelijke staf waarschuwen dat ze de kerkgangers langzaam moesten evacueren.

In het middenschip kon hij het pauselijke altaar goed zien.

Aan de andere kant van het altaar zaten kardinaal Spera en de paus, onder de bronzen *baldacchino* van Bernini die boven het centrale altaar was opgericht. Die was enorm hoog en rustte op vier gigantische, gedraaide bronzen pilaren die waren versierd met vergulde olijf- en lauriertakken. De altaarhemel zelf werd bekroond door een gouden bol met een kruis erop.

Zo onopvallend mogelijk liep Vigor naar voren. Er was geen tijd om de passende gewaden aan te trekken en hij viel behoorlijk uit de toon.

Een paar welgestelde kerkgangers keken fronsend naar hem op en toen ze zijn priesterboord zagen, bleven ze toch minachtend kijken. Ze hielden hem waarschijnlijk voor een eenvoudige parochiepriester die diep onder de indruk van het schouwspel was.

Eenmaal vooraan ging hij naar links. Hij wilde een omtrekkende beweging naar het altaar maken, waar hij kardinaal Spera kon spreken.

Terwijl hij langs het beeld van de Heilige Longinus schuifelde, kwam er uit een donkere deuropening een hand tevoorschijn. Toen hij bij zijn elleboog werd gegrepen, keek hij om. Hij zag een slungelige man van zijn eigen leeftijd met zilvergrijs haar, iemand die hij kende en voor wie hij respect had, prefetto Alberto, de hoofdprefect van de archieven.

'Vigor?' zei de prefect. 'Ik hoorde...'

Zijn woorden gingen verloren toen het koor luidkeels het refrein inzette.

Vigor boog zich naar hem toe en stapte in de nis voor de deur. Die deur gaf toegang tot de catacomben onder de kerk. 'Het spijt me, Alberto, wat zei...'

De man verstevigde zijn greep. Een pistool werd hard op Vigors ribben gezet. Een pistool met geluiddemper.

'Geen woord meer, Vigor,' waarschuwde Alberto hem.

21:52

Verborgen in de crypte lag Gray op zijn buik, buiten zicht vanaf de opening. Naast de open laptop lag zijn pistool. De laptop stond in dark mode, hij liet het scherm met zijn uv-lamp oplichten en keek naar het splitscreen; de ene helft gaf het beeld door van de camera die op het graf van Petrus was gericht, de andere het beeld van de camera die op de necropolis stond gericht.

Het aanvalsteam had zich in twee groepen opgesplitst. Het ene patrouilleerde in het donker door de necropolis, het andere werkte bij het licht van zaklampen bij de graftombe. Ze gingen snel en efficiënt te werk, ieder wist wat hem te doen stond. Het hek dat toegang tot de graftombe gaf, hadden ze al open gekregen. Twee mannen stonden aan weerszijden van de beroemde crypte, ze zaten gehurkt twee grote schijven te bevestigen.

De derde man herkende Gray meteen aan zijn stem.

Raoul.

Hij had een metalen kistje bij zich. Dat deed hij open om er een doorzichtige, kunststoffen cilinder uit te halen, gevuld met een bekend grijs poeder. Het amalgaam. Ze moesten het bot tot de poedervorm hebben vermalen. Raoul liet de koker door de lage opening in het graf van Petrus glijden.

Hij verbond de batterij ermee...

Nu alles in stelling was gebracht, kon Gray niet langer wachten. Het apparaat stond op scherp. Dit was hun kans om de Societas te pakken te krijgen, of om de mannen weg te jagen met achterlating van hun apparatuur.

'Maak je klaar,' fluisterde Gray. Hij bewoog zijn hand naar de zender die in verbinding met de sonische en de lichtgranaten stond. 'Probeer er zoveel mogelijk uit te schakelen terwijl ze nog van de kaart zijn, maar neem geen overbodig risico. Blijf in beweging en blijf uit het zicht.'

Hij hoorde hun bevestigingen. Monk zat bij de deur verborgen, Kat en Rachel in een andere crypte. De Societas was zich nog niet van hun aanwezigheid bewust.

Gray zag de drie mannen van de graftombe weglopen, ze legden snoeren neer die aan het apparaat vastzaten. Raoul deed het hek dicht om buiten gevaar te blijven. Op het metalen platform drukte hij een hand tegen zijn oor, duidelijk wachtend op een teken.

'Over vijf tellen,' fluisterde Gray. 'Oordoppen in, brillen afgesloten. Oké, daar gaan we.'

Inwendig telde Gray af. Vijf, vier, drie... Blindelings legde hij zijn ene hand op de laptop, met de andere hield hij zijn pistool vast. Twee, een, nu!

Hij drukte op de knop op de laptop.

Beschermd door de oordoppen voelde hij toch in zijn buik dat de sonische granaten ontploften. Hij wachtte drie tellen totdat de lichtkogels waren uitgewerkt. Daarna zette hij de klep op zijn nachtkijker open en rukte de oordoppen uit zijn oren. Overal klonken schoten. Gray rolde over de grond naar de ingang van de crypte.

Vlak voor hem was het platform. Het was verlaten.

Niemand te zien.

Raoul en zijn mannen waren verdwenen.

Waar waren ze?

Meer schoten. In de donkere necropolis was een vuurgevecht aan de gang. Gray herinnerde zich dat Raoul bericht had gekregen vlak voordat Gray tot actie was overgegaan. Was het een waarschuwing geweest? Maar van wie?

Gray speurde de omgeving af. Alles om hem heen was groenig geworden. Hij klom het trappetje naar het platform op. Dat risico moest hij nemen wilde hij de apparatuur en het amalgaam veiligstellen.

Eenmaal boven sloop hij gebogen verder, met zijn ene hand steunde hij op het platform, met zijn andere hand liet hij zijn pistool heen en weer gaan.

Plotseling straalde er een fel licht door het venster. In het licht zag hij Raoul staan, een paar passen van de graftombe verwijderd. Zodra de aanval met licht en geluid losbarstte, moest hij snel door het hek zijn gedoken. Hij ontmoette Grays blik en hief zijn handen. Hij hield het bedieningsapparaat vast waarmee het amalgaam tot ontbranding kon worden gebracht.

Het was te laat.

Gray richtte en haalde de trekker over, al had het geen zin.

De kogel ketste op het kogelvrije glas af.

Met een glimlach zette Raoul de schakelaar op het bedieningsapparaat om.

10

TOMB RAIDER

De eerste aardschok deed Vigor door de lucht vliegen. Of misschien was de grond onder zijn voeten weggeslagen. In ieder geval, hij vloog.

In de basiliek stegen kreten op.

Terwijl hij weer neerkwam, maakte hij van de gelegenheid gebruik om een elleboog tegen de neus van de eveneens gevallen verrader Alberto te planten. Vervolgens haalde hij uit en gaf Alberto een stomp tegen zijn adamsappel.

De man kwam zwaar neer. Het pistool ontglipte hem. Vigor pakte het beet net op het moment dat er een tweede beving volgde en viel vervolgens op zijn knieën. Er werd nu overal geschreeuwd en gegild. Maar daardoorheen weerklonk een hol, vibrerend geluid, alsof een klok zo groot als de basiliek werd geluid en ze allemaal in die klok gevangenzaten.

Vigor herinnerde zich de beschrijving die de enige overlevende van de Keulse slachting had gegeven. Een soort druk, alsof de muren naar elkaar toe kwamen. Zo was het hier ook. De geluiden – kreten, smeekbeden, schietgebedjes – waren goed te verstaan, maar klonken toch ook gedempt.

Hij krabbelde overeind en ondertussen bleef de grond maar beven. Het glanzende marmer leek te golven en te sidderen als een wateroppervlak. Vigor stak het pistool in zijn riem.

Daarna draaide hij zich om om de paus en kardinaal Spera te hulp te schieten.

Terwijl hij op hen af liep, voelde hij iets nog voordat hij het zag. De druk werd heviger, hij voelde het in zijn oren. Daarna verdween het. Vanuit de basis van de vier bronzen pilaren van Bernini's baldacchino schoten spiralen van elektrische energie naar boven, krakend als bliksems.

De spiralen vlogen langs de pilaren naar het baldakijn en kwamen bij de gouden bol samen. Een donderklap. Weer beefde de grond, er schoten barsten in het marmer. Aan de bol op het baldakijn ontsteeg een schitterende, gevorkte bliksem, hoger en hoger tegen de onderkant van Michelangelo's koepel aan en vervolgens danste die daarlangs. Weer zo'n aardschok, deze nog heviger.

In de muren vlogen scheuren. Er kwam pleisterwerk naar beneden.

Alles kwam naar beneden.

21:57

Monk kwam overeind. Er droop bloed in een van zijn ogen. Hij was met zijn gezicht tegen een hoek in de crypte gevallen en daarbij was zijn bril gebroken en een wenkbrauw gescheurd.

Blindelings zocht hij zijn wapen. Het geweer had een ingebouwde nachtkijker, daardoor zou hij iets kunnen zien.

Terwijl hij zocht, bleef de grond onder zijn handen maar beven. Na de eerste aardschok hadden de wapens gezwegen.

Hij kroop vooruit terwijl hij zijn handen tastend over de vloer liet gaan. Ver kon zijn geweer niet zijn.

Hij voelde iets hards.

Gelukkig.

Hij stak zijn hand uit en besefte toen welke fout hij had gemaakt. Het was geen geweerkolf, maar een laars.

Tegen zijn achterhoofd werd de warme loop van een geweer gezet.

Shit.

21:58

Gray hoorde een geweerschot door de necropolis galmen. Het was het eerste schot dat werd afgevuurd sinds de aarde was gaan beven. Hij was van het metalen platform gevallen en terechtgekomen bij het mausoleum waarin hij zijn laptop had verborgen, en daarbij had hij nogal heftig zijn schouder gestoten. In elkaar gedoken hield hij zijn bril en zijn pistool vast, maar het zendertje was hij kwijt.

De stenen straat lag bezaaid met glas dat bij de eerste hevige beving uit het venster was geblazen.

Zoekend keek hij om zich heen. Het stalen platform werd nog verlicht door het licht dat uit de graftombe straalde. Hij moest weten wat zich daar afspeelde, maar hij kon niet in zijn eentje op het hek af gaan. In ieder geval niet zonder te weten hoe de toestand daar was.

Zodra hij zeker wist dat hij niet werd bespied, dook hij terug het mausoleum in. De camera moest beeld doorgeven.

Terwijl hij daar plat op zijn buik lag met het pistool op de ingang gericht, schakelde hij de laptop in. Er verscheen een split-screen. De camera die op de necropolis stond gericht, verstuurde geen beelden. Er klonken geen schoten meer, in de necropolis was het doodstil.

Wat was er met de anderen gebeurd?

Daar kreeg hij geen antwoord op, daarom concentreerde hij zich maar op de andere helft van het scherm. Er leek niets te zijn veranderd. Hij zag twee mannen met geweren achteruit teruglopen naar het hek. Dat waren Raouls lijfwachten. Maar Raoul zelf was nergens te bekennen. De graftombe leek onveranderd. Maar het beeld, het hele beeld op het scherm, vibreerde net als de stenen vloer. Het was alsof de camera een soort emanatie oppikte die voortkwam uit de apparatuur, een soort krachtveld.

Maar waar was Raoul?

Gray stak zijn hand uit en spoelde een volle minuut terug. Hij stopte bij het ogenblik dat Raoul vlak bij de graftombe had gestaan en aan de schakelaar had gedraaid.

Op het scherm draaide Raoul zich om om naar het resultaat te kijken. Groen licht vlamde uit de twee schijven die aan weerskanten van de tombe waren bevestigd. Ineens trok een beweging zijn aandacht. Gray zoomde in op de opening in het graf. De koker met het amalgaam trilde – en steeg toen op van de grond.

Levitatie.

Het begon Gray te dagen. Hij herinnerde zich dat Kat had verteld dat poeders in de m-state in een sterk magnetisch veld die als supergeleider werkt, de eigenschap hebben om te zweven. Hij herinnerde zich ook dat Monk in Keulen had ontdekt dat een kruisbeeld als magneet werkte. De platen met het groene licht, dat moesten elektromagneten zijn. Blijkbaar deed de apparatuur van de Societas niets anders dan een krachtig magnetisch veld rond het amalgaam opwekken waardoor de in de m-state verkerende supergeleider werd geactiveerd.

Nu begreep hij ook de energie die pulserend naar buiten trad.

Hij wist wat de dood van de kerkgangers had veroorzaakt.

O god...

Plotseling verscheen het beeld van de eerste schok. Het beeld trilde even en kwam toen tot rust, alleen vanuit een ander perspectief omdat de camera een beetje was verschoven. Op het scherm zag hij Raoul bij de tombe weglopen.

Gray begreep niet waarom. Er leek niets te gebeuren.

En toen zag hij het, half verborgen in het licht van de zaklampen. Aan de onderkant van het graf gleed een gedeelte van de vloer langzaam schuin en vormde een soort glooiende toegang tot het graf. Van diep beneden gloeide kobaltblauw licht op. Raoul stapte voor de camera, recht in beeld, en liep de helling af. Alleen de twee bewakers bleven achter.

Dus daar was hij verdwenen...

Gray spoelde terug naar het heden. Hij zag een paar verblindend witte flitsen uit de diepte komen. Flitslicht. Raoul legde vast wat hij daar beneden had aangetroffen.

Even later kwam Raoul weer naar boven.

De klootzak grijnsde tevreden.

Hij had gewonnen.

21:59

Terwijl Kat plat boven op het mausoleum lag, was het haar gelukt een schot af te vuren waarmee ze de man neerlegde die zijn geweer op Monks hoofd had gezet. Een nieuwe schok zorgde ervoor dat haar volgende schot miste. De overgebleven tegenstander aarzelde niet. Uit hoe zijn kameraad was gevallen, moest hij hebben kunnen opmaken waar ze zich schuilhield.

Hij dook op Monk af en sloeg hem met het metalen gevest van zijn jachtmes neer, daarna hield hij hem als een schild voor zich. De punt van het mes hield hij tegen Monks hals gedrukt.

'Kom tevoorschijn!' riep de man met een zwaar accent, waarschijnlijk Duits. 'Anders snij ik zijn kop eraf.'

Kat sloot haar ogen. Dit was precies Kaboel. Kapitein Marshall en zij waren twee gevangengenomen soldaten gaan redden, teamgenoten. Er werd met onthoofding gedreigd. Maar ze hadden geen keus. Hoewel het drie tegen een was, waren ze in de aanval gegaan, geluidloos, met messen en bajonetten. Maar zij had een bewaker over het hoofd gezien die zich in een nis verborgen hield. Een schot en Marshall zakte in elkaar.

De laatste bewaker had ze met een dolk uitgeschakeld, maar voor de kapitein kwam de redding te laat. Ze had hem in haar armen gehouden terwijl hij in elkaar krimpend van pijn zijn laatste adem uitblies. En toen niets. Glazige ogen. Een vitale man, een tedere man, als in rook opgegaan.

'Kom tevoorschijn!' riep de man door de necropolis.

'Kat?' subvocaliseerde Rachel. Ze raakte haar elleboog aan. De luitenant van de carabinieri lag naast haar op het dak.

'Blijf je schuilhouden,' zei Kat. 'Probeer een van de touwen te bereiken waarmee je hieruit kunt komen.' Dat was hun oorspronkelijke plan, om van dak naar dak te springen om zo bij een van de touwen te komen die nog uit de gaten in de zoldering hingen en om dan alarm te slaan en versterking te halen. Dat plan moest worden volbracht.

Dat wist Rachel ook.

Kat had haar eigen plicht te doen. Ze liet zich van het dak van het mausoleum rollen en kwam lenig op haar voeten neer. Ze sloop een eindje verder om niet te verraden waar ze eerst had gezeten, waardoor Rachel de kans zou krijgen om te ontkomen. Daarna liet ze zich zien, zo'n tien meter bij de man vandaan die Monk in zijn greep had. Kat gooide haar pistool weg en stak haar handen omhoog. Boven haar hoofd verstrengelde ze haar vingers.

'Ik geef me over,' zei ze koeltjes.

Verward en zonder iets te kunnen zien verzette Monk zich, maar de man die hem beet hield was goed genoeg opgeleid om hem in bedwang te kunnen houden, op zijn knieën en met de punt van het mes in zijn nek gedrukt. Kat keek naar Monks ogen terwijl ze naar voren liep.

Drie stappen.

Haar tegenstander ontspande, dat zag Kat aan het mes dat verschoof. Het was voldoende.

Ze vloog op hem af terwijl ze haar dolk uit de schede om haar pols trok. Ze wierp de dolk en die trof de man in zijn oog. Toen hij achterover viel, trok hij Monk met zich mee.

Kat boog zich en rukte een mes uit haar laars. Dat wierp ze in de richting die Monk had aangegeven, een vage schaduw in het duister. Een derde tegenstander. Een korte kreet, toen viel een man uit de schaduw te voorschijn, zijn strot doorgesneden.

Monk tastte de grond af en vond het mes dat eerst op zijn keel was gezet. Maar zijn bril met nachtkijker was hij kwijt en Kat had geen extra bril. Ze moest zijn gids maar zijn.

Ze hielp Monk overeind en legde zijn hand op haar schouder.

'Blijf bij me,' fluisterde ze.

Ze draaide zich om toen een zaklamp oplichtte. Het licht werd versterkt door haar nachtkijker en dat deed pijn aan haar ogen. Ze werd erdoor verblind.

Een vierde tegenstander.

Ze had iemand over het hoofd gezien.

Alweer.

22:02

Gray had op zijn computerscherm licht zien opgloeien, diep in de necropolis. Dat kon niets goeds betekenen. En dat bleek het dan ook niet te zijn. Op de ene helft van het scherm zag hij Raoul zijn zender tegen zijn oor drukken en zijn grijns breder worden. Op de andere helft zag hij Kat en Monk onder bedreiging van een geweer worden afgevoerd, hun handen met gele bindertjes op hun rug gebonden.

Ze werden de treden naar het platform op geduwd.

Raoul bleef bij de tombe staan. Nog steeds beefde de grond. Een van zijn lijfwachten stond naast hen, de andere was de glooiende helling af gelopen.

Raoul verhief zijn stem: 'Commandant Pierce! Luitenant Verona! Kom tevoorschijn of deze twee gaan eraan!'

Gray bleef waar hij was. In deze situatie kon hij niets uitrichten. Hij kon hen onmogelijk redden. Als hij op Raouls eis inging, betekende dat een zekere dood. Raoul zou hen allemaal ombrengen. Hij sloot zijn ogen, wetend dat hij zijn teamgenoten de dood in stuurde.

Ineens hoorde hij een stem in zijn oortje en hij opende zijn ogen.

'Ik kom eraan!' Rachel stapte in het beeld van de tweede camera. Ze hield haar handen omhoog.

Gray zag Kat haar hoofd schudden. Ook zij besefte dat de luitenant dom handelde.

Twee bewapende mannen pakten Rachel beet en brachten haar naar de anderen.

Raoul stapte naar voren en zette een fors pistool tegen Rachels schouder, daarna schreeuwde hij in haar oor: 'Dit is een ruiterpistool, commandant Pierce! Zesenvijftig kaliber! Daarmee schiet ik haar arm eraf. Kom tevoorschijn of ik ga ledematen afrukken. Ik tel tot vijf!'

Gray zag de angst in Rachels ogen.

Kon hij toekijken terwijl zijn vrienden aan flarden werden gereten? Wat

227

had hij daaraan? Als hij zich verborgen hield, namen Raoul en zijn mannen gewoon mee wat hier verstopt was. De anderen zouden voor niets sterven.

'Vijf...'

Hij keek naar de laptop en toen naar Rachel.

Hij had geen keus.

Hij onderdrukte een zucht, deed zijn rugzak af en haalde iets uit een binnenzakje dat hij in zijn hand klemde.

'Vier...'

Gray schakelde over op dark mode en deed de laptop dicht. Als hij het er niet levend van afbracht, kon hij alleen maar hopen dat de computer zou aantonen wat hier was gebeurd.

'Drie...'

Gray kroop het mausoleum uit, maar liet zich niet zien. Met een omtrekkende beweging sloop hij weg, zodat zijn verblijfplaats niet onthuld werd.

'Twee...'

Hij dook de straat op.

'Een...'

Hij hield zijn handen ineengestrengeld boven zijn hoofd en kwam tevoorschijn. 'Hier ben ik. Niet schieten.'

22:04

Rachel zag dat Gray onder schot werd gehouden.

Aan de harde uitdrukking op zijn gezicht wist ze dat ze een fout had begaan. Ze had gehoopt dat Gray de tijd zou krijgen iets te doen toen zij zich overgaf, dat hij zichzelf of de anderen zou kunnen redden. Ze had niet werkeloos willen toekijken terwijl de anderen om zeep werden gebracht.

Kat had een goede poging gedaan Monk te redden, al was het uiteindelijk toch misgelopen. Maar Rachel had uitsluitend op Gray vertrouwd.

De leider van de Societas Draconis duwde haar opzij en wachtte totdat Gray op het platform was geklommen voordat hij zijn enorme ruiterpistool op Grays borst richtte.

'Ik heb verdomd veel last van jou.' Hij spande de haan. 'Deze kogel gaat recht door een vloeistofpantser heen.'

Gray deed of hij hem niet hoorde en keek van Monk naar Kat en toen naar Rachel.

Terwijl hij zijn handen op zijn hoofd iets uit elkaar haalde, kwam er een soort zwart ei tevoorschijn.

'Black-out,' zei hij.

22:05

Gray rekende erop dat Raoul en zijn mannen in zijn richting keken toen hij de eerste lichtgranaat boven zijn hoofd ontstak. Zelf hield hij zijn ogen stijf dicht en toch werd hij bijna verblind, een rode explosie.

Blindelings liet hij zich vallen en rolde naar opzij.

Hij hoorde Raouls ruiterpistool met een enorme knal afgaan.

Toen het licht verdween, deed Gray zijn ogen open.

Een van Raouls mannen lag aan de voet van de trap met een vuistgroot gat in zijn borst, veroorzaakt door de kogel die voor Gray was bedoeld.

Brullend dook Raoul van het platform af, spartelend in de lucht schoot hij op goed geluk naar boven.

'Liggen!' schreeuwde Gray.

Enorme kogels sloegen gaten in het staal.

De anderen hurkten. De handen van Monk en Kat zaten nog steeds vastgebonden op hun rug.

Gray greep een verblinde tegenstander bij zijn enkels en duwde hem het platform af. Een andere werd de trap afgeduwd.

Hij zocht naar Raoul. Voor zo'n reus van een kerel was hij snel. Raoul was uit het zicht verdwenen, maar van beneden schoot hij nog steeds op hen, gat na gat ontstond in de stalen vloer.

Ze waren hier weerloos.

Gray wist niet hoe lang het effect van de lichtgranaat zou blijven duren. Ze moesten hier weg.

'Naar achteren,' siste hij de anderen toe. 'Door het hek!'

Om hen dekking te geven schoot hij om zich heen, daarna ging hij hen achterna.

Raoul was even opgehouden met schieten en moest opnieuw laden. Maar ongetwijfeld liet hij het er niet bij zitten.

Van dieper in de necropolis klonk geschreeuw. Nog meer tegenstanders. Ze kwamen hun makkers bijstaan.

Wat nu? Veel ammunitie had hij niet meer.

Achter zich een kreet.

Gray keek om. Hij zag Rachel achteruit wankelen. Ze moest nog half verblind door de lichtflits zijn. In het donker had ze de helling voor de graftombe niet gezien en had haar evenwicht verloren. Ze klauwde naar Kats elleboog in een poging overeind te blijven.

Maar Kat was daar niet op bedacht.

Samen vielen ze de tombe in.

Monk ontmoette Grays blik. 'Shit.'

'Naar beneden,' zei Gray. Het was de enige schuilplaats waarover ze konden beschikken. Bovendien moesten ze beschermen wat daar beneden was.

Monk strompelde de helling af, zijn armen nog steeds op de rug.

Op het moment dat er weer schoten weerklonken, ging Gray achter hem aan naar binnen. Stukken steen werden weggeslagen. Raoul was klaar met laden en was vastbesloten hen uit de buurt te houden.

Met een ruk draaide Gray zich om en zag groen licht komen van de twee schijven die tegen de graftombe zaten bevestigd. Ze waren nog steeds actief. Snel dacht hij na, nam een beslissing en vuurde zijn pistool af.

De kogel sneed de kluwen snoer naar de plaat door. Het groene licht ging uit.

Gray rende de helling af, zich ervan bewust dat de grond niet meer schokte. In zijn oren hoorde hij een plop-geluidje toen de druk wegviel. Kortsluiting.

Onder zich hoorde hij een hard, knarsend geluid.

Gray vloog naar voren en kwam terecht in een soort grot aan de voet van de helling, een natuurlijke nis zoals die vaak in het vulkanisch gesteente in de heuvels van Rome voorkomen.

Achter hem schoof de hellende steen terug en sloot steeds verder de ingang af.

Geknield richtte Gray zijn pistool op de ingang. Zoals hij al had gehoopt, was door het uitschakelen van het apparaat dat het graf had geopend, de tombe nu gesloten. Buiten bleef Raoul maar schieten, de kogels boorden zich in de steen.

Te laat, dacht Gray met een grimmige tevredenheid.

Geknars van steen op steen. De graftombe zat potdicht.

Het werd donker, maar het was geen totale duisternis.

Gray draaide zich om.

De anderen stonden samen rond een metaalachtig blauwe steenplaat op de vloer. Die werd verlicht door een blauw vlammetje dat oprees als een elektrisch verschijnsel.

Gray liep ernaartoe. Er was nauwelijks plaats voor hun vieren om eromheen te staan.

'Hematiet,' zei Kat, die door haar geologische achtergrond meteen de steensoort kon herkennen. Ze keek van de gesloten ingang naar de steen-plaat. 'Een ijzeroxide.'

Ze boog zich over de steenplaat en bestudeerde de zilverige lijntjes die daarin geëtst stonden, piepkleine riviertjes tegen een zwarte achtergrond, verlicht door het blauwe vlammetje, als een sterretje.

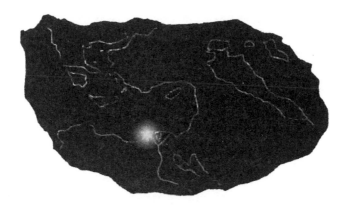

Terwijl Gray keek, flakkerde het vlammetje en doofde het langzaam uit.

Monk vroeg hun aandacht voor iets anders, iets wat ook gloeide.

'Kom eens hier,' zei hij.

Gray kwam bij hem staan. In een hoek van de ruimte stond een be-kende cilinder in de vorm van een dumbbell. Een brandbom. De timer gloeide in het donker op.

04:28.

04:27.

Gray herinnerde zich dat een van Raouls lijfwachten iets naar binnen had gegooid toen hun leider klaar was met foto's maken. De bom.

'Blijkbaar wilden ze deze aanwijzing uitwissen,' zei Monk. Hij knielde neer en bestudeerde het ding. 'Met een boobytrap, verdomme.'

Gray keek naar de afgesloten ingang. Misschien waren Raouls salvo's van daarnet niet bedoeld om hen weg te jagen, maar om hen in de val te laten lopen.

Hij staarde naar de bom.

Nu de vurige ster op de plaat hematiet was gedoofd, kwam het enige licht in de grot van de LCD-timer op de brandbom.

04:04.

04:03.

04:02.

Plotseling was het drukkende gevoel verdwenen, voelde Vigor. In een paar tellen waren de elektrische luchtverschijnsels verdwenen die het pleisterwerk uit de koepel hadden gerukt. Als spookachtige hemelsblauwe spinnen schoot de energie weg.

Toch heerste er nog paniek in de basiliek. Maar weinigen was het opgevallen dat het vuurwerk was afgelopen. De helft van de kerkgangers was het gelukt te vluchten, maar bij de ingang heerste chaos en daardoor kwam de evacuatie uit de kerk niet echt op gang. De Zwitserse Garde en de Vaticaanse politie deden hun best orde te scheppen.

Sommige mensen hadden zich onder de kerkbanken verstopt. Tientallen waren door het neerstortende pleisterwerk getroffen en zaten nu met hun handen tegen bloedende hoofdwonden gedrukt. Ze werden geholpen en getroost door een handjevol dapperen.

De Zwitserse Garde was de paus komen redden, maar die had geweigerd de kerk te verlaten, alsof hij de kapitein van een zinkend schip was. Kardinaal Spera bleef bij hem. Ze waren van onder de vurige baldacchino gevlucht en hadden de veiligheid van de Clementijnse kapel opgezocht.

Vigor beende op hen toe. Even keek hij achterom de basiliek in. Langzaam verminderde de chaos, de orde werd hersteld. Vigor keek omhoog naar de koepel die het zo zwaar te verduren had gehad, en toch stand had gehouden, maar of dat aan de genade van de Heer lag of aan het geniale ontwerp van Michelangelo was niet te zeggen.

Toen kardinaal Spera Vigor zag, drong hij zich door de haag Zwitserse gardisten heen. 'Is het afgelopen?'

'Dat... dat weet ik niet,' zei Vigor eerlijk. Hij had groter zorgen.

De botten waren tot ontbranding gekomen, dat was wel duidelijk.

Maar wat hield dat in voor Rachel en de anderen?

Hij hoorde een nieuwe stem, een bevelende stem. Vigor draaide zich om en zag een breedgeschouderde man met zilvergrijs haar op zich af komen. Hij was gekleed in een zwart uniform en hield zijn hoofddeksel onder de arm. Generaal Joseph Rende, vriend van de familie en hoofd van het bureau van de wijk Parioli. Nu begreep Vigor waarom de orde was hersteld. De carabinieri waren in groten getale gekomen.

'Wat doet Zijne Heiligheid hier?' vroeg Rende aan Vigor. Hij knikte naar de paus die werd omringd door een kluwen in het zwart geklede kardinalen.

Vigor had geen tijd het allemaal uit te leggen. Hij greep de generaal bij zijn elleboog. 'We moeten naar beneden, naar de scavi.'

Rende fronste diep. 'Ik hoor net van het bureau... Van Rachel, iets over een roofoverval daar beneden. En toen gebeurde er dit.'

Vigor schudde zijn hoofd. Hij kon wel gillen, maar in plaats daarvan zei hij rustig: 'Verzamel zoveel mannen als je kunt. We moeten naar beneden. Nu!'

Het sierde de generaal dat hij meteen in actie kwam. Hij blafte bevelen. Snel kwamen in zwarte uniformen gestoken mannen aanrennen, bewapend met geweren.

'Deze kant op,' zei Vigor terwijl hij naar de deur van de sacristie liep. Van daar was het niet ver naar de ingang tot de scavi. Het kon Vigor niet snel genoeg gaan.

Rachel...

22:07

Gray knielde bij Monk neer. Hij had de handen van zijn teamleden losgesneden met een mes dat Kat op haar lichaam verborgen had gehouden. Monk had Grays nachtkijker geleend om alles beter te kunnen zien.

'Weet je zeker dat je hem niet onschadelijk kunt maken?' vroeg Gray.

'Als ik meer tijd had... Beter gereedschap... En beter licht, verdomme.' Monk keek hem even aan en schudde toen zijn hoofd.

Gray keek naar de timer die in het donker aftelde.

02:22.

02:21.

Hij stond op en liep naar Rachel en Kat aan de andere kant van de ruimte. Met haar getrainde blik had Kat het mechanisme van de helling bij de ingang bestudeerd. Zonder zich om te draaien zei ze tegen Gray: 'Het mechanisme is nogal primitief, het werkt door gewicht. Een beetje als een dodemansknop. Zolang er gewicht op rust, blijft alles gesloten. Maar zodra het gewicht eraf wordt gehaald, doen raderen en de zwaartekracht hun werk en gaat het open. Maar ik begrijp het toch niet helemaal.'

'Wat begrijp je niet?'

'Voorzover ik kan nagaan, ligt de plaat die de reactie in gang zet onder de tombe boven ons.'

'De graftombe van Petrus?'

Kat knikte en gebaarde dat Gray opzij moest. 'Hier trokken ze aan de wig die alles moest stabiliseren nadat ze gewicht op de plaat in het graf hadden gelegd. Daarna was de enige manier om deze ingang te openen, het weghalen van het graf van Petrus, van de plaat af. Maar dat gebeurde niet toen de Societas Draconis hun apparatuur activeerde.'

'Misschien toch wel...' Gray herinnerde zich de cilinder met het amalgaam, de levitatie daarvan. 'Kat, weet je nog de test in Arizona die je hebt beschreven – de test op deze poeders in de m-state? Dat die geactiveerde supergeleiders toen minder dan nul wogen?'

Ze knikte. 'Omdat het poeder het schaaltje liet zweven waarin het zich bevond.'

'Ik denk dat zoiets hier ook is gebeurd. Ik zag de cilinder met het amalgaam omhoogkomen toen de apparatuur werd ingeschakeld. Stel dat het veld rond het amalgaam ook uitwerking op het graf had, net als op het schaaltje in het experiment? Misschien werd dat gevaarte niet daadwerkelijk opgetild, maar woog het gewoon minder.'

Kats ogen werden groot. 'En dat was waardoor de sluitsteen werd geactiveerd!'

'Precies. Heb je nu misschien enig idee hoe je de sluitsteen weer kunt openen?'

Kat staarde naar het mechanisme, toen schudde ze haar hoofd. 'Ik ben bang van niet. Tenzij we de graftombe kunnen verplaatsen.'

Gray keek naar de timer.

01:44.

22:08

Vigor rende de wenteltrap naar de scavi af. Er was geen teken dat hier iemand was geweest. Hij zag het deurtje al.

'Wacht!' zei generaal Rende achter hem. 'Laat een van mijn mannen voorgaan. Als er vijandige...'

Vigor sloeg zijn advies in de wind en stormde op de deur af. Godzijdank, de deur zat niet op slot. Hij had geen reservesleutel.

Met zijn schouder wilde hij de deur openduwen, maar die zat muurvast.

Zijn schouder deed pijn.

Hij duwde nog een keer.

Er was geen beweging in te krijgen, alsof er aan de andere kant een grendel voor was geschoven.

Vigor keek generaal Rende aan.

'Er is iets niet in de haak.'

Zonder met haar ogen te knipperen staarde Rachel naar de timer. Nog minder dan een minuut... 'Er moet een andere manier zijn om hieruit te komen,' mompelde ze.

Gray schudde zijn hoofd over die al te optimistische gedachte.

Toch gaf Rachel het niet op. Ze wist niets van mechanica of het onschadelijk maken van bommen, maar ze was goed op de hoogte van de geschiedenis van Rome. 'Geen beenderen,' zei ze.

Gray keek haar aan alsof ze ze niet allemaal meer op een rijtje had.

'Kat,' zei ze, 'je zei toch dat iemand aan een wig moest trekken waardoor het mechanisme werd gestabiliseerd dat de toegang moest afsluiten?'

Kat knikte.

Rachel keek de anderen aan. 'Dan zat degene die dat deed, hier gevangen. Maar waar is zijn gebeente?'

Kat sperde haar ogen open.

Gray balde zijn vuist. 'Een andere uitgang.'

'Dat zei ik toch?' Rachel haalde een doosje lucifers uit haar broekzak en stak er eentje aan. 'We hoeven die alleen maar te vinden. Een geheime tunnel of zo.'

Monk kwam erbij. 'Deel ze eens uit.'

Na een paar tellen had iedereen een brandende lucifer. Ze zochten naar een zuchtje wind dat de verborgen uitgang kon verraden.

Om haar nervositeit te bedwingen, zei Rachel: 'De Vaticaanse heuvel is vernoemd naar de toekomstvoorspellers die hier bij elkaar kwamen. *Vates* is Latijn voor "ziener van de toekomst". Zoals in die tijd vaak gebeurde, orakelden ze in grotten als deze en daar profeteerden ze.'

Ze bestudeerde haar vlammetje terwijl ze de wand afspeurde.

De vlam flakkerde niet.

Rachel probeerde niet naar de timer te kijken, echter zonder succes.

00:22.

'Misschien is de uitgang te goed afgesloten,' mompelde Monk.

Rachel stak nog een lucifer aan.

'Natuurlijk waren de meeste toekomstvoorspellers charlatans,' ging ze zenuwachtig verder. 'Net als bij de seances van de vorige eeuw zat er meestal een handlanger in een geheime nis of tunnel.'

'Of onder de tafel,' zei Gray. Hij zat gehurkt bij de plaat hematiet en hield zijn lucifer bij de grond. Het vlammetje flakkerde en er dansten schaduwen over de wanden. 'Snel!'

Het was niet nodig hen tot spoed te manen.

00:15.

Dat was voldoende stimulans.

Monk en Gray grepen de rand van de steenplaat beet. Ze bogen hun knieën, zetten zich schrap en tilden de plaat op.

Kat zat er op handen en knieën naast en stak een lucifer uit. 'Een smalle tunnel,' zei ze opgelucht.

'Erin!' beval Gray.

Kat gebaarde dat Rachel eerst moest.

Met haar voeten vooruit liet Rachel zich door het gat glijden. Het was een stenen put. Ze wurmde zich verder naar beneden, wat weinig moeite koste omdat het zo steil afliep. Ze gleed op haar billen verder, gevolgd door Kat en Monk.

Rachel keek omhoog en telde inwendig verder af. Nog vier seconden.

Monk hield de steenplaat met zijn rug omhoog, Gray dook tussen zijn benen door de tunnel in.

'Los, Monk!'

'Dat hoef je me geen twee keer te zeggen.'

Monk liet zich door het gewicht van de steenplaat de tunnel in duwen.

'Naar beneden! Naar beneden!' drong Gray aan. 'Zo ver mogelijk...'

De ontploffing maakte de rest onverstaanbaar.

Rachel, die nog steeds omhoogkeek, zag oranje vlammen zich om de randen van de steenplaat krullen, op zoek naar hen.

Monk vloekte.

Rachel liet alle voorzichtigheid varen en liet zich door de tunnel glijden. Die werd almaar steiler. Algauw roetsjte ze machteloos en met grote vaart op haar billen door de bedompte tunnel.

In de verte hoorde ze iets.

Stromend water.

O nee...

22:25

Een kwartier later hielp Gray Rachel uit de Tiber klimmen. Rillend en bevend stonden ze op de oever. Haar tanden klapperden, en hij trok haar tegen zich aan en wreef haar schouders en rug in een poging haar warm te maken.

'Het... het gaat wel,' zei ze, maar ze liep niet weg.

Monk en Kat klommen nat en onder de modder uit het water.

'We moeten in beweging blijven,' zei Kat. 'Dan raken we niet onderkoeld voordat we droge kleren kunnen aantrekken.'

Gray klom op de oever. Waar waren ze? De tunnel waardoor ze waren ontsnapt, kwam uit op een ondergrondse waterloop. Ze hadden zich aan elkaar vastgehouden en zich door de stroom laten meevoeren in de hoop op een veilige plek te belanden.

Tijdens hun zwempartij had Gray metselwerk gevoeld toen hij zijn hand uitstak om obstakels te vermijden. Misschien was het een oud riool, of een afwateringskanaal. Ze waren uitgekomen op een doolhof van watergangen. Ze hadden zich maar laten meevoeren door de stroming totdat ze uiteindelijk ergens kwamen waar in de verte licht scheen. Gray was op onderzoek uitgegaan en had een stenen gangetje ontdekt dat uitkwam op de Tiber.

De anderen waren hem gevolgd en daar waren ze nu, onder de sterrenhemel en met een volle maan die werd weerspiegeld in de Tiber. Ze waren ontsnapt.

Monk wrong water uit zijn mouwen en keek toen om naar de tunnel. 'Als er een deur was, waarom verdomme dan dat gedoe met het gebeente van de Wijzen?'

Daar had Gray ook over nagedacht en hij stond al met het antwoord klaar. 'Niemand kan toevallig op die ingang stuiten. Ik denk niet dat ik zelf de weg terug door die doolhof zou kunnen vinden. Die alchemisten van vroeger hebben de volgende aanwijzing dusdanig verstopt dat degene die zoekt niet alleen het raadsel moet oplossen, maar ook enig begrip moet hebben van het amalgaam en de eigenschappen daarvan.'

'Het was een test,' zei Rachel. Ze huiverde in het briesje. Kennelijk had zij hier ook over nagedacht. 'Je moet een proef afleggen voordat je verder mag.'

'Ik had liever iets met multiple choice ingevuld,' reageerde Monk wrang.

Hoofdschuddend klom Gray verder de oever op. Hij hield zijn arm beschermend om Rachel heen geslagen.

Ze kwamen boven en zagen dat ze langs een straat stonden. Aan de overkant was een park. En hoger op de heuvel de basiliek van Sint-Pieter, in een gouden gloed afgetekend tegen de nachtelijke hemel. Daar loeiden sirenes en flikkerden rode en blauwe zwaailichten.

'Laten we maar gaan kijken wat er is gebeurd,' zei Gray.

'En op zoek gaan naar een warm bad,' mopperde Monk.

Daar had Gray niets tegen in te brengen.

Een uur later zat Rachel gewikkeld in een droge, warme deken. Ze had haar natte kleren nog aan, maar door het lopen en de verhitte woorden-wisseling met een paar koppige bewakers had ze het aanmerkelijk war-mer gekregen.

Ze zaten in de kantoren van de minister van Binnenlandse Zaken van de Heilige Stoel. Het vertrek was versierd met fresco's en er stonden met pluche beklede stoelen en twee lange banken tegenover elkaar. Onder de aanwezigen waren ook kardinaal Spera, generaal Rende en een zeer op-geluchte oom Vigor.

Vigor zat naast Rachel en hield haar hand vast. Hij had haar niet meer losgelaten sinds ze door het kordon waren gebroken en toegang tot dit heiligdom hadden gekregen.

In het kort hadden ze elkaar over de gebeurtenissen verteld.

'De Societas Draconis is ertussenuit geknepen?' vroeg Gray.

'Zelfs de lijken zijn weg,' antwoordde Vigor. 'Het duurde tien minuten om die deur open te krijgen. En toen troffen we alleen maar achtergela-ten wapens aan. Ze moeten zijn vertrokken zoals ze zijn gekomen... Door het dak.'

Gray knikte.

'In ieder geval is er niets met het gebeente van de Heilige Petrus ge-beurd,' zei kardinaal Spera. 'De schade aan de basiliek en de necropolis kan worden hersteld. Als we de relieken kwijt waren...' Hij schudde zijn hoofd. 'We zijn jullie veel verschuldigd.'

'En geen enkele aanwezige van de herdenkingsdienst is omgekomen,' zei Rachel opgelucht.

Generaal Rende hield een rapport omhoog. 'Snijwonden, blauwe plek-ken, een paar gebroken armen en benen. De in paniek geraakte menigte heeft meer schade aangericht dan de serie aardschokken.'

Afwezig draaide kardinaal Spera de twee gouden ringen, de symbolen van zijn hoge ambt. Hij wisselde van hand, het was een gebaar van ner-vositeit. 'En de grot onder de graftombe? Wat hebben jullie daar aange-troffen?'

Rachel fronste haar wenkbrauwen. 'Er was...'

'Het was te donker om alles goed te zien,' viel Gray haar in de rede. Verontschuldigend maar vastberaden keek hij haar aan. 'Er was een steen-plaat waarop iets stond geschreven, maar ik vermoed dat de brand alles onleesbaar heeft gemaakt. We zullen waarschijnlijk nooit weten wat er stond.'

Rachel begreep waarom hij geen open kaart wilde spelen. In de verwarring was de hoofdprefect van de archieven verdwenen, samen met de Societas Draconis. Als prefetto Alberto al met de Societas samenwerkte, wie konden er dan nog meer bij betrokken zijn? Kardinaal Spera had beloofd Alberto's vertrekken en zijn papieren te laten onderzoeken. Misschien bracht dat iets aan het licht.

Ondertussen moesten ze goed op hun woorden passen.

Gray schraapte zijn keel. 'Als we uitgesproken zijn, wil ik graag naar de kamers die het Vaticaan zo gastvrij was ons aan te bieden.'

'Natuurlijk.' Kardinaal Spera stond op. 'Ik laat jullie daarnaartoe brengen.'

'Ik zou ook graag nog eens naar de scavi gaan. Kijken of er iets wordt vermist.'

Generaal Rende knikte. 'Een van mijn mannen kan met je mee.'

Gray draaide zich om naar Monk en Kat. 'Ik zie jullie straks op onze kamers.' Hij keek even naar Rachel en Vigor om hen er ook bij te betrekken.

Rachel knikte om te bevestigen dat ze het onuitgesproken bevel had begrepen.

Praat er met niemand over...

Later konden ze het er onder elkaar over hebben.

Samen met generaal Rende liep Gray weg.

Rachel keek hem na. Ze dacht aan zijn armen om haar heen en trok de deken strakker tegen zich aan. Dat was niet hetzelfde.

23:43

Gray doorzocht het mausoleum waarin hij zijn spullen had verborgen. Zijn rugzak was waar hij die had gelaten, onaangeroerd.

Naast hem stond een jonge carabiniere net zo stijf als zijn gesteven uniform. De rode biezen van zijn uniform waren kaarsrecht, de witte riem keurig in een hoek van negentig graden over zijn borst. Het zilveren embleem op zijn pet glom en blonk.

Hij keek naar de rugzak alsof Gray die net had gestolen.

Gray deed geen moeite het uit te leggen, hij had te veel aan zijn hoofd. Hoewel zijn rugzak er nog was, bleek zijn laptop verdwenen. Iemand had die meegenomen. Er was maar één persoon die hij kende die zijn computer zou stelen en zijn rugzak achterlaten, iemand die opvallend afwezig was toen de gebeurtenissen van die avond zich voltrokken.

Seichan.

Kwaad beende Gray weg uit de necropolis. Terwijl hij met de carabiniere meeliep, merkte hij nauwelijks dat hij door binnenhoven kwam, trappen op ging en gangen door. Koortsachtig dacht hij na. Na vijf minuten van stevig doorlopen kwam hij bij de kamers die zijn team waren toegewezen. De carabiniere liet hij buiten staan.

Het hoofdvertrek was weelderig versierd met verguldsel, meubelen met borduurwerk en tapijten. Aan het gewelfde, met wolkjes en cherubijntjes beschilderde plafond hing een enorme kroonluchter en in houders aan de muur en in kandelaars op de tafels stonden flakkerende kaarsen.

Kat en Vigor waren gaan zitten, druk in een gesprek toen Gray binnenkwam. Ze droegen dikke witte badjassen, alsof dit een suite in de Ritz was.

'Monk zit in bad,' zei Kat met een knikje naar opzij.

'Rachel ook,' zei Vigor en hij wees naar een tegenoverliggende deur. Dit was de gemeenschappelijke ruimte waarop hun afzonderlijke kamers uitkwamen.

Kat keek naar zijn rugzak. 'Ik zie dat je onze spullen hebt teruggevonden.'

'Maar de laptop niet. Ik denk dat Seichan die heeft gepikt.'

Kat trok haar wenkbrauwen op.

Gray vond zichzelf te vies om op een van de stoelen te gaan zitten, daarom ijsbeerde hij maar door de kamer. 'Vigor, kun jij ons hier morgenochtend ongezien weg krijgen?'

'Eh... Ik denk van wel. Hoezo?'

'Ik wil zo gauw mogelijk verdwijnen. Hoe minder bekend is over onze verblijfplaats, des te beter.'

Monk kwam binnen. 'Gaan we ergens heen?' Hij peuterde in zijn oor. Over de snee boven zijn oog zat een pleister geplakt. Ook hij droeg een witte badjas die hij open liet hangen. Gelukkig had hij een handdoek om zijn middel geslagen.

Voordat Gray kon antwoorden, ging de tegenoverliggende deur open. Op blote voeten en in een witte badjas gehuld kwam Rachel binnen. De badjas had ze netjes dichtgestrikt, maar onder het lopen vertoonde ze veel kuit en ook een stukje dij. Haar haar was frisgewassen, nat en door de war.

'Commandant?' vroeg Monk terwijl hij zich in een stoel liet ploffen. Hij schopte met zijn benen om de handdoek goed op zijn plaats te houden.

Gray slikte. Wat wilde hij ook weer zeggen?

'Waar gaan we naartoe?' vroeg Kat.

'We gaan op zoek naar de volgende aanwijzing,' zei Gray. Hij schraapte zijn keel. 'Na wat we vanavond hebben gezien, willen we niet dat de Societas Draconis in bezit komt van de kennis die aan het eind van deze vossenjacht ligt te wachten.'

Daar was iedereen het mee eens.

Monk peuterde aan zijn pleister. 'Wat is er vanavond eigenlijk gebeurd?'

'Dat weet ik misschien.' Iedereen keek Gray aan. 'Zijn jullie bekend met het Meissner-effect?'

Kat stak haar hand op. 'Die term heb ik horen gebruiken in verband met supergeleiders.'

Gray knikte. 'Wanneer een geladen supergeleider wordt blootgesteld aan een krachtig elektromagnetisch veld, ontstaat het Meissner-effect. De kracht daarvan is proportioneel aan de intensiteit van het magnetische veld en de lading van de supergeleider. Door het Meissner-effect kunnen supergeleiders in een magnetisch veld zweven. Maar andere, nog vreemdere effecten zijn waargenomen wanneer supergeleiders werden gemanipuleerd. Het lijkt erop dat we nog niet alles van het Meissner-effect weten. Onverklaarbare energie-uitstoot, gebeurtenissen die tegen de wetten van de zwaartekracht indruisen, zelfs vervormingen van de ruimte.'

'Is dat wat er in de basiliek gebeurde?' vroeg Vigor.

'Het activeren van het amalgaam, zowel hier als in Keulen, werd bereikt door niets meer dan een paar forse elektromagnetische platen.'

'Grote magneten?' vroeg Monk.

'Ingesteld op een bepaalde energiesignatuur om het poeder te laten uitstromen nadat het in rusttoestand in de m-state supergeleider heeft gelegen.'

Kat ging rechtop zitten. 'En de vrijgekomen energie – het Meissner-effect – deed de graftombe zweven... Of in ieder geval, die woog minder. Maar de elektrische storm in de basiliek dan?'

'Dat is giswerk. Het baldakijn van brons en goud boven het pauselijke altaar bevindt zich precies boven het graf van Petrus. Ik denk dat de metalen zuilen als gigantische bliksemafleiders hebben gewerkt. Ze slurpten iets van de energie daaronder op en gaven die boven weer af.'

'Maar waarom wilden de alchemisten van vroeger de basiliek schade toebrengen?' vroeg Rachel.

'Dat was hun opzet niet,' antwoordde Vigor. 'Zeker niet. Jullie weten toch nog dat we hebben uitgerekend dat de aanwijzingen ergens in de dertiende eeuw zijn verspreid?'

Gray knikte.

Zwijgend streek Vigor over zijn baard, toen zei hij: 'In die periode zou het zelfs makkelijk zijn geweest een geheime kamer te bouwen. Het Vaticaan was toen grotendeels verlaten. Het werd pas in 1377 de plek waar de pauselijke macht zetelde, toen de pausen terugkeerden na hun honderdjarige ballingschap in Frankrijk. Daarvoor was het paleis van de Lateranen het pauselijk verblijf in Rome. Het Vaticaan was dus tijdens de hele dertiende eeuw onbelangrijk en werd niet bewaakt.'

Vigor richtte zich tot Rachel. 'De elektrische storm kan dus niet de schuld van de alchemisten zijn. De baldacchino van Bernini stamt van na 1600, eeuwen nadat de aanwijzing hier is geplaatst. Het moet een onfortuinlijke samenloop van omstandigheden zijn.'

'In tegenstelling tot wat er in Keulen gebeurde,' wierp Gray tegen. 'De Societas Draconis heeft de hosties bewust met goud in de m-state vergiftigd. Ik denk dat ze de kerkgangers als proefkonijn bij een weerzinwekkend experiment gebruikten. Hun eerste echte proefneming. Om de kracht van het amalgaam te testen, om hun theorieën te toetsen. Het ingenomen m-state goud gedroeg zich net als de koperen altaarhemel. Het absorbeerde de energie die door het Meissner-effect vrijkwam en elektrocuteerde de kerkgangers van binnenuit.'

'Zoveel doden...' verzuchtte Rachel.

'Gewoon maar een experiment.'

'We moeten hun een halt toeroepen,' zei Vigor zacht.

Gray knikte. 'Maar eerst moeten we erachter zien te komen waar we naartoe moeten. Ik heb de schets uit mijn hoofd geleerd, ik kan die zo uittekenen.'

Rachel keek van hem naar haar oom.

'Wat?' vroeg Gray.

Vigor haalde een opgevouwen stuk papier tevoorschijn. Hij boog zich voorover en streek het papier glad. Het was een kaart van Europa.

Met een frons keek Gray ernaar.

'Ik herkende wat er op de steenplaat was getekend,' zei Rachel. 'Door de delta. Die herken je als je in het Middellandse-Zeegebied woont. Kijk maar.'

Ze boog zich voorover en maakte een soort raam met haar handen, alsof ze de compositie voor een foto probeerde vast te stellen. Ze legde het 'venster' op de oostelijke hoek.

Net als de anderen staarde Gray ernaar. Het gebied tussen haar handen leek sterk op de tekening op de plaat hematiet.

'Het is een landkaart,' zei hij.

'En de gloeiende ster...' Rachel ontmoette zijn blik.

'Er moet een klein beetje van het poeder in de m-state in de steenplaat zijn verwerkt. Dat had de energie van het Meissner-effect geabsorbeerd en ontbrandde.'

'En gaf een bepaalde plek op de kaart aan.' Rachel zette haar vinger op de kaart.

Gray boog zich voorover. Haar vinger lag bij een stad aan de Nijl waar die uitstroomde in de Middellandse Zee.

'Alexandrië,' las Gray. 'Egypte.'

Hij hief zijn blik op, zijn gezicht een paar centimeter van dat van Rachel vandaan. Hun blikken hielden elkaar vast en heel even bleven ze zo roerloos staan. Ze opende haar mond een beetje alsof ze iets wilde zeggen, maar was vergeten wat precies.

'Die Egyptische stad was een bastion van gnostische kennis,' zei Vigor, en verbrak daarmee de betovering. 'Ooit stond daar de beroemde bibliotheek van Alexandrië, daar kwam alle oude wetenschap samen. De bibliotheek is door Alexander de Grote zelf gesticht.'

Gray ging rechtop staan. 'Alexander. Je zei dat hij een van de historische personages was die van het bestaan van het witte goudpoeder wist.'

Vigor knikte. Zijn ogen straalden.

'Nog zo'n magiër,' zei Gray. 'Kan hij de vierde Wijze zijn, de Wijze die we moeten zoeken?'

'Dat kan ik niet met zekerheid zeggen,' antwoordde Vigor.

'Ik wel,' reageerde Rachel zelfverzekerd. 'Het raadsel had het specifiek over een verloren koning.'

Gray herinnerde zich het raadsel over de vis. Waar het verdrinkt, zweeft het in duisternis en staart naar de verloren koning...

'Stel dat het allemaal geen allegorie is?' vroeg Rachel. 'Stel dat het letterlijk moet worden genomen?'

Gray begreep niet waar ze naartoe wilde, maar Vigor sperde zijn ogen open.

'Natuurlijk!' zei hij. 'Dat ik daar niet aan heb gedacht...'

'Waaraan?' vroeg Monk.

Rachel legde het uit. 'Alexander de Grote is jong gestorven, hij was pas drieëndertig. Er bestaan veel bronnen over zijn begrafenis. Hij is met veel pracht en praal in Alexandrië bijgezet.' Ze tikte op de kaart. 'Alleen... alleen...'

Opgewonden maakte Vigor de zin voor haar af. 'Zijn graftombe is verdwenen.'

Gray staarde naar de landkaart. 'En dat maakt hem tot de verloren koning...' fluisterde hij. Hij keek de anderen beurtelings aan. 'Nu weten we wat ons te doen staat.'

23:56

De laptop vertoonde nogmaals de beelden, zonder geluid. Vanaf de komst van de Societas Draconis tot de ontsnapping door het team van Sigma. Er waren geen antwoorden. Wat er zich onder de graftombe van Petrus bevond, bleef een raadsel.

Teleurgesteld sloot hij de laptop.

Commandant Pierce had tijdens de bespreking dingen achtergehouden. Het was makkelijk te zien geweest dat hij loog. De commandant had onder het graf wel degelijk iets ontdekt.

Maar wat? Wat wist hij allemaal?

Kardinaal Spera leunde achterover en draaide de ring aan zijn vinger om en om.

Het werd tijd dat hier een eind aan kwam.

DAG
DRIE

11

ALEXANDRIË

Over twee uur waren ze in Egypte.

In het privé-straalvliegtuig liep Gray de inhoud van zijn rugzak na. Het was directeur Crowe gelukt hen van nieuwe voorraden en wapens te voorzien, en zelfs van laptops. Met vooruitziende blik had de directeur ook hun gehuurde Citation x-vliegtuig van Duitsland naar Leonardo da Vinci International Airport laten overbrengen.

Gray keek op zijn horloge. Een halfuur geleden waren ze opgestegen. De twee uur die ze nog hadden voordat ze in Alexandrië landden was alle tijd die ze kregen om een strategie uit te stippelen. In ieder geval hadden ze in Rome een paar uurtjes kunnen slapen en dat had hun goed gedaan. Nog voor zonsopgang waren ze uit Vaticaanstad geglipt zonder iemand van hun vertrek op de hoogte te brengen.

Ook had directeur Crowe bij wijze van afleidingsmanoeuvre een vluchtplan naar Marokko laten opstellen. Daarna had hij zijn contactpersoon bij het National Reconnaissance Office gebeld om hun zendercode halverwege de vlucht te wijzigen toen ze van koers veranderden en richting Egypte vlogen. Meer konden ze niet doen om hun sporen uit te wissen.

Er was nog slechts een pietluttig detail dat hun in de weg stond: waar in Alexandrië moesten ze zoeken?

Om hierop het antwoord te vinden, was de cabine van de Citation x veranderd in een denktank. Kat, Rachel en Vigor zaten allemaal over hun werk gebogen. Monk bevond zich in de cockpit, hij regelde transport en verblijf voor wanneer ze geland waren. Hij had zijn nieuwe Scattergun al uit elkaar gehaald en grondig geïnspecteerd. Hij hield het wapen bij zich, want, zoals hij zei: 'Ik voel me naakt zonder dat ding. En echt, dat zouden jullie niet willen.'

Ondertussen had Gray ook het een en ander te doen. Hoewel het niets met de vraag te maken had die hen momenteel bezighield, was hij van plan zich te verdiepen in de geheimen van in de m-state verkerende supergeleiders.

Maar eerst...

Gray stond op en liep naar de drie onderzoekers. 'Al vorderingen gemaakt?' vroeg hij.

Het was Kat die antwoord gaf. 'We hebben het werk verdeeld. We gaan alle documentatie na van voor de geboorte van Alexander tot zijn dood, en van de verdwijning van zijn graf.'

Vigor wreef in zijn ogen. Hij had het minst van allemaal geslapen, een dutje van een uur. Hij had onderzoek in het Vaticaans archief gepleegd omdat hij ervan overtuigd was dat de hoofdprefect van de bibliotheken, de verrader dr. Alberto Menardi, het meesterbrein was dat de raadsels voor de Societas Draconis had opgelost. Vigor had gehoopt de schreden van de prefect te kunnen nagaan en meer inzicht te verkrijgen. Helaas had hij weinig ontdekt.

Kat ging verder: 'Nog steeds weten we nauwelijks iets van Alexander, zelfs niet veel over zijn afkomst. Zijn moeder heette Olympias en zijn vader was koning Filippus II van Macedonië. Maar niet iedereen is het daarover eens. Alexander bijvoorbeeld geloofde dat zijn vader een god was die Zeus Ammon heette en dat hijzelf een halfgod was.'

'Niet erg nederig,' vond Gray.

'Hij was een man van tegenstellingen,' zei Vigor. 'Woedeaanvallen als hij dronken was, maar een uitstekend strateeg. In staat tot hartstochtelijke vriendschappen, maar ook tot moord wanneer hij werd gedwarsboomd. Hij had homovriendjes, maar was ook getrouwd met een Perzische danseres en met de dochter van een Perzische koning, dat laatste in een poging Perzië en Griekenland te verenigen. Maar we hadden het over zijn afkomst. Het is bekend dat zijn ouders elkaar niet konden luchten of zien. Er zijn historici die beweren dat Olympias de hand had in de moordaanslag op koning Filippus. Interessant is dat de schrijver Pseudo-Callisthenes zegt dat Alexander niet de zoon van Filippus is, maar van een Egyptische hofmagiër die Nectanebo heette.'

'Een magiër? Een Wijze?' Gray begreep wat dat inhield.

'Wie zijn werkelijke ouders ook waren,' ging Kat verder, 'hij is op 20 juli 356 v.C. geboren.'

Vigor haalde zijn schouders op. 'Zelfs dat hoeft niet waar te zijn. Dat is de datum waarop de tempel van Artemis te Efeze is afgebrand, een van de zeven wereldwonderen uit de oudheid. De historicus Plutarchus schrijft dat Artemis het te druk had met helpen bij de geboorte van Alexander om haar bedreigde tempel te laten redden. Sommige wetenschappers denken dat de keus uit propagandistische motieven op die datum viel, dat de echte datum van Alexanders geboorte is veranderd om samen te vallen met deze veelbetekenende gebeurtenis waardoor de koning wordt voorgesteld als een feniks die oprijst uit de as.'

'En hij rees op!' zei Kat. 'Alexander werd maar drieëndertig jaar, maar tijdens zijn korte leven veroverde hij het grootste deel van de toenmalig bekende wereld. Hij versloeg koning Darius van Perzië, trok toen naar Egypte waar hij Alexandrië stichtte, en vervolgens naar Babylonië.'

Vigor maakte het verhaal af. 'Uiteindelijk trok hij naar het Oosten, naar India, om de Punjab te veroveren. Dat is de streek waar de Heilige Thomas later de drie Wijzen zou dopen.'

'En zo Egypte met India verenigde,' merkte Gray op.

'En oeroude kennis met elkaar in verband bracht,' zei Rachel. Ze hield haar blik op haar laptop gevestigd, maar ze strekte wel even haar verkrampte rug.

Gray vond dat ze zich plezierig uitrekte, langzaam en zonder haast.

Misschien merkte ze dat hij naar haar keek, want zonder haar hoofd te draaien keek ze even naar hem op. Meteen keek ze weg en begon een beetje onzeker: 'Hij... Alexander sprak met Indiase geleerden, hij stak veel tijd in filosofische debatten. Hij was erg geïnteresseerd in nieuwe takken van wetenschap. Aristoteles zelf had hem onderwezen.'

'Maar toen stierf hij plotseling,' nam Kat het van haar over. Gray richtte zijn aandacht op haar. 'Dat was in 323 v.C., in Babylon. Onder geheimzinnige omstandigheden. Sommigen zeggen dat zijn dood aan natuurlijke oorzaken kan worden toegeschreven, anderen denken dat hij werd vergiftigd of dat hij een ziekte had opgelopen.'

'Er wordt ook beweerd,' voegde Vigor eraan toe, 'dat hij op zijn sterfbed in het koninklijk paleis van Babylon uitkeek over de beroemde hangende tuinen, een toren met boven elkaar gelegen terrassen met tuinen en watervallen. Nog een van de zeven wereldwonderen van toen.'

'Dus zijn leven begon met de verwoesting van een wereldwonder en eindigde bij een ander.'

'Misschien is het een allegorie,' gaf Vigor toe. Hij krabde aan zijn baardje. 'Maar het leven van Alexander staat vreemd in verband met de zeven wereldwonderen. Zelfs de eerste compilatie van de zeven wereldwonderen werd opgesteld door een bibliothecaris uit Alexandrië die Callimachus van Cyrene heette. Dat was in de derde eeuw voor Christus. Het enorme bronzen beeld in Rhodos, de Kolossus die de haven van het eiland overspande en net als jullie Vrijheidsbeeld een brandende fakkel vasthield, was naar de beeltenis van Alexander gemaakt. En dan was er het beeld van Zeus in Olympia, een glanzend, enorm hoog beeld van goud en marmer. Volgens Alexander het beeld van zijn vader. En er kan geen twijfel over bestaan dat Alexander de piramiden van Gizeh heeft bezichtigd. Hij was tien jaar lang in Egypte. Dus Alexander heeft met al deze meesterwerken van de oude wereld wel iets te maken.'

'Zou dat iets kunnen betekenen?' vroeg Gray.

Vigor haalde zijn schouders op. 'Ik weet het niet. Maar Alexandrië beschikte ook over een van de zeven wereldwonderen, het laatste dat werd gebouwd. Dat bestaat nu niet meer, het was de vuurtoren van Alexandrië. Die stond op het eiland Pharos in de haven en verdeelde de haven middels een dijk in twee. Er waren drie lagen, opgetrokken uit kalksteen en bij elkaar gehouden door gesmolten lood. De vuurtoren was hoger dan jullie Vrijheidsbeeld, ongeveer zo hoog als een flatgebouw van veertig verdiepingen. Bovenin brandde een vuur waarvan het licht door een gouden spiegel werd versterkt. Het licht was een baken voor schepen en kon van een afstand van vijftig kilometer worden waargenomen. Ons huidige woord "vuurtoren" is terug te voeren op dit wereldwonder. In het Frans wordt het een *phare* genoemd, en in het Italiaans en Spaans *faro*.'

'En wat heeft dit allemaal met onze zoektocht naar het graf van Alexander te maken?' vroeg Gray.

'We worden naar Alexandrië gestuurd,' zei Vigor. 'We zoeken naar aanwijzingen die een oeroud genootschap van magiërs heeft achtergelaten. Ik denk dat de vuurtoren, dat lichtbaken, belangrijk voor hen is geweest. Er bestaat ook een legende over de vuurtoren van Pharos – dat het licht ervan zo krachtig was dat het op een afstand schepen kon doen ontbranden. Misschien is dat een verwijzing naar een onbekende krachtbron.'

Met een zucht schudde Vigor zijn hoofd. 'Maar wat de samenhang van dit alles is, dat weet ik niet.'

Gray stelde de informatie op prijs, maar die was niet gericht genoeg. Ze moesten iets hebben waar ze achteraan konden wanneer ze eenmaal in Alexandrië waren. 'Laten we dan tot de kern van de zaak doordringen. Alexander is in Babylon gestorven. Wat gebeurde er daarna?'

Kat liet haar vinger gaan over een lijst die ze had opgesteld. 'Er zijn talrijke historische aanwijzingen dat zijn stoffelijke resten met veel vertoon van Babylon naar Alexandrië zijn overgebracht. Toen hij eenmaal in Alexandrië was bijgezet, werd zijn tombe een pelgrimsoord voor hooggeplaatste bezoekers, onder wie Julius Caesar en keizer Caligula.'

'In die periode,' voegde Vigor eraan toe, 'werd de stad geregeerd door de afstammelingen van Ptolemaeus, een van Alexanders vroegere generaals. Dit geslacht stichtte de bibliotheek van Alexandrië waardoor de stad een middelpunt van wetenschap en filosofie werd. Vanuit de hele wereld kwamen geleerden ernaartoe.'

'En wat gebeurde er met het graf?'

'Dat is juist zo intrigerend,' zei Kat. 'Het graf wordt verondersteld een enorme gouden sarcofaag te zijn. Maar volgens andere bronnen, waaronder Strabo, de belangrijkste historicus van die tijd, was het graf van glas gemaakt.'

'Misschien goudglas,' zei Gray. 'Een van de toestanden van het poeder in de m-state.'

Kat knikte. 'In het begin van de derde eeuw na Christus sloot Septimus Severus de tombe voor bezoekers omdat hij zich zorgen over de veiligheid maakte. Het is ook interessant dat hij vele geheime boeken in het graf liet plaatsen. Luister maar.' Ze boog zich naar het scherm van haar laptop toe. '"Opdat niemand de boeken kon lezen of het lichaam kon zien."' Ze kwam overeind en keek Gray even aan. 'Dat is een duidelijke bevestiging dat er iets heel belangrijks in de graftombe werd verborgen. Een opslagplaats voor geheime esoterie waarvan Septimus vreesde dat die verloren zou gaan of zou worden gestolen.'

Vigor ging verder: 'Tussen de eerste en de derde eeuw werd Alexandrië vaak belegerd. De aanvallen werden steeds heftiger. Julius Caesar zelf liet een gedeelte van de bibliotheek van Alexandrië in brand steken om een aanval vanuit zee af te slaan. Er bleven maar aanvallers komen totdat de bibliotheek uiteindelijk in de zevende eeuw werd verwoest. Ik begrijp heel goed dat Septimus een gedeelte van de verzameling van de bibliotheek in veiligheid wilde brengen. Waarschijnlijk heeft hij de belangrijkste boekrollen in de graftombe verborgen.'

'Niet alleen militaire agressie was een bedreiging voor de stad,' voegde Kat eraan toe. 'Er braken ook ziektes uit. Aardbevingen verwoestten grote gebieden. In de vierde eeuw stortte een hele stadswijk in zee, waaronder het paleis van Cleopatra en een groot gedeelte van de koninklijke begraafplaats. In 1966 ontdekte de Franse zeearcheoloog Franck Goddio delen van deze verloren stad in de oostelijke haven van Alexandrië. Hon-

or Frost, een andere archeoloog, denkt dat dit misschien ook het lot van Alexanders graf is geweest, dat het in zee is gestort.'

'Daar ben ik niet van overtuigd,' zei Vigor. 'Er gaan veel geruchten over de locatie van dat graf, maar de meeste historische bronnen plaatsen die in het stadscentrum, ver weg van de kust.'

'Totdat Septimus Severus de tombe liet sluiten,' weerlegde Kat. 'Misschien heeft hij het graf verplaatst.'

Vigor fronste diep. 'Hoe dan ook, in de eeuwen daarna hebben schatgravers en archeologen Alexandrië en het gebied eromheen omgespit. Zelfs nu nog probeert men koortsachtig deze verloren graftombe te vinden. Een paar jaar geleden heeft een team Duitse geofysici bodemdoordringende radar gebruikt om aan te tonen dat het gebied rond Alexandrië vol ondergrondse holten ligt. Er zijn plaatsen genoeg om een graf te verbergen, het kan tientallen jaren kosten alle mogelijkheden te doorzoeken.'

'We hebben geen tientallen jaren,' zei Gray. 'Ik weet niet eens of we wel vierentwintig uur hebben.'

Geërgerd ijsbeerde Gray door de smalle cabine. Hij wist dat de Societas Draconis over dezelfde informatie beschikte als zij. Het zou niet lang duren tot zij ook tot het besef kwamen dat op de plaat hematiet onder het graf van Petrus een kaart van Alexandrië stond.

Hij draaide zich naar de anderen om. 'Waar beginnen we met zoeken?'

'Ik weet misschien wel iets,' zei Rachel. Ze had een hele tijd gezwegen terwijl ze als een razende dingen intikte en af en toe een blik op het scherm wierp. 'Misschien wel meer.'

Ze had de volle aandacht van iedereen.

'In de negende eeuw wordt er iets over gezegd, het is een getuigenis van de keizer van Constantinopel. Hij zegt dat er een "legendarische schat" in of onder de vuurtoren op Pharos moet zijn. De kalief die in die periode over Alexandrië heerste, liet op zijn speurtocht naar die schat zelfs de halve vuurtoren afbreken.'

Gray merkte dat Vigor rechtop ging zitten. Hij herinnerde zich dat de geestelijke erg in die vuurtoren was geïnteresseerd. Misschien was Rachel daardoor naar aanwijzingen in die richting gaan zoeken.

'Bij tijd en wijle werd er door anderen verder gezocht, maar de vuurtoren bleef een strategische rol in de haven spelen.'

Vigor knikte, zijn ogen fonkelden opgewonden. 'Wat is een betere plek om iets te verbergen waarvan je niet wilt dat het wordt opgegraven dan onder een bouwwerk dat te belangrijk is om af te breken?'

'Op 8 augustus 1303 kwam er een einde aan, toen trof een krachtige aardbeving het hele oostelijke gebied langs de Middellandse Zee. De vuurtoren werd verwoest, die stortte in dezelfde haven als waarin het Ptolemeïsch paleis was verdwenen.'

'En wat gebeurde er op de plaats waar de vuurtoren had gestaan?' vroeg Gray.

'In de vijftiende eeuw liet een sultan van de mammelukken een fort op het schiereiland neerzetten. Dat staat er nog steeds, het fort van Qaitbey. Het is gedeeltelijk uit steenblokken van de vuurtoren opgetrokken.'

'En als de schat nooit is gevonden,' ging Vigor verder, 'moet die daar nog steeds zijn... Onder het fort.'

'Als de schat ooit heeft bestaan,' merkte Gray waarschuwend op.

'Het is een goede plek om te beginnen,' zei Vigor.

'En hoe pakken we dat aan? Gewoon aankloppen en vragen of we alsjeblieft onder het fort mogen graven?'

Kat kwam met een praktischer oplossing. 'We nemen contact op met NRO. Zij hebben toegang tot satellieten met radar die tot onder de grond doordringt, zij kunnen opnames maken. Net als de Duitse geofysici in de stad deden, kunnen wij dan naar verstoringen of holten zoeken. Misschien kan dat onze zoektocht tot een bepaald punt beperken.'

Gray knikte. Dat was geen slecht idee, maar het zou tijd kosten. Hij had al ontdekt dat de eerste satelliet pas over acht uur over het bewuste gebied trok.

Rachel kwam met een alternatief. 'Weten jullie nog de geheime ingang naar de grot onder het graf van Petrus? Misschien hoeven we de voordeur van fort Qaitbey niet te gebruiken. Misschien is er een andere ingang, onder water, net als in Rome.'

Dat idee stond Gray wel aan.

Rachel putte kracht uit de goedkeurende uitdrukking op zijn gezicht. 'Bij Qaitbey en de ruïnen uit de Ptolemeïsche tijd wordt in groepjes gedoken. We kunnen doen of we bij zo'n groep horen en onder water de kustlijn van de haven bekijken.'

'Het kan best tot niets leiden,' zei Kat. 'Maar in ieder geval doen we dan iets met onze tijd totdat de GPR-satelliet voorbijkomt.'

Langzaam knikte Gray. Het was een begin.

Monk kwam vanuit de cockpit de cabine in. 'Ik heb onder onze valse identiteit een busje gehuurd en kamers in een hotel gereserveerd. Washington heeft ervoor gezorgd dat we door de douane kunnen, dus alles is geregeld.'

'Nee.' Gray draaide zich naar hem toe. 'We hebben ook een boot nodig, liefst een snelle.'

Monk sperde zijn ogen open. 'Oké,' zei hij. Toen keek hij naar Rachel. 'Maar zij gaat dat verdomde ding toch niet besturen, hè?'

8:55

ROME, ITALIË

Dat het zo warm was, maakte Raouls humeur er niet beter op. Het was nog maar halverwege de ochtend en al snikheet. Het zonlicht bakte de stenen van het plein buiten, het was veel te fel. Zijn naakte lichaam glom van het zweet terwijl hij in de deuropening naar het balkon stond. De deuren stonden open, maar er was geen verkoelende bries.

Hij had een hekel aan Rome.

Hij verachtte de kuddes toeristen, de in het zwart geklede inwoners die voortdurend rookten, het gebabbel, het gegil, de toeterende auto's. Het stonk er naar uitlaatgassen.

Zelfs het hoertje dat hij in Travastere had opgepikt rook naar sigaretten en zweet. Ze stonk naar Rome. Hij wreef over zijn ontvelde knokkels. In ieder geval was de seks bevredigend geweest. Door die prop in haar mond had niemand haar horen gillen. Hij had genoten toen ze weg kronkelde voor zijn mes toen hij de punt ervan langs haar grote bruine tepelhof liet glijden, zigzaggend over haar borsten. Maar haar gezicht met zijn vuist bewerken was nog prettiger, vlees op vlees terwijl hij haar neukte.

Op haar lichaam had hij zijn frustratie ten opzichte van Rome geuit, met die klootzak van een Amerikaan die hem bijna blind had gemaakt, die hem niet de kans had gegeven hen een langzame dood te laten sterven. En nu had hij moeten horen dat ze op de een of andere manier hadden weten te ontsnappen.

Hij wendde zich van het raam af. Het lijk van het hoertje had hij al in de lakens gewikkeld. Zijn mannen zouden zich ervan ontdoen, dit betekende allemaal niets voor hem.

De telefoon op het nachtkastje ging over. Dat telefoontje had hij al verwacht, dat was wat hem zo uit zijn humeur bracht.

Hij liep ernaartoe en nam op.

'Met Raoul,' zei hij.

'Ik heb het verslag van de missie van de vorige avond ontvangen.' Zoals hij al dacht was het de imperator van zijn Ordinis. Zijn stem klonk woedend.

'Sir...'

De imperator viel hem in de rede. 'Geen smoesjes. Falen is één ding, insubordinatie wordt niet getolereerd.'

Raoul fronste diep. 'Ik zou nooit ongehoorzaam zijn.'

'En die vrouw dan, die Rachel Verona?'

'Die vrouw?' Hij haalde zich dat kreng met het zwarte haar voor de geest. Hij herinnerde zich de geur in het holletje van haar nek toen hij haar had vastgehouden en met een mes bedreigde. Hij had de hartslag in haar hals gevoeld toen hij die in een wurggreep hield en haar optilde zodat ze nog maar net met haar voeten bij de grond kon.

'Je moest haar gevangennemen, niet doden. De anderen moest je elimineren. Dat was het bevel.'

'Ja, dat weet ik. Maar juist daarom ben ik al drie keer niet in staat geweest bruut geweld tegen het Amerikaanse team te gebruiken. De enige reden waarom ze nog in het spel zijn, is dat ik niet voluit mag gaan.' Hij had zich niet voor zijn falen willen verontschuldigen, maar dit smoesje werd hem op een presenteerblad aangeboden. 'Ik moet duidelijkheid hebben: wat is belangrijker, de missie of die vrouw?'

Een lange stilte. Raoul glimlachte. Met zijn vinger porde hij in het lijk op bed.

'Goed punt.' De woede was uit de stem van de ander verdwenen. 'De vrouw is belangrijk, maar de missie mag niet in gevaar komen. Het spoor dat we volgen leidt tot rijkdom en macht, en die rijkdom en macht moeten óns ten deel vallen.'

Raoul wist waarom, dat was hem met de paplepel ingegoten. Het uiteindelijke doel van hun sekte: een Nieuwe Wereldorde, met aan het hoofd de Societas, de afstammelingen van koningen en keizers, genetisch puur en superieur. Dat was hun geboorterecht, dat ging eeuwen terug. Al generaties lang was de Societas op zoek naar de schat en de esoterische kennis van dit verloren genootschap van magiërs. Wie daarover beschikte, hield de 'sleutels tot de wereld' in zijn hand; zo stond het geschreven in de oude teksten in de bibliotheek van de Societas.

Ze waren er zo dichtbij...

Raoul zei: 'Dus ik mag gewoon verder gaan zonder de veiligheid van die vrouw in het oog te houden?'

Er klonk een zucht. Raoul vroeg zich af of de imperator zich er wel van bewust was dat hij die had geslaakt. 'Het zou zeer teleurstellend zijn als ze stierf,' antwoordde de imperator. 'Maar de missie moet tot een goed einde worden gebracht. En lang mag het niet meer duren. Om duidelijk te zijn: de tegenstander moet koste wat kost worden uitgeroeid. Is dat duidelijke taal genoeg?'

'Jazeker.'

'Mooi. Maar toch, als het mogelijk is de vrouw gevangen te nemen geef ik daar de voorkeur aan. Maar neem geen onnodig risico.'

Raoul balde zijn vuist. Hij had een vraag die hem al een tijdje dwarszat. Die vraag had hij nooit eerder gesteld. Hij wist dat hij beter niet nieuwsgierig kon zijn, dat hij zonder vragen moest gehoorzamen. Toch stelde hij zijn vraag: 'Waarom is ze zo belangrijk?'

'Het Drakenbloed stroomt door haar aderen. Ze heeft Oostenrijkse wortels, Habsburg-bloed. Om de waarheid te zeggen, ze is uitgekozen voor jou, Raoul. Om je vrouw te zijn. De Societas hecht groot belang aan versterking door middel van zo'n bloedband.'

Raoul rechtte zijn rug. Tot nu toe had hij zich niet mogen voortplanten. De paar vrouwen die zijn zaad hadden ontvangen, waren daarna tot een abortus gedwongen of gedood. Het was verboden de koninklijke bloedlijn te bezoedelen door bastaarden te verwekken.

'Ik hoop dat deze informatie een aanmoediging vormt om de gelegenheid aan te grijpen haar gevangen te nemen. Maar zoals ik al zei, zelfs haar bloed is niet onmisbaar wanneer de missie gevaar loopt. Begrijp je dat?'

'Jazeker.' Ineens kon Raoul niet meer normaal ademen. Hij zag de vrouw weer voor zich, in zijn armen, bedreigd met zijn mes. De geur van haar angst. Ze zou een goede barones zijn... En in ieder geval een goede fokmerrie. De Societas Draconis beschikte in heel Europa over dat soort vrouwen, opgesloten, in leven gehouden om kinderen te baren.

Raoul kreeg een stijve bij de gedachte.

'In Alexandrië is alles geregeld,' zei de imperator ten slotte. 'Het spel nadert zijn besluit. Haal wat we nodig hebben. Dood iedereen die ons in de weg staat.'

Raoul knikte langzaam, hoewel de imperator dat niet kon zien.

Hij stelde zich dat kreng met het zwarte haar voor... En wat hij met haar zou doen.

9:34

Rachel stond aan het roer van de speedboot, met haar knie op het stoeltje om in evenwicht te blijven. Eenmaal de haven uit had ze vol gas gegeven. De boot scheerde over het spiegelgladde water en schoot af en toe omhoog wanneer ze over de golfslag van een ander bootje voeren.

De wind liet haar haar wapperen, opspattende waterdruppeltjes verkoelden haar gezicht. Het zonlicht deed het saffierblauwe water van de Middellandse Zee glinsteren. Al haar zintuigen werden wakker.

Hier kwam ze van bij na de vliegreis en de uren die ze achter de computer had gezeten. Drie kwartier geleden waren ze geland. Dankzij Monks telefonische inspanningen kwamen ze moeiteloos door de douane, en aan de steiger in de oostelijke haven lagen de boot en hun spullen al klaar.

Rachel keek achterom.

Vanaf de blauwe baai rees Alexandrië op, een moderne stad met flatgebouwen, hotels en vakantiewoningen. Een parkachtig gebied met palmen scheidde de stad van het water. Van het verleden van de stad was weinig te zien, zelfs de beroemde bibliotheek die eeuwen geleden was verwoest, was herrezen als een enorm complex van glas, staal en beton, met daaromheen vijvers die de hemel weerkaatsten, en bereikbaar per trammetje.

Maar nu, op het water, kwam het verleden een beetje tot leven. Oude houten vissersboten dobberden in de baai, geschilderd in levendige kleuren: robijnrood, saffierblauw, smaragdgroen. Sommige hadden de zeilen gehesen, vierkante zeilen, en de vaartuigen werden bestuurd met behulp van twee roeispanen, naar Oudegyptisch ontwerp.

Voor hen uit rees een citadel uit de Middeleeuwen op, het fort van Qaitbey. Het lag op een eilandje dat de baai in tweeën verdeelde en was over een stenen weg vanaf het vasteland bereikbaar. Bij die dijk vonden vissers met lange stokken verpozing en schreeuwden elkaar dingen toe zoals hun voorouders waarschijnlijk al eeuwenlang hadden gedaan.

Rachel bestudeerde het fort. Het was opgetrokken uit witte kalksteen en marmer en stak fel af tegen het diepblauwe water van de baai. De citadel zelf was op een rotsige ondergrond gebouwd, zes meter hoog. Enorme muren met gewelfde kantelen rond de hogere donjon werden bewaakt door vier torens. Er wapperden Egyptische vlaggen op het fort, rood, wit en zwarte banen met de gouden adelaar van Saladin.

Met tot speetjes geknepen ogen stelde Rachel zich voor wat hier ooit had gestaan, de vuurtoren zo hoog als een flatgebouw van veertig verdiepingen, in lagen als een bruidstaart, met een enorm beeld van Poseidon en helemaal boven een enorm vuur. Vlammen en rook.

Er was niets meer over van dit wonder van de oude wereld, behalve misschien een paar blokken kalksteen die gebruikt waren bij de bouw van de citadel. Franse archeologen hadden stapels steenblokken in de oostelijke haven ontdekt, samen met een zes meter groot stuk van een beeld waarvan men aannam dat het het beeld van Poseidon was. Dat was alles wat was overgebleven van het wereldwonder nadat een aardbeving het gebied had getroffen.

Maar was dat wel zo? Kon er een andere schat onder de funderingen verborgen zijn, een nog veel oudere schat?

De verloren graftombe van Alexander de Grote.

Ze waren hier om daarachter te komen.

Achter haar stonden de anderen over de duikspullen gebogen, ze controleerden de duikflessen, de ademautomaten, de loodgordels.

'Hebben we dit echt allemaal nodig?' vroeg Gray. Hij pakte een duikmasker op. 'Dikke droogpakken en al dat spul voor je hoofd?'

'Dat heb je allemaal nodig,' zei Vigor. Rachels oom was een ervaren duiker. Als archeoloog in het Middellandse-Zeegebied moest dat ook wel. Veel van de interessantste ontdekkingen werden onder water gedaan, ook hier in Alexandrië, waar onlangs het verloren gegane paleis van Cleopatra was gevonden, diep onder de golven van deze baai.

Maar er was een reden waarom deze onderwaterschatten zo lang verborgen hadden gelegen.

Haar oom legde het uit: 'Hier in de oostelijke haven is het water ook door de lozingen van het riool dusdanig vervuild dat het gevaarlijk is zonder goede bescherming te duiken. Het Egyptische Bureau voor Toerisme wil onder water een archeologisch themapark aanleggen waar de toeristen in boten met glazen bodems overheen varen. Er zijn al gewetenloze touroperators die duiktripjes aanbieden, maar ze stellen de duikers wel bloot aan zware metalen en bovendien lopen ze de kans besmet te worden met tyfus.'

'Geweldig,' zei Monk. Hij zag al groen. Met opeengeklemde kaken stond hij bij de reling, zijn hoofd een beetje buiten boord, net een hond die zijn kop uit het raam steekt. 'Als ik niet verdrink, krijg ik een enge ziekte. Weet je, er was een reden voor dat ik dienst nam bij de landmacht en niet bij de luchtmacht of de marine: vaste grond onder de voeten.'

'Je kunt ook aan boord blijven,' zei Kat.

Monk keek haar kwaad aan.

Als ze onder water een tunnel moesten zoeken die naar een geheime schatkamer onder het fort leidde, hadden ze iedereen nodig. Allemaal hadden ze een duikdiploma. Ze zouden bij toerbeurt gaan zoeken, steeds mocht iemand uitrusten en ondertussen de boot en de spullen bewaken.

Monk stond erop als eerste voor bewaker te spelen.

Rachel stuurde de boot naar de oostelijke zijde van het eilandje. De citadel van Qaitbey torende boven hen uit. Vanaf de steiger had het fort niet zo gigantisch geleken. Het zou nog een heel werk zijn om onder water het hele gebied langs het fort af te speuren.

Ze voelde zich niet op haar gemak. Het was haar idee geweest om te gaan duiken. Stel dat ze het bij het verkeerde eind had? Misschien had ze een aanwijzing over het hoofd gezien die in een heel andere richting wees.

Terwijl ze vaart minderde, steeg de nerveuze spanning.

Ze hadden het gebied in kwadranten verdeeld om de baai rond het fort systematisch te kunnen afzoeken. Ze schakelde terug omdat ze bij het eerste punt waren aangekomen.

Gray kwam bij haar staan. Hij liet zijn hand op de rugleuning van de stoel rusten, zijn vingertoppen raakten haar schouder aan. 'Dit is kwadrant A.'

Ze knikte. 'Ik ga hier voor anker, en ik hijs de oranje vlag om te waarschuwen dat hier duikers bezig zijn.'

'Gaat het?' vroeg hij terwijl hij zich naar haar toe boog.

'Ik hoop alleen maar dat het geen vruchteloze onderneming is.'

Hij lachte, bemoedigend en geruststellend. 'Jij hebt ons een hint gegeven. Zelf hadden we geen flauw benul waar we moesten beginnen. En ik onderneem liever iets dat later vruchteloos blijkt te zijn geweest dan dat ik zit te duimendraaien.'

Zonder het zelf te beseffen bewoog ze haar schouder zodat die tegen zijn hand aan kwam. Hij trok zijn hand niet weg.

'Het is een goed plan,' zei hij zacht.

Ze knikte omdat ze niets wist te zeggen, toen keek ze gauw weg. Nadat ze de motor had uitgeschakeld drukte ze op de knop om het anker neer te laten. Ze voelde een siddering door de boot gaan toen de ketting naar de bodem ratelde.

Gray keek de anderen aan. 'Laten we onze pakken aantrekken. We duiken hier, controleren de zenders en beginnen te zoeken.'

Het viel Rachel op dat zijn hand nog steeds tegen haar schouder drukte.

Dat was een prettig gevoel.

10:14

Gray liet zich achterover in zee vallen.

Het water sloot zich boven hem. Geen millimeter huid werd blootgesteld aan het vervuilde water. De naden van zijn duikpak hadden een dubbel stiksel en waren dubbel getapet. Om de hals en de polsen zat een *sleeve*-ring van een zware kwaliteit latex. Zelfs zijn AGA volgelaatsmasker omsloot samen met de Viking-*hood* zijn gezicht volledig. De ademautomaat was geïntegreerd met het masker zodat zijn mond vrij was.

Gray vond de grote ruit in het masker heel prettig, ook al kostte het meer tijd om het masker op te zetten, vooral omdat het zicht in de haven niet zo best was. Het water was zo troebel dat hij maar drie tot vier meter ver kon kijken.

Niet slecht, het kon veel erger.

Zijn bc-vest bracht hem terug naar de oppervlakte. Het zat vol lucht en compenseerde de loodgordel. Hij zag Rachel en Vigor aan de andere kant van de boot in het water plonzen. Kat was al in het water aan dezelfde kant van de boot als hij.

Hij probeerde de zender, een Buddy Phone die ultrasoon uitzond op een hoge, enkele zijband. 'Kan iedereen me horen?' vroeg hij. 'Meld jullie.'

Van iedereen kreeg hij een reactie, zelfs van Monk die als eerste de wacht op de boot hield. Monk beschikte daar ook over een Aqua-Vu infrarood videosysteem voor onder water om de groep in de gaten te kunnen houden.

'We gaan hier naar de bodem en dan verspreid naar de kust. Iedereen weet wat zijn of haar positie moet zijn.'

Er klonken bevestigende reacties.

'Oké, dan gaan we naar beneden,' zei hij.

Hij liet de lucht uit zijn bc-vest ontsnappen en zonk door het gewicht van zijn loodgordel naar beneden. Dit was het moment waarop veel beginnende duikers last van claustrofobie kregen. Gray was nooit in paniek geraakt, integendeel, hij genoot van het vrije gevoel. Hij voelde zich gewichtloos, alsof hij vloog en in de lucht acrobatische toeren uithaalde.

Aan de andere kant van de boot zag hij Rachel naar beneden gaan. Ze was makkelijk te herkennen aan de brede rode band op de rug van haar zwarte pak. Ieder had een andere kleur om herkenning te vergemakkelijken. Hij was blauw, Kat roze en Vigor groen. Monk had zijn pak ook al aangetrokken omdat hij straks aan de beurt was. Zijn band was geel.

Gray keek naar Rachel. Net als hij leek ze te genieten van de vrijheid onder water. Ze draaide en liet zich zinken met een minimum aan bewegingen van haar vinnen. Even stond hij zichzelf toe daarvan te genieten, daarna concentreerde hij zich op zijn eigen afdaling.

Daar was de zanderige bodem al, vol rommel.

Gray stelde de drijfkracht in zodat hij net boven de zeebodem zweefde. Zoekend keek hij van links naar rechts. De anderen hadden eenzelfde positie ingenomen.

'Kunnen we elkaar allemaal zien?' vroeg hij.

Er werd bevestigend geknikt.

'Monk, doet de onderwatercamera het?'

'Jullie zien eruit als geesten. Het zicht stelt weinig voor, ik verlies jullie vast uit het oog zodra jullie van start gaan.'

'Hou dan radiocontact. Zodra er iets is, sla je alarm en kom je ons redden.' Gray was er bijna zeker van dat ze de Societas Draconis een stapje voor waren, maar met Raoul wist je maar nooit. Hij wist niet hoe groot hun voorsprong was. Er waren echter genoeg andere boten en het was dag.

Toch moesten ze opschieten.

Gray stak zijn arm uit. 'Goed, we gaan dus naar de kust. Zorg dat de onderlinge afstand nooit groter wordt dan vijf meter. We moeten elkaar altijd in het zicht houden.'

Met zijn vieren konden ze de eerste twintig meter bestrijken. Als ze bij de kust kwamen zonder iets te hebben gevonden, schoven ze twintig meter op en zwommen terug naar de boot. Zo zouden ze kwadrant na kwadrant afwerken, helemaal rond het fort.

Gray ging van start. In een schede aan zijn pols had hij een mes, op zijn andere pols zat een lamp. Omdat de zon recht boven hen stond en het water maar twaalf meter diep was, was extra verlichting niet nodig, maar de lamp kon van pas komen als ze nissen tegenkwamen. De tunnel die ze zochten moest goed verborgen zijn, anders was die allang ontdekt.

Het was weer een raadsel dat moest worden opgelost.

Terwijl hij zwom, vroeg hij zich af wat ze over het hoofd hadden gezien. Er moesten meer aanwijzingen op de kaart hebben gestaan dan alleen een verwijzing naar Alexandrië. Er moest een aanwijzing zijn geweest waar ze hier precies moesten zoeken. Wat was hun ontgaan? Had Raoul iets meegenomen uit de crypte onder het graf van Petrus? Kende de Societas Draconis het antwoord al?

Onbewust ging hij sneller zwemmen. Hij verloor Kat uit het oog, die aan zijn rechterkant had gezwommen. Hij minderde vaart en daar was ze weer. Gerustgesteld ging hij verder. Hij zag iets donkers op de zanderige bodem. Was het een rotsblok? Een rif?

Hij zwom eropaf.

Daar doemde het ineens in het troebele water op.

Wat was dat, verdomme?

Het stenen gezicht staarde hem aan, verweerd door het water en de tijd, maar toch duidelijk herkenbaar als een menselijk gezicht met een stoïcijnse uitdrukking. Het bovenlichaam ging over in het lijf van een liggende leeuw.

Kat had gezien dat iets zijn aandacht trok en zwom een beetje dichterbij. 'Een sfinx?'

'Daar is er nog een,' zei Vigor. 'Kapot en op zijn zij. Duikers zeggen dat er in de buurt van het fort tientallen liggen. Ze maakten deel uit van de oorspronkelijke vuurtoren.'

Hoewel ze haast hadden, bleef Gray verwonderd naar het beeld kijken. Hij bestudeerde het gezicht dat tweeduizend jaar geleden door mensenhanden was vervaardigd. Hij stak zijn hand uit en raakte het aan, zich bewust van de enorme tijdspanne die hem van de maker van dit beeld scheidde.

Vigors stem kwam vanuit het niets. 'Heel toepasselijk dat deze raadselachtige wezens dit geheim bewaken.'

Gray trok zijn hand terug. 'Hoe bedoel je?'

Er klonk gegrinnik. 'Ken je het verhaal van de Sfinx? Dat was een monster dat Thebe terroriseerde. Hij vrat de Thebanen op als ze zijn raadsel niet konden oplossen: "Welk schepsel heeft één stem, gaat 's morgens op vier benen, 's middags op twee benen en 's avonds op drie benen?"'

'En wat is het antwoord dan?' vroeg Gray.

'Het is de mens,' antwoordde Kat. 'Als baby gaan we op handen en voeten, als volwassene gaan we op twee benen en in onze levensavond lopen we met een stok.'

Vigor vertelde verder: 'Oedipus loste het raadsel op en de Sfinx stortte zich van een hoge rots en stierf.'

'Van grote hoogte gevallen,' zei Gray. 'Net als deze sfinxen.'

Hij duwde zich af tegen de steen en zwom verder. Zij hadden hun eigen raadsel om op te lossen. Na nog tien minuten van zwijgend zoeken bereikten ze de steenachtige kust. Gray was langs een stapel reusachtige steenblokken gekomen, maar er was geen opening, geen aanwijzing.

'We gaan terug,' zei hij.

Ze schoven een eind op en zwommen weer terug van de kust naar de boot.

'Alles rustig daarboven, Monk?' vroeg Gray.

'Ik word al lekker bruin.'

'Vergeet niet factor 30 te gebruiken. We blijven hier nog wel even.'

'Komt in orde, kapitein.'

Nog drie kwartier zocht Gray verder onderweg naar de boot, daarna ging het weer de andere kant op. Hij kwam langs een roestig scheepswrak, nog meer stenen blokken, een afgebroken pilaar, zelfs een stuk van een obelisk met inscriptie. Vissen in alle kleuren van de regenboog schoten alle kanten op.

Hij controleerde hoeveel lucht hij nog had. Hij had rustig geademd, de duikfles was nog halfvol. 'Hoe zit het met jullie lucht?'

Na kort overleg besloten ze over een kwartier boven te komen. Na een pauze van een halfuur was het dan weer tijd voor de volgende duik.

Terwijl hij verder zwom, dacht hij na. Hij had het gevoel dat ze iets belangrijks hadden gemist. Stel dat de Societas Draconis iets uit de grot had meegenomen, een tweede aanwijzing? Hij trapte zich vooruit. Daar moest hij niet aan denken, hij moest handelen alsof hij over dezelfde informatie beschikte als de Societas, alsof niemand een voorsprong had.

De stilte onder water was drukkend. 'Ik vertrouw het niet,' mompelde hij.

De zender pikte zijn stem op.

'Heb je iets gevonden?' vroeg Kat. Ze zwom iets dichter naar hem toe.

'Nee, en dat zit me nou juist dwars. Hoe langer ik hier beneden ben, des te meer raak ik ervan overtuigd dat we het verkeerd aanpakken.'

'Sorry,' kwam Rachels stem als vanuit het niets. Ze klonk bijna wanhopig. 'Misschien hechtte ik te veel belang aan...'

'Nee.' Gray herinnerde zich dat ze zich snel iets aantrok. Hij kon zich wel voor zijn hoofd slaan dat hij hier debet aan was. 'Rachel, ik denk dat je het goed had dat we hier moeten zoeken. Ik heb problemen met mijn plan. Dat zoeken per kwadrant, dat voelt verkeerd.'

'Wat bedoel je?' vroeg Kat. 'Misschien duurt het even, maar we werken ze allemaal af.'

Dat was het hem nu net. Kat had het hem duidelijk gemaakt. Hij was niet iemand om systematisch te werken. Dat kon voor sommige problemen de beste oplossing zijn, maar niet voor dit soort raadsels.

'We hebben een aanwijzing over het hoofd gezien,' zei hij. 'Dat weet ik zeker. We herkenden de landkaart onder het graf, we zagen dat die naar het graf van Alexander verwees en toen zijn we hiernaartoe gevlogen. We hebben in bronnen en boeken gezocht om achter een raadsel te komen dat historici al in meer dan duizend jaar niet hebben weten op te lossen. Wie zijn wij dat we de oplossing in één dag kunnen vinden?'

'Wat moeten we dan doen?' vroeg Rachel.

Gray hield even stil. 'We gaan terug naar af. We hebben gezocht in historische bronnen die voor iedereen toegankelijk zijn. Het enige voordeel dat wij hebben ten opzichte van de schatgravers van de afgelopen eeuwen, is wat er onder het graf van Petrus is ontdekt. Daar hebben we een aanwijzing over het hoofd gezien.'

Of die aanwijzing is gejat, dacht hij erbij, maar hij zei het maar niet hardop.

'Misschien hebben we niets over het hoofd gezien,' merkte Vigor op, 'of misschien hebben we niet ver genoeg gekeken. Denk maar aan de catacombe. De raadsels daar waren gelaagd, met diepere betekenissen. Heeft dit raadsel misschien ook een diepere betekenis?'

Stilte... Totdat een onverwachte stem aan alle onzekerheid een einde maakte.

'Die verdomde ster van vuur,' vloekte Monk. 'Die wees niet naar de stad Alexandrië, die wees naar de steenplaat.'

Gray voelde dat Monk gelijk had. Ze waren zo op de landkaart gefixeerd geweest, op de vurige ster en de betekenis daarvan, dat ze over het hoofd hadden gezien dat de maker een ongebruikelijk medium had gebruikt.

'Hematiet,' zei Kat.

'Wat weet je van hematiet?' vroeg Gray. Zij had geologie gestudeerd.

'Het is een ijzeroxide. In heel Europa wordt dat gevonden. Meestal bestaat het vooral uit ijzer, maar soms tref je er ook hoeveelheden iridium en titanium in aan.'

'Iridium?' vroeg Rachel. 'Is dat niet een van de elementen van het amalgaam? In de beenderen van de Wijzen?'

'Ja,' zei Kat. Haar stem klonk vreemd gespannen. 'Maar ik denk niet dat dat iets zegt.'

'Wat?' vroeg Gray.

'Sorry, ik had er eerder aan moeten denken. Het ijzer in hematiet is vaak maar zwak magnetisch, niet zo krachtig als een magneet, maar toch wordt het soms als zodanig gebruikt.'

Gray begreep wat dat inhield. Met magnetisme was het eerste graf geopend. 'Dus de ster verwijst niet zomaar naar Alexandrië, maar naar een natuurmagneet, een steen die we moeten vinden.'

'Wat deden ze vroeger met natuurmagneten?' vroeg Vigor opgewonden.

Gray wist het antwoord op die vraag. 'Die gebruikten ze om er kompassen mee te maken!' Hij liet lucht in zijn bc-vest lopen en steeg langzaam op. 'Iedereen naar boven!'

11:10

Binnen een paar minuten hadden ze zich bevrijd van hun duikflessen, vesten en loodgordels. Rachel nam plaats achter het roer, blij te kunnen zitten. Ze drukte op het knopje en het anker werd gelicht.

'Langzaam aan,' zei Gray die naast haar was komen staan.

'Daar ga ik helemaal in mee,' zei Monk.

'Ik hou het kompas in de gaten,' ging Gray verder. 'En jij vaart langzaam om het fort heen. Eén beweging van de kompasnaald en we gaan voor anker en duiken op die plek.'

Rachel knikte. Ze hoopte dat als er zich daar beneden een magnetische steen bevond, die voldoende magnetisch was om het kompas te beïnvloeden.

Zodra het anker was gelicht, liet ze de schroef heel zacht draaien. Bijna ongemerkt bewogen ze vooruit.

'Prima,' fluisterde Gray.

Daar gingen ze. Langzaam kwam de zon steeds hoger te staan. Omdat het flink warm werd, zetten ze het zonnescherm op om maar een beetje schaduw te hebben. Monk lag op de bank aan bakboord en snurkte zacht. Niemand zei iets.

Bij iedere omwenteling van de schroef maakte Rachel zich meer zorgen.

'Stel dat de steen niet hier is?' fluisterde ze tegen Gray, die zijn blik strak op het kompas hield gericht. 'Stel dat die zich ín het fort bevindt?'

'Dan gaan we daar zoeken,' zei Gray. Even keek hij op naar de stenen citadel. 'Maar ik denk dat je gelijk hebt wat die geheime ingang betreft. De plaat hematiet lag boven een geheime tunnel naar de rivier. Misschien is dat ook weer zo'n deel van het raadsel.'

Kat hoorde hen en keek op van haar boek. 'Of we zoeken er te veel achter,' zei ze. 'Proberen we uit alle macht iets in te passen waarvan we vinden dat het bij het raadsel hoort.'

Bij de boeg masseerde Vigor zijn pijnlijke kuit. 'Ik denk dat het antwoord op de vraag waar de steen zich bevindt – aan land of onder water – afhangt van wanneer de alchemisten de aanwijzing hebben verborgen. We hebben berekend dat dat rond de dertiende eeuw moet zijn gebeurd omdat er toen een conflict bestond tussen de gnostiek en het orthodoxe geloof. Dus hebben de alchemisten de volgende aanwijzing verborgen voor of nadat de vuurtoren in 1303 instortte?'

Daar had niemand een antwoord op.

Even later bewoog de kompasnaald.

'Stop!' siste Gray.

De naald trilde niet meer. Kat en Vigor keken op en Gray legde zijn hand op Rachels schouder. 'Terug.'

Rachel zette de motor in zijn vrij. Ze gingen niet meer vooruit, maar lieten zich door de golfslag achteruit drijven.

Weer bewoog de kompasnaald, een kwartslag.

'Ga hier voor anker,' beval Gray.

Rachel durfde nauwelijks adem te halen toen ze op de knop drukte.

'Er is hier iets beneden,' zei Gray.

Tegelijkertijd kwam iedereen in actie en pakten ze allemaal nieuwe duikflessen.

Monk schrok wakker. 'Wat?' vroeg hij slaperig.

'Kennelijk mag jij weer op wacht staan,' zei Gray. 'Tenzij je liever een duik neemt?'

Monk fronste bij wijze van antwoord.

Zodra de boot voor anker lag en de oranje vlag wapperde, lieten de duikers zich weer in het water vallen.

Rachel liet de lucht uit haar vest ontsnappen en zonk tussen de luchtbelletjes naar beneden.

Ze hoorde Gray via de zender. 'Kijk naar jullie polskompas. Ga in de richting van de afwijking.'

Rachel keek op het kompas terwijl ze zonk. Het was hier niet erg diep, minder dan tien meter. Al snel stond ze op de zanderige bodem. De anderen kwamen om haar heen, net een zwerm vogels.

'Hier is niets,' zei Kat.

De bodem was glad.

Rachel keek weer naar haar kompas. Ze zwom een eindje weg en kwam toen weer terug. 'Het is precies hier.'

Gray bewoog met zijn pols over het zand. 'Ze heeft gelijk.'

Uit de schede om zijn andere pols haalde hij zijn mes en daarmee groef hij in het zachte zand. Elke keer verdween het mes er tot het heft in. Er wolkte zand op en dat maakte het zicht er niet beter op.

Bij de zevende keer kwam het mes al na een paar centimeter tegen iets hards aan.

'Hier,' zei Gray.

Hij deed het mes terug in de schede en begon met zijn handen te graven. Algauw zweefde er zoveel zand rond dat Rachel hem niet meer kon zien.

Toen hoorde ze dat hij zijn adem inhield.

Ze zwom dichterbij. Gray zwom achteruit. Langzaam dwarrelde het zand weer naar de bodem.

Uit het zand stak een donker stuk beeld, de buste van een man.

'Ik denk dat het magnetiet is,' zei Kat terwijl ze het stenen beeld bestudeerde. Ze liet haar polskompas over de buste gaan. De naald draaide rond. 'Magneetijzersteen.'

Rachel kwam dichterbij, ze staarde naar het gezicht. Er was geen vergissing mogelijk, dit gezicht had ze deze dag al vaker gezien.

Gray herkende het ook.

'Nog een sfinx.'

12:14

Tien minuten was Gray bezig het zand van de schouders en het boven-lijf te halen tot hij bij het leeuwenonderstel kwam. Het was onmisken-baar een van de sfinxen waarmee de bodem bezaaid lag.

'Verborgen tussen de andere,' zei Vigor. 'Dat is een antwoord op de vraag wanneer de alchemisten de aanwijzing hebben verstopt.'

'Nadat de vuurtoren is ingestort,' zei Gray.

'Precies.'

Ze bleven roerloos bij de sfinx wachten tot het opgeworpen zand weer was gaan liggen.

Vigor zei: 'Dat oude genootschap van alchemisten moet hebben ge-weten waar het graf van Alexander zich bevond nadat Septimus Severus het in de derde eeuw had verstopt. Ze lieten het ongemoeid en zorgden ervoor dat de kostbaarste boekrollen uit de verloren gegane bibliotheek werden bewaard. Maar het kan ook zijn dat de aardbeving van 1303 niet alleen de vuurtoren deed instorten, maar dat toen ook het graf werd bloot-gelegd. Ze maakten van de gelegenheid gebruik om hier beneden nog meer te verbergen. In de chaos na de aardbeving verborgen ze hier hun volgende aanwijzing. Ze vertrouwden erop dat die in de loop der tijd be-graven zou worden.'

'Als je gelijk hebt,' zei Gray, 'kunnen we de periode waarin de aanwij-zingen werden verborgen nader bepalen. Vergeet niet dat we al hadden uitgerekend dat dat rond de dertiende eeuw moest zijn geweest. We za-ten er maar een paar jaar naast. Het was in 1303. Het eerste decennium van de veertiende eeuw.'

'Hmm...' Vigor zwom dichter naar het beeld toe.

'Wat?'

'Ik vraag me af... In datzelfde decennium werd de paus uit Rome ver-jaagd en ging in ballingschap in Frankrijk. De daaropvolgende eeuw werd Rome door tegenpausen geregeerd.'

'En?'

'Het gebeente van de Wijzen werd in 1162 vanuit Italië naar Duitsland overgebracht. Ook toen werd de paus uit Rome verjaagd en bezette een tegenpaus de pauselijke troon.'

Gray dacht met hem mee. 'Dus de alchemisten verstopten hun spullen telkens wanneer het pausdom in gevaar verkeerde?'

'Daar lijkt het wel op. We mogen aannemen dat dit genootschap van magiërs banden met de paus had. Misschien sloten de alchemisten zich in die woelige tijden inderdaad aan bij de gnostische christenen, christenen die zochten naar esoterische kennis, thomasiaanse christenen.'

'En dit geheime genootschap ging op in de orthodoxe Kerk?'

Vigor knikte. 'Wanneer de Kerk in gevaar kwam, liep de geheime Kerk ook gevaar. Dus namen ze voorzorgsmaatregelen. Eerst brachten ze in de twaalfde eeuw de beenderen in Duitsland in veiligheid. En tijdens de roerige periode van de ballingschap verborgen ze de kern van hun kennis.'

'Ook al zou dat waar zijn, hoe helpt dit ons dan Alexanders graf te vinden?' vroeg Kat.

'De aanwijzingen die ons bij het graf van Petrus brachten, waren verborgen in verhalen over het katholicisme. De aanwijzingen hier kunnen verband houden met de mythen rond Alexander, Griekse mythen.' Vigor liet zijn gehandschoende vinger over het gezicht van het beeld dwalen. 'Waarom anders laten ze de poort door een sfinx bewaken?'

'De grote Grieken waren bedenkers van raadsels,' mompelde Gray.

'De monsters doodden je als je het goede antwoord niet wist,' voegde Vigor eraan toe. 'Misschien gebruikten ze daarom dit symbool als waarschuwing.'

Gray bekeek de sfinx terwijl het zand ging liggen. Het gezicht had een raadselachtige uitdrukking. 'Dan moeten we dit raadsel maar oplossen.'

12:32

DALEND BOVEN ALEXANDRIË

Het Gulfstream IV privé-straalvliegtuig kreeg toestemming van de verkeerstoren de landing in te zetten. Seichan luisterde naar het gebabbel in de cockpit dat ze door de openstaande deur kon horen. Ze zat vlak bij de deur. Rechts van haar viel het zonlicht door het raampje naar binnen.

Een enorme gestalte verscheen links van haar.

Raoul.

Ze bleef uit het raampje kijken terwijl het vliegtuig in een bocht boven de violetblauwe Middellandse Zee hing en zich daarna klaarmaakte voor de landing.

'Nog iets van je contactpersoon op de grond gehoord?' vroeg Raoul bijtend.

Het moest hem zijn opgevallen dat ze geen oortje in had. Ze voelde aan het drakenhangertje om haar hals. 'Ze zijn nog in het water. Als je geluk hebt, lossen zij dit raadsel voor jullie op.'

'Daar hebben we hen niet voor nodig.' Raoul liep weg om zich bij zijn mannen te voegen. Het team bestond uit zestien man, onder wie de deskundige van de Societas.

Seichan had de gerenommeerde bibliofiel van het Vaticaan al ontmoet, dr. Alberto Menardi, een slungelige man met zilvergrijs haar en een slechte huid, volle lippen en kleine oogjes. Hij zat achterin met een gebroken neus. Ze kende zijn dossier, hij had hechte banden met een Siciliaanse bende criminelen. Kennelijk kon zelfs het Vaticaan niet voorkomen dat zulk onkruid zich in hun aarde wortelde. Zijn scherpe verstand was echter niet te onderschatten, zijn IQ was drie punten hoger dan dat van Einstein.

Dr. Alberto Menardi was de man die vijftien jaar geleden na bestudering van de gnostische teksten in de bibliotheek van de Societas Draconis had ontdekt dat met elektromagnetisme de energie van deze supergeleidende metalen kon worden vrijgemaakt. Hij had de leiding gehad van het onderzoeksproject in Lausanne, en hij had proeven genomen op dieren, gewassen en mineralen. En wie zou er nu een eenzame Zwitserse rugzaktoerist missen? Deze laatste experimenten zouden de ergste nazi-geleerden nog onpasselijk hebben gemaakt.

Het was echter verontrustend dat de man ook iets met jonge meisjes had. En niet voor de seks. Nee, voor de lol.

Tot haar spijt had ze daar foto's van gezien. Als het Gilde haar niet had opgedragen de man te elimineren, zou ze dat op eigen houtje hebben gedaan.

Het vliegtuig zette de landing in.

Ergens diep beneden was het team van Sigma aan het werk. Een bedreiging vormden ze niet. Ze waren zo gemakkelijk af te schieten als visjes in een aquarium.

12

HET RAADSEL VAN DE SFINX

'Weten jullie nog, die rare vis?' vroeg Monk vanaf de boot boven hen.

Vier meter lager keek Gray fronsend op naar de kiel die boven hen dobberde. Ze waren vijf minuten bezig geweest allerlei mogelijkheden uit te sluiten. Misschien stond de sfinx boven een tunnel. Maar hoe moesten ze een brok steen verplaatsen dat een ton woog? Ze hadden het over levitatie gehad, over het gebruik van het amalgaam, net als in de Sint-Pieter. Gray had een reageerbuisje met het poeder uit Milaan. Maar om dat te proberen, hadden ze elektriciteit nodig... Niet erg verstandig in het water.

'Over welke vis heb je het, Monk?' vroeg Gray. Hij had hier genoeg vissen gezien om nooit meer vis te willen eten.

'Die uit het eerste raadsel,' antwoordde Monk. 'Je weet wel, de geschilderde vis in de catacombe.'

'Wat is daarmee?'

'Ik zie jullie en het beeld met de Aqua-Vu-camera. De sfinx kijkt naar dat grote fort.'

Gray keek naar het beeld. Hier kon je niet verder dan een meter of vier kijken, het was lastig het grote geheel te overzien. Monk had meer overzicht, en overzicht hebben was waarin hij uitblonk, hij zag door de bomen het bos.

'De catacombe...' mompelde Gray. Hij snapte waar Monk op doelde.

Kon het zo gemakkelijk zijn?

'Weten jullie nog,' ging Monk verder, 'dat we in de richting moesten waarin de vis keek om de volgende aanwijzing te vinden? Misschien kijkt de sfinx naar de tunnel.'

'Monk kon wel eens gelijk hebben,' zei Vigor. 'De aanwijzingen zijn in het begin van de veertiende eeuw verborgen. We moeten het probleem bekijken vanuit het toenmalig technisch niveau. In die tijd bestond er nog geen duikmateriaal, maar kompassen hadden ze wel. De sfinx zou wel eens niets anders kunnen zijn dan een magnetische wegwijzer. Je hebt een kompas nodig om die te vinden, daarna maak je een duik om te zien welke kant hij op kijkt en dan ga je aan land.'

'Er is maar één manier om erachter te komen,' zei Gray. 'Monk, blijf jij daar voor anker liggen tot we het zeker weten. Wij zwemmen naar de kust.'

Gray zwom weg van het beeld. Hij wachtte tot hij ver genoeg uit de buurt was om zijn kompas te gebruiken zonder last te hebben van de magneetsteen. 'Oké, eens kijken waar we uitkomen.'

Hij ging op weg. De anderen zwommen achter hem aan en bleven dicht bij elkaar.

Het was niet ver naar de kust. Het eilandje rees steil op uit het water. Plotseling hield de zanderige bodem op om plaats te maken voor een grillige stapel steenblokken, door mensenhand uitgehouwen.

'Dit moet ooit deel van de vuurtoren hebben uitgemaakt,' zei Vigor.

Zeepokken en zeeanemonen hadden bezit van het gebied genomen en er een rif van gemaakt met scharrelende krabbetjes en wegschietende visjes.

'We moeten ons verspreiden,' zei Kat. 'Het gebied doorzoeken.'

'Nee.' Instinctief begreep Gray wat er moest gebeuren. 'Het is net zoiets als de sfinx die tussen andere sfinxen is verborgen.' Hij zette zich af tegen de bodem en steeg langs het rif omhoog. Zijn ene arm hield hij voor zich uit gestrekt en hij keek strak naar het kompas.

Lang duurde het niet.

Toen hij over een blok zwom, bewoog de kompasnaald. Het was vier meter onder het wateroppervlak. Het blok was aan de voorkant ongeveer zestig centimeter in het vierkant.

'Hier,' zei hij.

De anderen voegden zich bij hem.

Kat trok een mes en schraapte de zeepokken eraf. 'Alweer hematiet. Iets minder magnetisch. Je zou het nooit opmerken als je er niet naar op zoek was.'

'Monk,' zei Gray.

'Ja, baas?'

'Kom op met die boot en ga hier voor anker.'

'Kom eraan.'

Gray onderzocht de randen van het blok steen. De steen zat aan de bovenkant, de onderkant en de zijkanten door lagen koraal, zand en enorme aangroeiingen van ruwe schelpen vast aan de andere.

'Iedereen neemt een kant en schraapt de rotzooi eraf,' beval hij. Hij haalde zich de plaat hematiet onder het graf van Petrus voor de geest. Die had een geheime tunnel verborgen. Hij twijfelde er niet aan of ze zaten op het goede spoor. Dat mocht ook wel eens.

Binnen een paar minuten was het steenblok schoon.

In het water hoorden ze het dreunende geluid van een schroef.

Langzaam naderde Monk de kust. 'Ik zie jullie,' zei hij. 'Een stelletje gestreepte kikkers op een rotsblok.'

'Gooi het anker uit,' zei Gray. 'Langzaam.'

'Komt eraan.'

Terwijl het zware anker uit de kiel verscheen, zwom Gray ernaartoe en hielp het in de richting van het blok hematiet. Hij duwde een hoek ervan in de spleet tussen het blok hematiet en dat ernaast.

'Haal maar op,' beval Gray.

Monk haalde het anker op. De ketting stond strak.

'Iedereen uit de buurt,' beval Gray.

Het blok bewoog, er kolkte zand op, daarna schoot het steenblok los. Het was maar een centimeter of dertig dik. Het rolde naar beneden, botste met gedempt geluid op andere stenen en kwam toen zwaar neer op de zanderige bodem.

Gray wachtte tot het zand weer was gaan liggen en zwom naar voren. Er zat een zwart gat tussen de stenen, net een slecht gebit.

Gray knipte de lamp op zijn pols aan en richtte de lichtstraal op het gat. Het licht scheen in een rechte tunnel die flauwtjes naar boven liep. De tunnel was maar smal, er was geen ruimte voor duikflessen.

Waar ging de tunnel heen? Er was maar één manier om daarachter te komen.

Gray stak een hand uit naar de gespen waarmee zijn duikfles vastzat en maakte ze los.

'Wat doe je?' vroeg Rachel.

'Iemand moet gaan kijken.'

'We kunnen de Aqua-Vu-camera van de boot halen,' opperde Kat. 'En die aan een hengel of een roeiriem naar binnen duwen.'

Dat was geen slecht idee – maar het zou veel tijd kosten.

En tijd hadden ze niet.

Gray legde zijn duikfles op een richel. 'Ik ben zo terug.' Nadat hij diep adem had gehaald, maakte hij de ademautomaat los van het masker en draaide zich om naar de tunnel.

Hij paste er maar net in.

Hij herinnerde zich het raadsel van de Sfinx. Daarin werd het eerste stadium van de mens beschreven. Kruipen. Een goede manier om binnen te komen.

Hij boog zijn hoofd en stak zijn armen naar voren zodat hij licht voor zich uit had. Vervolgens zette hij zich af en zwom de smalle tunnel in.

Terwijl hij door de tunnel werd opgeslokt, schoot hem Vigors waarschuwing met betrekking tot het raadsel van de Sfinx te binnen.

Als je het niet goed had, betekende dat je dood.

13:01

Rachel hield haar adem in terwijl ze keek naar Grays vinnen die in de tunnel verdwenen.

Het was waanzin. Stel dat hij vast kwam te zitten? Stel dat de tunnel gedeeltelijk instortte? Duiken in een tunnel was extreem gevaarlijk, alleen mensen die dood wilden namen dat risico.

En die hadden duikflessen.

Ze klampte zich met haar gehandschoende handen aan de rotswand vast. Oom Vigor zwom naar haar toe en legde zijn hand bemoedigend op de hare.

Kat zat voor de opening geknield en scheen met haar lamp in de tunnel. 'Ik zie hem niet.'

Rachel klampte zich nog steviger vast.

Haar oom merkte dat ze ongerust was. 'Hij weet wat hij doet, hij kent zijn grenzen.'

Maar was dat wel zo?

Rachel had de laatste uren een soort onbeheerstheid in hem opgemerkt. Dat vond ze zowel opwindend als beangstigend. Ze kende hem nu lang genoeg om te weten dat Gray niet als iedereen dacht. Hij bewoog zich op het scherp van de snede en vertrouwde op zijn snelle denken en zijn reflexen wanneer hij in de problemen raakte. Maar hoe scherp je geest ook was en hoe goed je reacties, daar had je niets aan wanneer een rotsblok op je hoofd neerkwam.

Ze hoorde iets. 'Kunnen... me... horen...'

Het was Gray.

'Je bent niet goed te verstaan,' zei Kat.

'Wacht...'

Kat keek hen aan. Door het ruitje van haar masker was haar frons duidelijk te zien.

'Is dit beter?' Nu was Gray luid en duidelijk te horen.

'Ja.'

'Ik was uit het water, ik moest mijn hoofd onder water steken.' Het klonk opgewonden. 'Die tunnel is maar kort,' zei hij. 'Schuin naar boven. Als je diep ademhaalt en je vinnen gebruikt, ben je in een mum van tijd hier.'

'Heb je iets ontdekt?' vroeg oom Vigor.

'Stenen tunnels. Zien er best stevig uit. Ik ga nu verder op onderzoek.'

'Ik ga met je mee,' zei Rachel spontaan. Ze rukte aan de gespen.

'Wacht, ik kijk eerst even of het veilig is.'

Rachel deed haar flessen af, trok haar vest uit en legde alles in een spleet. Gray was niet de enige die niet te houden was. 'Ik kom eraan.'

'Ik ook,' zei haar oom.

Rachel haalde diep adem en maakte haar slang los. Daarna zwom ze naar de opening van de tunnel en zwom naar binnen. Het was er pikkedonker. In haar haast had ze vergeten de lamp aan te zetten, maar terwijl ze verder zwom, zag ze drie meter verderop een vaag lichtschijnsel. Ze schoot naar boven. Het werd steeds lichter, de tunnel werd breder.

Even later kwam ze boven in een soort vijver.

Gray keek haar fronsend aan. Hij stond op de stenen rand rond het water. Om haar heen zag ze een ronde ruimte, een grot die door mensenhanden was vervaardigd. De overkapping bestond uit draagstenen in steeds nauwer wordende ringen, zodat het leek of ze zich in een minuscule trappiramide bevond.

Gray stak haar zijn hand toe en terwijl ze met grote ogen om zich heen keek, trok hij haar uit het water.

'Je had niet moeten komen,' zei hij.

'En jij had niet in je eentje moeten gaan,' reageerde ze, maar haar blik was nog op de steenblokken om haar heen gevestigd. 'Trouwens, als dit hier de aardbeving heeft overleefd waardoor de vuurtoren is ingestort, kan het ook wel tegen mijn voetstappen.'

Tenminste, dat hoopte ze.

Even later kwam Vigor boven.

Gray zuchtte. Hij had kunnen weten dat ze niet zouden wegblijven.

Rachel zette haar masker af en duwde de hood naar achteren. Nadat ze haar haar had uitgeschud, bukte ze om haar oom uit het water te helpen.

Gray hield zijn masker op en stopte zijn hoofd onder water omdat de zender daar het best werkte.

'Kat, bewaak jij de tunnel. Zodra we uit het water zijn, kunnen we geen contact meer houden. Monk, als er iets is, waarschuw je Kat en dan kan zij ons komen halen.'

Hij kreeg van beiden een bevestiging, al klonk Kat geërgerd.

Monk vond het prima om te blijven waar hij was. 'Gaan jullie maar. Ik heb mijn buik vol van dat door graftomben kruipen.'

Gray ging staan en zette eindelijk zijn masker af. De lucht was hier verbazend fris, al hing er de geur van algen en zand. Er moesten spleten zijn waardoor de buitenlucht kon binnendringen.

'Een tumulus,' zei Vigor, die zijn masker ook had afgedaan. Hij bekeek het stenen gewelf. 'De vorm van een Etruskisch graf.'

Er waren twee tunnels. Gray wilde die graag beter bekijken. De ene tunnel was hoger dan de andere, maar erg smal, nauwelijks breed genoeg om erdoor te kunnen. De andere was laag zodat je een beetje gebogen moest lopen, maar wel breder.

Vigor betastte de blokken waaruit de wand was opgetrokken. 'Kalksteen. Uitgehouwen en goed sluitend, maar voel eens... Ze zijn met lood aan elkaar gevoegd.' Hij wendde zich tot Gray. 'Volgens historische bronnen was dat ook het geval bij de vuurtoren.'

Rachel keek om zich heen. 'Dit is misschien een gedeelte van de oorspronkelijke vuurtoren, een kelder of zo.'

Vigor liep naar de lage tunnel. 'Laten we kijken waar deze naartoe gaat.'

Gray hield hem tegen. 'Ik ga voor.'

Vigor knikte een beetje verontschuldigend. 'Natuurlijk.'

Gray boog zich en scheen met zijn lantaarn in de tunnel. 'Wees zuinig met de batterij,' zei hij. 'We weten niet hoe lang we hier onder de grond zullen zitten.'

Gray zette een stap vooruit. Hij bukte en meteen schoot er een pijnscheut door hem heen, een nawee van de klap die hij had gekregen van de kogels die hem in Keulen hadden getroffen. Hij voelde zich net een bejaarde.

Plotseling bleef hij als verstard staan.

Shit.

Vigor botste tegen hem op.

'Terug, terug, terug...' zei Gray.

'Wat?' vroeg Vigor, maar hij deed wat hem was gezegd.

Gray kwam weer in de ronde ruimte.

Rachel keek hem vragend aan. 'Wat is er?'

'Ken je dat verhaal over een oude man die moest kiezen tussen twee deuren? Achter de ene zat een tijger, achter de andere een vrouw.'

Rachel en Vigor knikten.

'Misschien heb ik het verkeerd, maar volgens mij hebben we hier met net zoiets te maken. Twee deuren.' Gray gebaarde naar de twee donkere tunnels. 'Weten jullie nog, het raadsel van de Sfinx over de stadia van de mens? Kruipen, rechtop en gebogen. We hebben moeten kruipen om hier te komen.' Gray wist nog wat hij had gedacht toen hij de tunnel in ging.

'Er zijn twee manieren om verder te gaan,' vervolgde hij. 'In de ene tunnel kunnen we rechtop lopen, in de andere zijn we gedwongen te bukken. Zoals ik al zei, ik kan het bij het verkeerde eind hebben, maar ik neem toch liever eerst de andere tunnel. Die waarin we rechtop kunnen lopen, het tweede stadium van de mens.'

Vigor keek naar de tunnel waar ze doorheen hadden willen gaan. Als archeoloog moest hij goed op de hoogte zijn van de boobytraps die in graven konden worden aangetroffen. Hij knikte. 'Er is geen enkele reden om overhaast te werk te gaan.'

'Geen enkele reden.' Gray liep om het water heen naar de andere tunnel.

Hij zette zijn lamp aan en ging hun voor. Na een stap of tien kon hij weer rustig ademhalen.

Het werd een beetje bedompt, waarschijnlijk ging de tunnel diep het schiereiland in. Gray voelde bijna het gewicht van het fort op zich drukken.

De tunnel maakte een paar scherpe bochten, maar uiteindelijk zag hij licht. De tunnel werd breder en het licht van de lamp werd ergens door weerkaatst.

Gray hield zijn pas in waardoor de anderen tegen hem op botsten.

'Wat zie je?' vroeg Rachel, die helemaal achteraan stond.

'Niet te geloven...'

Op de monitor van de Aqua-Vu-camera zag Monk Kat bij de ingang van de tunnel wachten. Ze bewoog nauwelijks met haar vinnen om haar energie te sparen. Terwijl hij keek, maakte ze kleine bewegingen, onderwatertai chi. Ze strekte een been, draaide een dij, en accentueerde zo haar slanke lichaam.

Hij tekende haar vormen op het scherm na met zijn vinger.

Een volmaakte s.

Volmaakt.

Hoofdschuddend draaide hij zich af. Wie hield hij voor de gek?

Hij keek speurend over het blauwe water. Hoewel hij een polaroidzonnebril op had, deed de felle zon pijn aan zijn ogen.

En die hitte...

Zelfs in de schaduw moest het boven de zevenendertig graden zijn. Zijn droogpak zat ongemakkelijk. Hij had de rits opengezet en het bovengedeelte los laten hangen zodat zijn borst bloot was. Maar al het zweet leek zich in zijn kruis te verzamelen.

En nu moest hij pissen.

Hij kon de cola light maar beter laten staan.

Een beweging trok zijn aandacht, aan de andere kant van het schiereiland. Een forse, ranke boot, nachtblauw, een jacht van negen meter. Hij kon zien dat het geen gewoon schip was. Een draagvleugelboot kliefde door het water en scheerde over de golfjes als een slee over een ijsvlakte.

Shit, dat ging hard.

Met zijn blik volgde hij het vaartuig dat op een afstand van een kwart kilometer in een bocht rond de landtong voer. Het zette koers naar de oostelijke haven. Het was te klein voor een pont. Misschien was het het jacht van een rijke Arabier. Hij pakte zijn verrekijker en zocht de boot. Het duurde even voordat hij die te pakken had.

Op de steven zag hij een paar meisjes in bikini. Geen zedige boerka te bekennen. Monk had de andere boten in de haven al goed bekeken, hij kende hun positie. Op een van de kleine jachten was een feestje aan de gang, daar vloeide de champagne. Op een soort woonboot luierde een bejaard stel, piemelnaakt. Kennelijk namen ze het in Alexandrië niet zo nauw.

'Monk,' hoorde hij Kat via het zendertje.

Hij had een headset op die in verbinding stond met de onderwaterzender. 'Wat is er, Kat?'

'Ik hoor statische geluiden. Ben jij dat?'

Hij liet de verrekijker zakken. 'Nee, maar ik controleer de zender wel even. Misschien krijg je storing van apparatuur die naar vis zoekt.'

'Begrepen.'

Monk keek weer uit over het water. De draagvleugelboot minderde vaart en zonk dieper weg in het water. De boot was naar de andere kant van de haven gedreven.

Mooi zo.

Monk prentte de positie in zijn geheugen, nog een stuk op zijn denkbeeldige schaakbord. Daarna richtte hij zijn aandacht op de Buddy Phone. Hij draaide aan de modulatieknop en werd beloond met een pieptoon, daarna zette hij de knop terug op het juiste kanaal.

'Zo beter?' vroeg hij.

Kat antwoordde: 'Ja, nu is het weg.'

Monk schudde zijn hoofd. Dat had je met gehuurde apparatuur...

'Zeg maar als het weer mis is,' zei hij.

'Doe ik. Bedankt.'

Monk keek weer naar haar op het scherm en zuchtte. Wat had hij eraan? Hij pakte de verrekijker weer op. Waar waren die twee meisjes in bikini?

13:10

Rachel was de laatste die de ruimte betrad. De twee mannen gingen opzij om plaats voor haar te maken. Ondanks Grays waarschuwing de batterijen te sparen, had oom Vigor zijn lamp ook aan geklikt.

De lichtbundels dwaalden door weer een rond vertrek met een gewelfd plafond waarvan het pleister zwart was geverfd en waarop zilveren sterren zacht glansden tegen de donkere achtergrond. De sterren waren echter niet geschilderd, maar van ingelegd metaal.

De zoldering werd weerspiegeld in een poel water die vrijwel de hele vloer in beslag nam. Het zag er ongeveer kniediep uit. Door de weerspiegelde sterren leek het of de sterrenhemel het hele vertrek omvatte, boven en onder.

Maar dat was niet eens het wonderbaarlijkste.

In het midden van de ruimte rees een enorme glazen piramide op, manshoog, die in de denkbeeldige bol leek te zweven.

De glazen piramide had een vertrouwd gouden glans.

'Het zal toch niet...' mompelde oom Vigor.

'Goudglas,' zei Gray. 'Een enorme supergeleider.'

Ze verspreidden zich langs de smalle stenen rand die om het water heen liep. Vier koperen potten stonden op regelmatige afstand in het water. Haar oom inspecteerde er eentje en liep toen verder. Antieke lampen, dacht Rachel. Maar zij hadden zelf verlichting meegenomen.

Ze bestudeerde het gevaarte in het midden van het water. De piramide had een vlakke basis en vier zijvlakken, net als de piramiden van Gizeh.

'Er zit iets in,' zei ze.

Door de weerspiegeling van de glazen oppervlakten was het moeilijk details te zien. Rachel stapte in het water, het kwam net tot boven haar knieën.

'Voorzichtig,' zei Gray.

'Ja, jij bent zelf ook altijd voorzichtig,' kaatste ze terug terwijl ze op de piramide toe waadde.

Aan het geklots achter zich merkte ze dat de anderen haar voorbeeld hadden gevolgd. Ze liep naar het glazen bouwwerk toe. Haar oom en Gray hielden hun lantaarns zo dat het licht in de piramide kon doordringen.

Twee vormen werden zichtbaar.

De ene stond precies in het midden van de piramide. Het was een bronzen beeld dat een enorme, omhoogwijzende vinger voorstelde. De vinger was zo groot dat ze betwijfelde of haar armen eromheen pasten. Het beeld was zeer gedetailleerd, van de keurig geknipte nagel tot de lijntjes bij de kootjes.

Maar haar aandacht ging vooral uit naar de vorm onder de opgeheven vinger. Een gekroonde gestalte met een gouden masker voor en gehuld in een wit gewaad lag boven op een stenen altaar. Als een jezusfiguur had hij zijn armen wijd, maar het masker was overduidelijk Grieks.

Rachel draaide zich om naar haar oom. 'Alexander de Grote.'

Haar oom liep langzaam om de piramide heen zodat hij er van alle kanten in kon kijken. Er stonden tranen in zijn ogen. 'Zijn graf... In de historische bronnen stond vermeld dat hij in glas rustte.' Hij stak zijn hand uit naar een van de uitgestrekte handen, maar een paar centimeter achter het glas, toen bedacht hij zich en liet zijn hand vallen.

'Wat betekent die bronzen vinger?' vroeg Gray.

Oom Vigor liep naar hem terug. 'Ik... ik denk dat die bij de Kolossus van Rhodos hoort, het reusachtige beeld dat de haven daar overspande. Dat stelde de god Helios voor, maar met het uiterlijk van Alexander. Het is niet bekend dat er nog iets van over is.'

'Het laatste overblijfsel is Alexanders grafsteen geworden,' zei Rachel.

'Ik denk dat dit alles een hulde aan Alexander is,' zei haar oom. 'Een hulde aan de wetenschap en de kennis die hij hielp koesteren. In de bibliotheek van Alexandrië ontdekte Euclides de regels van de geometrie. Overal om ons heen zien we driehoeken, piramiden en cirkels.'

Oom Vigor wees omhoog en toen naar beneden. 'De weerkaatste, door water gehalveerde, bol is een verwijzing naar Eratosthenes die in Alexandrië de omtrek van de aarde berekende. Zelfs het water hier... Dat moet door kanaaltjes hiernaartoe worden geleid om ervoor te zorgen dat er water blijft staan. In de bibliotheek van Alexandrië ontwierp Archimedes de eerste pomp met een schroef, en zulke pompen worden ook nu nog gebruikt.'

Hoofdschuddend ging haar oom verder: 'Dit alles is een monument ter ere van Alexander en de verloren gegane bibliotheek van Alexandrië.'

Dat deed Rachel ergens aan denken. 'Moesten er zich hier geen boeken bevinden? Had Septimus de belangrijkste boekrollen uit de bibliotheek niet hier verborgen?'

Zoekend keek Vigor om zich heen. 'Ze moeten hier na de aardbeving een opruiming hebben gehouden, toen de aanwijzingen hier werden verborgen. De boekrollen moeten zijn meegenomen en naar de verstopte bergplaats zijn gebracht die we zoeken. We moeten er nu heel dichtbij zijn.'

Rachel hoorde dat de stem van haar oom beefde. Wat zouden ze allemaal nog meer ontdekken?

'Maar voordat we verder gaan,' zei Gray, 'moeten we dit raadsel oplossen.'

'Nee,' zei oom Vigor. 'Het raadsel is nog verborgen. Weet je nog in de Sint-Pieter? Eerst moesten we een proef doorstaan. We moesten laten zien dat we over voldoende kennis beschikten, net zoals de Societas Draconis toen ze moesten aantonen dat ze begrepen wat magnetisme is. Pas toen werd het geheim onthuld.'

'Maar wat moeten we dan dóén?' vroeg Gray.

Oom Vigor liep met zijn blik op de piramide gericht naar achteren. 'We moeten deze piramide activeren.'

'En hoe doen we dat?' vroeg Gray.

Vigor draaide zich naar Gray om. 'Ik heb cola nodig.'

13:16

Gray wachtte op Kat die een paar blikjes cola was gaan halen. Ze hadden nog twee sixpacks nodig. 'Maakt het uit of het gewone cola is of cola light?' vroeg Gray.

'Nee,' zei Vigor. 'Ik heb gewoon zuur nodig. Citroensap is ook goed, of azijn.'

Gray keek Rachel aan. Die haalde hoofdschuddend haar schouders op.

'Wil je het dan nu misschien uitleggen?' vroeg Gray.

'Weet je nog dat het eerste graf door magnetisme werd geopend?' vroeg Vigor. 'We weten dat ze in de oudheid wisten wat magneten waren. Natuurmagneten werden overal gebruikt. In China hadden ze rond 200 v.C. al kompassen. Om verder te kunnen, moesten we bewijzen dat we met magnetisme bekend waren. Daardoor zijn we hier kunnen komen, door de magnetische wegwijzer onder water.'

Gray knikte.

'Dus moet hier een ander wetenschappelijk wonder worden verricht.'

Vigor werd onderbroken door de komst van Kat. Ze dook op in de vijver bij de ingang met nog twee sixpacks, zodat ze er nu in totaal vier hadden.

'We zullen Kats hulp straks goed kunnen gebruiken,' zei Vigor. 'Er zijn vier personen voor nodig.'

'Hoe is het boven?' vroeg Gray aan Kat.

Ze haalde haar schouders op. 'Rustig. Er was iets met de zender, maar dat heeft Monk verholpen. Dat was de spannendste gebeurtenis.'

'Vertel hem dat je een paar minuten uit de lucht bent,' zei Gray. Hij vond dat niet prettig, maar ze moesten weten wat hier begraven lag.

Kat dook om de boodschap door te geven. Daarna klom ze snel uit het water en konden ze allemaal terug naar het graf van Alexander.

Vigor gebaarde dat ze uit elkaar moesten. Hij wees naar een koperen urn aan de rand van de vijver. Er waren vier van zulke potten. 'Nemen jullie ieder een sixpack cola en neem dan positie in bij een urn.'

Ze verspreidden zich.

'Wil je ons vertellen waar we mee bezig zijn?' vroeg Gray terwijl hij bij zijn urn ging staan.

Vigor knikte. 'We gaan weer een wetenschappelijk wonder verrichten. Wat we hier gaan aantonen is een kracht waar zelfs de Grieken al van op de hoogte waren. Ze noemden het *elektrikos*, de naam voor de statische lading van een doek waarmee over barnsteen wordt gewreven. Zij zagen het als bliksem, of in de masten van hun zeilschepen; elmusvuur.'

'Elektriciteit,' zei Gray.

Vigor knikte. 'In 1938 ontdekte de Duitse archeoloog Wilhelm Koenig in het Nationale Museum van Irak een paar vreemde kleipotten. Ze waren slechts vijftien centimeter hoog en ze kwamen uit Perzië, het land waar onze bijbelse Wijzen vandaan kwamen. Het vreemde aan de potjes was dat ze met asfalt waren verzegeld en dat daardoorheen een koperen cilinder liep die een ijzeren staaf omhulde. Iedereen met iets van voltaïsche kennis zou weten wat het waren.'

Gray fronste. 'En degenen zonder die kennis?'

'De potten... Ze hadden de opbouw van batterijcellen, ze worden zelfs de batterijen van Bagdad genoemd.'

Gray schudde zijn hoofd. 'Eeuwenoude batterijen?'

'Zowel General Electric als *Science Digest* heeft in 1957 replica's van deze potjes gemaakt. Ze vulden ze met azijn en zo werd een aanzienlijk voltage opgewekt.'

Gray staarde naar het potje aan zijn voeten en dacht aan Vigor die om cola had gevraagd, ook een zuuroplossing. Het viel hem op dat er een ijzeren staafje uit de koperen pot stak. 'Bedoel je dat dit batterijen zijn? Stokoude Duracells?'

Hij keek naar de vijver. Als Vigor gelijk had, begreep Gray nu waarom er potjes in de vijver vol zeewater stonden. De spanning die door de batterijen werd opgewekt zou door het water naar de piramide worden geleid.

'Waarom geen startkabels gebruikt?' opperde Kat. 'We kunnen een accu van de boot halen.'

Vigor schudde zijn hoofd. 'Ik denk dat de piramide geactiveerd moet worden door het juiste voltage vanuit batterijen die in deze positie staan. Ik denk dat we geen grotere krachten moeten opwekken bij een supergeleider van dit formaat dan de oorspronkelijke opstelling zou doen.'

Dat was Gray met hem eens. Hij herinnerde zich de aardbeving en de schade in en aan de basiliek. Die was met slechts één cilinder met poeder in de m-state veroorzaakt. Hij keek nog eens naar de enorme piramide en besefte dat ze beter konden doen wat Vigor hun had aangeraden.

'En nu?' vroeg hij.

Vigor trok het lipje van een van zijn blikjes cola. 'Ik tel af en dan vullen we de lege batterijen.' Om de beurt keek hij iedereen aan. 'O, en ik stel voor dat we zoveel mogelijk afstand bewaren.'

13:20

Monk zat achter het roer en tikte met een leeg blikje cola op de stuurboordreling. Hij had genoeg van al dat wachten. Misschien was duiken toch niet zo vreselijk, het water zag er in deze hitte aanlokkelijk uit.

Toen hij het harde brommen van een motor hoorde, draaide hij zich om.

De draagvleugelboot waarvan hij had gedacht dat die voor anker ging, was weer gaan varen. Hij hoorde de motor toeren maken. Aan dek scheen iets aan de hand te zijn.

Hij pakte zijn verrekijker. Even het zekere voor het onzekere nemen.

Terwijl hij de verrekijker naar zijn ogen bracht, wierp hij even een blik op het scherm van de Aqua-Vu-camera. Nog steeds niemand bij de ingang van de tunnel.

Waar bleef Kat?

13:21

Gray leegde zijn derde blikje in de cilinder midden in zijn potje. Algauw droop de cola schuimend over het koper van de batterij. Vol.

Hij stond op en dronk het laatste restje cola uit het blikje op.

Jasses... Cola light.

De anderen waren ongeveer tegelijkertijd klaar, ze kwamen overeind en liepen achteruit.

Uit de cilinders kwam een beetje koolzuurhoudend schuim. Verder gebeurde er niets. Misschien hadden ze het niet goed gedaan, of misschien werkte cola niet. Of, waarschijnlijker, was het klinkklare onzin wat Vigor had bedacht.

Toen danste er een vonk op de top van de ijzeren staaf in Grays potje die langs het koperen oppervlak sprong om in het zeewater te doven.

In de andere batterijen ontstond eenzelfde zwak vuurwerk.

'Het duurt een paar minuten voordat er in de batterijen genoeg spanning is opgewekt.' Vigor klonk niet meer zo overtuigd.

Gray fronste zijn wenkbrauwen. 'Volgens mij wordt dit niets...'

Op hetzelfde moment verschenen er aan alle vier de batterijen schitterende bliksems die krakend door het water schoten, vuur in de diepte. Ze raakten de vier vlakken van de piramide.

'Tegen de muur!' schreeuwde Gray.

Die waarschuwing was niet nodig. Uit de piramide kwam een enorme schokgolf die hen tegen de wand drukte. Door de druk had Gray het gevoel dat hij op zijn rug lag en dat het ronde vertrek ronddraaide met de piramide boven hem, een afschuwelijke attractie uit een pretpark.

Maar Gray wist waaruit de kracht bestond.

Het was het Meissner-effect, een effect dat graftombes kon doen zweven.

Daarna begon het echte vuurwerk.

Van alle vlakken van de piramiden schoten bliksems krakend tot aan het plafond, ze leken de zilveren sterren te treffen die daar waren ingelegd. Er trokken ook bliksemschichten naar de vijver, alsof die het op de weerspiegelde sterren in het water hadden voorzien.

Het beeld brandde zich op Grays netvlies en toch weigerde hij zijn ogen te sluiten. Dit was het risico blind te worden wel waard. Waar de bliksem het water trof, schoten vlammen omhoog die over de vijver dansten.

Vuur uit water!

Hij wist waarvan hij getuige was.

De elektrolyse van water in waterstofgas en zuurstof. Het vrijgekomen gas ontbrandde door de energie die hier aan het werk was.

Tegen de muur gedrukt keek Gray naar het vuur boven en beneden. Hij kon de krachten die hier werden ontketend nauwelijks bevatten.

Hij had in theoretische werken gelezen dat in een supergeleider oneindig lang krachten konden worden opgeslagen, zelfs licht. En in een volmaakte supergeleider kon een oneindige hoeveelheid energie of licht worden bewaard.

Was dat waar hij getuige van was?

Voordat hij het allemaal kon bevatten, stierf de energie plotseling weg; een onweer in een fles, schitterend maar van korte duur.

De wereld kwam tot rust toen het Meissner-effect ophield en zijn lichaam niet meer tegen de muur werd gedrukt. Wankelend zette Gray een stap naar voren en viel bijna in de vijver. Daar doofden de vlammen. Wat er ook voor krachten in de piramide hadden gescholen, ze waren uitgewerkt.

Niemand zei iets.

Zwijgend kwamen ze bij elkaar staan, ze hadden nu even behoefte aan elkaars lichamelijke aanwezigheid.

Vigor was de eerste die iets zei. Hij wees naar het plafond. 'Kijk!'

Gray keek omhoog. De zwarte verf en de sterren hadden het doorstaan, maar nu gloeiden er op het plafond letters op.

όπως είναι ανωτέρω, έτσι είναι κατωτέρω

'Een aanwijzing,' zei Rachel.

Terwijl ze naar de letters keken, vervaagden die. Net als de vurige ster op de plaat hematiet in de Sint-Pieter bleef de onthulling maar even zichtbaar.

Gray maakte gejaagd zijn onderwatercamera los. Dit moesten ze vastleggen.

Vigor hield hem tegen. 'Ik weet wat er staat. Het is Grieks.'

'Kun je het vertalen?'

Vigor knikte. 'Het is niet zo moeilijk. Het is een strofe die aan Plato wordt toegedicht, hij zegt dat de sterren invloed op ons hebben, dat ze een weerspiegeling van onszelf zijn. Het is de basis van de astrologie, de hoeksteen van het gnostisch geloof.'

'Hoe luidt die zin dan?' vroeg Gray.

'"Zoals het boven is, is het ook beneden."'

Gray staarde naar de sterrenhemel boven hem en toen naar de weerspiegeling beneden. Boven en beneden. Dezelfde gedachte, maar dan visueel gemaakt. 'Maar wat betekent dat?'

Rachel was een eindje weg gelopen. Langzaam liep ze rond het vertrek. Vanaf de achterkant van de piramide riep ze: 'Hier!'

Gray hoorde iets plonzen.

Ze renden naar haar toe. Rachel waadde op de piramide af.

'Voorzichtig,' waarschuwde Gray haar.

'Kijk,' zei ze, en ze wees.

Gray was om de piramide heen gelopen en zag wat ze zo opwindend had gevonden. Een stukje van de piramide van vijftien vierkante centimeter was halverwege een vlak verdwenen, opgelost, weggebrand. In de holte lag een van Alexander de Grote's uitgestrekte handen, tot een vuist gebald.

Rachel stak haar hand uit, maar Gray hield haar tegen.

'Laat mij maar,' zei hij.

Hij raakte de hand aan, blij dat hij nog zijn duikhandschoenen droeg. De dorre hand voelde hard als steen. Tussen de samengeknepen vingers glinsterde goud.

Gray zette zijn kaken op elkaar en brak een van de vingers af, wat hem op een ontstelde kreet van Vigor kwam te staan.

Het kon niet anders.

Uit de vuist trok Gray een gouden sleutel van een centimeter of twintig lang. De baard was stevig en gesmeed in de vorm van een kruis. De sleutel was verrassend zwaar.

'Een sleutel,' zei Kat.

'Maar op welk slot past die?' vroeg Vigor.

Gray stapte achteruit. 'Dat is het volgende wat we moeten vinden.' Hij liet zijn blik naar het plafond dwalen, waar de letters nu helemaal waren vervaagd.

'Zoals het boven is, is het ook beneden,' herhaalde Vigor toen die zag waar Gray naar keek.

'Maar wat betekent dat?' mompelde Gray. Hij stopte de sleutel in de zak op zijn dij. 'Hoe weten we waar we naartoe moeten?'

Rachel draaide zich om en om en bekeek het vertrek aandachtig, toen bleef ze staan met haar blik op Gray gericht. Haar ogen fonkelden. Die blik kende hij langzamerhand wel.

'Ik weet waar we moeten beginnen.'

13:24

In het verhoogde stuurgedeelte van de draagvleugelboot ritste Raoul zijn duikpak dicht. De boot was eigendom van het Gilde, het had de Societas Draconis een klein fortuin gekost die te huren, maar er mochten vandaag geen fouten meer worden gemaakt.

'Vaar er in een ruime bocht naartoe, zo dichtbij mogelijk zonder argwaan te wekken,' beval hij de kapitein, een Zuid-Afrikaan met een patroon van littekentjes over zijn hele donkere gezicht.

Twee jonge vrouwen, de een blond, de ander donker, stonden naast de man. Ze droegen bikini's, hun camouflagekleding, maar in hun ogen fonkelde de belofte van geweld.

Zonder Raoul aan te kijken draaide de kapitein aan het roer en het vaartuig ging scheef hangen in de bocht.

Raoul draaide zich af van de kapitein en zijn dames. Hij begaf zich naar de ladder die naar het benedendek leidde.

Het ergerde hem dat hij aan boord was van een schip dat niet onder zijn zeggenschap stond. Hij klom de ladder af om zich bij het twaalfkoppige team te voegen dat zou gaan duiken. Zijn andere drie mannetjes zouden de machinegeweren bedienen die slim in de steven en aan weerskanten van de achtersteven waren ingebouwd. Het laatste lid van zijn team, dr. Alberto Menardi, zat veilig in een van de hutten en bereidde zich voor op het oplossen van de raadsels die ze hier zouden aantreffen.

En er was ook nog een aanvulling van het team die bepaald niet welkom was.

De vrouw.

Seichan stond met haar duikpak open tot op haar navel. Haar borsten werden maar net door het neopreen bedekt. Ze stond naast haar duik-flessen en haar Aquanaut onderwaterscooter. Die piepkleine onderwater-scooters werden voortgestuwd door twee straalmotoren. Een duiker kon daarmee met hoge snelheid door het water gaan.

De Euraziatische vrouw keek naar hem op. Raoul verafschuwde haar gemengde afkomst, maar ze was hem van nut. Hij liet zijn blik over haar blote buik en borst gaan. Twee minuten alleen met hem en dat hooghar-tige lachje zou wel van haar gezicht zijn verdwenen.

Maar voorlopig moest hij het kreng om zich heen verdragen.

Dit was het werkterrein van het Gilde.

Seichan had erop gestaan mee te gaan met het aanvalsteam. 'Om te ob-serveren en advies te geven,' had ze gezegd. 'Meer niet.'

Toch had hij een harpoengeweer tussen haar duikspullen gezien.

'Nog drie minuten,' zei Raoul.

Ze zouden overboord springen wanneer de draagvleugelboot vaart min-derde om het schiereilandje te ronden, alsof ze toeristen waren die het oude fort beter wilden bekijken. Daarna namen ze hun posities in. De boot bleef in de buurt en indien nodig konden de mitrailleurs worden ge-bruikt.

Seichan ritste haar pak dicht. 'De man aan de radio stoort hun fre-quentie af en toe, dus wanneer de verbinding helemaal uitvalt, zullen ze er niets achter zoeken.'

Raoul knikte. Soms was ze echt nuttig, dat moest hij toegeven.

Na nog een keer op zijn horloge te hebben gekeken, stak hij zijn hand op en maakte een draaiend gebaar met zijn vinger. 'We gaan,' zei hij.

13:26

In de tunnel naar Alexanders graf knielde Rachel op de stenen vloer. Ze was bezig iets te bewijzen.

Gray zei tegen Kat: 'Je kunt beter weer in het water gaan. Neem con-tact op met Monk, vraag hoe het er daar voor staat. Het heeft langer ge-duurd dan een paar minuten, waarschijnlijk wordt hij al ongerust.'

Kat knikte, maar ze liet haar blik door de ruimte dwalen en toen rus-ten op de piramide. Tegen haar zin draaide ze zich om en liep terug de tunnel in naar de vijver bij de ingang.

Vigor was klaar met zijn inspectie van het vertrek en keek nog steeds opgetogen. 'Zulk vuurwerk zullen we niet gauw nog eens meemaken.'

Gray, die bij Rachel stond, knikte. 'De gouden piramide moet als condensator hebben gewerkt. De energie lag keurig opgeslagen in de supergeleider... Totdat de energie door de schok vrijkwam waardoor er een kettingreactie ontstond die de piramide leegmaakte.'

'En dat houdt in,' zei Vigor, 'dat ook al ontdekt de Societas Draconis deze ruimte, ze het raadsel nooit meer te voorschijn kunnen toveren.'

'Of de gouden sleutel te pakken krijgen,' reageerde Gray terwijl hij op het zakje op zijn dij klopte. 'Eindelijk zijn we hen een stapje voor.'

Rachel hoorde hoe opgelucht en tevreden dat klonk.

'Maar eerst moeten we dit raadsel oplossen,' hielp ze hem herinneren. 'Ik denk dat ik weet waar ik moet beginnen, maar helemaal zeker ben ik daar niet van.'

Gray liep op haar toe. 'Wat ben je aan het doen?'

Ze had de kaart van het Middellandse-Zeegebied uitgespreid op de vloer, dezelfde kaart waarmee ze had aangetoond dat de inscriptie op de plaat hematiet de kustlijn van het oostelijke Middellandse-Zeegebied voorstelde. Met een zwarte viltstift had ze bepaalde plaatsen op de kaart gemarkeerd en de namen erbij geschreven.

Ze gebaarde naar de grafkamer. 'Die zin... Zoals het boven is, is het ook beneden. Die was oorspronkelijk bedoeld om verband te leggen tussen de positie van de sterren en ons leven.'

'Astrologie,' zei Gray.

'Niet precies,' weerlegde Vigor. 'De oude beschavingen werden werkelijk door de sterren geregeerd. Sterrenbeelden gaven de seizoenen aan, het waren gidsen voor op reis, daar woonden de goden. De beschavingen vereerden ze door monumenten op te richten die de sterrenhemel weerspiegelden. Er bestaat een nieuwe theorie over de piramiden van Gizeh waarin wordt beweerd dat die in de positie van de drie sterren uit de Gordel van Orion zijn neergezet. Zelfs in latere tijden worden alle katholieke kerken of basilieken met de as van oost naar west gebouwd om het op- en ondergaan van de zon te markeren. Die traditie wordt nog steeds in ere gehouden.'

'We moeten dus een patroon ontdekken,' zei Gray. 'Een veelbetekenende positie van iets aan de hemel of op aarde.'

'En het graf vertelt ons waar we op moeten letten,' zei Rachel.

'Dan ben ik zeker doof,' reageerde Gray.

Haar oom snapte het nu ook. 'De bronzen vinger van de Kolossus,' zei hij terwijl hij naar het graf staarde. 'De enorme piramide, misschien stelt die die van Gizeh voor. De overblijfselen van de vuurtoren boven ons. En de ronde graftombe is misschien een verwijzing naar het Mausoleum van Halikarnassos.'

'Sorry,' zei Gray met een frons. 'Het mausoleum van wat?'

'Dat was een van de zeven wereldwonderen,' zei Rachel. 'Weet je nog dat er een verband bestond tussen Alexander en alle wereldwonderen?'

'O ja,' zei Gray. 'Iets met zijn geboorte die samenviel met het ene wonder en zijn dood met weer een ander.'

'De tempel van Artemis,' zei Vigor. Hij knikte. 'En de hangende tuinen van Babylon. Die staan allemaal in verband met Alexander... En met waar we nu zijn.'

Rachel wees op de kaart. 'Ik heb alle locaties aangegeven. Ze staan door het hele oostelijke Middellandse-Zeegebied verspreid. In het gedeelte dat op de plaat hematiet stond.'

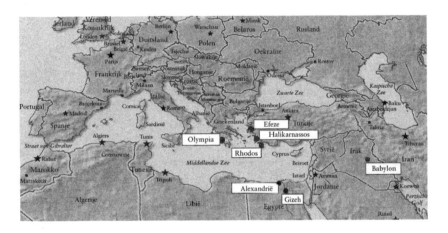

Gray keek aandachtig naar de kaart. 'Bedoel je dat we een patroon moeten ontdekken tussen alle zeven?'

'"Zoals het boven is, is het ook beneden,"' citeerde Vigor.

'Waar moeten we beginnen?' vroeg Gray.

'Met tijd,' antwoordde Rachel. 'Of beter gezegd, met het voortschrijden van de tijd, precies zoals in het raadsel van de Sfinx. Van geboorte tot dood.'

Gray kneep zijn ogen tot spleetjes, toen begon het hem te dagen en sperde hij ze open. 'In chronologische volgorde! Van wanneer de wereldwonderen werden gebouwd.'

Rachel knikte. 'Maar die volgorde weet ik niet.'

'Ik wel,' zei Vigor. 'Welke archeoloog van het Middellandse-Zeegebied weet dat nou niet?'

Hij knielde neer en pakte de viltstift. 'Ik denk dat Rachel gelijk heeft. De eerste aanwijzing, die dit alles in gang zette, was verstopt in een boek in Caïro, vlak bij Gizeh. De piramiden zijn tevens de oudste wereldwonderen.' Hij zette de punt van de viltstift bij Caïro. 'Het is interessant dat dit graf zich onder de vuurtoren bevindt.'

'Hoezo?' vroeg Gray.

'Omdat de vuurtoren het laatste wereldwonder is dat werd gebouwd. Van het eerste tot het laatste. Dat geeft misschien aan dat waar we nu ook naartoe moeten, het het eindpunt is. De laatste halte.'

Oom Vigor boog zich over de kaart en trok een paar lijnen waarmee hij de zeven wereldwonderen in chronologische volgorde verbond. 'Van Gizeh naar Babylon, dan naar Olympia waar het beeld van Zeus stond.'

'Die wordt verondersteld Alexanders echte vader te zijn,' merkte Rachel op.

'Vandaar naar de tempel van Artemis te Efeze, dan naar Halikarnassos, vervolgens naar Rhodos... En uiteindelijk komen we hier uit, Alexandrië en de beroemde vuurtoren.'

Haar oom kwam overeind. 'Vraagt iemand zich nog af of we op het goede spoor zitten?'

Rachel en Gray staarden naar de kaart.

'Jezus...' vloekte Gray.

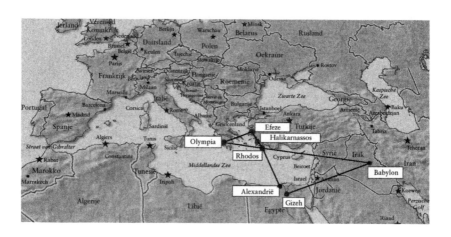

'Een zandloper...' fluisterde Rachel.

Vigor knikte. 'Het symbool voor het verstrijken van de tijd. Gevormd door twee driehoeken. Weet je nog dat het Egyptische symbool voor het witte poeder dat de farao's kregen een driehoek was? Trouwens, driehoeken waren ook het symbool van de *benben*-steen van de Egyptenaren, een symbool van heilige kennis.'

'Wat is een benben-steen nou weer?' vroeg Gray.

Rachel gaf antwoord. 'Dat zijn de topstenen die boven op Egyptische obelisken en piramiden werden geplaatst.'

'Maar in de kunst worden ze meestal als een driehoek voorgesteld,' voegde haar oom eraan toe. 'Er staat er zelfs eentje achter op jullie dollarbiljetten. Een piramide met daarboven een zwevend driehoekje.'

'Met daarin een oog,' zei Gray.

'Een alziend oog,' verbeterde Vigor hem. 'Symbolisch voor de gewijde kennis waarover ik je heb verteld. Je vraagt je toch af of dit genootschap van oude magiërs geen invloed op je voorouders had.' Dit laatste zei hij met een lach. 'Maar voor de Egyptenaren bestaat er zeker verband tussen driehoeken en gewijde kennis, en dat staat dan weer in verband met het geheimzinnige witte poeder. Zelfs de naam benben hangt daarmee samen.'

'Hoe dan?' vroeg Rachel geïnteresseerd.

'De Egyptenaren kenden betekenissen toe aan de spelling van hun woorden. Om een voorbeeld te geven, het Oudegyptische woord *a-i-s* betekent: hersenen. Maar als je het omdraait, *s-i-a*, betekent het: bewustzijn. Ze gebruikten de spelling om de twee woorden met elkaar in verband te brengen, bewustzijn en hersenen. Maar om terug te gaan naar de benben, de schrifttekens *b-e-n* betekenen: heilige steen. Dat had ik jullie al verteld, maar wat krijg je als je het omdraait?'

Tegelijkertijd haalden Rachel en Gray hun schouders op.

'*N-e-b* betekent: goud.'

Verrast zei Gray: 'Dus er bestaat een verband tussen goud, de heilige steen en gewijde kennis.'

Vigor knikte. 'Het is allemaal in Egypte begonnen.'

'Maar waar eindigt het?' vroeg Rachel terwijl ze aandachtig naar de kaart keek. 'Wat is de betekenis van de zandloper? Hoe maakt die ons duidelijk waar we naartoe moeten?'

Allemaal keken ze naar de graftombe in de vorm van een piramide.

Vigor schudde zijn hoofd.

Gray knielde op de grond. 'Nu is het mijn beurt met de kaart.'

'Heb jij dan een idee?' vroeg Vigor.

'Dat hoef je niet zo verbaasd te zeggen.'

Gray ging aan de slag. Hij gebruikte de achterkant van zijn mes als liniaal. Dit moest hij goed doen. Met de viltstift in de hand zei hij zonder
op te kijken: 'Die grote bronzen vinger, zien jullie dat die precies het midden van de ruimte markeert, zo recht onder de koepel?'

De anderen keken naar de graftombe. Het water was weer spiegelglad,
de sterren op de zoldering werden prachtig weerspiegeld zodat de indruk
van een bol vol sterren werd gewekt.

'De vinger wijst naar de noord-zuidas van het bolvormig spiegelbeeld.
De as waarom de wereld draait. En kijk nu eens naar de kaart. Wat is het
middelpunt van de zandloper?'

Rachel boog zich over de kaart en las: 'Rhodos. Waar de vinger vandaan komt.'

Gray glimlachte omdat het zo verwonderd klonk. Was dat omdat haar
een licht opging of omdat híj iets had ontdekt?

'Ik denk dat we de as van de zandloper moeten vinden,' zei hij. Met de
viltstift trok hij een snijlijn dwars door de zandloper. 'En die bronzen vinger wijst naar het noorden.' Hij trok de lijn door met zijn mes als liniaal.

Bij een bekende en belangrijke stad hield hij op.

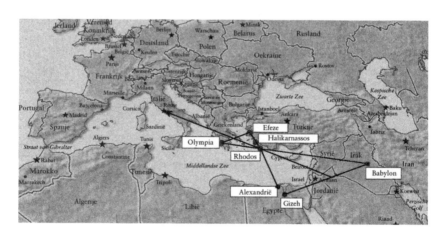

'Rome,' las Rachel.

Gray ging rechtop zitten. 'Het feit dat we met al deze geometrie een
lijn krijgen die naar Rome loopt, moet iets betekenen. Dat is waar we
naartoe moeten. Maar waar in Rome? Weer Vaticaanstad?'

Hij keek de anderen beurtelings aan.

Rachel fronste haar voorhoofd.

Vigor knielde langzaam. 'Ik denk dat je het zowel goed als fout hebt. Mag ik je mes eens zien?'

Gray gaf hem het mes, blij Vigor zijn plaats te laten innemen.

Vigor speelde met het mes op de kaart. 'Hmm... Twee driehoeken.' Hij tikte op de zandloperfiguur.

'Ja, en?'

Vigor schudde geconcentreerd zijn hoofd. 'Je had gelijk dat deze lijn Rome snijdt. Maar daar moeten we niet naartoe.'

'Hoe weet je dat?'

'Weet je nog dat de raadsels gelaagd zijn? We moeten dieper zoeken.'

'Waarheen?'

Vigor liet zijn vinger over het mes glijden, hij trok de lijn door, voorbij Rome. 'Rome was de eerste halte.' Hij ging verder in noordelijke richting, Frankrijk in. Net ten noorden van Marseille hield hij zijn vinger stil.

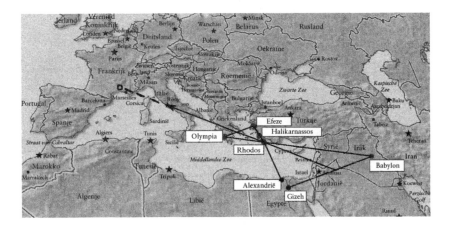

Met een lach knikte hij. 'Slim.'

'Wat?'

Vigor gaf het mes terug en tikte op de kaart. 'Avignon.'

Rachel slaakte een gesmoorde kreet.

Gray snapte het niet, dat maakte de uitdrukking op zijn gezicht wel duidelijk.

Rachel keek hem aan. 'Avignon is de plaats waar de paus in ballingschap woonde, begin veertiende eeuw. De pausen verbleven daar bijna een hele eeuw.'

'Dat was de tweede plaats waar de pauselijke macht werd uitgeoefend,' zei Vigor. 'Eerst Rome, daarna Frankrijk. Twee driehoeken, twee symbolen van kennis en macht.'

'Maar hoe weten we dat we gelijk hebben?' vroeg Gray. 'Misschien zoeken we er wel te veel achter.'

Vigor wuifde zijn bezwaren weg. 'Je weet dat we al hadden uitgerekend wanneer de aanwijzingen zijn verborgen. Die periode valt samen met de tijd dat de paus uit Rome vertrok, het eerste decennium van de veertiende eeuw.'

Gray knikte, maar hij was nog niet helemaal overtuigd.

'En die geslepen alchemisten voegden nog een laag toe aan het raadsel ter bevestiging van deze plek.' Vigor wees op de kaart. 'Wanneer denk je dat de zandloper werd uitgevonden?'

Gray schudde zijn hoofd. 'Ik neem aan een paar duizend jaar geleden, of misschien nog wel langer.'

'Vreemd genoeg is de zandloper in dezelfde periode uitgevonden als de eerste mechanische uurwerken: zevenhonderd jaar geleden.'

In zijn hoofd maakte Gray een rekensommetje. 'Dat zou dan zijn in dertienhonderdzoveel... Het begin van de veertiende eeuw.'

'Een zandloper geeft de tijd aan en deze zandloper geeft de tijd aan dat de pauselijke macht naar Frankrijk verhuisde.'

Gray werd er opgewonden van. Nu wisten ze waar ze naartoe moesten. Met de gouden sleutel. Naar Avignon, het Franse Vaticaan. Hij zag dat Rachel en haar oom ook opgewonden waren.

'Laten we hier weggaan,' zei hij. Hij liep voor hen uit naar de tunnel.

'En het graf dan?' vroeg Vigor.

'We moeten de ontdekking van het graf maar een andere keer bekendmaken. Als de Societas Draconis komt, zullen ze merken dat ze te laat zijn.'

Gray liep snel naar het andere vertrek. Daar knielde hij neer en trok zijn masker weer goed, stak zijn hoofd onder water en maakte zich klaar om de anderen van het goede nieuws in kennis te stellen.

Zodra zijn hoofd onder water was, hoorde hij de zender luid en vervelend piepen en kraken. 'Kat... Monk... Horen jullie me?'

Geen antwoord. Gray herinnerde zich dat Kat iets over een storing had gezegd. Hij bleef nog even luisteren terwijl zijn hart in zijn keel bonsde.

Shit.

Hij trok zijn hoofd uit het water.

Dat was geen normale ruis, de ontvangst werd expres gestoord.

'Wat is er?' vroeg Rachel.

'De Societas Draconis. Ze zijn al hier.'

13

BLOED IN HET WATER

26 JULI, 13:45

ALEXANDRIË, EGYPTE

Kat liet zich op de golfjes dobberen.

Tien seconden geleden was het radiocontact weggevallen. Ze was naar boven gekomen om met Monk te overleggen, en ze trof hem aan met een verrekijker tegen zijn gezicht gedrukt.

'De zender...' begon ze.

'Er is iets mis,' viel hij haar in de rede. 'Ga de anderen halen.'

Meteen dook ze onder, schuin naar beneden terwijl ze de lucht uit haar BC-vest liet lopen om sneller te gaan.

Terwijl ze op de tunnel af zwom, maakte ze met één hand de gespen los waarmee haar vest en haar duikfles vastzaten. Bij de ingang zag ze een beweging en meteen bleef ze doodstil hangen.

Een duiker kwam de tunnel uit. De blauwe streep op zijn rug maakte hem herkenbaar als commandant Pierce. In haar oren hoorde ze voortdurend een hinderlijke fluittoon, ze kon hem niet waarschuwen.

Maar dat bleek ook niet nodig te zijn.

Meteen na Pierce kwamen nog twee duikers de tunnel uit.

Vigor en Rachel.

Kit draaide zich recht en om een einde aan dat gefluit te maken, klikte ze haar Buddy Phone uit. Daarna zwom ze naar Gray toe. Kennelijk had hij beseft dat het uitvallen van de communicatie op een probleem duidde. Hij keek haar aan door het ruitje van zijn masker en wees met een vragende uitdrukking naar boven.

Is het boven veilig?

Ze gaf hem het teken dat alles in orde was. Geen vijandelijkheden daar boven, tenminste, nog niet.

Gray deed geen moeite de duikfles weer vast te maken die hij eerder had afgedaan. Hij gebaarde dat ze naar de oppervlakte moesten. Nadat ze zich hadden afgezet, zwommen ze naar de kiel van de boot.

Kat zwom een beetje opzij en zag dat het anker werd opgehaald.

Monk maakte zich klaar om meteen te vertrekken.

Nadat ze haar vest had laten vollopen, trapte ze zich naar boven, worstelend met het gewicht van de duikfles en de loodgordel. De anderen waren al aan het oppervlak gekomen.

Ze hoorde een zoemend geluid.

Deze keer lag het niet aan de zender.

Ze speurde het water af naar de bron van het geluid, maar in de vervuilde haven was het zicht slecht. Er kwam iets aan, en snel ook.

Als marineofficier was ze aan boord geweest van allerlei soorten vaartuigen, waaronder onderzeeërs. Ze herkende het zoemende geluid dan ook onmiddellijk.

Een torpedo.

Recht op de speedboot af.

Zo snel ze kon zwom ze naar boven, ook al wist ze dat ze nooit op tijd zou zijn om de anderen te waarschuwen.

13:46

Monk startte de motor terwijl hij door zijn verrekijker de draagvleugelboot in de gaten hield. Die was net achter het schiereiland verdwenen, maar even daarvoor had hij die vaart zien minderen, tweehonderd meter buiten de kust. Er was geen verdachte activiteit op de achtersteven te zien geweest, maar hij had wel erg veel bruisend water gezien toen de boot langzaam wegdreef.

En daarna kwam die fluittoon door de radio, gevolgd door Kat die bovenkwam.

Ze moesten hier weg, dat voelde hij aan zijn water.

'Monk!' hoorde hij roepen. Het was Gray die aan bakboord bovenkwam.

Gelukkig.

Hij liet zijn verrekijker zakken en zag toen een langwerpig voorwerp door het water klieven. Met een vin, een metalen vin.

'Shit...'

Hij liet de verrekijker vallen en gaf vol gas. Met brullende motor schoot de boot vooruit. Hij rukte het roer naar stuurboord, weg van Gray.

'Duiken!' schreeuwde hij terwijl hij zijn masker over zijn gezicht trok. Er was geen tijd om zijn pak dicht te ritsen.

Terwijl de boot onder hem bokte, rende hij naar de achtersteven en klom op de bank.

Achter hem sloeg de torpedo in. Door de kracht van de explosie werd hij de lucht in gegooid. Iets raakte hem tegen zijn heup, zo hard dat zijn tanden met een klap op elkaar kwamen. Hij sloeg tegen het water, achtervolgd door vlammen.

Voordat het vuur hem kon bereiken, zonk hij weg in het koele water.

Rachel was bovengekomen net op het moment dat Monk schreeuwde. Ze zag hem naar de achtersteven rennen. Meteen reageerde ze en dook weer onder.

Daarna die enorme explosie.

De schokgolven door het water maakten haar doof, zelfs door de hood van dik neopreen. De lucht werd uit haar longen geslagen, de verzegeling van haar masker raakte los en het zeewater bruiste naar binnen.

Haastig zwom ze naar de oppervlakte, verblind en met brandende ogen.

Met haar hoofd boven water liet ze hoestend en kokhalzend haar masker leeglopen. Nog steeds kwamen er brokstukken in het water neer. Rokende overblijfselen dobberden rond en plassen benzine deden de golven branden.

Speurend keek ze om zich heen.

Niemand.

Toen kwam er links van haar iemand spartelend boven. Het was Monk, versuft en naar adem happend.

Ze zwom naar hem toe en pakte hem bij zijn arm. Zijn volgelaatsmasker zat bijna achterstevoren. Ze hield hem vast terwijl hij kokhalsde.

'Verdomme,' bracht hij ademloos uit, toen trok hij zijn masker goed.

Ze hoorden een nieuw geluid, en allebei keken ze om.

Rachel zag een grote draagvleugelboot van achter het fort tevoorschijn komen. De boot lag hoog op de draagvleugels en keerde om recht op hen af te stevenen.

'Duiken!' schreeuwde Monk.

Samen vluchtten ze onder het wateroppervlak. Door de explosie was het zand omhooggekomen zodat ze nog geen meter zicht hadden.

Rachel wees globaal in de richting van de tunnel die nu verborgen ging achter modderig water. Ze moesten de duikflessen ophalen die ze daar hadden achtergelaten, ze hadden lucht nodig.

Eenmaal bij de steenblokken gekomen zocht ze naar de ingang en naar de anderen. Waar was iedereen?

Ze zwom langs de rommelige stapel blokken. Monk zwom met haar mee, maar hij had problemen met zijn duikpak. De rits was maar half-dicht, het bovenste gedeelte fladderde en raakte in de knoop.

Waar waren de duikflessen? Was ze de verkeerde kant op gezwommen?

Boven zich zag ze iets donkers voorbijkomen, verder weg van de kust. De draagvleugelboot. Aan Monks reactie te zien was die hun probleem.

Rachels longen stonden op knappen.

Toen zag ze verderop door het duister licht schijnen. Instinctief zwom ze erop af in de hoop haar oom of Gray aan te treffen. Er verschenen een aantal duikers, voortgetrokken door onderwaterscooters. Achter hen kolkte zand op.

De duikers omsingelden hen en dwongen hen naar de kust.

Nog bedreigender was een zoevend geluid. Een stalen harpoen vloog op Monk af. Hij zwom opzij, maar de harpoen doorboorde het losse gedeelte van zijn pak, dat scheurde.

Rachel hief haar handen op.

Een van de duikers stak zijn duim omhoog ten teken dat ze naar boven moesten.

Ze waren gepakt.

Gray hielp Vigor.

De geestelijke was tegen hem aan geslagen toen de boot ontplofte. Een stuk fiberglas had hem tegen zijn hoofd geraakt, dwars door het neopreen heen. De snee bloedde, maar Gray had geen tijd te kijken hoe ernstig het was.

Het was Gray gelukt bij de duikflessen te komen en nu hielp hij Vigor die vast te maken. Vigor gebaarde dat het in orde was toen hij lucht kreeg. Meteen zwom Gray naar een andere duikfles en sloot die snel aan op zijn ademautomaat.

Een paar keer haalde hij diep adem.

Hij keek naar de tunnel. Het was niet veilig zich daarbinnen te verstoppen, de Societas Draconis zou daar zeker naar binnen gaan. Gray wilde niet weer vast komen te zitten in een tombe.

Hij pakte de duikfles op en wees de andere kant op.

Vigor knikte, maar ondertussen speurde hij het troebele water af.

Gray zag de angst op zijn gezicht.

Rachel...

Ze moesten zien te overleven, wilden ze hulp kunnen bieden. Gray zwom voor Vigor uit. Ze moesten proberen een nis tussen de gevallen steenblokken en andere rommel te vinden om zich in te verbergen. Eerder had hij een roestig bootje zien liggen, een meter of tien verderop, op zijn kop en tegen de steenblokken aan.

Hij zwom voor Vigor uit langs de steenblokken. Daar was de gezonken boot. Hij liet Vigor eronder zitten en gebaarde dat hij daar moest blijven, toen pas kon hij zijn duikfles vastgespen zodat hij zijn handen vrij had.

Gray wees naar buiten en maakte een draaiend gebaar: ik ga de anderen zoeken.

Vigor knikte en probeerde er duidelijk hoopvol uit te zien.

Gray zwom terug naar de tunnel, maar bleef dicht bij de bodem. De anderen zouden indien mogelijk naar de duikflessen gaan, dacht hij terwijl hij van steenblok naar steenblok zwom.

Bij de ingang van de tunnel zag hij licht. Hij minderde vaart. Het waren verschillende lichtbundels, ze dwaalden over de blokken en omhoog.

Hij verstopte zich achter een steenblok en keek.

In zwarte duikpakken gehulde duikers hingen voor de tunnel. Ze hadden kleine duikflessen met lucht voor ongeveer een kwartier, bestemd voor kortdurende duiken.

Gray zag een van de duikers in de tunnel verdwijnen.

Na een paar tellen moest hij verslag hebben uitgebracht, want nog vijf duikers zwommen de een na de ander naar binnen. Gray herkende de laatste die in de tunnel verdween aan haar slanke figuur.

Seichan.

Gray zwom weg. Hier zouden zijn teamgenoten nu niet meer komen.

Terwijl hij wegzwom van zijn schuilplaats doemde er een gestalte voor hem op, schijnbaar vanuit het niets. Een enorme gestalte. De scherpe punt van een harpoengeweer drukte in zijn buik.

Overal om hem heen gingen lichten aan.

Achter het masker herkende Gray het grove gezicht van Raoul.

Rachel hielp Monk zich te bevrijden. De harpoen had hem met een flap van zijn duikpak aan de bodem gespietst. Ze trok de harpoen los.

Twee meter verderop hingen twee duikers op hun onderwaterscooters, net surfers op kapotte surfplanken. De ene gebaarde dat ze naar boven moesten. Nu meteen.

Rachel had geen aansporing nodig.

Terwijl ze gehoorzaamde, verscheen er iets donkers achter de twee duikers.

Wat was dat?

Twee zilverige flitsen.

De ene duiker greep naar zijn luchtslang. Te laat. Door de ruit van zijn masker zag Rachel hem zeewater inademen. De andere duiker had nog minder geluk, die viel van zijn onderwaterscooter af met een mes in zijn keel geboord.

Bloed wolkte op.

De aanvaller rukte het lemmet los en de wolk bloed werd dikker.

Rachel zag de roze streep op de rug van het duikpak van de aanvaller.

Kat.

De eerste duiker stikte kronkelend, hij verdronk in zijn masker. Hij probeerde nog naar boven te komen, maar Kat was sneller dan hij. Met in elke hand een mes maakte ze hem efficiënt af.

Kat schopte de dode duiker uit de weg. Verzwaard door zijn duikfles en loodgordel zonk het lijk naar de diepte.

Daarna sleepte Kat zijn onderwaterscooter naar Rachel en Monk. Ze wees eerst naar boven en vervolgens naar de onderwaterscooter.

Daarmee konden ze zich snel uit de voeten maken.

Rachel wist niet hoe het ding werkte – maar Monk wel. Hij nam erop plaats en greep het stuur vast, dat er een beetje uitzag als een fietsstuur. Hij gebaarde Rachel dat ze op zijn rug moest klimmen.

Dat deed ze, en met beide armen klemde ze zich om zijn schouders vast. Voor haar ogen verschenen al lichtflitsen.

Met een harpoengeweer in de hand zwom Kat op de andere onderwaterscooter af.

Monk gaf gas en de onderwaterscooter trok hen mee naar boven, naar waar het veilig was, naar waar lucht was.

Als een walvis braken ze door het oppervlak, daarna vielen ze terug op het water. Rachel werd door elkaar geschud, maar ze hield zich goed vast. Monk scheerde met hoge snelheid over het water, zigzaggend tussen de brandende brokstukken door. Op het water lag een laagje olie.

Rachel liet hem even met één hand los om haar masker af te rukken, daarna zoog ze de frisse lucht op.

Ze rukte Monks masker ook los.

'Au!' zei hij. 'Pas een beetje op mijn neus, wil je?'

Ze kwamen langs hun omgeslagen speedboot – maar links daarvan lag de draagvleugelboot hen op te wachten.

'Misschien hebben ze ons niet gezien,' fluisterde Monk.
Er klonk geweervuur, kogels deden het water opspatten.
'Hou je vast!' schreeuwde Monk.

De punt van Raouls harpoen dwong Gray uit zijn schuilplaats te komen.
Een andere duiker zette hem een harpoen op de keel.

Terwijl Gray zwom, haalde Raoul met een mes naar hem uit.

Gray vertrok zijn gezicht, maar het mes sneed alleen de banden van zijn duikfles door waardoor het zware ding naar de bodem zonk. Raoul gebaarde dat hij zijn ademautomaat moest losmaken. Waren ze van plan hem te verdrinken?

Daarna gebaarde Raoul naar de ingang van de tunnel.

Kennelijk wilden ze hem eerst ondervragen.

Een keus had hij niet.

Gray zwom naar de ingang, vergezeld door zijn bewakers. Terwijl hij in de tunnel dook, probeerde hij iets te bedenken. Hij kwam boven in de vijver en zag dat er rondom mannen in duikpakken stonden. Hun duikflesjes waren klein genoeg om door de tunnel te kunnen. Sommigen trokken hun vesten uit en legden de duikflessen af, anderen richtten hun harpoengeweren op hem, gewaarschuwd door Raoul.

Gray klom uit het water en trok zijn masker af. Iedere beweging die hij maakte werd gevolgd door een beweging van de harpoengeweren.

Hij zag Seichan tegen een muur leunen, ze zag er vreemd ontspannen uit. Bij wijze van begroeting hief ze even een vinger op. Hallo...

Achter Gray kwam iemand boven in het water. Raoul. Met een lenige beweging klom hij met maar één hand uit het water en ging meteen staan, een demonstratie van lichamelijke kracht. Met dat grote lijf moest hij maar net in de tunnel hebben gepast. Zijn duikflesje had hij achtergelaten.

Nadat hij zijn masker en hood had verwijderd, beende hij op Gray af.

Het was de eerste keer dat Gray de man eens goed kon opnemen. Zijn gezicht was verweerd, zijn neus dun en lang, recht, en zijn ravenzwarte haar kwam tot op zijn schouders. Zijn armen waren gespierd en hadden de omvang van Grays dijen. Kennelijk te veel steroïden en te veel tijd in de fitnessruimte, want die spieren had hij niet door zware arbeid gekweekt.

Verwend mannetje, dacht Gray.

Raoul torende intimiderend boven hem uit.

Gray trok slechts vragend een wenkbrauw op. 'Is er iets?'

'Je gaat ons alles vertellen wat je weet,' zei Raoul. Hij sprak vloeiend

Engels, zij het met een Duits accent en in zijn stem klonk minachting door.

'En als ik dat niet wil?'

Raoul gebaarde met zijn arm en op dat moment kwam er nog iemand met een plons boven. Meteen herkende Gray Vigor. Ze hadden hem gevonden.

Vigor werd niet erg zachtzinnig uit de vijver getrokken. Over de linkerkant van zijn gezicht sijpelde bloed van de hoofdwond. Toen hij naar hem toe werd geduwd, struikelde hij van uitputting en kwam hard op zijn knieën terecht.

Gray wilde zich bukken om hem te hulp te schieten, maar kreeg meteen een harpoen tegen zich aan.

Nog een duiker kwam boven. Hij had overduidelijk iets zwaars bij zich. Raoul stapte op hem toe en hielp hem van zijn last af. Weer zo'n dumbbell-vormig geval. Nog zo'n brandbom.

Raoul zette het op zijn schouder en liep terug naar Gray. Hij richtte zijn harpoengeweer op Vigors kruis. 'Omdat monseigneur Vigor toch een gelofte heeft afgelegd dit deel van zijn anatomie niet te gebruiken, beginnen we maar hier. Eén misstap en hij kan lid worden van het castratenkerkkoor.'

Gray rechtte zijn rug. 'Wat wil je weten?'

'Alles... Maar laat ons eerst zien wat je hebt gevonden.'

Gray gebaarde naar de tunnel die naar Alexanders graf leidde en daarna naar de andere tunnel, de lage waar je je moest bukken om erdoorheen te kunnen. 'Die kant op,' zei hij.

Vigor sperde zijn ogen open.

Met een grijns hief Raoul zijn harpoengeweer op. Hij gaf een paar mannen opdracht de tunnel in te gaan. 'Ga kijken.'

Vijf liepen de tunnel in, en drie bleven bij Raoul achter.

Seichan stond dicht bij de tunnel waarin het groepje was verdwenen. Ze zette een stap in die richting.

'Jij blijft hier,' zei Raoul.

Seichan keek achterom. 'Willen je mannen en jij de haven nog uit?'

Raouls gezicht werd rood.

'Het is onze boot,' bracht ze hem in herinnering. Meteen daarna dook ze weg.

Raoul balde zijn vuist, maar zei niets terug.

Het was niet helemaal koek en ei tussen die twee...

Gray draaide zich om. Vigor keek hem strak aan. Gray gaf hem een teken met zijn ogen. Wegduiken zodra je kunt...

Hij keek weer naar de tunnel en hoopte dat hij het raadsel van de Sfinx juist had geïnterpreteerd. De verkeerde oplossing van het raadsel betekende een zekere dood. En dat zou hier worden bewezen.

Er bleef slechts één raadsel over dat nog moest worden beantwoord: wie zou hier sterven?

Monk ontweek de kogelregen. De onderwaterscooter scheerde over het water en Rachel klemde zich aan hem vast zodat zijn luchtpijp bijna werd afgekneld.

In de haven heerste grote chaos. Andere vaartuigen vluchtten weg voor het gevecht en schoten als een school vissen uit elkaar. Monk kwam in de golfslag van een krabbenvisser terecht en zeilde hoog door de lucht.

Kogels regenden in de golf vlak onder hem.

'Hou je vast!' schreeuwde hij.

Hij keerde de onderwaterscooter op zijn kant net toen ze op het water terechtkwamen. Ze schoten onder water. Hij rechtte het ding en ze doken dieper, op een diepte van nog geen meter kliefden ze door het water.

Dat hoopte hij tenminste.

Monk hield zijn ogen stijf dicht. Zonder masker zou hij toch niet veel hebben gezien. Maar voordat hij dook, had hij recht vooruit een zeilboot gezien die voor anker lag.

Hij kon eronderdoor... Dan lag het scheepje tussen hen en de draagvleugelboot...

Inwendig telde hij, schattend en hopend.

Even werd alles donker, ze zaten onder de zeilboot. Hij telde nog eens vier tellen extra en zette toen koers naar de oppervlakte.

Ineens was er weer zonlicht en lucht.

Monk keek achterom. Ze waren ruimschoots onder de zeilboot door gevaren. 'Shit! Yes!' De draagvleugelboot moest van koers veranderen om een botsing te vermijden en raakte achterop.

'Monk!' gilde Rachel in zijn oor.

Hij keek weer vooruit en zag een boot als een soort doos voor zich, de woonboot van het naakte stel. Verdomme. Ze vlogen recht op de bakboordzijde af. Een botsing was onvermijdelijk.

Monk bracht zijn hele gewicht naar voren en duwde de voorkant van de onderwaterscooter naar beneden. Ze doken in een steile hoek, maar was die steil genoeg om onder de woonboot door te varen zoals ze bij de zeilboot hadden gedaan?

Het antwoord luidde: nee.

De waterscooter ramde de kiel en kieperde om. Monk klampte zich vast aan het stuur. De waterscooter gleed langs de houten scheepswand en de zeepokken ontvelden zijn schouder. Toen gaf hij meer gas en schoot dieper naar beneden.

Eindelijk was hij onder de woonboot door en had hij open water bereikt.

Hij stuurde omhoog, wetend dat hij maar weinig tijd had.

Rachel was verdwenen, bij de eerste botsing was ze van hem af gevallen.

Gray hield zijn adem in.

Uit de lage tunnel klonk rumoer. De voorste man moest het eind van de tunnel hebben bereikt. Zeker een korte tunnel.

'*Eine Goldtür!*' hoorde hij roepen. Een deur van goud...

Raoul rende ernaartoe en sleurde Gray met zich mee. Vigor zat aan de rand van de vijver, bewaakt door een duiker met een harpoengeweer.

De tunnel, die door de mannen met zaklampen werd verlicht, was bochtig en maar een meter of dertig lang. Het einde was nog niet te zien, maar de laatste twee mannen – en Seichan – stonden afgetekend tegen het licht en keken geïnteresseerd voor zich uit.

Ineens werd Gray bang dat ze het misschien bij het verkeerde eind hadden gehad wat de sleutel betrof. Misschien paste die op deze deur.

'*Es wird entriegelt!*' klonk het. Ontgrendeld?

Van waar Gray stond, hoorde hij een klik toen de deur werd geopend. Een te harde klik.

Seichan moest het ook zijn opgevallen. Met een ruk draaide ze zich om en sprong op hem toe. Te laat.

Uit de tunnelwanden vlogen stalen speren die verborgen hadden gezeten in nissen en duistere hoekjes. De spiesen drongen door vlees en botten heen en boorden zich in gaten in de tegenoverliggende muur. In een paar tellen was het gebeurd.

Lichtbundels zwaaiden wild heen en weer. De gespietste mannen gilden het uit in een weerzinwekkende dodendans.

Seichan was nog maar twee stappen van de uitgang verwijderd toen ze te grazen werd genomen door de boobytrap. Een lange speer met een scherpe punt schoot uit de wand en boorde zich door haar schouder. Abrupt kwam ze tot stilstand, haar benen nog in beweging.

Ze slaakte slechts een gesmoorde kreet terwijl ze daar hing, gespietst aan de speer.

Geschokt liet Raoul zijn greep op Gray verslappen, die daar meteen gebruik van maakte door zich los te rukken en vervolgens naar de vijver te rennen. 'Gauw!' schreeuwde hij, Vigor toe.

Voordat hij verder kon rennen werd hij tegen zijn achterhoofd geraakt door iets hards. Hij zakte op zijn knie. Nog zo'n slag, tegen de zijkant van zijn hoofd met de kolf van een harpoengeweer.

Hij had de snelheid van de reus onderschat. Een grove fout.

Raoul schopte Gray in zijn gezicht, zette zijn laars op zijn nek en drukte met al zijn kracht.

Hijgend zag Gray dat Vigor uit de vijver werd getrokken. Vigor was bij zijn enkel gepakt, het was hem niet gegund te ontsnappen.

Raoul boog zich met een akelige grijns over Gray heen.

'Een rottruc,' zei hij.

'Ik wist niet...'

De laars drukte zwaarder in zijn nek, hij kon geen woord meer uitbrengen.

'Maar je hebt me wel van een probleempje verlost,' ging Raoul verder. 'Dat rotwijf doet nu niet meer mee. We hebben nog veel werk voor de boeg... Jij en ik.'

Rachel klauwde zich naar de oppervlakte nadat ze haar hoofd tegen de zijkant van de boot had gestoten. Ze had water binnengekregen en proestend kwam ze boven. Ze hoestte en kokhalsde heftig, in een niet te stoppen reflex. Wild zwaaide ze met haar armen om zich heen.

Plotseling ging er een hek in de reling open en zag ze een naakte man van middelbare leeftijd die zijn blote billen aan de wereld vertoonde. '*Tudo bem, menina?*'

Portugees. Hij vroeg of het goed met haar ging.

Nog steeds hoestend schudde ze haar hoofd.

Hij boog en stak zijn hand naar haar uit. Ze nam die aan en liet zich omhoogtrekken. Met trillende benen stond ze daar. Waar was Monk gebleven?

Ze zag de draagvleugelboot wegvaren naar dieper water. De reden daarvoor werd algauw duidelijk. Een paar boten van de Egyptische politie kwamen met hoge snelheid vanaf de steiger gevaren, harder en harder. Eindelijk reageerden ze. Door de chaos in de haven waren ze klaarblijkelijk opgehouden, maar goed, beter laat dan nooit.

Een golf van opluchting sloeg door haar heen.

Ze draaide zich om naar de vrouw of vriendin van de man, die ook poedelnaakt was.

Op een pistool na.

Monk surfte rond de achtersteven van de woonboot op zoek naar Rachel. Verderop in de haven kliefde een patrouilleboot door het water. De sirene loeide en de zwaailichten verspreidden geel en rood licht. De draagvleugelboot voer snel weg, steeds harder, hoog op de draagvleugels.

Ze zouden ontsnappen.

De politie kreeg hen nooit te pakken. De draagvleugelboot voer de haven uit, naar internationale wateren of een geheime aanlegplaats.

Monk ging weer verder met zijn zoektocht naar Rachel. Hij was bang haar drijvend aan te treffen met haar gezicht naar beneden, verdronken in het vervuilde water. Hij voer om de achtersteven heen, dicht langs de scheepswand.

Op het dek zag hij iets.

Rachel... Met haar rug naar hem toe, trillend op haar benen. De naakte man van middelbare leeftijd ondersteunde haar.

Hij minderde vaart. 'Rachel... Gaat het...'

Met een paniekerige blik in haar ogen keek ze achterom. De man hief zijn hand op en richtte een automatisch geweer met stompe loop op Monks hoofd.

'O... Het gaat dus niet goed,' mopperde Monk.

Het leek of Grays nek zou breken.

Raoul zat met zijn ene knie op zijn rug en de andere op zijn nek. Hij rukte Grays hoofd aan zijn haar op en met zijn andere hand hield hij het harpoengeweer op Vigors linkeroog gericht.

Vigor zat op zijn knieën, geflankeerd door twee duikers met hetzelfde soort geweren. Een derde keek met een frons toe, een mes in zijn hand. In hun ogen blonk pure haat. Door Grays list waren vijf van hun kameraden omgekomen.

Nog steeds klonk er gekreun uit de bloederige tunnel, maar niemand kon worden gered. Wraak nemen kon echter wel.

Raoul boog zich nog dichter naar Gray toe. 'Genoeg spelletjes. Waar zijn jullie achter gekomen in...'

Een suizend geluid deed hem zijn zin afbreken.

Het harpoengeweer viel kletterend op de grond. Met een woedende kreet viel Raoul van Gray af.

Bevrijd van het gewicht rolde Gray over de vloer, greep het harpoengeweer en schoot een van de mannen neer die Vigor vasthield.

De harpoen drong diep in zijn hals door waardoor de man achteroverviel.

De andere man richtte zijn wapen op Gray, maar voordat hij kon schieten schoot er een harpoen vanuit de vijver door de lucht die de man in zijn buik trof.

In een reflex vuurde hij een harpoen af, maar die trof geen doel. De man stortte neer.

Vigor duwde het harpoengeweer dat nog geladen was in Grays richting, daarna ging hij plat op de grond liggen. Gray pakte het geweer en haalde daarmee naar Raoul uit.

De reus rende naar de dichtstbijzijnde tunnel, de tunnel naar Alexanders graf. Met zijn ene hand hield hij zijn andere vast; die was door de stalen harpoen doorboord.

Kat had goed gemikt, ze had haar slachtoffer ontwapend en meteen buiten gevecht gesteld.

De laatste man van de Societas, de man met het mes, verdween het eerst in de tunnel met Raoul op zijn hielen.

Gray kwam overeind, richtte op Raouls rug en vuurde af.

De harpoen vloog de tunnel in. Raoul kon nooit op tijd door de eerste bocht zijn. De harpoen trof hem op de rug, met een blikkerig geluid.

Gray vloekte. Hij had de brandbom geraakt die Raoul over zijn schouders droeg. Gered door zijn eigen verdomde bom.

De reus verdween achter de eerste bocht.

'We moeten hier weg,' zei Kat. 'Ik heb de twee bewakers buiten gedood. Ik kwam op een van hun eigen onderwaterscooters aanzetten, ik verraste hen. Maar ik weet niet hoeveel meer er nog zijn.'

Aarzelend keek Gray naar de tunnel.

Vigor lag al in het water. 'En Rachel?'

'Ik heb haar met Monk op een andere onderwaterscooter weggestuurd. Ze moeten de kust allang hebben bereikt.'

Met tranen in de ogen omhelsde Vigor Kat, daarna zette hij opgelucht zijn masker op.

'Gray?'

Gray dacht erover achter Raoul aan te gaan, maar een in het nauw gedreven rat is uiterst gevaarlijk. Hij wist niet of Raoul een pistool of ander wapen bij zich had dat zo verpakt was dat het droog was gebleven, maar hij wist wel dat Raoul over een brandbom beschikte. Die kon Raoul met een korte lont naar hen toe gooien, dan kwamen ze allemaal om.

Hij draaide zich af.

Ze hadden wat ze wilden.

Hij klopte op het zakje op zijn dij waar de gouden sleutel in zat.

Het werd tijd om te gaan.

Hij trok zijn masker goed en voegde zich bij de anderen. Op de stenen vloer was de man die hij door de keel had geschoten al dood. De andere, die in zijn buik was geraakt, kreunde. Hij lag in een snel groter wordende plas bloed. Zeker zijn nier gescheurd, of misschien de aorta. Over een paar minuten was ook hij dood.

Medelijden had Gray niet met hem, hij herinnerde zich nog de gruweldaden in Keulen en Milaan. 'Kom, we gaan.'

Met een ruk trok Raoul de harpoen uit zijn hand. Het staal raspte langs de botjes. Er trok een pijnscheut door zijn arm naar zijn borst en sissend ademde hij uit. Hij trok zijn handschoen uit en wikkelde het neopreen stevig om zijn hand om het bloeden te stelpen.

In ieder geval niets gebroken.

Dr. Alberto Menardi had een medische achtergrond, die lapte hem wel op.

Raoul keek om zich heen naar het vertrek dat werd verlicht door zijn lamp op de grond. Wat moest dit voorstellen?

Een glazen piramide, water, een sterrenhemel...

De laatste overlevende, Kurt, kwam terug uit de tunnel. Hij was gaan kijken hoe het er in de andere ruimte voor stond. 'Ze zijn weg,' zei hij. 'En Bernard en Pelz zijn dood.'

Raoul was klaar met verbinden en vroeg zich af wat hem nu te doen stond. Ze moesten hier zo snel mogelijk weg, de Amerikanen zouden de politie hiernaartoe sturen. Oorspronkelijk waren ze van plan de plaatselijke autoriteiten met de draagvleugelboot weg te lokken waardoor Raoul en zijn mannen hier in alle rust onderzoek konden verrichten, waarna ze zouden ontsnappen naar de lompe, onopvallende woonboot.

Maar nu was alles anders.

Met een vloek bukte Raoul zich naar zijn spullen op de grond. Hij had een digitale camera bij zich, hij kon opnames maken, die aan Alberto geven en daarna achter de Amerikanen aan gaan.

Het was nog niet afgelopen.

Terwijl Raoul zijn camera pakte, kwam zijn voet tegen de brandbom aan. Een stuk zeildoek viel opzij. Hij lette er niet op tot hij op de wand een rossige gloed zag.

Shit...

Hij knielde neer, pakte de bom op en rolde die met de digitale display naar boven.

00:33.

Hij zag een deuk in de huls bij de timer. Daar had die Amerikaanse rotzak de bom met de harpoen getroffen.

00:32.

Kennelijk was er kortsluiting ontstaan en daardoor was de timer geactiveerd.

Raoul tikte de code in om de timer stop te zetten. Er gebeurde niets.

Hij stond op, en door de plotselinge beweging deed zijn hand pijn.

'Ga weg,' beval hij Kurt.

De man rukte zijn blik los van de bom, knikte en rende naar de tunnel.

Raoul nam snel een paar foto's, deed de camera in een waterdichte zak en beende weg.

00:19.

Toen hij in de eerste ruimte kwam, was Kurt al weg.

'Raoul!' hoorde hij roepen.

Verrast draaide hij zich om. Het was Seichan maar, dat rotwijf zat nog steeds vast in de andere tunnel.

Hij zwaaide naar haar. 'Het was prettig zakendoen met je.'

Nadat hij zijn masker goed had getrokken dook hij netjes in de vijver. Hij zwom door de tunnel en trof daar Kurt die op hem wachtte. De duiker bestudeerde twee lijken, nog twee van hun mannen. Kurt schudde zijn hoofd.

In Raoul welde enorme woede op.

Toen klonk er een dof geluid en het water bewoog. Het was alsof er een goederentrein voorbij denderde. In de tunnel achter hem was een oranje gloed te zien, maar die verdween al weer snel en de schokgolven hielden op.

Alles weg.

Raoul sloot zijn ogen. Hij had niets om te laten zien. De Societas zou hem flink te pakken nemen. Even dacht hij erover gewoon weg te zwemmen, met de noorderzon te vertrekken. Op drie Zwitserse bankrekeningen had hij geld staan.

Maar ze zouden achter hem aan komen.

Over zijn oortje hoorde hij: 'Zeehond Een, hier Sleepboot.'

Hij deed zijn ogen weer open. Dat was de boot die hem moest oppikken. 'Hier Zeehond Een,' antwoordde hij toonloos.

'We hebben twee extra passagiers aan boord.'

Raoul fronste diep. 'Verklaar u nader.'

'Een vrouw die je kent en een Amerikaan.'

Raoul balde zijn gewonde vuist. Het zoute water brandde en bracht hem bij zijn positieven.

Dat was goed nieuws.

Gray ijsbeerde door de hotelsuite die Monk voor de groep had gereserveerd. Ze bevonden zich op de hoogste verdieping van het Corniche Hotel waar ze vijfentwintig minuten geleden waren aangekomen. De glazen deuren naar het balkon boden uitzicht op de uit glas en beton opgetrokken moderne bibliotheek van Alexandrië. Daarachter blonk de haven als donkerblauw ijs, boten en jachten leken erin vastgevroren te zijn. Het was weer rustig in de haven.

Vigor had naar de plaatselijke nieuwszender gekeken en een Egyptische nieuwslezer horen vertellen dat er een confrontatie tussen rivaliserende drugssmokkelaars had plaatsgevonden. De politie had niemand kunnen arresteren; de Societas had weten te ontsnappen.

Gray wist ook dat het graf verwoest was. Hij en de anderen waren met duikflessen en twee van de achtergelaten onderwaterscooters naar de verre kant van de haven gevlucht, waar ze hun spullen onder een steiger hadden verborgen. Maar ondertussen had Gray achter zich een gedempte knal gehoord.

De brandbom.

Raoul moest die na zijn ontsnapping tot ontploffing hebben gebracht.

Zodra Gray, Kat en Vigor uit de haven waren geklommen, waren ze opgegaan in de meute zonnebaders en daarna door een parkje aan de kust naar hun hotel gegaan. Gray had verwacht dat Rachel en Monk daar al waren.

Maar nog steeds geen levensteken van die twee.

Geen boodschap, geen telefoontje.

'Waar kunnen ze zijn?' vroeg Vigor.

Gray wendde zich tot Kat. 'Jij hebt toch gezien dat ze er met een onderwaterscooter vandoor gingen?'

Ze knikte met een schuldige uitdrukking op haar gezicht. 'Ik had erop moeten letten dat...'

'Dan waren wíj nu dood,' viel Gray haar in de rede. 'Je moest kiezen.'

Hij kon haar niets kwalijk nemen.

Gray wreef in zijn ogen. 'En Monk is bij haar.' Dat was een schrale troost.

'Wat doen we nu?' vroeg Vigor.

Gray keek uit het raam. 'We moeten ervan uitgaan dat ze gevangen zijn genomen. Hier zijn we niet langer veilig, we moeten hier weg.'

'Weg?' vroeg Vigor. Hij stond op.

De verantwoordelijkheid drukte zwaar op Gray. Hij keek Vigor recht aan, al viel het hem moeilijk. 'We hebben geen keus.'

Rachel trok de badjas aan. Terwijl ze die stevig om zich heen sloeg, keek ze de andere aanwezige in de hut kwaad aan.

De lange, gespierde blonde vrouw sloeg er geen acht op en liep naar de deuropening. 'Klaar!' riep ze door de gang.

Er verscheen een tweede vrouw die sprekend op de andere leek, afgezien van haar kastanjebruine haar. Ze stapte naar binnen en hield de deur open voor Raoul. De grote man moest zijn hoofd bukken.

'Schoon,' zei de blonde vrouw terwijl ze haar latex handschoenen uittrok. Ze had Rachel grondig gefouilleerd. 'Ze hield niets verborgen.'

Nu al helemaal niet meer, dacht Rachel woedend. Ze knoopte de badjas met trillende vingers stevig dicht met het ceintuur, net onder haar borsten. Met veel moeite weerhield ze zich ervan te gaan huilen, die lol gunde ze Raoul niet.

Ze staarde naar de kleine patrijspoort, misschien zag ze iets waaruit ze kon opmaken waar ze was. Maar het enige wat ze zag, was de uitgestrekte zee.

Monk en zij waren overgebracht vanaf de woonboot. Het logge vaartuig was langzaam de haven uit gevaren, er was een speedboot langszij gekomen met vier stevige kerels die hen vervolgens knevelden en blinddoekten. Daarna werden ze in de speedboot gelegd, die er met een noodgang vandoor ging, bonkend over de golven. Het leek of de tocht een halve dag duurde, maar waarschijnlijk nam die maar een uur in beslag. Zodra de blinddoek van haar hoofd werd getrokken, had ze gezien dat de zon nauwelijks had bewogen.

In een inhammetje, verborgen achter een stapel rotsblokken, had de nu bekende draagvleugelboot als een nachtblauwe haai liggen wachten. Mannen waren met het touwwerk in de weer en maakten de boot klaar om uit te varen. Op de achtersteven had ze Raoul zien staan met de armen over elkaar geslagen.

Ruw werden Monk en Rachel aan boord gehesen en vervolgens van elkaar gescheiden.

Raoul had zich over Monk ontfermd.

Nog steeds wist Rachel niet wat er van haar teamgenoot was geworden. Zij was naar een hut benedendeks gebracht waar ze werd bewaakt door de twee amazones. Zodra ze aan boord waren, voer de draagvleugelboot in volle vaart de inham uit en de Middellandse Zee op.

Dat was nu een halfuur geleden.

Raoul liep op haar toe en pakte haar bij de bovenarm beet. Om zijn andere hand droeg hij een verband. 'Kom mee.' Zijn vingers drongen diep in haar vlees.

Ze liet zich meenemen naar de van een houten lambrisering voorziene gang die werd verlicht door wandlampen. De gang liep van de boeg tot de achtersteven en in de wanden zaten deuren naar de privé-hutten. Er was maar één steil trappetje, eigenlijk meer een ladder, dat naar het dek leidde.

Maar ze gingen niet naar boven; Raoul bracht haar naar de boeg.

Op de laatste deur in de gang klopte hij.

'*Entri*,' hoorde ze een gedempte stem.

Raoul trok de deur open en sleurde Rachel mee naar binnen. De hut was ruimer dan haar gevangeniscel. Er stonden niet alleen een bed en een stoel, maar ook een bureau, een tafeltje en boekenkasten. Elk oppervlak was bedekt met stapels papieren, tijdschriften en zelfs boekrollen. Op een hoek van het bureau stond een laptop.

De man in de kamer stond op en draaide zich om. Hij had over zijn bureau gebogen gestaan, zijn bril op het puntje van zijn neus.

'Rachel!' begroette hij haar warm, alsof ze dikke vrienden waren.

Ze herkende hem uit de tijd dat ze met oom Vigor meeging naar de bibliotheken van het Vaticaan. Het was de hoofdprefect van de archieven, dr. Alberto Menardi. De verrader was iets langer dan zij, maar omdat hij altijd gebogen stond, leek hij korter.

Hij tikte op het papier op zijn bureau. 'Aan dit handschrift te zien – van een vrouw als ik me niet vergis – heb jij iets op deze kaart geschreven.'

Hij gebaarde dat ze dichterbij moest komen.

Rachel had geen keus, Raoul duwde haar naar voren.

Ze struikelde over een stapel boeken en moest zich vastgrijpen aan een hoek van het bureau om niet te vallen. Ze staarde naar de kaart van het Middellandse-Zeegebied. Daar stond de zandloper op getekend, evenals de namen van de zeven wereldwonderen.

Ze hield haar gezicht in de plooi.

Ze hadden de kaart gevonden die ze in een zak van haar droogpak had gestopt. Het speet haar dat ze die niet had verbrand.

Alberto boog zich naar haar toe, zijn adem stonk naar olijven en zurige wijn. Met zijn nagel ging hij over de snijlijn die Gray had getrokken en die bij Rome ophield. 'Vertel hier eens iets meer over.'

'Dat is waar we nu naartoe moeten,' loog Rachel. Tot haar opluchting had haar oom niets op de kaart getekend, hij had de lijn met zijn vinger doorgetrokken.

Alberto keek haar aan. 'Hoezo? Ik wil graag weten wat daar in dat graf is gebeurd. Met alle details. Raoul was zo vriendelijk een paar digitale foto's te maken, maar een verhaal uit de eerste hand lijkt me nuttiger.'

Rachel zweeg.

Raoul verstevigde zijn greep om haar arm en ze vertrok haar gezicht. Alberto gebaarde dat Raoul zich moest inhouden. 'Dat is nergens voor nodig.'

De druk verminderde, maar Raoul bleef haar vasthouden.

'Daar heb je die Amerikaan toch voor?' ging Alberto verder. 'Misschien moet je hem haar maar eens laten zien. We kunnen allemaal wel een beetje frisse lucht gebruiken, nietwaar?'

Ze werd uit de hut geleid en het trappetje op geduwd. Terwijl ze naar boven klom, liet Raoul zijn hand onder haar badjas glijden en betastte haar dij. Haastig klom ze verder.

Het trappetje kwam uit op het open achterdek van de draagvleugelboot. Het zonlicht werd door het witte dek fel weerkaatst. Op de banken luierden drie mannen met geweren in de hand.

Allemaal namen ze haar van top tot teen op.

Met een rilling trok ze de badjas steviger om zich heen. Ze kon nog steeds Raouls hand op haar dij voelen. Gevolgd door Alberto klom de reus achter haar aan.

Ze liep om een muurtje heen dat de trap van het dek scheidde, en toen zag ze Monk.

Hij lag op zijn buik, naakt op zijn boxershort na, zijn polsen op zijn rug gebonden en zijn benen bij de enkels daaraan vast. Het zag ernaar uit dat twee van de vingers aan zijn linkerhand waren gebroken, want die waren in een vreemde hoek achterover gebogen. Het dek was besmeurd met bloed. Hij opende een gezwollen oog toen ze tevoorschijn kwam.

Hij begroette haar niet met een grapje, en dat vond ze nog het beangstigends. Kennelijk hadden Raoul en zijn mannen hun woede op Monk uitgeleefd, hun enige mikpunt.

'Maak zijn armen los,' beval Raoul. 'Leg hem op zijn rug.'

Snel deden de mannen wat hun was opgedragen. Monk kreunde toen zijn armen werden losgemaakt. Hij werd op zijn rug gerold en een van de bewakers hield zijn geweer bij Monks oor.

Raoul pakte een bijl uit een beugel.

'Wat doe je?' Rachel vloog tussen de enorme man en Monk in.

'Dat gaat van jou afhangen,' reageerde Raoul. Hij legde de bijl op zijn schouder.

Een van de mannen reageerde op een discreet teken. Rachels elleboog werd op haar rug gedraaid en ze werd achteruit getrokken.

Raoul wees met zijn bijl in de hand naar de derde man. 'Ga op zijn borst zitten en hou zijn linkerarm bij de elleboog op de grond gedrukt.' Terwijl de man gehoorzaamde, kwam Raoul naar voren. Even keek hij om naar Rachel. 'Ik meen dat de professore je een vraag had gesteld.'

Ook Alberto kwam naar voren. 'En ik wil een gedetailleerd antwoord.'

Rachel was te bang om iets te zeggen.

'Aan deze kant heeft hij vijf vingers,' ging Raoul verder. 'We beginnen met de vingers die al zijn gebroken. Daar heeft hij toch weinig aan.' Hij hief de bijl omhoog.

'Nee!' bracht Rachel verstikt uit.

'Niet...' kreunde Monk.

De bewaker met het geweer schopte tegen Monks hoofd.

'Ik zal jullie alles vertellen!' riep Rachel snel.

Gejaagd vertelde ze wat er was gebeurd, van de ontdekking van Alexanders stoffelijk overschot tot de activering van de oeroude batterijen. Ze hield niets achter, behalve de waarheid. 'Het duurde nogal lang, maar we hebben het raadsel opgelost... De kaart... De zeven wereldwonderen... Alles wijst terug naar het begin. Het is een volmaakte cirkel. Terug naar Rome.'

Alberto's ogen fonkelden. Af en toe vroeg hij iets, af en toe knikte hij. 'Ja, ja...'

Rachel was uitgesproken. 'Meer weten we niet.'

Alberto draaide zich om naar Raoul. 'Ze liegt.'

'Dat dacht ik al.' Met een zwaai kwam de bijl naar beneden.

16:16

Raoul genoot van het gegil van de vrouw.

Hij rukte zijn bijl uit het dek. De vingers van de gevangene had hij op een haartje gemist. Nadat hij de bijl op zijn schouder had gelegd, draaide hij zich naar de vrouw om. Ze zag lijkbleek.

'Volgende keer is het raak,' waarschuwde hij.

Dr. Alberto kwam naar voren. 'Onze grote vriend hier was zo vriendelijk een foto van de piramide te maken. Daarop is een vierkant gat in het oppervlak te zien. Daar heb je het niet over gehad. En een zonde van verzuim staat gelijk aan een leugen. Toch, Raoul?'

Raoul hief de bijl omhoog. 'Zullen we het nog eens proberen?'

Alberto boog zich naar Rachel toe. 'Het is niet nodig dat je vriend iets overkomt. Ik weet dat er iets moet zijn weggenomen uit de graftombe. Het heeft geen zin om in het wilde weg naar Rome te wijzen. Wat hebben jullie meegenomen uit de piramide?'

De tranen biggelden over haar wangen.

Raoul zag de tweestrijd op haar gezicht. Toen hij terugdacht aan een tijdje geleden, kreeg hij een erectie. Door een confrontatiespiegel had hij gezien dat een van die wijven van de kapitein alle lichaamsholten van de vrouw had doorzocht. Eigenlijk had hij dat zelf willen doen, maar de kapitein had hem dat geweigerd. Het was zijn boot, hier golden zijn regels. Raoul had niet verder aangedrongen, de kapitein was toch al in een bar slecht humeur sinds hij had vernomen dat Seichan de dood had gevonden, samen met veel van Raouls mannen.

Bovendien zou hij de vrouw toch gauw grondig onderzoeken... Maar hij zou dat minder zachtzinnig doen.

'Wat is er meegenomen?' drong Alberto aan.

Raoul zette zich schrap en hield de bijl hoog boven zijn hoofd. Zijn pas gehechte hand deed pijn, maar daar lette hij niet op. Misschien hield ze haar mond... Misschien kon de hele ondervraging worden gerekt...

Maar de vrouw gaf toe. 'Een sleutel... Een gouden sleutel,' zei ze met verstikte stem en ze viel op haar knieën. 'Gray... Commandant Pierce heeft die.'

Door haar tranen heen hoorde Raoul iets van hoop in haar stem.

Hij kende een manier om die hoop de grond in te boren.

Hij liet de bijl hard neerkomen. De hand van de man werd er bij de pols afgehouwen.

16:34

'Het is tijd om te gaan,' zei Gray.

Hij had Vigor en Kat drie kwartier gegeven om naar de plaatselijke ziekenhuizen en eerstehulpposten te bellen, ze hadden zelfs zo onopvallend mogelijk bij de gemeentepolitie geïnformeerd. Misschien waren ze gewond en niet in staat contact op te nemen, of misschien zaten ze in een cel op het politiebureau.

Toen zijn mobieltje ging, stond hij op.

Iedereen keek hem aan.

'God zij gedankt,' bracht Vigor uit.

Maar een handjevol mensen kende dat nummer: directeur Crowe en hun teamgenoten.

Gray pakte zijn mobieltje en trok de antenne uit, daarna ging hij bij het raam staan. 'Pierce,' zei hij.

'Ik hou het kort zodat er geen verwarring kan ontstaan.'

Gray verstijfde. Het was Raoul. Dat kon maar één ding betekenen...

'We hebben de vrouw en je teamgenoot in handen. Als je niet precies doet wat we zeggen, sturen we hun hoofden naar Washington en Rome... Nadat we eerst met hun lichamen hebben gespeeld, natuurlijk.'

'Hoe weet ik dat ze nog...'

Geschuifel aan de andere kant. Gehijg. Hij hoorde de tranen in haar stem. 'Ze... Ik... Ze hebben Monks hand eraf gehakt. Hij...'

De telefoon werd uit haar hand gerukt.

Gray probeerde niet te reageren, daar was dit het moment niet voor. 'Wat willen jullie?'

'De gouden sleutel uit de graftombe,' antwoordde Raoul.

Dus daar wisten ze van. Gray begreep waarom Rachel hun dat had verteld. Wat moest ze anders? Waarschijnlijk had ze het gedaan om Monks leven te redden. Ze waren veilig zolang de Societas wist dat Gray de sleutel in handen had, maar dat wilde niet zeggen dat er geen ergere dingen met Monk of Rachel zouden gebeuren als hij niet meewerkte. Hij herinnerde zich nog hoe de gemartelde priesters in Milaan eraan toe waren geweest.

'Je stelt een ruil voor,' reageerde hij kil.

'Om negen uur vanavond vertrekt er een vlucht van EgyptAir van Alexandrië naar Genève. Jij zit op die vlucht. Alleen jij. In een kluis hebben we valse identiteitsbewijzen en de tickets, dus niemand kan natrekken dat je op die vlucht zat.' Er volgden nadere gegevens over het kluisje. 'Je neemt geen contact op met je superieuren... Noch die in Washington, noch die in Rome. We merken het als je dat wel doet. Begrepen?'

'Ja,' beet Gray hem toe. 'Maar hoe weet ik of jullie je aan de afspraak zullen houden?'

'Dat weet je niet. Maar als gebaar van goede wil neem ik weer contact met je op zodra je in Genève bent geland. Als je onze aanwijzingen precies opvolgt, laten we de man gaan. Hij wordt dan naar een ziekenhuis in Zwitserland gestuurd en daar krijg jij het bewijs van. Maar de vrouw blijft in onze handen totdat je de gouden sleutel hebt overhandigd.'

Gray wist dat het aanbod Monk vrij te laten waarschijnlijk gemeend was, maar dat het geen gebaar van goede wil was. Het leven van Monk was een soort vooruitbetaling, een lokkertje om Gray te verleiden mee te werken. Hij probeerde niet te denken aan wat Rachel had gezegd; Monks hand was eraf gehakt.

Hij had geen keus.

'Ik neem die vlucht,' zei hij.

Raoul was nog niet uitgesproken. 'De anderen van je team... Die teef en de geestelijke... Zij zijn vrij om te gaan zolang ze zich maar koest houden. Als een van hen voet in Italië of Zwitserland zet, gaat het feest niet door.'

Gray fronste zijn wenkbrauwen. Hij snapte dat de anderen moesten worden weggehouden uit Zwitserland, maar waarom ook uit Italië? Ineens begreep hij het. Hij haalde zich Rachels kaart voor de geest. De lijn die hij had getrokken, de lijn naar Rome. Rachel had veel verteld, maar niet alles.

Brave meid.

'Afgesproken,' zei Gray. Ondertussen overdacht hij al verschillende mogelijkheden.

'Eén teken dat je iets in je schild voert en je ziet die vrouw of je teamgenoot nooit meer, afgezien van lichaamsdelen die we je dagelijks zullen toesturen.' De verbinding werd verbroken.

Gray liet zijn hand met het mobieltje zakken en draaide zich naar de anderen om. Hij herhaalde het gesprek woordelijk zodat het goed tot hen zou doordringen. 'Ik neem die vlucht.'

Nu Vigors ergste angst bewaarheid was, trok het bloed uit zijn gezicht weg.

'Ze kunnen je in de val lokken,' zei Kat.

Hij knikte. 'Maar ik denk dat ze niets zullen uithalen terwijl ik naar hen onderweg ben. Ze zullen het risico niet willen lopen dat de sleutel aan hun neus voorbijgaat.'

'En wij?' vroeg Vigor.

'Jullie moeten naar Avignon om daar het raadsel op te lossen.'

'Dat... Dat kan ik niet,' zei Vigor. 'Rachel...' Hij liet zich op het bed zakken.

Vastbesloten zei Gray: 'Rachel heeft ervoor gezorgd dat we in Avignon nog een kans maken. Daarvoor heeft ze met Monks bloed moeten betalen. Ik wil niet dat dat voor niets is geweest.'

Vigor keek naar hem op.

'Je moet me vertrouwen.' Grays gezicht verhardde. 'Ik red Rachel. Ik geef je mijn woord.'

Vigor staarde hem aan, hij probeerde iets in zijn gelaatsuitdrukking te lezen. Wat hij ook ontdekte, het scheen hem kracht te geven.

Gray hoopte dat het voldoende was.

'Hoe wil je...' begon Kat.

Hoofdschuddend liep Gray weg. 'Hoe minder we van nu af aan van elkaar weten, hoe beter.' Hij pakte zijn rugzak op. 'Zodra ik Rachel heb, neem ik contact op.'

Hij liep naar de deur.

Met nog één hoop.

17:55

Seichan zat in het donker met een afgebroken mes in haar hand.

Door die speer door haar schouder zat ze nog aan de wand vastgepind. De duimdikke speer was onder haar sleutelbeen naar binnen gedrongen en er boven haar schouder weer uit gekomen, en had geen belangrijke aders of haar schouderblad geraakt. Toch zat ze nog steeds vast. Voortdurend sijpelde er bloed in haar duikpak.

Bewegen was uiterst pijnlijk, maar ze leefde nog.

Na de laatste flits hadden Raouls mannen geen geluidje meer gemaakt. Het vuur van de brandbom waarmee Raoul het andere vertrek had verwoest had deze ruimte nauwelijks bereikt. Door de hitte was ze echter bijna gekookt, en toch verlangde ze nu weer naar die warmte.

Het was hier koud, de kilte drong zelfs door haar pak heen. De stenen wanden onttrokken warmte aan haar, en het feit dat ze veel bloed verloor, werkte ook niet echt mee.

Toch weigerde Seichan het op te geven. Ze voelde aan het afgebroken lemmet. Met dat mes had ze aan de steen gebikt, daar waar de speer in de wand zat verzonken. Als ze die los kon krijgen...

Op de vloer lagen flintertjes steen. Daar lag ook het andere stuk van het lemmet. Niet lang nadat ze was begonnen met bikken, was dat al afgebroken.

Ze had nu alleen een stuk van een centimeter of tien. Haar vingers bloedden van het mes en de ruwe steen. Dit had geen zin.

Het koude zweet stond op haar voorhoofd.

Ineens dacht ze dat ze licht zag. Dat moest haar verbeelding zijn die haar parten speelde. Ze draaide haar hoofd. In de vijver scheen licht dat sterker werd.

Er bewoog iets in het water, er kwam iemand aan.

Ze hield het afgebroken mes stevig vast, heen en weer geslingerd tussen hoop en vrees. Wie kon dat zijn?

Een donkere gestalte kwam uit het water. Een duiker. Het licht van de lamp verblindde haar toen de gestalte uit de vijver klom.

Ze hield haar hand voor haar ogen tegen het felle licht.

De duiker liet zijn lamp zakken.

Seichan herkende zijn gezicht toen hij zijn masker af trok en op haar toe liep. Commandant Gray Pierce.

Hij liep op haar af en hield een ijzerzaag omhoog. 'We moeten eens praten.'

DAG
VIER

14

GOTIEK

Directeur Painter Crowe voelde dat hij weer een slapeloze nacht voor de boeg had. Uit Egypte had hij gehoord dat er in de oostelijke haven van Alexandrië een gevecht had plaatsgevonden. Was Grays team daarbij betrokken geweest? Zonder spiedende ogen in de ruimte hadden ze geen onderzoek kunnen instellen.

Nog steeds geen bericht. De laatste boodschappen waren twaalf uur geleden uitgewisseld.

Het speet Painter dat hij Gray Pierce niet van zijn vermoedens op de hoogte had gebracht. Maar toen waren het niet meer dan vermoedens geweest, Painter had op nadere informatie gewacht. Nog steeds was hij niet zeker of hij terecht achterdochtig was. Als hij voortvarender te werk was gegaan, zou de mol weten dat hij was ontdekt. Dat zou Gray en zijn team nog meer in gevaar brengen.

Dus werkte Painter in zijn eentje.

Toen er op de deur werd geklopt, keek hij op van het computerscherm.

Hij zette de monitor op zwart om te verbergen waar hij mee bezig was, daarna ontsloot hij de deur door op het knopje te drukken. Zijn secretaresse was al vertrokken.

Logan Gregory kwam binnen. 'Het vliegtuig staat op het punt te landen.'

'In Marseille?' vroeg Painter.

323

Logan knikte. 'Over achttien minuten. Net na middernacht, plaatselijke tijd.'

'Waarom Frankrijk?' Painter wreef in zijn vermoeide ogen. 'En nog steeds geen enkel contact?'

'De piloot wilde de bestemming wel bevestigen, maar liet verder niets los. Het is me gelukt informatie los te krijgen van de Franse douane, er zijn twee passagiers aan boord.'

'Twee maar?' Fronsend ging Painter rechtop zitten.

'Ze vliegen onder diplomatieke vlag. Anoniem. Ik kan daar geen verdere informatie over krijgen.'

Painter moest voorzichtig zijn. 'Nee,' zei hij. 'Dat zou achterdocht kunnen opwekken. Het team wil niet dat hun activiteiten bekend worden. We geven hun de ruimte, voorlopig.'

'Goed, sir. Ik heb ook een verzoek uit Rome. Het Vaticaan en de carabinieri hebben niets meer gehoord, ze worden ongerust.'

Painter moest met een verklaring komen, anders zouden de autoriteiten uit de EU vervelend kunnen reageren. Hij overwoog de mogelijkheden. Het zou niet lang duren voordat de Europese autoriteiten de bestemming van het vliegtuig hadden nagetrokken. Het moest maar voldoende zijn.

'Werk een beetje mee,' zei hij uiteindelijk. 'Vertel ze van de vlucht naar Marseille, dan geven we hun later meer informatie zodra die binnenkomt.'

'Goed, sir.'

Painter staarde naar het zwarte scherm. Dit was een kans die hij moest aangrijpen. 'Als je dat hebt gedaan, moet je iets voor me doen. Een boodschap overbrengen naar DARPA.'

Logan fronste zijn voorhoofd.

'Ik heb iets wat persoonlijk aan dr. Sean McKnight moet worden overhandigd.' Painter liet een verzegelde brief in een rood etui glijden. 'Maar niemand mag weten dat je daarnaartoe op weg bent.'

Verwonderd kneep Logan zijn ogen tot spleetjes, maar toch knikte hij. 'Ik zorg dat het in orde komt.' Hij pakte het etui, stopte dat onder zijn arm en draaide zich om.

Painter drukte hem nog op het hart: 'Er is absolute geheimhouding geboden.'

'U kunt op mij vertrouwen,' stelde Logan hem gerust, daarna sloot hij de deur met een klikje achter zich.

Painter schakelde de monitor weer in. Er verscheen een kaart van het Middellandse-Zeegebied doorkruist met gele en blauwe lijnen. De banen van satellieten. Hij richtte zijn cursor op een ervan. De nieuwste satelliet van NRO, Hawkeye genaamd. Hij dubbelklikte en haalde de details van het traject naar boven en de zoekinstellingen.

Hij tikte Marseille in. Er verschenen tijden. Die vergeleek hij met de weerkaart van NOAA. Een onweersstoring zette koers naar Zuid-Frankrijk. Een dik wolkendek zou de surveillance belemmeren. Er was maar een kleine kans.

Painter keek op zijn horloge, daarna pakte hij de telefoon en sprak met de beveiliging. 'Laat me weten wanneer Logan Gregory het commandocentrum heeft verlaten.'

'Komt in orde, sir.'

Painter hing op. Een goede timing was van het grootste belang. Hij wachtte nog een kwartier en keek naar het front dat over West-Europa trok.

'Kom op,' mompelde hij.

Eindelijk ging de telefoon. Zodra Painter bevestiging had gekregen dat Logan weg was, stond hij op en liep zijn werkkamer uit. De ruimte met de satellietbeelden was een verdieping lager, naast Logans kantoor. Snel liep Painter de trap af en trof een eenzame technicus aan die dingen in een logboek noteerde. De man zat tussen een halfronde rij monitors en computers.

Verbaasd zijn baas plotseling te zien sprong hij op. 'Directeur Crowe... Wat kan ik voor u doen?'

'Ik wil directe verbinding met NRO's H-E Four satelliet.'

'Met Hawkeye?'

Painter knikte.

'Maar daar heb ik geen bevoegdheid voor...'

Painter legde een lange alfanumerieke lijst voor hem neer. Die had hij van Sean McKnight gekregen en de lijst was geldig voor het volgende halfuur.

De technicus sperde zijn ogen open en ging meteen aan de slag. 'U hoefde daarvoor niet zelf hier te komen, dr. Gregory zou de verbinding met uw kantoor ook kunnen maken.'

'Logan is er niet.' Painter legde zijn hand op de schouder van de technicus. 'Ik wil ook dat je alle gegevens over deze verbinding uitwist. Je zet er niets van over in je verslag. Geen woord over deze verbinding, zelfs niet binnen Sigma.'

'Komt in orde, sir.'

De technicus wees naar een van de schermen. 'Op deze monitor. Maar ik moet GPS-coördinaten hebben om te kunnen inzoomen.'

Painter gaf hem die.

Na een poosje verscheen het beeld van een nachtelijk vliegveld op het scherm.

De luchthaven van Marseille.

Painter liet inzoomen op een bepaalde gate. Het beeld beefde even en toen werd alles vergroot. Een vliegtuigje verscheen, een Citation x. Met de deur open stond het bij de gate. Painter boog zich naar voren, tussen het scherm en de technicus.

Was hij te laat?

Een grof beeld. Een gestalte stapte uit, toen nog een en samen liepen ze snel de trap af. Painter hoefde niet in te zoomen op hun gezichten.

Monseigneur Verona en Kat.

Painter wachtte. Misschien klopte de informatie niet, misschien waren ze toch allemaal aan boord.

Het beeld trilde, toen verschenen er gekleurde vierkantjes.

'Slecht weer,' zei de technicus.

Painter bleef staren. Er was verder niemand uitgestapt. Kat en monseigneur Verona verdwenen door de gate. Met een bezorgde frons gebaarde Painter dat de verbinding kon worden verbroken. Nadat hij de technicus had bedankt, liep hij weg.

Waar was Gray verdomme?

1:04

GENÈVE, ZWITSERLAND

Gray zat in het eersteklasgedeelte van een vliegtuig van EgyptAir. Hij moest het de Societas Draconis nageven, ze keken niet op een dubbeltje. Hij keek om zich heen. Acht zitplaatsen, zes passagiers. Een of twee daarvan waren spionnen van de Societas Draconis die een oogje op hem hielden.

Het maakte hem niet uit, voorlopig werkte hij volledig mee.

Hij had de tickets en zijn valse identiteitsbewijzen uit een kluisje op een busstation gehaald, daarna was hij naar de luchthaven gegaan. De vlucht van drie uur leek eindeloos te duren. Hij at het gourmetmaal, dronk twee glazen rode wijn, keek naar een film met Julia Roberts en deed zelfs een verkwikkend dutje van tweeënveertig minuten.

Hij draaide zich om naar het raampje en voelde de gouden sleutel op zijn borst verschuiven. Die zat aan een ketting om zijn hals. Door zijn lichaamswarmte was het metaal opgewarmd, maar dat voelde toch zwaar en kil. Twee mensenlevens hingen ervan af. Hij stelde zich Monk voor, vrolijk, iemand die niets ontging, een man met een groot hart. En Rachel. Iemand die keihard maar ook heel zacht kon zijn, intrigerend en gecompliceerd. Het laatste contact met haar spookte nog steeds door zijn hoofd, het was zo verdrietig en paniekerig geweest en had hem tot in zijn ziel geraakt.

Gray staarde uit het raampje terwijl het vliegtuig een steile landing inzette. Steil omdat de stad tussen de Alpen lag genesteld.

De lichtjes van Genève fonkelden en de bergtoppen en meren lichtten zilverig op in het maanlicht.

Het vliegtuig vloog over de Rhône, de rivier die de stad in tweeën deelde. Piepend kwam het landingsgestel naar buiten en even later waren ze op de internationale luchthaven van Genève geland.

Nadat ze naar de gate waren getaxied, wachtte Gray tot de cabine leeg was voordat hij zijn zorgvuldig gepakte tas pakte. Hij hoopte dat hij alles bij zich had wat hij nodig kon hebben. Hij hees de tas om zijn schouder en liep naar de uitgang.

Terwijl hij uitstapte, keek hij of er gevaar dreigde.

En hij keek naar nog iets. Zijn reisgenoot.

Zij had toeristenklasse gereisd, met een blonde pruik op, een degelijk marineblauw pakje aan en een donkere zonnebril op. Ze gedroeg zich onopvallend, haar linkerarm in een mitella die gedeeltelijk schuilging onder het jasje. Het was geen echt goede vermomming, maar niemand was erop verdacht.

Iedereen dacht dat Seichan dood was.

Ze stapte uit zonder naar hem om te kijken.

Gray liep achter de paar andere passagiers achter haar aan. Eenmaal in de terminal ging hij in de rij staan voor de douane, liet zijn valse identiteitsbewijs zien, kreeg een stempel en mocht doorlopen. In zijn bagage hadden ze niet gekeken.

Hij beende de goed verlichte straat op. Het was er druk, laat aangekomen reizigers zochten gehaast naar een taxi. Hij had geen idee wat er nu van hem werd verwacht, hij moest maar wachten tot Raoul contact met hem opnam. Hij liep naar de rij wachtenden voor een taxi.

Hoewel Seichan nergens te zien was, voelde hij dat ze in de buurt was.

Hij had een medestander nodig gehad en omdat hij was afgesneden van Washington en zijn teamgenoten, had hij een pact met de duivel gesloten. Met de ijzerzaag had hij haar bevrijd nadat hij haar eerst iets had laten beloven. Ze zouden samenwerken. In ruil voor haar vrijheid zou ze Gray helpen Rachel te bevrijden. Daarna gingen ze ieder hun eigen weg, alles vergeven en vergeten.

Daar had ze in toegestemd.

Terwijl hij haar wond behandelde en verbond, had ze hem bevreemd opgenomen. Ze was naakt tot aan haar middel, maar daarvoor had ze zich niet geschaamd. Ze had hem strak en geïnteresseerd aangekeken, alsof hij een rariteit was, een vreemd insect. Veel had ze niet gezegd, ze was uitgeput en misschien lichtelijk in shock. Maar ze herstelde zich snel, een leeuwin die langzaam ontwaakt met een sluwe, geamuseerde blik.

Gray wist dat ze eerder meewerkte uit woede op Raoul dan uit een soort verplichting. Meewerken kwam haar nu goed van pas. Ze was aan haar lot overgelaten en zou een langzame en pijnlijke dood zijn gestorven. Dat wilde ze Raoul betaald zetten. Wat er ook voor overeenkomst tussen de Societas en het Gilde was gesloten, ze voelde zich daar niet meer aan gebonden. Het enige wat restte, was wraak.

Maar was er niet meer?

Gray herinnerde zich de nieuwsgierige blik waarmee ze hem had opgenomen, maar hij herinnerde zich ook dat Painter hem voor haar had gewaarschuwd. Dat moest duidelijk op zijn gezicht te lezen zijn geweest.

'Ja, ik zal je verraden,' had Seichan gezegd toen ze haar hemd weer aantrok. 'Maar pas wanneer dit voorbij is. Jij zult dat ook proberen te doen, dat weten we allebei. Wederzijds wantrouwen, is dat niet de beste basis voor samenwerking?'

Eindelijk ging Grays mobieltje. Hij pakte het uit zijn tas. 'Pierce,' zei hij gespannen.

'Welkom in Zwitserland,' zei Raoul. 'Op het centraal station liggen treinkaartjes voor je klaar, onder je valse naam. De trein naar Lausanne vertrekt over vijfendertig minuten, zorg dat je die haalt.'

'En mijn teamgenoot?'

'Die is zoals afgesproken onderweg naar een ziekenhuis in Genève. Wanneer je in de trein zit, krijg je daarvan bevestiging.'

Gray liep naar de taxi's. 'En luitenant Verona?' vroeg hij.

'Die wordt goed verzorgd. Voorlopig. Zorg dat je je trein niet mist.'

De verbinding werd verbroken.

Gray stapte in een taxi. Hij deed geen moeite Seichan met zijn blik te zoeken. Er zat een chip op zijn telefoon waarmee ze zijn gesprekken kon afluisteren op haar eigen mobieltje. Ze had het gesprek gehoord en was slim genoeg om hem bij te houden.

'Centraal station,' zei hij tegen de taxichauffeur.

Met een knikje stuurde de chauffeur de taxi de weg op en zette koers naar het centrum van Genève. Gray leunde achterover. Seichan had gelijk gehad. Toen ze hoorde dat hij naar Zwitserland moest, had ze hem verteld waar ze dacht dat Rachel gevangen werd gehouden, een kasteel ergens in de Alpen.

Na tien minuten reed de taxi langs het meer. In het water spoot een fontein meer dan honderd meter de lucht in, de beroemde Jet d'eau die sprookjesachtig werd verlicht. Bij een van de steigers was een feestje in volle gang.

Gray hoorde zingen en lachen. Het leek uit een andere wereld te komen.

Na nog een paar minuten stopte de taxi voor het centraal station. Gray stapte uit, liep naar de balie, gaf zijn valse naam op en toonde zijn identiteitsbewijs. Hij kreeg een kaartje naar Lausanne, de stad aan het meer.

Hij liep naar het perron en hield ondertussen zijn ogen goed open. Geen spoor van Seichan. Dat beviel hem niet. Stel dat ze ertussenuit was geknepen? Stel dat ze hem verraadde en Raoul alles vertelde? Die gedachte verdrong hij, hij had ervoor gekozen dit risico te lopen.

Weer ging zijn mobieltje.

Hij pakte het ding en trok de antenne uit.

'Pierce,' zei hij.

'Twee minuten ter bevestiging.' Het was weer Raoul. Er klonk geklik en geruis. Toen een stem, zwakker en met een vreemde echo, maar vertrouwd.

'Gray?'

'Ik hoor je, Monk. Waar ben je?' Gray was zeker dat niet alleen Seichan het gesprek afluisterde, hij moest op zijn tellen passen.

'Ze hebben me met dit mobieltje bij een ziekenhuis gedropt. Ze zeiden dat ik op een telefoontje van jou moest wachten. Ik bevind me op de eerstehulp. Al die doktoren spreken verdomme Frans.'

'Je bent in Genève,' zei Gray. 'Hoe is het met je?'

Een lange stilte.

'Ik weet al van je hand,' zei Gray.

'De klootzakken,' zei Monk. De woede was in zijn stem te horen. 'Ze hadden een dokter aan boord. Ze hebben me onder narcose gebracht, een infuus gegeven, en mijn... mijn stomp gehecht. De doktoren hier willen röntgenfoto's en zo maken, maar ze lijken wel tevreden met het eh... handwerk van die andere dokter, om het zo maar eens te zeggen.'

Gray vond het prettig dat Monk er zo luchtig over kon doen, ook al was zijn woede duidelijk merkbaar.

'En Rachel?'

Het was aan Monk te horen dat hij daar erg mee zat. 'Ik heb haar niet meer gezien sinds ze me aan het infuus legden. Geen idee waar ze is. Maar... maar Gray...'

'Wat?'

'Je moet haar uit hun handen zien te krijgen.'

'Daar ben ik mee bezig. En jij? Ben jij daar veilig?'

'Zo te zien wel,' antwoordde Monk. 'Ze zeiden dat ik mijn mond moest houden. En dat doe ik, ik speel stommetje. Maar de doktoren hebben de politie gebeld, ik sta onder bewaking.'

'Doe maar wat ze je zeggen,' raadde Gray hem aan. 'Ik haal je daar weg zo gauw ik kan.'

'Gray,' zei Monk, ineens gespannen. Gray herkende die toon, Monk wilde hem iets vertellen, maar was zich ervan bewust dat ze werden afgeluisterd. 'Ze... ze lieten me gaan.'

Geruis. Daar kwam Raoul weer.

'De tijd is om. Zoals je ziet, houden we ons aan ons woord. Als je wilt dat de vrouw op vrije voeten komt, moet je ons de sleutel brengen.'

'Begrepen. En dan?'

'Bij het station in Lausanne wacht een auto op je.'

'Nee,' zei Gray. 'Ik wil pas aan jullie worden overgeleverd als ik zeker weet dat Rachel veilig is. Wanneer ik in Lausanne aankom, wil ik bevestiging dat ze in leven is. Pas dan regelen we iets.'

'Je moet je hand niet overspelen,' snauwde Raoul. 'Ik zou die er niet graag afhakken zoals bij je maatje is gebeurd. We spreken elkaar zodra je hier bent.'

De verbinding werd verbroken.

Gray liet het mobieltje zakken. Dus Raoul was in Lausanne...

Hij wachtte op de trein, de laatste die kant op. Er stonden nog meer mensen op het perron te wachten. Hij keek, maar zag Seichan er niet tussen staan. Zou hij door de Societas in de gaten worden gehouden?

Eindelijk reed de trein rammelend en ratelend binnen en kwam met een piepende zucht tot stilstand. Gray stapte de middelste wagon in en liep toen snel door naar de laatste in de hoop mogelijke achtervolgers af te schudden.

In de sluis tussen de laatste twee wagons wachtte Seichan op hem.

Zonder hem te begroeten overhandigde ze hem een lange leren jas. Vervolgens draaide ze zich om en verliet de trein door de deur aan de andere kant van de trein, niet die naar het perron.

Hij volgde haar en sprong uit de trein. Daarna trok hij de jas aan en zette de kraag op.

330

Seichan stak snel de rails over en klom een ander perron op. Ze liepen het station uit en naar een parkeerterrein.

Daar stond een geel met zwarte motorfiets, een BMW.

'Stap op,' zei Seichan. 'Jij moet sturen, mijn schouder...' Ze had de mitella afgedaan om van het verhuurbedrijf hiernaartoe te rijden, maar naar Lausanne was het nog iets van tachtig kilometer.

Gray stapte op en sloeg de jaspanden terug. De motor was nog warm.

Ze klom achter hem en sloeg haar goede arm om zijn middel.

Gray startte de motor. De wegen van hier naar Lausanne had hij al uit zijn hoofd geleerd. Met hoge snelheid reed hij het parkeerterrein af en eenmaal op straat gaf hij nog meer gas. Ze vlogen naar de snelweg die vanuit Genève de bergen in ging.

Het licht van zijn koplamp boorde zich door het duister.

Hij jaagde achter de lichtbundel aan, steeds sneller. Seichan drukte zich tegen hem aan, haar arm om hem heen geslagen, haar hand onder zijn jas. Ze hield zich vast aan zijn riem.

Hij bedwong de neiging die arm weg te duwen. Verstandig of niet, dit besluit had hij genomen en nu zat hij aan haar vast. Hij scheurde de snelweg op. Ze moesten een halfuur voor de trein in Lausanne aankomen. Was dat genoeg speling?

Terwijl hij de bergen rond het meer in reed, keerde hij in gedachten terug naar het gesprek met Monk. Wat had Monk hem geprobeerd te vertellen? Ze lieten me gaan... Dat was duidelijk. Maar waar had Monk op gezinspeeld?

Hij dacht terug aan het eerdere gesprek, in Egypte. Hij had geweten dat de Societas Monk zou laten gaan. Ze lieten hem vrij om er zeker van te zijn dat Gray meewerkte, het was een lokkertje. Bovendien had Raoul Rachel nog om hem onder druk te zetten.

Ze lieten me gaan...

Hadden ze hem niet echt vrijgelaten? Zat er een addertje onder het gras? De Societas was meedogenloos, dingen die voor hen van waarde waren, gaven ze niet zomaar uit handen. Ze hadden Monk gemarteld om Rachel aan de praat te krijgen. Zouden ze zoiets waardevols zomaar opgeven? Monk had gelijk. Niet tenzij de Societas nog iets anders had om Rachel mee onder druk te zetten.

Maar wat?

Uitgeput zat Rachel in haar cel.

Steeds wanneer ze haar ogen sloot, beleefde ze het weer. Ze zag de bijl neerkomen, Monks lichaam sidderen. Zijn afgehakte hand die op het dek als een vis op het droge spartelde. Het bloed dat alle kanten op spoot.

Alberto had tegen Raoul getierd en geschreeuwd – niet vanwege die afschuwelijke daad, maar omdat hij Monk in leven wilde houden. Raoul had zijn bezwaren weggewuifd. Er was een tourniquet aangelegd en Alberto had Raouls mannen opgedragen Monk naar de kombuis te dragen.

Later had een van de vrouwen van het Gilde haar verteld dat Monk nog leefde. Twee uur later had de draagvleugelboot aangemeerd bij een eiland in de Middellandse Zee en werden ze op een straalvliegtuigje gezet.

Rachel had Monk gezien. Hij was versuft en lag met zijn gewonde arm tot de elleboog in het verband vastgebonden op een brancard. Toen werd zij opgesloten in een hokje achter in het vliegtuig. In haar eentje. Er waren geen raampjes in het hokje. In de volgende vijf uur waren ze twee keer geland, toen pas werd ze uit het hok gehaald.

Monk was er niet meer.

Raoul had haar een kap op gedaan en een prop in haar mond gestopt. Daarna was ze van het vliegtuig overgebracht naar een vrachtauto. Een halfuur lang reden ze over kronkelige wegen, toen kwamen ze op hun bestemming aan. Ze hoorde dat ze over planken reden. Een brug. Vervolgens kwam de vrachtauto tot stilstand.

Terwijl ze uit de vrachtwagen werd gesleurd, hoorde ze grommen en blaffen. Er moest hier een kennel zijn.

Ze werd door een ingang gevoerd en vervolgens stenen treden af. Achter haar viel een deur dicht, het blaffen stierf weg. Ze rook koude, vochtige steen. Tijdens de rit in de vrachtwagen had ze gevoeld dat ze steeds hoger kwamen.

Ergens in de bergen.

Toen werd ze vooruitgeduwd, struikelde over een drempel en kwam op handen en knieën terecht.

Raoul legde zijn handen op haar billen en lachte. 'Ze vraagt er nu al om.'

Rachel was weggesprongen en met haar schouder tegen iets hards gebotst. De doorweekte prop en de kap werden verwijderd. Terwijl ze over haar schouder wreef, keek ze om zich heen. Een stenen kerker. Alweer geen ramen. Ze had nauwelijks meer besef van tijd. In de kerker stond alleen een metalen brits met een opgerolde, dunne matras. Daarop lag een kussen, maar er waren geen dekens.

Er waren geen tralies. De ene wand bestond uit één grote ruit, afgezien van een deur met rubberen strips en ventilatiegaten ter grootte van een vuist. Maar zelfs voor die gaten kon iets worden geschoven om de kerker geheel geluiddicht te maken of de gevangene langzaam te laten stikken.

Daar had ze meer dan een uur gezeten.

Er was zelfs geen bewaker, hoewel ze wel stemmen in een gang had gehoord, waarschijnlijk bij de trap.

Toen ze rumoer hoorde, keek ze op en ging staan. Ze herkende Raouls rauwe stem, hij blafte bevelen. Ze liep weg van de glazen wand. Op de boot had ze haar kleren teruggekregen, maar over wapens beschikte ze niet.

Geflankeerd door twee mannen verscheen Raoul. Erg blij zag hij er niet uit.

'Haal haar eruit,' siste hij.

Met een sleutel werd de deur geopend en zij werd uit de kerker gesleurd.

'Deze kant op,' zei Raoul en hij ging haar voor door de gang.

Ze zag andere kerkers, sommige afgesloten zoals de hare, andere open en vol wijnflessen.

Raoul liep voor haar uit de trap op naar een donkere, maanverlichte binnenplaats. Aan alle kanten stenen muren. Een poort, afgesloten met een valhek, gaf toegang tot een smalle brug over een ravijn.

Ze zat in een kasteel...

Een rij vrachtwagens stond langs de muur het dichtst bij de poort.

Langs een andere muur stond een lange rij met twintig kooien. Uit die hoek kwam gegrom. Er bewoog daar iets in het schemerduister, iets gespierds en krachtigs.

Raoul moest hebben gemerkt dat haar blik die kant op werd getrokken. 'Perro de Presa Canario,' zei hij met iets van trots. 'Vechthonden, in de negentiende eeuw gefokt. Pure kracht. Een en al spieren, kaken en tanden.'

Rachel vroeg zich af of hij het over zichzelf had.

Raoul liep voor haar uit, weg van de poort en naar de donjon. Twee trappen voerden naar een dikke eiken deur. Die werd helder verlicht door fakkels in de muur, bijna uitnodigend. Maar ze gingen niet door de deur, ze namen een zijdeur die toegang gaf tot een lager niveau.

Naast de deur hing een codeslot en Raoul toetste getallen in.

Toen de deur openging, rook Rachel een vleug ontsmettingsmiddel, en nog iets anders, iets schimmeligs. Ze werd een vierkant vertrek in geduwd dat fel door neonbuizen was verlicht. Stenen wanden, linoleum op de vloer. Voor de ene deur stond een bewaker.

Raoul liep daarnaartoe en trok de deur open.

Erachter lag een lange, kale gang met kamers aan weerskanten. Terwijl ze erlangs liepen, keek ze naar binnen. In eentje stonden stalen kooien, in een andere rijen computers verbonden met platen. Elektromagneten, dacht ze, gebruikt voor experimenten met verbindingen in de m-state. In een derde kamer stond een stalen tafel in de vorm van een X. Aan de leren riemen te zien was de tafel bedoeld om een man of vrouw met armen en benen wijd op vast te binden. Erboven hing een operatielamp.

Ze werd er helemaal koud van.

Er waren nog zes kamers, maar ze had genoeg gezien en was blij toen ze voor een deur aan de andere kant bleven staan.

Raoul klopte aan en duwde vervolgens de deur open.

Het contrast verbaasde Rachel. Het was of ze terugging in de tijd en de salon van een geleerde van rond de vorige eeuwwisseling binnenstapte. Overal gepolitoerd mahonie- en walnotenhout. Op de grond lag een dik Turks tapijt met een patroon in rood en groen.

Boeken- en vitrinekasten stonden langs de wanden, gevuld met keurig op volgorde gezette boekdelen. Achter glas ontdekte ze een eerste druk van sir Isaac Newtons *Principia*, en daarnaast een van Darwins *Origin of Species*. In een van de vitrines lag een verlucht Egyptisch manuscript. Rachel vroeg zich af of dat het manuscript was dat uit het museum van Caïro was gestolen, de vervalste tekst met de in raadselvorm gegoten verzen waardoor dit hele gewelddadige avontuur in gang was gezet.

Overal waar ze keek zag ze kunstvoorwerpen. Op de planken stonden Etruskische en Romeinse beeldjes, zelfs een Perzisch paardje van ongeveer zestig centimeter hoog met afgebroken hoofd, een meesterwerk dat tien jaar geleden in Iran was gestolen. Men dacht dat het Alexander de Grote's beroemde paard voorstelde, Bucephalus. Boven de vitrines hingen schilderijen. Eentje daarvan herkende ze als een Rembrandt, een andere was van Rafaël.

In het midden van het vertrek stond een enorm met beeldhouwwerk versierd bureau van mahoniehout. Het stond vlak bij een enorme stenen stookplaats die van de vloer tot het plafond liep. In de haard brandde een vuurtje.

'Professore!' riep Raoul terwijl hij de deur achter hen sloot.

Door een deur die naar privé-vertrekken leidde kwam dr. Alberto Menardi binnen. Hij droeg een zwart huisjasje afgezet met een karmozijnrode bies, en had het lef een priesterboord op zijn zwarte overhemd te dragen.

Onder zijn ene arm had hij een boek. Hij bewoog beschuldigend met zijn vinger naar Rachel. 'Je bent niet helemaal eerlijk tegen ons geweest.'

Rachels hart sloeg over en de adem stokte in haar keel.

Alberto wendde zich tot Raoul. 'Als jij me niet had afgeleid omdat ik de pols van die Amerikaan moest hechten, was ik daar al eerder achter gekomen. Kom hier, jullie twee.'

Hij wenkte hen naar het bureau vol paperassen en boeken.

Rachels oog viel op een kaart van het Middellandse-Zeegebied. Er stonden meer lijnen op aangegeven, cirkels, meridianen, graden. Geheimzinnige getalletjes stonden langs de zijkanten genoteerd. Naast de kaart lagen een kompas, een tekenhaak en een sextant. Kennelijk had Alberto zich op de puzzel gestort omdat hij Rachel niet vertrouwde of omdat hij dacht dat zij en haar oom te stom waren om die zelf op te lossen.

De prefect tikte op de kaart. 'Rome is niet de volgende bestemming.'

Rachel hield haar gezicht in de plooi.

Alberto ging verder. 'De onderliggende bedoeling van dit geometrische patroon is een positieve tijdsbeweging. Zelfs deze zandloper verdeelt de tijd, korrel voor korrel, tot het onafwendbare einde. Daarom heeft de zandloper altijd de dood betekend, het einde der tijden. Dat hier een zandloper is verschenen, kan maar één ding betekenen.'

Raouls frons werd dieper, ten teken dat hij er niets van begreep.

Alberto zuchtte. 'Het is wel duidelijk dat het het einde van deze zoektocht betekent. Wat deze aanwijzing ook inhoudt, ik weet zeker dat het duidt op de laatste halte.'

Rachel voelde Raoul naast zich een beweging maken. Ze waren hun uiteindelijke doel dicht genaderd, maar ze hadden de gouden sleutel niet in hun bezit, en ook al was Alberto nog zo slim, het raadsel had hij nog niet volledig opgelost. Maar dat kwam wel.

'Het kan Rome niet zijn,' zei Alberto. 'Dat zou teruggaan in de tijd betekenen, niet vooruit. Dit is een raadsel dat nog moet worden opgelost.'

Rachel schudde haar hoofd en deed of ze te moe was om er nog in geïnteresseerd te zijn. 'Verder waren we niet gekomen toen we werden aangevallen.' Ze gebaarde naar de kamer. 'Wij hadden dit niet allemaal tot onze beschikking.'

Onderzoekend keek Alberto haar aan, maar ze vertrok geen spier.

'Goed, ik geloof je,' zei hij langzaam. 'Monseigneur Vigor is gewiekst, maar dit raadsel is erg gecompliceerd.'

Rachel keek nietszeggend terug, maar toch met iets van angst, alsof ze diep onder de indruk was. Alberto werkte alleen. Het was duidelijk dat hij zich hier had teruggetrokken om de raadselen voor de Societas op te lossen omdat hij niemand vertrouwde, overtuigd als hij was van zijn eigen superioriteit. Hij zag het nut niet van een breder perspectief, meerdere invalshoeken. Alleen met hun gezamenlijke kennis had het team het raadsel kunnen oplossen, dat was niet het werk van één man geweest.

Maar de prefect was niet achterlijk. 'En toch,' zei hij, 'moeten we het zeker weten. Je hebt verzwegen dat jullie een gouden sleutel hadden gevonden. Misschien hou je nog wel meer achter.'

De angst sloeg haar om het hart. 'Ik heb alles verteld wat ik weet,' bezwoer ze, hopelijk overtuigend. Zouden ze haar geloven of gingen ze haar martelen?

Ze probeerde haar angst te verbergen. Doorslaan zou ze niet, er stond te veel op het spel. Ze had in Rome en Alexandrië gezien om welke grote krachten het ging. De Societas Draconis mocht daar niet de macht over krijgen.

Zelfs het leven van Monk mocht er niet meer toe doen. Ze waren allebei militair. Op de draagvleugelboot had ze de Societas over de gouden sleutel verteld om Monk te sparen, maar ook om Gray erbij te betrekken, om hem de kans te geven iets te doen. Dat leek een risico dat ze wel kon nemen. Net als nu miste de Societas een zeer belangrijk deel van de puzzel. Ze mocht niets loslaten over Avignon en de pausen in Frankrijk.

Als ze dat verklapte, was alles verloren.

Alberto haalde zijn schouders op. 'Er is maar één manier om erachter te komen of je meer weer. Het wordt tijd dat je ons de volledige waarheid vertelt. Breng haar naar hiernaast.'

Rachel ademde sneller en toch leek het alsof ze niet voldoende lucht kreeg. Ruw duwde Raoul haar de deur door. Nadat Alberto zijn huisjasje had uitgetrokken, volgde hij hen, klaar om aan de slag te gaan.

Rachel dacht terug aan Monks hand die over het dek spartelde. Zij moest zich op erger dingen voorbereiden. Ze mochten er echt nooit achter komen, geen enkele reden was doorslaggevend genoeg om hun de waarheid te vertellen.

Terwijl Rachel de gang in stapte, zag ze dat er meer licht kwam uit de kamer waarin die vreemde tafel in de vorm van een X stond. Iemand had de operatielamp aangedaan.

Raoul belemmerde haar gedeeltelijk het zicht. Ze zag een infuusfles op een trolley staan, en een blaadje met lange chirurgische instrumenten, scherp, gedraaid als kurkentrekkers of met gekarteld lemmet. Iemand lag vastgebonden op de tafel.

O god... Monk?

'We kunnen de hele nacht verder gaan met de ondervraging,' beloofde Alberto terwijl hij langs hen liep om als eerste naar binnen te gaan. Hij trok een paar steriele latex handschoenen aan.

En toen trok Raoul haar het chirurgisch griezelkabinet in.

Eindelijk zag Rachel wie er op de tafel lag vastgebonden met armen en benen wijd en met een neus waar al bloed uit droop.

'Iemand kwam neuzen,' zei Raoul met een vette lach.

De gevangene draaide het gezicht naar haar toe. Ze herkenden elkaar en op dat moment verdween Rachels wilskracht.

Rachel vloog naar voren.

Raoul greep haar bij haar haar en dwong haar op haar knieën. 'Jij mag hier kijken.'

'We beginnen met het linkeroor,' zei Alberto terwijl hij een scalpel pakte.

'Nee!' gilde Rachel. 'Ik vertel alles! Alles!'

Alberto liet de scalpel zakken en draaide zich naar haar om.

'Avignon,' bracht ze snikkend uit. 'Het is Avignon.'

Ze voelde zich niet schuldig dat ze het had gezegd. Vanaf nu moest ze op Gray vertrouwen, hij was hun enige hoop. Ze staarde in de ogen van de doodsbange gevangene.

'Nonna...' jammerde ze.

Het was haar grootmoeder.

2:22

AVIGNON, FRANKRIJK

De stad Avignon bruiste, fonkelde, zong en danste.

Zoals gewoonlijk werd in juli het jaarlijkse theaterfestival gehouden, het grootste muziek-, toneel- en kunstspektakel ter wereld. De stad werd overspoeld door jonge mensen, ze sloegen hun tenten op in het park, en de hotels en jeugdherbergen waren overvol. Het feest ging dag en nacht door. Zelfs de bewolkte lucht kon de feestgangers niet afschrikken.

Vigor draaide zich af van een stelletje dat zich op een verscholen bankje in het park aan fellatio overgaf. Het lange haar van de vrouw verborg grotendeels haar pogingen haar vriend te plezieren. Snel liep Vigor met Kat naast zich door. Ze hadden ervoor gekozen door het park te lopen om bij het Place du Palais te komen. Het pauselijk paleis stond op een rotsformatie die over de rivier uitkeek.

Terwijl ze voorbij een uitkijkpunt kwamen, zagen ze een bocht van de rivier beneden hen. Daar bevond zich de beroemde brug uit het Franse liedje, le pont d'Avignon oftewel le pont Saint-Bénezet. Die dateerde uit de laatste helft van de twaalfde eeuw en was toen de enige brug over de Rhône. Maar na het verstrijken van eeuwen resteerden er nog slechts vier van de oorspronkelijk tweeëntwintig bogen. De ruïne werd prachtig verlicht. Op de brug dansten feestvierders, zo te zien volksdansers. Vigor en Kat vingen flarden muziek op.

In maar weinig steden waren heden en verleden zo met elkaar verweven als in Avignon.

'Waar beginnen we?' vroeg Kat.

Tijdens de vlucht hiernaartoe had Vigor onderzoek gedaan, juist om een antwoord op die vraag te krijgen. Terwijl hij wegliep van de rivier en naar de stad toe ging, zei hij: 'Avignon is een van de oudste steden van Europa, de geschiedenis ervan gaat terug tot het Neolithicum. Eerst woonden hier Kelten, daarna Romeinen. Maar Avignon staat vooral bekend om de gotische architectuur die hier bloeide in de eeuw dat de paus hier zetelde. In Avignon is meer gotische architectuur bewaard gebleven dan in enige andere Europese stad.'

'En wat hebben we daaraan?' vroeg Kat.

Vigor hoorde hoe gespannen dat klonk. Ze maakte zich zorgen om haar teamgenoten nu ze geen contact met hen kon hebben. Hij wist dat ze zich verantwoordelijk voelde voor Rachels en Monks gevangenneming. Ze voelde zich schuldig, al had Gray gezegd dat ze het juiste had gedaan.

Vigor maakte zich ook zorgen. Hij had Rachel in dit avontuur meegesleurd en nu was ze in handen van de Societas Draconis gevallen. Maar hij wist ook dat schuldgevoelens niets opleverden. Hij was opgegroeid met het geloof, dat was de hoeksteen van zijn bestaan, en het troostte hem enigszins dat Rachels lot in Gods handen rustte – en in die van Gray.

Maar dat wilde niet zeggen dat hij zelf niets kon doen. Help uzelf, zo helpt u God, doe uw best, God doet de rest... Hij en Kat hadden een plicht te vervullen.

Vigor gaf antwoord op haar vraag. 'Het woord "gotisch" is afgeleid van het Griekse woord "goèteia". Dat betekent zoveel als "magie". Zulke architectuur werd als magisch beschouwd. Niemand had in die tijd ooit zoiets gezien: de ranke ribben, de luchtbogen, de onmogelijke hoogte die werd bereikt. Het gaf de indruk van gewichtloosheid.'

Omdat Vigor nadruk op het laatste woord legde, begreep Kat het. 'Levitatie,' zei ze.

Vigor knikte. 'De kathedralen en andere gotische bouwwerken werden bijna uitsluitend gebouwd door een groep metselaars die zichzelf de Kinderen van Salomo noemden, een mix van tempeliers en cisterciënzer monniken. Zij hadden de kennis van de mathematische mysteriën bewaard die nodig was om deze bouwwerken op te richten, de kennis waarvan men aanneemt dat de tempeliers die hadden opgedaan toen ze tijdens de kruistochten de tempel van Salomo ontdekten. De tempeliers werden rijk... Of beter gezegd: nog rijker. Het gerucht ging dat ze de enorme schatten van koning Salomo hadden ontdekt, misschien zelfs de ark des verbonds waarvan men zegt dat die in de tempel van Salomo was verborgen.'

'En in die ark zou Mozes zijn potten met manna hebben opgeslagen,' zei Kat. 'Zijn recept voor metalen in de m-state.'

'Doe daar niet te geringschattend over,' reageerde Vigor. 'In de bijbel komen veel vermeldingen voor van vreemde krachten die uit de ark komen. Er wordt van levitatie gesproken. En het was bekend dat de ark dodelijk kon zijn door middel van bliksemschichten. Een voerman met de naam Uza probeerde de ark recht te zetten toen die iets was verschoven. Hij raakte de ark met zijn blote hand aan en werd meteen getroffen. Dat beangstigde de arme koning David zo dat hij eerst weigerde de ark binnen zijn stad te laten, maar de levieten lieten hem zien hoe je de ark veilig kon benaderen. Met handschoenen aan en schorten voor, en door je van elk metalen voorwerp te ontdoen.'

'Om te voorkomen dat je een schok kreeg.' Kat klonk al minder gespannen, zo intrigeerde het geheim haar.

'Misschien gedroeg de ark met al die poeders in de m-state erin zich als een elektrische condensator. Het supergeleidende materiaal absorbeerde de omringende energie en sloeg dat op, net zoals de gouden piramide dat deed. Totdat iemand alles verstoorde.'

'Dan werd hij geëlektrocuteerd.'

Vigor knikte.

'Goed,' zei Kat. 'Laten we ervan uitgaan dat de tempeliers de ark ontdekten en misschien ook de m-state supergeleiders. Maar hoe weten we of ze begrepen waarmee ze te maken hadden?'

'Daar heb ik het antwoord op. Commandant Gray vroeg me eens historische bronnen over deze vreemde monoatomaire poeders te vinden.'

'Van Egypte tot de Wijzen uit de bijbel,' zei Kat.

Weer knikte Vigor. 'Maar ik vroeg me af of er niet meer was. Vermeldingen uit de periode ná Christus. Bestonden er nog meer verwijzingen?'

'En die heb je aangetroffen,' zei Kat omdat ze zag hoe opgewonden hij was.

'De poeders in de m-state kenden vele namen: het witte brood, het poeder van projectie, de Steen uit het Paradijs. Tot mijn verrassing vond ik na de bijbelse tijden nog een geheimzinnige steen uit de geschiedenis der alchemie. De Steen der Wijzen.'

Kat fronste haar wenkbrauwen. 'De steen waarmee je uit lood goud kon maken?'

'Dat is een veelvoorkomend misverstand. Eirenaeus Philalethes, een filosoof uit de zeventiende eeuw en een gerespecteerd lid van de Royal Society, heeft dat in zijn verhandelingen rechtgezet. Hij zegt dat de Steen der Wijzen niets anders is dan goud in de hoogste staat van zuiverheid. Het wordt een steen genoemd vanwege de vaste eigenschap ervan. Goud, zuiverder dan zuiver, maar in de vorm van een fijn poeder.'

'Weer dat goudpoeder,' merkte Kat verrast op.

'Kan het nog duidelijker? En niet alleen Eirenaeus had het erover, ook een scheikundige uit de vijftiende eeuw, Nicolaas Flamel, beschreef een dergelijk alchemistisch proces. Hij besloot met: "Ik heb een fijn poeder van goud gemaakt hetwelke de Steen der Wijzen is."'

Vigor haalde diep adem. 'Dus kennelijk waren er toen geleerden die met een vreemd soort goud experimenteerden. Weet je, de hele Royal Society werd erdoor gefascineerd, zelfs sir Isaac Newton. Niet veel mensen weten dat Newton een fervent alchemist was en een collega van Eirenaeus.'

'Wat is er dan met hun werk gebeurd?' vroeg Kat.

'Dat weet ik niet. Waarschijnlijk belandden de meesten op dood spoor. Maar Robert Boyle, een collega van Newton, deed ook onderzoek naar het goud uit de alchemie. Maar iets zat hem dwars, iets wat hij had ontdekt. Hij stopte met het onderzoek en zei dat het te gevaarlijk was. Zelfs zo gevaarlijk dat misbruik ervan de wereld op zijn kop kon zetten. Je vraagt je toch af waar hij zo bang voor was... Kan hij iets hebben ontdekt wat het genootschap van alchemisten heeft aangezet onder te duiken?'

Kat schudde haar hoofd. 'Maar wat heeft de Steen der Wijzen met gotische architectuur te maken?'

'Meer dan je denkt. Fulcanelli, een Fransman uit het begin van de twintigste eeuw, heeft een zeer goed verkopende verhandeling geschreven: *Le Mystère des Cathédrales*. Zijn betoog kwam erop neer dat de gotische kathedralen van Europa vol esoterische boodschappen zitten die verwijzen naar kennis die verloren is gegaan, waaronder de kennis hoe de Steen der Wijzen te maken en nog meer alchemistische geheimen.'

'Een code in steen?'

'Verbaas je maar niet. De Kerk deed dat al veel langer. Het grootste deel van de toenmalige bevolking was analfabeet. De versieringen in kerken waren zowel educatief als informatief, bijbelse vertellingen in steen. Ik heb je toch gezegd wie deze enorme gotische verhalenbundels hebben gebouwd?'

'De tempeliers,' antwoordde Kat.

'Een groep waarvan bekend is dat ze over geheime kennis uit de tempel van Salomo beschikten. Dus misschien vertelden ze niet alleen bijbelse verhalen na, maar voegden ze daar boodschappen in code aan toe, bestemd voor hun medemetselaars die tevens alchemist waren.'

Kat keek niet erg overtuigd.

'Je hoeft maar goed naar enkele gotische kunstwerken te kijken om je van alles af te vragen. De iconografie staat bol van de sterrenbeelden, wiskundige raadsels, geometrische doolhoven. Dat alles komt rechtstreeks uit de alchemistische teksten van die tijd. Zelfs Victor Hugo, de auteur van *De klokkenluider van de Notre Dame*, wijdt een heel hoofdstuk aan het bekritiseren van de kunst in de Notre Dame omdat die indruist tegen de leerstellingen van de katholieke Kerk. Hij noemt de gotische kunst een gezagsondermijnende bladzijde in steen.'

Vigor wees vooruit, door de bomen. Ze waren bijna door het park heen en naderden het Place du Palais. 'Fulcanelli en Hugo waren niet de enigen die geloofden dat er iets ketters aan de kunstwerken van de tempeliers kleefde. Weet je waarom vrijdag de dertiende als een ongeluksdag wordt beschouwd?'

Even keek Kat naar hem op, toen schudde ze haar hoofd.

'Op 13 oktober 1307, een vrijdag, veroordeelde de Franse koning met steun van de paus de tempeliers als ketters. Ze werden ter dood gebracht, en hun leider werd gekruisigd en verbrand. Men neemt algemeen aan dat de ware reden achter de vervolging van de tempeliers was dat men hen van hun macht wilde ontdoen om hun rijkdommen in bezit te krijgen, ook de geheime kennis waarover ze beschikten. De Franse koning liet duizenden tempeliers martelen, maar toch werd hun schatkamer nooit ontdekt. Het betekende echter niet het einde van de orde van de tempeliers.'

'Voor hen was het inderdaad een ongeluksdag.'

'In feite was het het einde van een ongelukseeuw.' Ze waren het park uit en liepen over de door bomen omzoomde straat naar het centrum van

de stad. 'De scheiding tussen de Kerk en de orde van de tempeliers begon honderd jaar daarvoor, toen paus Innocentius II de katharen wreed
liet uitroeien. De katharen waren een gnostische sekte met banden met
de tempeliers. Het was een strijd tussen het orthodoxe en het gnostische
geloof die een volle eeuw duurde.'

'En we weten wie heeft gewonnen,' zei Kat.

'Ja? Het was misschien niet zozeer een overwinning als wel een assi-
milatie. Als je ze niet kunt verslaan, sluit je dan bij ze aan... In september 2001 dook er in Chinon een interessant document op. Het was een
boekrol, gedateerd een jaar na die bloedige vrijdag de dertiende en getekend door paus Clemens V. Hij sprak de tempeliers vrij en zuiverde hen
van elke blaam. Helaas trok koning Filips van Frankrijk zich er niets van
aan en ging gewoon verder met het in het hele land uitroeien van tempeliers. Maar waarom dit veranderde standpunt van de Kerk? Waarom
bouwde paus Clemens hier in Avignon een paleis volgens de gotische traditie, gebouwd door die ketterse metselaars? En waarom werd Avignon
het Europese centrum der gotiek?'

'Bedoel je dat de Kerk een totale ommekeer maakte en de tempeliers
opnam in de kudde?'

'Weet je nog dat we tot de conclusie kwamen dat sommige aspecten
van de leerstellingen van de thomasiaanse christenen, de gnostische christenen, al in de Kerk verborgen waren? Misschien wisten de aanhangers
daarvan paus Clemens te overreden voor de tempeliers op te komen, hen
te beschermen tegen de destructieve handelwijze van koning Filips.'

'Maar waarom?'

'Om iets van grote waarde veilig te stellen – voor de Kerk, voor de wereld. In de eeuw dat de pauselijke macht in Avignon zetelde, werd hier
veel gebouwd, het meeste onder toezicht van de Kinderen van Salomo.
Die kunnen gemakkelijk iets groots hebben verstopt.'

'Maar waar moeten we zoeken?' vroeg Kat.

'In het werk dat in opdracht van deze grillige paus werd opgericht, gebouwd door de tempeliers, een van de grootste meesterwerken uit de gotische architectuur.'

Vigor wees naar voren, waar de straat uitkwam op een ruim plein. Dat
werd nu bevolkt door feestgangers. Een dansvloer werd omgeven door
gekleurde lampjes en op een toneel stond een rockband te spelen. Jongens en meisjes dansten, lachten en schreeuwden. Langs de kanten stonden tafels waaraan nog meer mensen zaten. Een jongleur gooide vlam-
mende ringen hoog in de lucht. Er werd geapplaudisseerd. Het bier vloeide
rijkelijk, evenals koffie in kartonnen bekers. Overal steeg de rook op van

sigaretten en handgerolde joints.

Achter deze feestelijkheden rees een enorm donker gebouw op, geflankeerd door vierkante torens met in het midden een massieve stenen poort met spits toelopende torentjes. De stenen façade stond in sterk contrast met de feestelijkheden daarvoor. Alsof het gewicht van de geschiedenis op het gebouw drukte... en een oeroud geheim.

Het Palais des Papes.

'Ergens daar moet zich zo'n gezagsondermijnende bladzijde in steen bevinden,' zei Vigor dicht naast Kat. 'Daar ben ik zeker van. Die moeten we vinden en ontcijferen.'

'Maar waar moeten we met zoeken beginnen?'

Vigor schudde zijn hoofd. 'Wat Robert Boyle ook beangstigde, welk vreselijk geheim ook uiteindelijk tot een overeenkomst tussen de ketterse tempeliers en de orthodoxe Kerk leidde, welk mysterie ook een schattenjacht door het hele Middellandse-Zeegebied veroorzaakte... Het antwoord is daar verborgen.'

Vigor voelde een frisse wind uit de richting van de rivier komen. Avignon was genoemd naar die winden, maar hij voelde dat de echte storm nog moest losbreken. Boven hem waren de sterren verdwenen, donkere wolken pakten zich samen.

Hoeveel tijd hadden ze nog?

2:48

LAUSANNE, ZWITSERLAND

'En zo kwamen we tot de conclusie dat het Avignon moest zijn,' besloot Rachel. 'Het Franse Vaticaan. Dat is de volgende en laatste halte.'

Ze zat nog op haar knieën op het linoleum en haar grootmoeder lag nog vastgebonden op de tafel. Rachel had alles verteld, ze had niets achtergehouden. Ze had op al Alberto's vragen antwoord gegeven en had nergens omheen gedraaid. Ze wilde niet het risico lopen dat de prefect het waarheidsgehalte van haar woorden op haar grootmoeder controleerde.

Monk en Rachel waren militair, haar oma niet.

Rachel wilde niet dat haar oma iets overkwam. Gray moest nu maar zorgen dat de gouden sleutel niet in handen van de Societas Draconis viel. Al haar hoop en vertrouwen had ze op hem gevestigd omdat ze geen andere keus had.

Terwijl ze werd ondervraagd had Alberto aantekeningen gemaakt, hij was naar zijn werkkamer gegaan om pen en papier te halen, en ook Rachels kaart. Zodra hij klaar was, knikte hij, duidelijk tevreden.

'Natuurlijk,' zei hij. 'Zo eenvoudig en elegant. Uiteindelijk was ik er ook wel achter gekomen, maar nu kan ik me richten op het volgende raadsel... In Avignon.'

Alberto draaide zich naar Raoul om.

Rachel verstijfde. Ze wist nog wat er de vorige keer was gebeurd. Ook al had ze Raoul de waarheid over de gouden sleutel verteld, toch had hij Monks hand eraf gehakt.

'Waar zijn monseigneur Verona en de Amerikaanse vrouw nu?' vroeg Alberto.

'Het laatste wat ik over hen hoorde, was dat ze onderweg naar Marseille waren,' zei Raoul. 'In hun privé-jet. Ik dacht dat ze een bevel opvolgden: blijf in de buurt, maar kom niet naar Italië.'

'Avignon is maar ongeveer een kwartier vliegen van Marseille,' zei Alberto met een frons. 'Monseigneur Verona moet al op weg zijn om het raadsel op te lossen. Zoek uit of zijn vliegtuig al is geland.'

Raoul knikte en gaf het bevel door aan een van zijn mannen, die daarop wegrende.

Langzaam stond Rachel op. 'Mijn grootmoeder...' zei ze. 'Laten jullie haar nu gaan?'

Alberto maakte een wegwuivend gebaar, alsof hij de bejaarde vrouw al was vergeten. Kennelijk had hij belangrijker dingen aan zijn hoofd.

Een andere man kwam naar voren en maakte de leren riemen los waarmee haar grootmoeder lag vastgebonden. Met betraande wangen hielp Rachel haar nonna van de tafel af.

Nonna stond een beetje bibberig op en hield zich met één hand aan de tafel vast. Zorgzaam veegde ze Rachels tranen van haar wangen. 'Kom, kom, kindje... Nu niet meer huilen. Zo erg was het niet. Ik heb wel erger dingen meegemaakt.'

Bijna moest Rachel lachen. Haar oma probeerde haar te troosten.

Haar grootmoeder beende op de prefect af. 'Alberto, je moest je schamen,' sprak ze hem bestraffend toe, alsof hij een ondeugend kind was.

'Nonna... Nee...' waarschuwde Rachel haar en stak haar hand naar haar uit.

'Foei, dat je dacht dat mijn kleindochter geen geheim voor je kon achterhouden.' Ze drukte een kus op Alberto's wang. 'Ik zei toch dat Rachel te slim voor je was.'

Langzaam liet Rachel haar hand zakken. Het bloed stolde in haar aderen.

'Maar soms moet je een oude dame vertrouwen, nietwaar?'

'Zoals altijd heb je groot gelijk, Camilla.'

Rachel kon geen lucht krijgen.

Haar grootmoeder gebaarde dat Raoul haar zijn arm moest geven. 'En jij, jongeman, misschien snap je nu waarom zulk krachtig Drakenbloed het waard is beschermd te worden.' Ze gaf hem een vriendschappelijk tikje op zijn wang. 'Jij en mijn kleindochter... Jullie zullen bellissimi bambini krijgen. Veel mooie kinderen.'

Raoul draaide zich om en nam Rachel met kille, doodse ogen op.

'Ik zal mijn best doen,' beloofde hij.

15

DE JACHT

Achter Seichan aan klom Gray de met pijnbomen begroeide berghelling op. De motorfiets hadden ze in een nauwe kloof achtergelaten, verborgen achter een paar struiken bloeiende alpenroosjes. De laatste kilometer hadden ze door het duister gereden, met de koplamp uit. Door die extra voorzorgsmaatregel schoten ze minder op, maar daar was niets aan te doen.

Te voet ging Seichan in het donker voor hem uit de helling op naar een steile rotswand. Gray probeerde de takken te ontwijken. Eerder had hij een glimp opgevangen van het kasteel, toen ze uit Lausanne reden, de bergen in. Het kasteel had op een in elkaar gedoken waterspuiter geleken, met een plat gezicht en gloeiende ogen.

Gray kwam naast Seichan lopen. Ze stak een GPS-ontvanger voor zich uit. 'Weet je zeker dat je de achteringang kunt vinden?'

'De eerste keer dat ik hier was trokken ze een kap over mijn hoofd, maar ik had een GPS-ontvanger verborgen.' Even keek ze naar hem op. 'Ergens waar niemand het kon zien. Ik heb de positie en de hoogte opgeslagen. Zo komen we er wel.'

Ze klommen verder naar de hoog boven hen uit torenende rotswand.

Gray nam Seichan eens goed op. Waarom vertrouwde hij haar? In dit donkere bos maakte hij zich steeds meer zorgen, en niet alleen om zijn keus van teamgenoot. Hij begon aan zijn eigen oordeel te twijfelen. Was dit wat een echte leider deed? Hij zette alles op het spel voor deze reddingsactie. Een tacticus had de voors en tegens tegen elkaar afgewogen en was rechtstreeks met de sleutel naar Avignon gegaan. Hij daarentegen bracht de hele missie in gevaar.

En als de Societas Draconis won...

Gray dacht aan al die lijken in Keulen, de gemartelde priesters in Milaan. Er zouden nog heel veel mensen sterven als hij faalde.

En waarvoor?

In ieder geval wist hij daar het antwoord op.

Diep in gedachten klom hij verder.

Seichan controleerde haar GPS-ontvanger en ging naar links. Er verscheen een spleet in de rotswand, gedeeltelijk verborgen achter een plaat graniet die ertegen aanleunde, begroeid met mos en klokvormige witte bloemetjes.

Ze dook de spleet in, ging hem voor door een nauwe tunnel en klikte een penlight aan. Even verder werd de weg versperd door een oud hek. Handig maakte ze het slot open.

'Geen alarminstallatie?' vroeg Gray.

Schouderophalend duwde Seichan het hek open. 'Daar komen we gauw genoeg achter.'

Speurend bekeek Gray de wanden. Graniet, geen bedrading.

Tien meter voorbij het hek leidden ruw uitgehakte treden naar boven. Hier ging Gray voor. Hij keek op zijn horloge. Over een paar minuten moest de trein uit Genève het station van Lausanne binnenlopen. Ze zouden merken dat hij niet in de trein zat, de tijd drong.

Hij versnelde zijn pas, maar was op zijn hoede voor bewakers of een alarminstallatie. Terwijl ze verder omhoogklommen, nam de spanning toe.

Uiteindelijk kwam de tunnel uit in een bredere ruimte, een gewelfd soort grot. Bij de achterwand stroomde een natuurlijke bron klaterend naar een spleet om daardoor te verdwijnen en daarna zijn weg te vervolgen naar de voet van de berg. Maar voor de bron stond een grote steenplaat. Een altaar. Op het plafond waren sterren geschilderd. Het was de Romeinse tempel die Seichan hem had beschreven. Tot zover klopte haar informatie als een bus.

Seichan stapte achter hem in het vertrek. 'Hier is de trap naar het kasteel,' zei ze terwijl ze naar een andere tunnel wees.

Hij liep ernaartoe toen hij ineens iets in het duister zag bewegen. Een enorme gestalte stapte in het schaarse beetje licht.

Raoul.

Met een halfautomatisch geweer in zijn handen.

Links floepte licht aan. Twee andere bewapende mannen kwamen van achter de steenplaat tevoorschijn. Achter Gray viel een stalen deur dicht die de trap afsloot.

Erger nog was dat hij een kille loop tegen zijn achterhoofd voelde.

'De gouden sleutel heeft hij om zijn hals,' zei Seichan.

Raoul liep naar voren. Vlak voor Gray bleef hij staan. 'Je moet beter oppassen met wie je omgaat.'

Voordat Gray kon reageren, kwam een stevige vuist in zijn buik terecht.

De lucht werd uit zijn longen gestoten en hij viel op zijn knieën.

Raoul stak zijn hand uit en rukte de sleutel van de ketting, waarna hij die omhooghield in het licht.

'Dank je dat je ons dit hebt gebracht,' zei Raoul. 'En we zijn natuurlijk ook blij dat jij bent gekomen. We willen je een paar vragen stellen voordat we naar Avignon vertrekken.'

Gray staarde naar Raoul op. Hij kon niet verbergen dat hij geschokt was; de Societas wist van Avignon, maar hoe...

Eigenlijk wist hij het al.

'Rachel...' mompelde hij.

'O, maak je geen zorgen. Ze is in goede gezondheid. Momenteel is ze aan het bijpraten met haar familie.'

Dat begreep Gray niet.

'Vergeet zijn maat in het ziekenhuis niet,' zei Seichan. 'We willen geen losse eindjes.'

Raoul knikte. 'Daar wordt al voor gezorgd.'

3:07

GENÈVE, ZWITSERLAND

Omdat Monk toch niet kon slapen keek hij maar televisie. Franse televisie. Hij verstond er geen woord van, daarom lette hij niet echt goed op. Het was iets op de achtergrond terwijl hij lag te denken, een beetje versuft door de morfine.

Naar de verbonden stomp keek hij liever niet.

Door de pijnstillende middelen werd ook zijn woede onderdrukt. Niet alleen woede omdat hij verminkt was, maar ook omdat hij de grote pechvogel was. Hij mocht niet meer meedoen, hij was verdomme gebruikt bij een ruilhandeltje. De anderen liepen gevaar en hij zat opgesloten in een ziekenhuiskamer, bewaakt door de beveiliging van het ziekenhuis.

Ondanks de morfine voelde hij pijn diep vanbinnen. Hij had het recht niet medelijden met zichzelf te hebben. Hij had het er levend van afgebracht, hij was militair en had makkers van het slagveld gedragen zien worden die er erger aan toe waren dan hij. En toch bleef die pijn. Hij voelde zich onteerd, misbruikt, minder een kerel en al zeker minder een militair.

Met logica kon hij zichzelf niet troosten.

De televisie bleef maar doorzeuren.

Rumoer buiten zijn deur trok zijn aandacht. Ruzie, stemmen die zich verhieven. Hij ging een beetje hoger zitten. Wat was daar aan de hand?

Toen vloog de deur open.

Geschokt keek hij naar wie er langs de beveiliging naar binnen stapte.

Een bekende.

Onthutst bracht Monk uit: 'Kardinaal Spera?'

3:08

LAUSANNE, ZWITSERLAND

Rachel was teruggebracht naar haar kerker, maar daar was ze niet alleen.

Buiten stond een bewaker voor het kogelvrije glas.

Binnen liet haar grootmoeder zich met een zucht op de brits vallen. 'Nu begrijp je het misschien nog niet, maar dat komt wel.'

Rachel schudde haar hoofd. Versuft en in grote verwarring leunde ze tegen de muur. 'Hoe... hoe kón je?'

Met die scherpe blik van haar keek haar oma naar haar op. 'Ooit was ik net als jij. Ik was pas zestien toen ik voor het eerst op het kasteel kwam, op de vlucht uit Oostenrijk toen de oorlog ten einde liep.'

Rachel herinnerde zich de verhalen van haar oma over de familie die naar Zwitserland was gevlucht en later naar Italië was uitgeweken. Haar oma en haar vader waren de enigen die het hadden overleefd. 'Jullie vluchtten voor de nazi's.'

'Nee kind, wij wáren nazi's,' verbeterde haar nonna.

Rachel sloot haar ogen. O god...

Haar oma ging verder: 'Papa was in Salzburg partijleider, maar hij had ook banden met de Oostenrijkse afdeling van de Societas Draconis. Hij was een machtig man. Met behulp van de broederschap wisten we te ontkomen, we werden in Zwitserland geholpen door baron De Sauvage, Raouls vader.'

Rachel luisterde met groeiende weerzin. Ze wilde wel haar handen tegen haar oren drukken en alles ontkennen.

'Maar op deze veilige doortocht stond een prijs, en mijn vader stemde toe in wat er werd verlangd. Mijn maagdelijkheid was voor de baron bestemd. Net als jij verzette ik me omdat ik het niet begreep. De eerste keer hield mijn vader me vast, voor mijn eigen bestwil. Maar dat was zeker niet de laatste keer. We bleven vier maanden op het kasteel, en de baron deelde mijn bed vaak, totdat ik zwanger werd van zijn bastaard.'

Langzaam gleed Rachel langs de muur op de koude, stenen vloer.

'Bastaard of niet, het was een goede kruising, de nobele bloedlijn van de Habsburgers met de Zwitserse bloedlijn van Bern. Toen het kind eenmaal in mijn buik groeide, ging ik het begrijpen. Zo deed de Societas dat, zo werden zuivere bloedlijnen versterkt. Mijn vader legde het me allemaal uit, en ik begreep dat ik van een bloedlijn afstamde die terugging op keizers en koningen.'

Zittend op de grond probeerde Rachel te begrijpen welke wreedheden het jonge meisje waren aangedaan dat haar oma zou worden. Had haar grootmoeder die wreedheden en dat misbruik proberen weg te drukken door er iets nobels van te maken? Op jonge leeftijd had haar vader haar gehersenspoeld... Rachel probeerde medelijden voor de bejaarde vrouw te voelen, maar dat lukte haar niet.

'Mijn vader bracht me naar Italië, naar Castel Gandolfo waar de paus zijn zomerverblijf heeft. Daar bracht ik je moeder ter wereld. Een schande, ik kreeg er een pak slaag voor. Ze hadden op een jongen gehoopt.'

Bedroefd schudde haar oma haar hoofd. Ze vertelde verder, een heel andere familiegeschiedenis, dat ze werd uitgehuwelijkt aan een ander lid van de Societas Draconis, iemand die in Castel Gandolfo banden met de Kerk had. Het was een verstandshuwelijk. Hun wederzijdse families was opgedragen hun kinderen en kleinkinderen aan de Kerk op te dragen om daar zonder het zelf te weten als spionnen voor de Societas te fungeren, mollen. Om het geheim te bewaren wisten Rachel en oom Vigor niets van hun gruwelijke afstamming.

'Maar jij was voor iets hogers voorbestemd,' zei haar oma trots. 'Jij had bewezen dat het Drakenbloed door je aderen stroomde. Je viel op, je werd uitverkoren om terug te keren in de kudde van de Societas. Jouw bloed was te waardevol om zomaar te verspillen. De imperator in hoogsteigen persoon heeft jou uitverkoren om onze familie te kruisen met de oude bloedlijn van de Sauvages. Je kinderen zullen koningen onder koningen zijn.'

Nonna's ogen straalden helemaal. 'Tanti bellissimi bambini. Allen koningen binnen de Societas Draconis.'

Rachel had de kracht niet meer om haar hoofd op te heffen en ze begroef haar gezicht in haar handen. Haar leven trok aan haar voorbij. Wat was echt? Wie was ze? Ze dacht aan al die keren dat ze haar moeder had getrotseerd en partij had gekozen voor haar oma, aan al die keren dat ze het advies van haar oma met betrekking tot haar liefdesleven had opgevolgd. Ze had de bejaarde vrouw op een voetstuk geplaatst, ze had haar voorbeeld willen volgen, ze had respect voor die harde kant van haar die geen nonsens duldde. Maar lag dat aan een sterk karakter of aan iets ziekelijks? En wat zei dat over haarzelf? Het bloed van haar oma stroomde ook door haar aderen, ze deelde dat met die rotzak van een Raoul. O god...

Wie was ze?

En er was nog iets wat haar zorgen baarde. De angst dwong haar haar mond open te doen. 'En oom Vigor? Je zoon?'

Haar oma slaakte een zucht. 'Zijn rol in de Kerk is uitgespeeld. Doordat hij celibatair moet leven, eindigt zijn bloedlijn bij hem. Hij is niet langer nodig. Jij zult ons glorieuze erfdeel veiligstellen voor de toekomst.'

Rachel voelde iets van verdriet in nonna's stem doorklinken en ze keek op. Ze wist dat haar grootmoeder dol op Vigor was... Zelfs meer dan op Rachels moeder. Ze vroeg zich af of haar oma het haar dochter kwalijk had genomen dat ze was geboren als de vrucht van een verkrachting. En was dat trauma soms doorgegeven aan de volgende generatie? Rachel en haar moeder hadden nooit met elkaar kunnen opschieten, er was iets onuitgesprokens tussen hen wat geen van beiden begreep en waar ze zich niet overheen konden zetten.

Waar zou dit allemaal op uit lopen?

Doordat er een schreeuw klonk, werd haar aandacht naar de deur getrokken. Er kwamen mannen aan. Rachel stond op, net als haar grootmoeder. Ze leken sterk op elkaar...

Er marcheerde een groep bewakers door de gang. Met wanhoop staarde Rachel naar de tweede man in de rij; het was Gray met zijn handen op de rug gebonden. In het voorbijgaan keek hij de kerker in en toen hij haar zag, werden zijn ogen groot en struikelde hij bijna.

'Rachel...'

Hij kreeg een duw van Raoul, die met een vette grijns de kerker in keek en toen iets aan een ketting omhoogheld.

Een gouden sleutel.

Haar ontzetting was compleet.

Rachel wist dat er nu niets meer stond tussen de Societas en de schat die in Avignon werd bewaard. Na eeuwen van manipulatie en gekonkel had de Societas Draconis gewonnen.

Het was afgelopen.

3:12

AVIGNON, FRANKRIJK

Het beviel Kat maar niets. Het was hier veel te druk. Ze liep de treden op naar de hoofdingang van het Palais des Papes. Mensen kwamen naar buiten en gingen naar binnen.

'Het is traditie om in het gebouw toneelstukken op te voeren,' zei Vigor. 'Vorig jaar deden ze Shakespeares *The Life and Death of King John*. Dit jaar is het een productie van *Hamlet* die vier uur duurt. Het toneelstuk en het feest daarna duren tot in de kleine uurtjes, op de Cour d'honneur.' Hij wees voor hen uit.

'Het zal moeilijk worden hier iets te zoeken met al die drukte,' zei Kat fronsend.

Vigor knikte net op het moment dat de donder rolde.

Er weerklonk gelach en applaus.

'Het toneelstuk moet bijna zijn afgelopen,' zei Vigor.

De poort kwam uit op een binnenplaats. Het was er donker, alleen het toneel aan de overkant werd verlicht. Tussen de gordijnen zag het toneel eruit als de troonzaal van een groot kasteel. Het achterdoek was gewoon de muur van de binnenplaats. Aan weerszijden rezen stellages op voor de toneelverlichting en de geluidsboxen.

Voor het toneel had zich een menigte verzameld die op stoelen zat of op dekens op de stenen vloer lag. Op het toneel stonden acteurs tussen een stapel lijken. Een acteur sprak in het Frans, een taal die Kat uitstekend beheerste.

'*Je suis mort, Horatio. Reine pitoyable, adieu.*'

Kat herkende een van de laatste regels uit *Hamlet*. Het toneelstuk was inderdaad bijna afgelopen.

Vigor trok haar naar opzij. 'Door deze binnenplaats wordt het kasteel in twee delen opgesplitst – het nieuwe en het oude. De achtermuur en de muur links maken deel uit van het Palais Vieux, het oude paleis. Waar wij staan, aan de rechterkant, daar is het Palais Neuf, het deel dat later is bijgebouwd.'

Kat boog zich naar Vigor toe. 'Waar moeten we beginnen?'

Vigor wees naar het oude gedeelte. 'Er bestaat een vreemd verhaal over het pauselijk paleis. Historici uit die periode schrijven dat op 20 september 1348 een vuurzuil boven het oude paleis werd waargenomen die in de hele stad te zien was. Mensen die bijgelovig waren meenden dat het vuur de komst van de pestepidemie aankondigde, de Zwarte Dood die rond die tijd uitbrak. Maar stel dat dat niet het geval was? Stel dat het een manifestatie van het Meissner-effect was, energie die loskwam toen hier iets geheimzinnigs werd verborgen? Misschien geeft die vuurzuil ons de precieze datum waarop de schat hier is begraven.'

Kat knikte. Het klonk logisch.

'Ik heb een gedetailleerde kaart van het internet gehaald,' zei Vigor. 'Bij de porte Notre-Dame is een ingang naar het oude paleis die zelden wordt gebruikt.'

Vigor ging haar voor naar links. Ze doken naar binnen, net toen een bliksemschicht alles hel verlichtte. Een donderslag. De acteur op het toneel hield midden in zijn zin op en het publiek lachte nerveus. Door het onweer kon er wel eens een vroegtijdig einde aan het toneelstuk komen.

Vigor gebaarde naar een stevige deur.

Kat hurkte neer en ging aan de gang met haar instrumentarium om sloten open te krijgen terwijl Vigor haar met zijn lichaam afschermde. Het duurde niet lang of Kat had het slot open.

Nog zo'n flits en Kat keek om naar de binnenplaats. De donder rolde, de hemelsluizen openden zich. Dikke regendruppels vielen uit de laaghangende bewolking. Het publiek maakte zich joelend uit de voeten.

Met haar schouder duwde Kat de deur open, liet Vigor naar binnen gaan en trok de deur achter hen dicht.

Met een klik viel de deur dicht en Kat draaide hem op slot.

'Moeten we ons zorgen maken over beveiliging?' vroeg ze.

'Helaas niet. Zoals je ziet valt hier niets te stelen. Maar vandalisme is wel aan de orde, dus er zou een bewaker kunnen zijn. We moeten goed oppassen.'

Kat knikte en knipte haar zaklamp niet aan. Door de hoge ramen viel genoeg licht naar binnen om de helling te zien die naar het volgende niveau van het kasteel leidde.

Vigor ging voorop. 'De privé-appartementen van de paus bevinden zich in de Tour des Anges, de Engelentoren. Die vertrekken waren altijd de best bewaakte van het paleis, als hier iets verborgen is, moeten we daar maar naartoe.'

Kat haalde een kompas tevoorschijn en hield dat voor zich. Met een magneet hadden ze het graf van Alexander gevonden, misschien kon de magneet hen hier ook van dienst zijn.

Ze doorkruisten verschillende kamers en gangen. Hun voetstappen klonken hol onder de gewelven. Nu begreep Kat waarom hier geen alarminstallatie was, het was hier een stenen graftombe, er stond geen meubelstuk in en alles was kaal. Geen enkel bewijs van de pracht en praal waarmee dit kasteel ooit moest zijn ingericht. Ze probeerde zich mensen in fluweel en bont voor te stellen, weelderige wandtapijten, overdadige banketten, goud en zilver. Er was niets van over dan steen en houten spanten.

'Nadat de paus hier was vertrokken,' fluisterde Vigor, 'raakte het kasteel in verval. Gedurende de Franse Revolutie werd het geplunderd en uiteindelijk diende het als kazerne voor Napoleons soldaten. Toen zijn de muren witgekalkt en is er veel verloren gegaan. Slechts een paar van de oorspronkelijke fresco's zijn bewaard gebleven, in de pauselijke vertrekken bijvoorbeeld.'

Terwijl Kat verder liep, vond ze de indeling van het kasteel maar vreemd; gangen hielden abrupt op, kamers leken vreemd klein, trappen die naar verdiepingen zonder deuren leidden. Soms waren de muren een tiental centimeters dik en dan weer meters. Het was een fort, maar Kat had het idee dat er zich hier verborgen ruimtes bevonden, geheime gangen en kamers – zoals dat gebruikelijk was in middeleeuwse kastelen.

Haar vermoedens werden bevestigd toen ze een vertrek binnenstapten dat Vigor de schatkamer noemde. Hij wees naar vier plekken. 'Ze begroeven hun goud onder de vloer, in onderaardse ruimten. Men zegt dat er nog meer van die ruimtes zijn die nog ontdekt moeten worden.'

Ze kwamen door andere kamers: de grote Garde-Robe; een voormalige bibliotheek; een verlaten keuken waarvan de vierkante wanden zich vernauwden tot een achthoekige schoorsteen boven de stookplaats in het midden.

Eindelijk bereikten ze de Engelentoren.

Kats kompas had geen onverwachte beweging laten zien, maar nu concentreerde ze zich er pas echt op. Ze maakte zich zorgen. Stel dat ze de ingang niet vonden? Stel dat ze faalde? Weer faalde... De hand waarmee ze het kompas vasthield beefde. Ze had al gefaald waar het Monk en Rachel betrof...

En nu dit.

Ze omklemde het kompas en dwong haar hand niet te trillen. Vigor en zij losten dit wel op. Omdat er geen spoor van een bewaker te bekennen viel, klikte Kat een penlight aan. Dat zou het zoeken makkelijker maken.

'De woonkamer van de paus,' zei Vigor bij de ingang naar een vertrek.

Kat liep de kamer in terwijl ze aandachtig het kompas bestudeerde. Hier zat bladderende verf op de muren en een hoek van het vertrek werd in beslag genomen door een enorme haard. Door de dikke muren heen hoorden ze de donder.

Nadat ze overal had gekeken, schudde ze haar hoofd.

Niets.

Ze gingen verder, naar een van de spectaculairste vertrekken: de Chambre du Cerf, de Hertenkamer. De fresco's stelden gedetailleerde jachtscènes voor, valken, vogelnestjes, dartelende honden, zelfs een rechthoekige kweekvijver voor vis.

'Een *piscarium*,' zei Vigor. 'Alweer vissen.'

Kat knikte, ze herinnerde zich de betekenis van vissen op hun speurtocht. Dit vertrek doorzocht ze nog grondiger, maar de kompasnaald toonde geen afwijking. Ze gebaarde Vigor dat ze verder konden.

Ze klommen naar de volgende verdieping.

'Het pauselijke slaapvertrek,' zei Vigor. Het klonk teleurgesteld en ook een beetje bezorgd. 'De laatste van de privé-vertrekken.'

Kat liep de slaapkamer in. Er stond geen meubilair, maar de wanden waren in een stralend blauwe kleur geschilderd.

'Lapis lazuli,' zei Vigor. 'Dat werd erg gewaardeerd vanwege de glans.'

Op de muren was een nachtelijk woud geschilderd met vogelkooien in allerlei vormen en formaten. Over de boomtakken scharrelden eekhoorns.

Kat onderzocht de kamer uiterst grondig.

Nog steeds niets.

Ze liet de hand met het kompas zakken en draaide zich om naar Vigor. Ze keken elkaar met dezelfde wanhopige blik aan; ze hadden gefaald.

3:36

LAUSANNE, ZWITSERLAND

Gray werd een stenen kerker in geduwd. Daar zat Lexan-glas voor, kogelvrij en duimdik. De deur werd dichtgeslagen. Twee kerkers terug had hij Rachel gezien... Met haar grootmoeder.

Hij snapte er niets van.

Raoul grauwde iets naar zijn mannen en beende weg met de gouden sleutel in zijn hand.

Bij de deur stond Seichan naar hem te lachen. Met zijn handen nog met plastic bindertjes op de rug gebonden rende hij op haar af en kwam hard met de glazen wand in contact.

'Rotwijf!'

Ze lachte, drukte een kus op haar vingertoppen en legde haar hand tegen het glas. 'Dag schat van me. Bedankt voor het ritje.'

Gray draaide haar vloekend de rug toe. De gedachten raasden door zijn hoofd. Raoul had hem zijn rugzak afgepakt en die aan een van zijn mannen gegeven. Ze hadden hem grondig gefouilleerd, de wapens waren uit zijn schouder- en enkelholster gehaald.

Bij Rachels kerker hoorde hij stemmen, een deur ging open.

Raoul blafte een van de bewakers toe: 'Breng madame Camilla naar de vrachtwagens. Zorg dat iedereen klaarstaat, over een paar minuten vertrekken we naar het vliegveld.'

'Ciao Rachel, mia bambina.'

Geen afscheidsgroet van Rachel voor haar oma. Wat was er aan de hand? Wegstervende voetstappen.

Gray voelde dat er nog steeds iemand bij haar deur stond.

Weer hoorde hij Raouls stem. 'Had ik maar meer tijd...' verzuchte Raoul. 'Maar bevel is bevel. In Avignon vindt alles zijn besluit. Daarna komt de imperator met me mee hiernaartoe. Hij wil kijken wanneer ik je voor de eerste keer neem, maar daarna is het gewoon wij tweetjes... Voor de rest van je leven.'

'Lul!' schreeuwde Rachel.

'Ja, daar ga je kennis mee maken.' Raoul lachte. 'Ik ga je leren gillen en ook hoe je je meerdere moet plezieren. En als je niet toegeeft aan mijn verlangens, zul je niet de eerste teef zijn op wie Alberto voor de Societas een lobotomie uitvoert. Om jou te neuken hoef jij niet bij je verstand te zijn.'

Nadat hij nog een laatste bevel aan een bewaker had uitgedeeld, beende hij weg. 'Bewaak haar goed. Ik neem radiocontact met je op zodra ik tijd voor die Amerikaan heb. Voordat we vertrekken, wil ik nog een beetje lol hebben.'

Gray hoorde Raouls voetstappen wegsterven.

Hij wachtte niet langer en schopte met de neus van zijn laars hard tegen de stenen muur. Een lemmet van bijna tien centimeter schoot uit de hak. Hij bukte en sneed de bindertjes om zijn polsen door. Hij moest snel zijn, alles kwam op timing aan.

Hij stak zijn hand in zijn broek. Seichan had een spuitbusje langs zijn riem geschoven toen hij zich tegen de glazen wand had geworpen. Ze had haar linkerhand door een luchtgat gestoken terwijl ze bij wijze van afleidingsmanoeuvre een afscheidskusje op haar vingertoppen drukte.

Gray haalde het spuitbusje tevoorschijn, liep naar de deur en spoot op de scharnieren. Die losten op. Hij moest het het Gilde nageven, ze beschikten over leuke speeltjes. Gray had geen contact met zijn meerderen kunnen opnemen, maar niets had Seichan in de weg gestaan om van de hare een nieuwe uitrusting te vragen.

Gray wachtte een volle minuut en riep toen naar de bewaker verderop in de gang: 'Hé! Jij daar! Er is hier iets niet in orde!'

Er naderden voetstappen.

Gray wees naar de sissende rookwolk bij de deur. 'Wat is dat?' gilde hij. 'Proberen jullie klootzakken me soms te vergassen?'

Met een frons liep de bewaker dichter naar de deur toe.

Dat was voldoende.

Gray sprong naar voren, wierp zich tegen de deur aan en stootte die uit de scharnieren. De harde glasplaat dreunde tegen de bewaker aan, die tegen de muur achter zich viel en zijn hoofd stootte. Terwijl hij ineenzakte, probeerde hij zijn pistool te trekken.

Gray duwde de deur opzij en haalde uit. Hij zette het lemmet dat uit de hak stak op de keel van de bewaker en trok het toen terug, waarbij een groot deel van de nek van de man werd losgesneden.

Daarna boog hij zich over hem heen, haalde het pistool uit de holster en maakte hem zijn sleutels afhandig. Vervolgens rende hij naar Rachels kerker.

Ze stond al bij de deur. 'Gray...'

Hij stak een sleutel in het slot. 'We hebben maar weinig tijd.'

Hij rukte de deur open, en meteen stortte ze zich in zijn armen. Ze omhelsde hem stevig, hij voelde haar lippen bij zijn oor, haar adem in zijn hals.

'Gelukkig,' fluisterde ze.

'Eigenlijk moet je Seichan bedanken,' zei hij.

Uiteindelijk lieten ze elkaar los. Gray gebaarde met zijn pistool naar het einde van de gang. Hij keek op zijn horloge. Nog twee minuten.

3:42

Seichan stond aan de voet van de trap die naar de donjon leidde. Ze wist dat de enige ontsnappingsroute door de voordeur was. De achteruitgang onder het kasteel was met stalen deuren afgesloten.

Op de felverlichte binnenplaats werden vijf suv's ingeladen. Mannen schreeuwden bevelen, kratten werden achterin gestouwd, honden blaften in de kennels.

Seichan keek er vanuit haar ooghoeken naar, ze volgde een van de mannen in de drukte. Ze had zoveel mogelijk commotie nodig. De sleutels van de laatste Mercedes suv had ze al bemachtigd. Het was een zilverkleurige Mercedes, haar lievelingskleur.

Achter haar ging een deur open. Seichan stapte naar buiten, samen met een bejaarde vrouw.

'We brengen u naar het vliegveld, vandaar gaat u met een vliegtuig terug naar Rome.'

'Maar mijn kleindochter...'

'Voor haar wordt gezorgd, dat beloof ik u.' Dat laatste zei ze met een ijzige lach.

Raoul kreeg Seichan in de gaten. 'Ik denk niet dat we het Gilde nog nodig hebben.'

Seichan haalde haar schouders op. 'Dan vertrek ik samen met jullie en ga mijn eigen weg.' Ze knikte in de richting van de zilverkleurige suv.

Raoul hielp de oude vrouw de treden af en liep naar het voorste voertuig, waar dr. Alberto Menardi op hem wachtte. Seichan bleef haar doel volgen totdat een beweging langs een muur van de binnenplaats haar aandacht trok.

Een deur ging open. Ze zag Gray met een pistool in de hand. Mooi zo.

Op de binnenplaats hield Raoul een zendertje bij zijn mond. Waarschijnlijk zocht hij contact met de kerkers. Ze kon niet langer wachten. De man die ze volgde stond niet zo dicht bij Raoul als ze had gehoopt, maar toch midden in de drukte.

Ze richtte haar blik op de man die nog steeds Grays rugzak om zijn schouder had. Dit soort lieden waren altijd inhalig, de man liet zijn buit geen moment uit het oog. De rugzak zat vol wapens en kostbare elektronische spullen.

Helaas voor de man zat er in de voering ook een half pond c4 genaaid. Seichan drukte op het knopje van het zendertje in haar zak en sprong over de balustrade van de trap.

De explosie verwoestte de middelste voertuigen.

Mannen en lichaamsdelen vlogen in de grauwe lucht. Van twee van de auto's ontplofte de benzinetank. Een vuurbal steeg op, brandende brokstukken lagen overal op de binnenplaats verspreid.

Seichan wuifde naar Gray en gebaarde met haar pistool naar de zilverkleurige suv. In de voorruit zat een barst, maar verder was die ongeschonden. Gray en de vrouw stormden naar voren en met zijn drieën renden ze op de auto af.

Een paar mannen probeerde hen te stoppen, maar Gray schoot er eentje neer en Seichan de ander. Ze bereikten de suv.

Het geluid van een startende motor bij de poort trok haar aandacht. De voorste vrachtwagen reed weg. Raoul was bezig te ontsnappen. Een kogelregen vloog hun kant op terwijl mannen in de tweede vrachtwagen klommen waarvan de motor al draaide.

Ineens stak Raoul zijn hoofd door het dak van de voorste vrachtwagen. Hij had een enorm ruiterpistool in zijn handen dat hij op hen richtte.

'Liggen!' schreeuwde Seichan terwijl ze zich op de grond liet vallen.

Het klonk als een kanonschot. Ze hoorde de voorruit en de achterruit versplinteren, de kogel was helemaal door de auto gevlogen. Ze rolde achter de auto zodat die zich tussen haar en Raoul bevond.

Vanaf de andere kant klonken schoten. Gray lag op zijn buik, in een betere positie, en hij vuurde op Raoul terwijl de voorste vrachtwagen slingerend naar de poort reed met de tweede vrachtwagen erachteraan.

Niet bang voor het vijandelijke vuur bleef Raoul maar schieten. Een kogel sloeg in door het radiatorscherm van de suv.

Shit. De schoft probeerde hun voertuig onklaar te maken.

Een koplamp spatte uit elkaar. Vanaf de grond zag Seichan een stroompje olie uit het motorgedeelte vloeien en zich tot een plas op de stenen vormen.

Het magazijn schoof uit Grays pistool. De ammunitie was op.

Seichan tijgerde naar hem toe, maar het was al te laat.

Eerst reed de ene vrachtwagen door de poort en vervolgens de andere. Ze hoorden Raoul nog lachen. Na het laatste voertuig viel het hek dicht, de punten kwamen hard in de stenen inkepingen neer, muurvast.

Ze hoorde geratel.

Toen ze overeind kwam, zag ze dat voor alle ramen en deuren van het kasteel stalen rolluiken naar beneden kwamen. Een moderne manier van fortificatie, de Societas had veel aandacht voor beveiliging. Ze zaten vast op de binnenplaats.

Er klonk een nieuw geluid, het geklik van zware sloten.

Tegelijkertijd met Gray en Rachel draaide Seichan zich om. Nu begreep ze waarom die klootzak zo had gelachen terwijl hij ontsnapte.

Op rollagers schoven de luiken voor de rij hondenhokken open.

Gespierde monsters met enorme tanden kwamen grauwend en kwijlend op hen af, gek gemaakt door het lawaai en door de geur van bloed. Elke vechthond was borsthoog en woog een kilo of honderd, meer dan een flinke kerel.

En de etensbel had net geluid.

AVIGNON, FRANKRIJK

Kat wilde het niet opgeven. Terwijl ze haar wanhoop onderdrukte, ijsbeerde ze door de blauwe slaapkamer boven in de Tour des Anges. 'Onze invalshoek is verkeerd,' zei ze.

In tegenstelling tot Kat stond Vigor stokstijf midden in het vertrek. Hij keek nadenkend, of was het bezorgd? Dacht hij meer aan zijn nichtje of aan waar ze mee bezig waren?

'Hoe bedoel je?' mompelde hij.

'Misschien is er geen magnetische wegwijzer.' Ze hief haar kompas op in een poging zijn volledige aandacht te trekken.

'Maar wat dan?'

'Weet je nog waarover we het eerder vannacht hadden? Over de gotische invloeden op deze stad?'

Vigor knikte. 'Er moeten geheime ruimtes zijn ingebouwd, maar hoe moeten we die vinden zonder magnetische wegwijzer? Dit paleis is gigantisch, en omdat het zo vervallen is, kan de aanwijzing wel zijn vernield of gesloopt.'

'Dat geloof je zelf niet,' zei Kat met iets meer overtuiging. 'Het geheim genootschap van alchemisten zou dat koste wat kost hebben voorkomen.'

'Dat kan wel zo zijn, maar hoe vinden we wat we zoeken?' vroeg Vigor.

Door het raam zagen ze de bliksem de hemel doen oplichten, de tuinen beneden, de toren en de stad stonden in een helle gloed. De donkere rivier kronkelde als een slang door het landschap. Het was harder gaan regenen. Weer zo'n bliksemschicht uit de donkere, laaghangende bewolking.

Kat keek naar het spektakel en draaide zich toen langzaam om omdat ze een ingeving had gekregen. Omdat ze wist dat ze het kompas niet nodig hadden, stopte ze het in haar zak.

'Met magnetisme is het graf van Petrus geopend,' zei ze terwijl ze op hem af liep. 'En magnetisme leidde ons naar het graf van Alexander. Maar toen we eenmaal daar waren, werd de piramide door elektriciteit ontstoken. Diezelfde kracht kan ons hier naar de schat brengen.' Ze gebaarde naar het onweer buiten. 'Bliksem. Het paleis is op de hoogste heuvel gebouwd, op de Rocher des Doms.'

'En dat trekt de bliksem aan. Een lichtflits die licht in het duister brengt.'

'Hebben we soms ergens een afbeelding van bliksem gemist?'

'Dat weet ik niet meer.' Vigor wreef over zijn kin. 'Maar ik denk dat je het bij het juiste eind hebt. Licht staat symbool voor kennis. Verlichting. Dat was het hoofddoel van het gnostische geloof, om het oerlicht te vinden waarvan in Genesis sprake is, om deze oude bron van kennis en macht te bereiken.'

Vigor telde het op zijn vingers af: 'Elektriciteit, bliksem, licht, kennis, macht. Dat staat allemaal met elkaar in verband. Ergens moet daarvan een symbool zijn, hier in het paleis.'

Verslagen schudde Kat haar hoofd.

Ineens verstijfde Vigor.

'Wat?' Ze liep dichter op hem toe.

Vigor knielde plotseling en tekende iets in het stof. 'Het graf van Alexander bevond zich in Egypte. We moeten niet vergeten dat het ene raadsel tot het andere leidde. Het Egyptische symbool voor licht is een cirkel met een stip in het midden, die de zon voorstelt.

Maar soms is die tot een ovaal geperst zodat het een oog voorstelt. Dan verbeeldt het symbool niet alleen zon en licht, maar ook kennis. Het brandende oog van inzicht, het alziend oog uit de iconografie van de vrijmetselaars en de tempeliers.'

Met een frons keek Kat naar beide schetsjes. Zulke symbolen had ze nergens gezien. 'Goed, maar waar moeten we beginnen met zoeken?'

'Je kunt het niet vinden – het moet gevormd worden,' zei Vigor terwijl hij opstond. 'Waarom heb ik daar niet eerder aan gedacht? Een van de kenmerken van de gotische architectuur is het spel van licht en schaduw. De architecten van de tempeliers waren daar meesters in.'

'Maar waar...'

Vigor kapte haar af, hij was al op weg naar de deur. 'We moeten terug naar beneden, naar waar we een potentieel elektrisch vermogen voor een vlammend oog binnen een kring van licht hebben gezien.'

Kat kwam achter Vigor aan. Ze herinnerde zich niets van een dergelijke afbeelding. Haastig liepen ze de trappen af en de Tour des Anges uit. Vigor ging haar voor door de banketzaal en stopte in een vertrek dat ze al hadden doorzocht.

'De keuken?' vroeg ze verbaasd.

Kat staarde naar de vierkante muren, de stookplaats in het midden met daarboven de achthoekige schoorsteen. Ze begreep er niets van en wilde dat net zeggen toen Vigor zijn hand voor haar penlight hield.

'Wacht.'

Buiten kraakte een bliksem. Er kwam genoeg licht door de schoorsteen om een perfecte ovaal op de stookplaats af te tekenen. Even flikkerde het zilverige licht, toen verdween het.

'Zoals het boven is, is het ook beneden,' prevelde Vigor voor zich uit. 'Het effect is waarschijnlijk duidelijker wanneer de middagzon hier recht boven staat, of onder de een of andere hoek.'

Kat stelde zich een vuur in de stookplaats voor, een vuur binnen een kring van zonlicht. 'Maar hoe weten we dat dit de goede plek is?' vroeg ze terwijl ze om de stookplaats heen liep.

Hij fronste zijn voorhoofd. 'Dat weet ik niet helemaal zeker, maar het graf van Alexander bevond zich onder een vuurtoren waar een groot vuur op brandde. En omdat zowel een vuurtoren als een keuken altijd in gebruik is, is het niet zo gek iets te begraven onder zo'n nuttige plek. De volgende generaties zouden die goed verzorgen omdat ze er zelf steeds gebruik van maakten.'

Niet helemaal overtuigd hurkte Kat neer en pakte haar mes om de stookplaats nader te onderzoeken. Ze krabde rond de stookplaats en legde de oranjekleurige steen bloot. 'Het is geen hematiet of magnetiet.' Als het wel een van die steensoorten was geweest, zou ze overtuigd zijn. 'Het is gewoon maar bauxiet, een erts dat aluminium en hydroxide bevat. Een goede warmtegeleider. Goed geschikt voor een stookplaats, maar niets bijzonders.'

Ze keek op naar Vigor, die breed grijnsde.

'Wat?'

'Ik ben er gewoon langsgelopen,' zei Vigor terwijl hij naast haar hurkte. 'Ik had kunnen weten dat een andere steensoort de weg zou wijzen. Eerst hematiet, toen magnetiet en nu bauxiet.'

In verwarring gebracht stond Kat op.

'Er zijn in dit gebied bauxietmijnen. Het wordt zelfs genoemd naar het geslacht Baux, hun kasteel ligt maar een paar kilometer van hier, boven op een heuvel van bauxiet. Deze steen verwijst naar hen.'

'En?'

'Het geslacht Baux had niet zo'n beste verhouding met de Franse pausen, hun nieuwe buren. Maar ze waren vooral bekend om iets wat ze met veel heftigheid beweerden, namelijk dat ze afstamden van een beroemd bijbels personage.'

'Van wie dan?' vroeg Kat.

'Van Balthazar, een van de Wijzen.'

Kat sperde haar ogen open en draaide zich vervolgens terug naar de stookplaats. 'Ze verzegelden de ingang met stenen die afkomstig zijn van de nakomelingen van de Wijzen...'

'Twijfel je er nu nog steeds aan of dit wel de goede plek is?' vroeg Vigor.

Kat schudde haar hoofd. 'Maar hoe krijgen we het open? Ik zie nergens een sleutelgat.'

'Dat heb je al gezegd: met elektriciteit.'

Als om dat te benadrukken weergalmde een enorme donderklap door het kasteel.

Kat deed haar rugzak af, dit was wel een poging waard. 'We hebben die oude batterijen niet meer.' Ze haalde een grotere zaklamp tevoorschijn. 'Maar ik heb wel moderne Duracells.'

Ze draaide de zaklamp open en pulkte er met haar mes de positieve en negatieve draadjes uit. Met de zaklamp uit draaide ze die in elkaar en tilde toen op wat ze had gefabriekt.

'Ga maar een beetje naar achteren,' waarschuwde ze Vigor.

Ze bracht de draadjes in contact met het bauxiet, een erts dat maar een zwakke geleider was, en knipte de zaklamp aan.

Een boog van elektriciteit ontstond en er klonk een lage bastoon, alsof er op een grote trommel werd geslagen.

Kat deinsde achteruit terwijl de toon wegstierf en ging bij Vigor tegen de muur staan.

Langs de rand van de stenen stookplaats ontstond een vurige gloed, helemaal eromheen.

'Ik denk dat ze de blokken met gesmolten glas in de m-state met elkaar hebben verbonden,' mompelde Kat.

'Net zoals de oude Egyptenaren de vuurtoren van Pharos met gesmolten lood hebben gemetseld.'

'En nu ontketent de elektriciteit de krachten in het glas.'

Meer vurige lijnen werden zichtbaar op de stookplaats, om elke afzonderlijke steen heen. Het licht werd helderder, er brandde zich een ruitjespatroon op haar netvlies.

Kat hield haar hand voor haar ogen. Het effect duurde echter niet lang, de gloed vervaagde en de bauxietstenen vielen weg nu er geen onderlinge verbinding meer was. Ze stortten in een diepte onder de stookplaats.

Kat hoorde het geluid van stenen die op stenen vielen. Een gekletter waar geen einde aan leek te komen. Niet langer in staat haar nieuwsgierigheid te bedwingen kwam ze dichterbij en scheen met haar penlight in het gat. Ze zag een trap die diep naar beneden in het duister ging.

Ze draaide zich om naar Vigor. 'Het is ons gelukt.'

'Moge de hemel ons bijstaan,' reageerde hij.

3:52

LAUSANNE, ZWITSERLAND

Nog geen kilometer van het kasteel liet Raoul zijn mobieltje zakken en beende weg bij de vrachtwagen. Van woede kneep hij zijn ogen tot spleetjes. Uit een hoofdwond sijpelde bloed. Dat Aziatische secreet had hem verraden. Maar hij zou zich wreken, zijn honden zouden korte metten met hen maken.

En anders...

Hij liep naar de andere vrachtwagen en wees twee mannen aan. 'Jullie twee, terug naar het kasteel. Te voet. Bewaak de poort en schiet op alles wat beweegt. Niemand komt levend van die binnenplaats af.'

De twee mannen klommen uit de vrachtwagen en beenden in hoog tempo terug naar het kasteel.

Raoul liep terug naar de voorste vrachtwagen.

Daar wachtte Alberto hem op. 'Wat zei de imperator?' vroeg hij terwijl Raoul instapte aan de passagierskant.

Raoul stopte het mobieltje in zijn zak. Het verraad van het Gilde was voor hun leider net zo'n grote verrassing als voor Raoul, maar Raoul had dan ook niets gezegd over zijn eigen verraad in Alexandrië, toen hij dat kreng had achtergelaten om te sterven. Híj had zoiets kunnen verwachten. Kwaad liet hij zijn vuist op zijn knie neerkomen. Toen ze hem de Amerikaan in handen speelde, was hij niet op zijn hoede geweest.

Stom, stom, stom.

Maar hij zou ervoor zorgen dat alles goed kwam.

In Avignon.

Tegen Alberto zei hij: 'De imperator voegt zich in Frankrijk bij ons, en hij neemt versterkingen mee. We gaan gewoon verder zoals we van plan waren.'

'En de anderen?' Alberto keek achterom, in de richting van het kasteel.

'Die doen er niet meer toe. Ze kunnen ons niet meer tegenhouden.'

Raoul gebaarde de chauffeur verder te rijden. De vrachtwagen zette koers naar het vliegveld van Yverdon. Raoul schudde zijn hoofd omdat hij zoveel had verloren, maar de mannen konden hem niet schelen. Dat kreng, die Rachel Verona. Hij had zulke bloedige plannetjes voor haar...

In ieder geval had hij haar een afscheidscadeautje gegeven.

3:55

Samen met Gray en Seichan stond Rachel op de treden voor het kasteel, hun ruggen tegen de metalen rolluiken gedrukt. Heel, heel langzaam waren ze achteruit gelopen naar deze relatief veilige plek, weg van de honden.

Ze hadden maar één pistool en zes kogels.

Gray had geprobeerd een ander wapen uit de bloedige resten op de binnenplaats te redden, maar er lagen alleen twee beschadigde geweren. Gray hield Seichans wapen vast terwijl zij bezig was met haar GPS-ontvanger, volledig geconcentreerd en vol vertrouwen in Gray.

Wat deed ze toch?

Rachel stond een eindje weg bij de vrouw, dicht bij Gray. Met haar ene hand hield ze zijn riem vast. Ze wist niet wanneer ze die had gepakt, maar ze liet niet los, het was het enige waar ze zich aan kon vastklampen.

Een van de vechthonden liep stilletjes langs de voet van het trappetje. Hij sleurde een stuk arm van een van de doden mee. Er doolden twintig van die monsters over de binnenplaats, ze rukten aan de lijken en gromden naar elkaar. Af en toe brak er een kort maar hevig gevecht uit.

Het zou niet lang duren of ze richtten hun aandacht op hen.

De monsters reageerden op ieder geluid. De gewonden die kreunden gingen er het eerst aan. Het groepje wist dat zodra het eerste schot was gelost, de meute zich op hen zou storten.

Zes kogels en twintig honden.

Aan de zijkant een beweging...

Door de walmende rook kwam een magere wankelende gestalte tevoorschijn. Een windvlaag verdreef een flard rook en Rachel zag wie het was.

'Nonna...' fluisterde ze.

Aan de linkerkant van haar hoofd kleefde bloed in het haar van de bejaarde vrouw.

Rachel dacht dat haar oma samen met Raoul was gevlucht.

Was ze door de explosie buiten westen geraakt?

Rachel dacht eerder dat Raoul haar met de kolf van zijn pistool op haar hoofd had geslagen en haar als nutteloze ballast had achtergelaten.

De oude vrouw kreunde en hief haar hand naar haar hoofd. 'Papa!' riep ze met een zwak stemmetje.

De klap, het oude kasteel, dat alles had haar in verwarring gebracht en nu was ze weer terug in het verleden.

'Papa...' Niet alleen de pijn van haar hoofdwond klonk in haar stem door.

Rachel was niet de enige die het had gehoord.

Een paar meter verder kwam iets donkers van achter een brandende autoband vandaan, het liep de rookwolk uit, aangetrokken door het klaaglijke geluid.

Rachel liet Grays riem los en liep wankelend een trede af.

'Ik heb het gezien,' zei Gray terwijl hij een hand uitstak om haar tegen te houden.

Hij richtte het pistool en haalde de trekker over. Op de stille binnenplaats klonk het schot als een explosie, maar de hond jankte harder voordat die omviel en beet naar zijn gewonde achterpoot, alsof het dier de pijn wilde verjagen. Andere honden stortten zich op hem, aangetrokken door het bloed, als leeuwen die een gewonde gazelle te grazen nemen.

Van schrik was Rachels grootmoeder gevallen en zat op haar billen met haar mond verbaasd open.

'Ik moet naar haar toe,' fluisterde Rachel. Het was een instinctieve reactie. Ondanks haar verraad had haar nonna nog een plaatsje in haar hart, ze verdiende het niet op zo'n gruwelijke manier te sterven.

'Ik ga met je mee,' zei Gray.

'Ze is al dood,' zei Seichan met een zucht. Ze liet haar gps-ontvanger zakken, maar liep wel met hen mee, ze wilde liever in de buurt van hun enige pistool blijven.

Dicht opeen schoven ze langs de rand van de binnenplaats. De plassen brandende olie lichtten hen bij.

Het liefst wilde Rachel gaan rennen, maar een enorme hond zette zijn nekharen op en keek haar aan terwijl hij over een lijk zonder hoofd gebogen stond. Met opgetrokken lippen bewaakte hij zijn buit. Als Rachel ging rennen, zou het beest haar in een mum van tijd bespringen.

Gray richtte zijn pistool op het dier.

Haar grootmoeder schoof weg van de drie honden die om hun gewonde soortgenoot vochten. Ze rukten en trokken aan elkaar zodat bijna niet te zien was welke hond Gray had neergeschoten. Twee andere honden zagen nonna verschuiven en slopen uit tegengestelde richting op haar af.

Ze zouden haar niet bereiken.

Er klonken twee schoten en het ene ondier stortte neer. De andere kogel verwondde de tweede hond slechts, en dat leek hem alleen nog bloeddorstiger te maken. Het beest viel de vrouw op de grond aan.

Rachel rende naar voren.

Grays schoten hadden de aandacht van meer honden getrokken, maar gebeurd was gebeurd, hij had geen keus. Terwijl hij rende schoot hij nog twee honden af, de laatste van een meter afstand.

Voordat Rachel haar grootmoeder kon bereiken, had de hond die aanviel al toegeslagen. Hij zette zijn tanden in de arm die grootmoeder beschermend had opgeheven. Hij beet dwars door het vlees en het bot heen en trok de bejaarde vrouw tegen de grond.

Ze gilde niet eens.

De hond sprong boven op haar en hapte naar haar keel.

Gray vuurde langs Rachels oor, de knal maakte haar doof. Door de inslag werd de hond van de borst van de bejaarde vrouw gesmeten. Het beest kronkelde en sidderde, het was door zijn kop geschoten... met hun laatste kogel.

Het magazijn schoof uit het pistool.

Met haar armen naar haar oma uitgestrekt liet Rachel zich op haar knieën vallen. Het bloed spoot uit de afgerukte arm. Rachel nam het lichaam in haar armen.

Gray knielde bij haar neer, en Seichan volgde zijn voorbeeld.

Overal om hen heen vechtende honden en zij hadden geen munitie meer.

Rachels grootmoeder staarde Rachel met glazige ogen aan en zei iets in het Italiaans: 'Mama... Het spijt me... Hou me vast...'

Een geweerschot en haar oma sidderde in haar armen. Ze was door de borst geschoten, de kogel trok bij het eruit komen een brandend spoor langs Rachels arm.

Ze keek op.

Een meter of zo verder stonden bewapende mannen bij het ijzeren hek in de poort.

Het schot had een paar van de honden verjaagd.

Gray probeerde van deze afleiding gebruik te maken door terug te gaan naar de kasteelmuur. Rachel kwam achter hem aan, maar omdat ze haar oma niet wilde loslaten, sleepte ze die mee.

'Laat haar maar,' raadde Gray haar aan.

Rachel sloeg daar geen acht op. De tranen biggelden over haar wangen, tranen van woede. Nog een schot, de kogel ketste af op de steen een paar centimeter verderop. Seichan bukte en hielp Rachel haar grootmoeder te dragen zodat ze sneller konden opschieten.

Bij de poort sprongen een paar honden tegen de tralies op, ze hapten naar de mannen en maakten het hen moeilijk goed te richten. Maar lang zou dat niet duren.

Eenmaal bij de betrekkelijke veiligheid van de kasteelmuur liet Rachel zich over het lichaam van haar oma vallen. Ze waren nog in het zicht van de poort... Maar dat gold voor de hele binnenplaats. Een van de honden werd weggeknald bij het valhek, een andere kogel liet het metalen rolluik voor een van de vensters rinkelen.

Gebogen over haar grootmoeder pakte Rachel het tasje dat nog over de schouder van nonna hing, het tasje dat ze altijd bij zich had. Ze maakte het tasje open, stak haar hand erin en voelde de koude loop van een pistool.

Ze trok het erfstuk van haar oma uit het tasje.

De P-08 Luger uit de nazi-periode.

'Grazie, nonna.'

Rachel richtte op het hek. Kille woede maakte dat haar hand niet trilde. Ze haalde de trekker over en bewoog mee met de terugslag voordat ze nog een schot afvuurde.

Beide mannen stortten neer.

Ze keek om zich heen – te laat om het kwijlende monster neer te schieten dat met ontblote tanden uit de rook te voorschijn sprong, recht op haar keel af.

4:00

Met een woeste ruk trok Gray Rachel naar opzij, zodat ze viel. Hij keek het monster recht aan en hief zijn hand op waarin hij een zilverkleurig spuitbusje hield.

'Stoute hond...'

Hij spoot het dier in de neus en de ogen.

De hond sprong tegen hem op zodat hij plat op zijn rug neerkwam.

Het beest jankte – niet uit bloeddorstigheid, maar uit pure pijn. Het rolde van Gray af en sleepte zich kronkelend over de binnenplaats terwijl het zijn kop over de keitjes wreef en met zijn poten over zijn ogen streek.

Maar de oogkassen waren al leeg, zijn ogen waren weggevreten door het zuur.

Nog twee keer rolde het beest piepend om en om.

Gray voelde zich er onbehaaglijk bij. De honden waren wreed behandeld en vals gemaakt. Ze konden er niets aan doen. Maar ook een afschuwelijke dood sterven was misschien beter dan onder het regime van Raoul te moeten leven.

Eindelijk bleef de hond stil liggen.

Gray keek Rachel aan.

'Nog zes kogels,' zei ze.

Gray schudde het spuitbusje. Daar zat ook al niet veel meer in.

Seichan keek omhoog, en toen hoorde Gray het ook.

Het 'pokkepokkepok' van een helikopter.

De helikopter verscheen boven de heuvelkam en daarna boven de kasteelmuren. Een licht scheen naar beneden en de rotors zorgden voor veel wind.

De honden stoven in paniek uit elkaar.

Boven het lawaai uit schreeuwde Seichan: 'Daar is ons vervoer!'

Een touwladder viel kronkelend uit de open deur en kwam een paar meter verder op de stenen neer.

Het maakte Gray niet uit wie het was, als ze maar van deze bloeddoordrenkte binnenplaats weg kwamen. Hij rende naar voren en wenkte Rachel naar de ladder toe. Met zijn ene hand hield hij de heen en weer zwaaiende touwladder vast, met de andere pakte hij de Luger.

'Naar boven!' beval hij dicht bij haar oor. 'Ik hou ze wel uit de buurt.'

Met trillende vingers liet ze het pistool los. Zijn blik ontmoette de hare en hij zag daarin een afschuw en verdriet die door meer waren veroorzaakt dan de slachting op de binnenplaats.

'Het komt wel goed,' zei hij. Het klonk als een belofte. Een belofte waaraan hij zich wilde houden.

Ze knikte en klom vervolgens de ladder op.

Seichan was de volgende, ondanks haar schouderwond klauterde ze als een trapezewerker omhoog.

Als laatste klom Gray naar boven. Het pistool had hij niet hoeven gebruiken, hij stopte het achter in zijn riem en vluchtte de touwladder op. Even later klom hij in de cabine van de helikopter.

Toen de deur achter hem werd dichtgegooid, ging Gray staan om degene te bedanken die hem naar binnen had getrokken.

De man grijnsde breed. 'Dag baas.'

'Monk!'

Gray omhelsde hem stevig.

'Pas een beetje op mijn arm, wil je?' zei Monk.

Gray liet hem los. Monk droeg zijn linkerarm tegen zijn lichaam gesnoerd met een leren kapje over de stomp. Zo te zien ging het wel met hem, hoewel hij een beetje bleek zag en donkere kringen onder zijn ogen had.

'Met mij gaat het prima,' zei Monk terwijl hij hem gebaarde plaats te nemen en zijn veiligheidsgordel vast te maken. De helikopter vloog met een boog weg. 'Ik laat me niet zo gauw kisten.'

'Maar hoe...'

'We pikten jullie noodsignaal van de GPS op,' legde Monk uit.

Gray trok de veiligheidsgordel over zijn schouders en klikte die vast. Toen viel zijn blik op de andere aanwezige in de cabine.

'Kardinaal Spera?' vroeg hij verwonderd.

Seichan, die naast hem zat, zei: 'Wie anders dacht je dat mij had ingehuurd?'

16

HET LABYRINT VAN DAEDALUS

Terwijl de donder rolde wachtte Kat op Vigor. Een kwartier geleden was die de donkere trap onder de stookplaats af gelopen.

Om even te kijken, had hij gezegd.

Ze scheen met haar lamp in het gat.

Waar was hij?

Even dacht ze erover hem achterna te gaan, maar uit voorzichtigheid bleef ze waar ze was. Als er een probleem was, had hij dat wel naar haar geroepen. Ze herinnerde zich de hellende steen waardoor ze onder de tombe van Petrus waren komen vast te zitten. Stel dat hier ook zoiets gebeurde? Wie wist dat ze hier naar hen moesten zoeken?

Ze bleef waar ze was, maar ze knielde wel neer en riep zacht naar beneden: 'Vigor?'

Van beneden hoorde ze zachte voetstappen die snel haar richting uit kwamen. Een zachte gloed die van een zaklamp bleek te zijn. Vigor klom naar boven, bleef een paar treden onder het gat staan en zwaaide.

'Dit moet je zien!'

Kat haalde diep adem. 'We kunnen beter op een belletje van Gray en de anderen wachten.'

Fronsend klom Vigor nog een paar treden op. 'Ik ben net zo bezorgd als jij, maar we moeten hierbeneden nog een paar raadsels oplossen. Daarom zijn we vooruitgestuurd, zo helpen we de anderen. De Societas Draconis, Gray en de anderen zitten allemaal in Zwitserland, het duurt nog uren voordat ze hier zijn. Die tijd moeten we goed gebruiken.'

Daar moest Kat even over nadenken. Ze keek op haar horloge. Ineens herinnerde ze zich dat Gray eens had gezegd dat je ook té voorzichtig kon zijn. Bovendien was ze razend nieuwsgierig.

Ze knikte. 'Maar elk kwartier kijken we even of er al nieuws van Gray is.'

'Natuurlijk.'

Kat deed haar rugzak om en gebaarde dat hij weer naar beneden kon. Een van haar mobieltjes liet ze bij de stookplaats liggen, daarmee kon ze berichten ophalen – en het fungeerde meteen als broodkruimeltjesspoor dat kon worden gevolgd voor het geval ze beneden opgesloten raakten.

Ze was niet zo voorzichtig als ze gewend was, maar ook niet overmoedig. Dat soort gedrag liet ze over aan Gray.

Kat volgde Vigor naar beneden. Eerst liep de trap steil omlaag, daarna kwam er een draai en ging het nog dieper. Vreemd, het rook hier droog, helemaal niet vochtig.

De trap kwam uit bij een korte tunnel.

Vigor versnelde zijn pas.

Uit de holle echo van zijn voetstappen maakte Kat op dat er zich verderop een grotere ruimte bevond. Even later zag ze haar vermoeden bevestigd.

Ze stapten op een richel van een meter of drie en lieten de lichtbundels van hun zaklampen schijnen over de gewelven boven en onder hen. Dit moest ooit een natuurlijke grot van graniet zijn geweest die in de loop der tijd een flinke verandering had ondergaan.

Kat knielde en voelde aan de vloer; blokken ruw marmer die precies in elkaar pasten. Vervolgens stond ze op en bescheen de wanden.

Kundige werklui en bouwmeesters hadden twaalf rijen van bakstenen treden gemaakt die begonnen bij waar ze stonden en tot aan de vloer in de diepte liepen. De ruimte had ongeveer de vorm van een cirkel, en ieder lager niveau was smaller dan het vorige. Het leek een beetje op een enorm amfitheater... Of een omgekeerde trappiramide.

Ze liet het licht gaan over de gapende ruimte tussen de treden.

Die was niet leeg.

Stevige granieten bogen rezen vanaf beneden in een kurkentrekkerpatroon op, gesteund door reusachtige zuilen. Kat herkende die bogen, het waren luchtbogen, net zoals de bogen die gotische kathedralen steunden. Eigenlijk straalde de hele ruimte de hoge, gewichtloze sfeer uit van een kerk.

'Dit moet door tempeliers zijn gebouwd,' zei Vigor terwijl hij langs een van de rijen liep. 'Het is ongekend. Een sonate van geometrie en architectuur. Een gedicht in steen, de gotische architectuur op haar best.'

'Een ondergrondse kathedraal,' fluisterde Kat diep onder de indruk.

Vigor knikte. 'Maar gebouwd om de geschiedenis, de kunst en de wetenschap te vereren.' Hij maakte een weids gebaar.

De stenen steunbogen hadden maar één enkel doel: het steunen van een ingewikkelde doolhof van houten steigers. Planken, kamers, ladders en trappen. Er blonk glas, goud schitterde. Het was hier een opslagplaats voor boeken, boekrollen, teksten, kunstvoorwerpen, beelden en vreemde koperen apparaten. Bij iedere stap opende zich een nieuw perspectief, net of ze in een enorme gravure van Escher rondliepen; onmogelijke hoeken, dimensionele tegenstrijdigheden gesteund door steen en hout.

'Het is een enorme bibliotheek,' zei Kat.

'En tevens museum, opslagruimte en kunstgalerie,' reageerde Vigor.

Niet ver van de ingang stond een stenen tafel, net een altaar.

Een in leer gebonden boek lag onder glas... goudglas.

'Ik durfde dat niet aan te raken,' zei Vigor. 'Maar je kunt goed door het glas kijken.' Hij bescheen de openliggende bladzijden.

Kat tuurde naar het boek. Er waren gekleurde illustraties in olieverf. Een geïllumineerd manuscript. In een vloeiend handschrift was iets geschreven wat op een lijst leek.

'Ik denk dat dit de codex van de bibliotheek is,' zei Vigor. 'Een soort catalogus. Maar zeker weten doe ik het niet.'

Zijn handen hingen net boven het glas, hij was duidelijk bang het aan te raken; ze hadden al gezien waartoe zulk supergeleidend materiaal in staat was. Kat zette een stap naar achteren. Het viel haar op dat in het hele complex een dergelijke glans te zien was, zelfs boven de wanden zaten platen glas, net vensters die als juwelen in de muren waren gezet.

Wat betekende dat?

Nog steeds stond Vigor over het boek gebogen. 'Hier staat in het Latijn: de Heilige Steen van Trofimus.'

Kat keek hem aan, wachtend op nadere uitleg.

'Trofimus heeft het christelijke geloof naar deze streek van Frankrijk gebracht. Ze zeggen dat Jezus hem bezocht tijdens een geheime bijeenkomst van vroege christenen in een necropolis. Jezus knielde op een sarcofaag en de afdruk daarvan bleef bewaard. Het deksel van de sarcofaag werd een soort schat, degenen die dat aanschouwden, verkregen de kennis van Jezus.' Vigor keek om zich heen in de kathedraal vol geschiedenis. 'Men dacht dat het deksel verloren was gegaan, maar nee, dat bevindt zich hier. Net als zoveel andere dingen.'

Hij gebaarde naar het boek. 'De complete teksten van apocriefe evangeliën, niet alleen de fragmenten die bij de Dode Zee zijn gevonden. Ik zag vier evangeliën op de lijst staan, van eentje had ik nog nooit gehoord: Het bruine evangelie van de Gouden Heuvelen. Wat kan daarin staan? Maar vooral...' Vigor liet het licht van zijn zaklamp omhoogschijnen. 'Volgens de codex moet zich hier ergens het Mandylion bevinden.'

Kat fronste. 'Wat is dat?'

'De echte lijkwade van Jezus, een voorwerp dat veel ouder is dan de lijkwade van Turijn. Het werd in de tiende eeuw van Edessa naar Constantinopel overgebracht, maar in een woelige periode werd het geroofd en verdween. Alom werd gedacht dat het in de schatkamer van de tempeliers is beland.' Vigor knikte. 'En hier hebben we daar het bewijs voor. Het ware gezicht van Jezus misschien.'

Kat voelde de eeuwen op zich drukken... in perfecte geometrie.

'Eén bladzijde...' prevelde Vigor.

Kat begreep dat hij doelde op het feit dat al deze wonderen op slechts één bladzijde van het in leer gebonden boek werden vermeld – terwijl het boek zo te zien ongeveer duizend bladzijden bevatte.

'Wat is hier allemaal nog meer te vinden?' vroeg hij zacht.

'Ben je al helemaal beneden geweest?' vroeg Kat.

'Nog niet. Ik ging eerst jou halen.'

Kat liep naar de smalle trap die van de ene rij 'zitplaatsen' naar de andere leidde. 'We moeten eerst eens een algehele indruk krijgen, daarna gaan we even terug.'

Vigor knikte, met iets van tegenzin dat hij bij het boek weg moest.

Toch liep hij achter Kat aan terwijl ze een slingerpaadje tussen de trapjes volgde. Opeens keek ze op. Het gewelf leek boven haar te hangen, tijdloos.

Eindelijk hadden ze het bovenste stuk bereikt. Een laatste trap bracht hen naar een vlakke vloer tussen de laatste rij. Daar beneden hield de bibliotheek op. De kostbaarheden boven hen leken tussen een paar gigantische bogen te hangen die steunden op de laatste rang.

Kat herkende de steen waaruit deze bogen waren opgetrokken.

Het was geen graniet of marmer, maar magnetiet.

Direct onder de plek waar de bogen elkaar kruisten stond een zuiltje van magnetiet dat tot borsthoogte kwam, net een stenen vinger die omhoogwees.

Op haar hoede liep Kat naar beneden. Een rand van natuurlijk graniet omringde een dikke glazen vloer. Goudglas. Ze stapte er niet op. In de bakstenen muren eromheen waren spiegelende platen goudglas gezet, ze telde er twaalf, precies hetzelfde aantal als er gedeelten 'zitplaatsen' waren.

Vigor kwam bij haar staan.

Net als Kat nam hij alles goed in zich op, maar hun aandacht ging vooral uit naar de zilverige lijnen – waarschijnlijk was het pure platina – die in de vloer waren geëtst. De afbeelding leek een passend einde voor hun langdurige speurtocht. Het was een ronde doolhof met een rozet in het midden. Vanuit het middelpunt rees de stompe zuil van magnetiet op.

Fronsend keek Kat ernaar: de doolhof, de bogen van magnetiet, de glazen vloer. Het deed haar sterk denken aan het graf van Alexander met de piramide en de spiegelende vijver.

'Het ziet ernaar uit dat we weer een raadsel moeten oplossen.' Ze staarde naar de schatten boven haar hoofd. 'Maar als we deze oude opslagplaats van de magiërs al open hebben gekregen, wat blijft er dan nog over om te vinden?'

Vigor kwam dichterbij staan. 'Vergeet de gouden sleutel uit Alexanders graf niet. Die hebben we hier nog nergens kunnen gebruiken.'

'Dat betekent...'

'Dat er meer is dan deze bibliotheek.'

'Maar wat?'

'Dat weet ik niet,' zei Vigor. 'Maar het patroon van de doolhof herken ik wel.'

Kat draaide zich naar hem om.

'Het is het labyrint van Daedalus.'

Gray wachtte met de anderen vragen te stellen totdat ze weer in de lucht waren. De helikopter had hen naar de internationale luchthaven van Genève gebracht waar kardinaal Spera een privé-straalvliegtuig had laten voltanken. Nadat alles was geregeld, waren ze meteen naar Avignon vertrokken. Het was echt verbazend wat een geestelijke met een hoge rang in het Vaticaan voor elkaar kon krijgen.

Dat was dan ook de aanleiding voor Grays eerste vraag.

'Waarom huurt het Vaticaan een agent van het Gilde in?' vroeg hij.

Alle vijf draaiden zich om en keken elkaar aan.

Kardinaal Spera knikte. 'Het was niet de Heilige Stoel zelf die Seichan inhuurde.' Hij gebaarde naar de vrouw die naast hem zat. 'Het was een onafhankelijk opererend groepje. We hoorden van activiteiten binnen de Societas Draconis, en hadden al gebruik van het Gilde gemaakt om de groep te laten doorlichten.'

'Hebben jullie huursoldaten in dienst genomen?' vroeg Gray beschuldigend.

'Wat we wilden beschermen vroeg om niet-alledaagse methoden. We wilden vuur met vuur bestrijden. Het Gilde heeft de reputatie dat ze meedogenloos zijn, maar ze zijn ook efficiënt, ze houden zich aan het contract en zijn bereid tot het uiterste te gaan om het doel te bereiken.'

'Maar de slachting in Keulen konden ze niet voorkomen.'

'Ik ben bang dat dat mijn schuld was. We waren ons niet bewust van de implicaties van de diefstal van de tekst uit Caïro, en we dachten ook niet dat ze zo snel actie zouden ondernemen.'

Met een zucht draaide de kardinaal aan zijn gouden ringen, eerst aan de een, toen aan de ander, een gebaar van nervositeit. 'Al dat bloedvergieten... Na de slachting in Keulen benaderde ik het Gilde nogmaals om hen te vragen een agent in de Societas te laten infiltreren. Dat was niet moeilijk toen Sigma zich er eenmaal mee ging bemoeien. Het Gilde bood zijn diensten aan. Seichan had al eerder met jullie te maken gehad, de Societas hapte meteen toe.'

'Ik moest erachter zien te komen wat de Societas allemaal wist,' zei Seichan. 'Hoe ver ze al waren, en natuurlijk moest ik hen op alle mogelijke manieren dwarszitten.'

'Zoals toekijken terwijl ze priesters martelen,' merkte Rachel op.

Seichan haalde haar schouders op. 'Op dat feestje kwam ik net te laat. En wanneer Raoul eenmaal op dreef is, is er geen houden meer aan.'

Gray knikte. Hij had het muntje uit Milaan nog. 'Maar ons hielp je te ontsnappen.'

'Dat kwam me toen beter uit. Jullie helpen kwam van pas bij mijn missie de Societas het idee te geven dat ze op hun huid werden gezeten.'

Gray keek Seichan doordringend aan terwijl ze dat zei. Aan wiens kant stond ze eigenlijk? Ze speelde spelletjes, maar hield ze nog meer verborgen? Haar verklaring klonk logisch, maar het kon ook allemaal een list zijn, misschien werkte ze eigenlijk voor het Gilde.

Het was naïef van het Vaticaan het Gilde te vertrouwen... Of haar.

Hoe dan ook, Gray stond weer eens bij Seichan in het krijt.

Volgens plan had ze ervoor gezorgd dat Monk uit het ziekenhuis werd gehaald voordat Raouls handlangers konden toeslaan. Gray had aangenomen dat ze dat door een van de andere agenten van het Gilde zou laten doen – niet door haar opdrachtgever kardinaal Spera. Maar de kardinaal had het er goed van afgebracht, hij had gezegd dat Monk ambassadeur van het Vaticaan was en hem meegenomen naar hier.

En nu waren ze op weg naar Avignon.

Toch was er nog iets wat Gray dwarszat.

'Jullie groep in het Vaticaan,' zei hij tegen kardinaal Spera, 'waarom zijn zij hierbij betrokken?'

Spera legde zijn gevouwen handen op tafel. Kennelijk wilde hij liever niets zeggen. Ineens pakte Rachel zijn handen en legde die plat op tafel, daarna boog ze zich over zijn handen en bekeek ze aandachtig.

'U heeft twee ringen met het pauselijk zegel,' zei ze.

De kardinaal trok zijn handen terug en bedekte zijn ene hand met de andere. 'Eén als teken van mijn rang als kardinaal,' legde hij uit, 'en één als teken van mijn ambt als minister van Binnenlandse Zaken. Het zijn twee dezelfde ringen, dat is traditie.'

'Maar ze zijn niet hetzelfde,' zei ze. 'Dat viel me op toen u uw handen naast elkaar legde. De ringen zijn elkaars spiegelbeeld, identiek, maar spiegelbeeldig.'

Gray fronste diep.

'Het zijn tweelingen,' ging Rachel verder.

Gray vroeg of hij de ringen zelf mocht bekijken. Rachel had gelijk, het waren spiegelbeeldige afbeeldingen van het pauselijk zegel. 'Thomas betekent "tweeling",' mompelde Gray terwijl hij de kardinaal aankeek. De kardinaal had gezegd dat een groepje binnen het Vaticaan het Gilde had ingehuurd, en Gray wist nu welk groepje dat was.

'U bent lid van de thomasiaanse Kerk,' zei hij. 'Daarom probeert u in het geheim de Societas een halt toe te roepen.'

Spera staarde hem aan en na een poosje knikte hij. 'Onze groep is een geaccepteerd onderdeel van de apostolische Kerk, maar daar wordt geen ruchtbaarheid aan gegeven. Hoewel velen van het tegendeel zijn overtuigd, is de Kerk geen tegenstander van wetenschap en onderzoek. Katholieke universiteiten, ziekenhuizen en onderzoeksfaciliteiten moedigen vooruitgang aan, nieuwe concepten en inzichten. En ja, er zijn onderdelen binnen de Kerk die conservatief zijn en die niet met hun tijd meegaan, maar er zijn ook onderdelen die de uitdaging aangaan en de Kerk plooibaar houden. Dat is altijd zo geweest en zal altijd zo blijven.'

'En in het verleden?' vroeg Gray. 'Dat oude genootschap van alchemisten dat we zoeken? De aanwijzingen die we volgen?'

Kardinaal Spera schudde zijn hoofd. 'De huidige thomasiaanse Kerk is niet hetzelfde als vroeger. Die Kerk is tijdens de ballingschap van de Franse pausen verdwenen, samen met de orde van de tempeliers. Er gingen mensen dood, er ontstonden conflicten, en door de geheimhouding raakten de leden nog meer van elkaar vervreemd zodat er alleen vage geruchten overbleven. Het ware lot van die gnostische Kerk en de oude bloedlijn is ons niet bekend.'

'Dus jullie tasten net als wij in het duister,' zei Monk.

'Ik vrees van wel. Behalve dat wij op de hoogte waren van het bestaan van die oude Kerk. Het is geen sprookje.'

'De Societas Draconis was er ook van op de hoogte,' reageerde Gray.

'Ja. Maar wij wilden het geheim behouden, we vertrouwden op de wijsheid van onze voorvaderen, we geloofden dat alles om een goede reden was verborgen en dat een dergelijke kennis vanzelf onthuld zou worden wanneer de tijd daar rijp voor was. De Societas Draconis daarentegen wil door middel van bloedvergieten, corruptie en marteling achter de geheimen komen, ze zijn uitsluitend op zoek naar de macht om alles en iedereen te overheersen. Wij zijn al generaties lang hun tegenstander.'

'En nu zijn we er zo dichtbij,' zei Gray.

'Maar zij beschikken over de gouden sleutel,' bracht Rachel hem hoofdschuddend in herinnering.

Vermoeid wreef Gray over zijn gezicht. Hij had die sleutel zelf uit handen gegeven om Raoul ervan te overtuigen dat Seichan ondanks alles aan zijn kant stond. Het was een gok geweest, maar eigenlijk gold dat voor de hele reddingsactie. Raoul had in het kasteel gevangen moeten worden genomen of zijn neergeschoten – maar de hufter had weten te ontsnappen.

Met een schuldig gevoel keek hij Rachel aan, zoekend naar iets om te zeggen, om het uit te leggen, maar hij werd gered door de piloot die iets door de luidspreker zei.

'Jullie kunnen beter de gordels omdoen, er is zwaar weer op komst.'

Een bliksemflits kliefde door de wolken beneden hen.

Verderop pakten donkere wolken zich samen, af en toe verlicht door de bliksem. Daarna was alles weer donker. Ze vlogen recht een onweer in.

5:12

AVIGNON, FRANKRIJK

Vigor liep over de stenen rand die om de glazen vloer liep – en om het daarin geëtste labyrint. Zwijgend bestudeerde hij het nu al een volle minuut, totaal gefascineerd.

'Zie je dat het eigenlijk geen echte doolhof is?' merkte hij uiteindelijk op. 'Geen blinde hoeken, geen doodlopende paden. Het is één lang, slingerend pad. Eenzelfde labyrint tref je in blauwe en witte steen aan in de kathedraal van Chartres.'

'Maar waarom hier?' vroeg Kat. 'En waarom noemde je het het labyrint van Daedalus?'

'Het labyrint van Chartres staat onder vele namen bekend. Een daarvan was: *le Dadale*, oftewel: de Daedalus. Vernoemd naar de architect uit de mythologie die de doolhof voor koning Minos van Kreta ontwierp. In dat labyrint huisde de Minotaurus, een op een stier gelijkend monster dat uiteindelijk door Theseus werd verslagen.'

'Maar waarom staat die doolhof in de kathedraal van Chartres afgebeeld?'

'Niet alleen in Chartres, hoor. In de dertiende eeuw, toen er veel kerken werden gebouwd en de gotische architectuur haar hoogtepunt bereikte, werden er veel doolhoven in kerken geplaatst. In Amiens, Reims, Arras, Auxerre... In het schip waren doolhoven. Maar eeuwen later liet de Kerk ze vernietigen, ze werden als heidens beschouwd, behalve die van de kathedraal van Chartres.'

'Waarom bleef die dan wel gespaard?'

Vigor schudde zijn hoofd. 'Die kathedraal is altijd de uitzondering op de regel geweest. In feite is de oorsprong ervan inderdaad heidens, hij is op de Grotte des Druides gebouwd, een befaamd heidens pelgrimsoord. En tot op vandaag is er in tegenstelling tot andere kathedralen nooit een koning, paus of andere beroemdheid onder de stenen begraven.'

'Maar dat verklaart nog niet waarom hier ook een doolhof is afgebeeld,' reageerde Kat.

'Ik kan er wel een paar verklaringen voor bedenken. Om te beginnen was de doolhof van Chartres gebaseerd op een schets in een Griekse tekst uit de tweede eeuw die over alchemie handelde, een passend symbool voor onze verloren gegane alchemisten. Maar het labyrint van Chartres stond ook symbool voor de reis van deze aarde naar het paradijs. In Chartres kropen de gelovigen op handen en knieën over het slingerende pad van buiten naar binnen, totdat ze de rozet hadden bereikt, die weer symbool stond voor de pelgrimsreis van hier naar Jeruzalem, of van deze wereld naar de volgende. Daarom wordt de doolhof ook wel *Chemin de Jerusalem* genoemd, de weg naar Jeruzalem. Of *Chemin du Paradis*, de weg naar het paradijs. Het was een spirituele reis.'

'Denk je dat het aangeeft dat we zelf die reis moeten maken, dat we de alchemisten moeten volgen om dit laatste grote raadsel op te lossen?'

'Ja, dat denk ik.'

'Maar hoe dan?'

Vigor schudde zijn hoofd. Hij had wel een vermoeden, maar daar moest hij eerst beter over nadenken. Kat leek te begrijpen dat hij niet het achterste van zijn tong liet zien, maar ze had te veel respect voor hem om aan te dringen.

In plaats daarvan keek ze op haar horloge.

'We moeten terug naar boven, kijken of Gray al contact heeft opgenomen.'

Vigor knikte. Nog één keer keek hij om zich heen en liet het licht van zijn zaklamp door de ruimte spelen. De glazen oppervlakken weerkaatsten het licht, in de vloer en in de wanden. Hij scheen naar boven. Daar glinsterde nog meer, juwelen ornamenten in een boom van kennis.

Er moest hier een antwoord zijn.

Hij moest daar snel achter zien te komen voordat het te laat was.

5:28

BOVEN FRANKRIJK

Waarom namen ze niet op?

Gray zat met de telefoon van het vliegtuig tegen zijn oor gedrukt. Hij probeerde Kat te bereiken, maar tot nu toe was hem dat niet gelukt. Misschien lag het aan het onweer, misschien werd het signaal gestoord. Het vliegtuig vloog bokkend tussen de bliksemflitsen en de rollende donder door.

Voor de privacy was hij achterin gaan zitten. De anderen zaten met hun gordels om druk te overleggen.

Alleen Rachel keek af en toe om, bezorgd over haar oom. Maar misschien was er meer. Sinds hun redding uit Lausanne bleef ze voortdurend in zijn buurt. Nog steeds weigerde ze te vertellen wat er precies in het kasteel was gebeurd. Ze zag er bedroefd uit, het was net of ze bij hem iets van troost zocht, niet om zich aan hem vast te klampen, dat was niets voor haar, maar meer om iets van bevestiging te vinden.

Hoewel Monk flink getraumatiseerd was, wist Gray dat hij er uiteindelijk met hem over zou praten. Ze waren strijdmakkers, beste vrienden. Ze kwamen hier wel uit.

Maar met Rachel had Gray niet zoveel geduld. Eigenlijk wilde hij nu meteen weten wat haar zo dwarszat. Hij had geprobeerd haar er iets over te laten vertellen, maar die poging had ze afgekapt, vriendelijk doch gedecideerd. Hij kon slechts wachten tot ze bereid was er iets over los te laten.

Eindelijk hield de toon op. Er werd opgenomen. 'Bryant.'

Gelukkig. Gray ging rechtop zitten. 'Kat, met Gray.'

De anderen draaiden zich allemaal naar hem om.

'We zijn hier met Rachel en Monk,' zei hij. 'Hoe is het daar?'

Kat, altijd zo stoïcijns, klonk nu overduidelijk opgelucht. 'Prima. We hebben de geheime ingang gevonden.' Snel legde ze uit wat ze hadden ontdekt. Door het onweer viel de verbinding af en toe weg en miste hij iets.

Gray voelde Rachels doordringende blik en knikte haar geruststellend toe. Met haar oom was alles prima in orde.

Dankbaar sloot ze haar ogen en leunde achteruit in haar stoel.

Zodra Kat was uitgesproken, verhaalde Gray in het kort van de gebeurtenissen in Lausanne. 'Als het onweer ons niet al te erg ophoudt, landen we over ongeveer een halfuur op Caumont bij Avignon. Maar we hebben niet veel voorsprong op de Societas, hooguit een halfuur als we boffen.'

Seichan had hun verteld hoe de Societas zich verplaatste. Raoul beschikte over een paar vliegtuigen op een vliegveldje een halfuur buiten Lausanne. Nadat Gray de snelheid van die vliegtuigen had berekend, was hij tot de conclusie gekomen dat ze een kleine voorsprong op de Societas hadden, en dat wilde hij zo houden.

'Nu alle teamleden weer in veiligheid zijn,' zei Gray tegen Kat, 'wil ik de radiostilte met het centrale commando verbreken. Ik ga contact opnemen met directeur Crowe, ik wil dat hij de plaatselijke autoriteiten om steun vraagt. Zodra we zijn geland, bel ik je weer. Wees ondertussen voorzichtig.'

'Begrepen. We wachten op jullie.'

Gray verbrak de verbinding en toetste toen het nummer van het commandocentrum van Sigma in. Hij werd verschillende keren doorgeschakeld en kreeg toen eindelijk verbinding.

'Logan Gregory.'

'Dr. Gregory, met commandant Pierce.'

'Commandant...' Het klonk geërgerd.

Gray had geen zin in een uitbrander omdat hij geen contact had gehouden. 'Ik moet Painter Crowe dringend spreken.'

'Dat is helaas niet mogelijk, commandant. Het is hier bijna middernacht, de directeur is hier vijf uur geleden weggegaan. Niemand weet waar hij is.' Het klonk nog geïrriteerder dan daarnet, toen hij Gray de mantel had willen uitvegen.

In ieder geval begreep Gray nu waarom Gregory zo uit zijn humeur was. Wat bezielde Crowe om op een moment als dit uit het commandocentrum te vertrekken?

'Misschien is hij naar DARPA om met dr. McKnight te overleggen,' ging Logan verder. 'Maar ik ben nog steeds jullie coördinator en ik wil precies weten waar jullie zijn.'

Ineens voelde Gray zich ongemakkelijk. Waar was Painter Crowe naartoe gegaan? En was hij wel weg? Hij kreeg het ijskoud. Probeerde Gregory te voorkomen dat hij met de directeur sprak? Ergens binnen Sigma was een lek. Wie moest hij geloven?

Nadat hij zijn dilemma had overwogen, deed hij het enige wat hij kon doen. Misschien handelde hij overhaast, maar hij kon alleen op zijn gevoel afgaan.

Hij verbrak de verbinding.

Hij kon het risico niet lopen. Hij had een voorsprong op de Societas Draconis, die gaf hij niet uit handen.

5:35

Tachtig luchtmijl verder luisterde Raoul naar het verslag dat zijn contactpersoon over de radio uitbracht. Langzaam verscheen er een grijns op zijn gezicht. 'En ze zijn nog in het pauselijk paleis?'

'Ja,' bevestigde zijn spion.

'En je weet waar ze binnen zijn.'

'Ja.'

Zodra Raoul van Avignon had gehoord, had hij vanuit zijn kasteel gebeld. Hij had overlegd met personen in Marseille, en die waren naar Avignon gestuurd om de twee agenten op te sporen: de geestelijke en dat wijf van Sigma die zijn hand met die harpoen had doorboord. Ze hadden succes gehad.

Raoul keek op de klok. Over drie kwartier zouden ze landen.

'We kunnen hen ieder moment te grazen nemen,' zei zijn spion.

Raoul zag geen reden tot uitstel. 'Doe dat dan.'

5:39

AVIGNON, FRANKRIJK

Kats leven werd door een muntje gered.

Terwijl ze naast de stookplaats stond, gebruikte ze dat muntje om het batterijgedeelte van haar penlight open te peuteren. Het muntje glipte uit haar vingers en viel op de grond. Ze bukte om het op te rapen.

Een schot. Naast haar hoofd vlogen flinters steen van de muur.

Een sluipschutter.

Nog steeds gebogen liet ze zich op de vloer rollen en trok de Glock uit haar schouderholster. Ze kwam op haar rug terecht en schoot tussen haar knieën door op de duistere deuropening waar de schoten vandaan waren gekomen.

Ze vuurde vier keer om elke hoek te bestrijken.

Ze hoorde een bevredigend gekreun en toen het gekletter van een pistool dat op de grond viel. Daarna een zware plof.

Over de grond rollend bereikte ze Vigor, die bij het gat in elkaar gedoken zat. Ze gaf hem haar pistool. 'Liggen,' beval ze hem. 'Schiet op alles wat beweegt.'

'En jij dan?'

'Nee, op mij moet je niet schieten.'

'Ik bedoel: wat ga jij doen?'

'Op jacht.' Hun zaklampen had ze al uitgedaan. Ze pakte haar bril met nachtkijkerfunctie en zette die op. 'Er kunnen er meer zijn.' Ze trok een lange dolk uit haar riem.

Met Vigor half in het gat sloop Kat naar de deur en keek in de gang. De wereld bestond uit verschillende tinten groen, zelfs het bloed was groen. Dat was het enige wat in de gang bewoog, een steeds groter wordende plas bloed onder een bewegingloos lichaam.

Voorzichtig kwam ze dichterbij en zag dat het een man in camouflagekleding was.

Een huursoldaat.

Ze had geboft, ze had de man in zijn keel geraakt. Ze deed geen moeite zijn pols te voelen, maar pakte gewoon zijn pistool en stak dat in haar holster.

Gebogen sloop ze door de gang, van vertrek tot vertrek, de hele omgeving van de keuken werkte ze af. Als er nog meer waren, moesten die in de buurt zijn. Na het korte vuurgevecht zouden ze zich hebben verstopt. Stom. Ze vertrouwden veel te veel op hun pistolen, ze dachten dat één sluipschutter het vuile werk wel voor hen kon doen.

Efficiënt werkte Kat alles af. Niemand te zien.

Mooi zo.

Uit het zijvakje van haar rugzak haalde ze een zwaar, in plastic verpakt pakje. Met haar duim verbrak ze de verzegeling en liet haar hand vervolgens zakken.

Ze sloop een hoek om en stapte de gang in die terug leidde naar de keuken, toen ging ze rechtop staan en liep vol zelfvertrouwen verder.

Als lokaas.

De dolk hield ze in haar rechterhand, met haar linker leegde ze het pakje op de grond achter zich.

Met rubber bedekte kogellagers met een coating van NPL Superzwart.

Zelfs met een nachtkijker niet te zien.

Overal achter haar lagen de balletjes op de grond, ze stuiterden en rolden stilletjes verder.

Kat liep naar de keuken. Zacht hoorde ze voetstappen achter zich.

Ze knielde, draaide zich met een ruk om op haar knie en wierp de dolk met al haar kracht en behendigheid. De dolk vloog recht op de man af en belandde in zijn van verrassing opengesperde mond omdat hij net uitgleed over de kogellagers. Hij haalde de trekker nog over, maar de kogel boorde zich in de balken hoog boven hun hoofden.

Toen lag hij op zijn rug, zijn lichaam schokte wild. De dolk was door zijn mond in zijn hersenen gedrongen.

Voorzichtig schuifelde Kat tussen de kogeltjes door naar hem toe.

Tegen de tijd dat ze hem had bereikt, lag hij stil. Ze trok de dolk uit zijn mond, nam zijn wapen in beslag en keerde terug naar de keuken. Daar wachtte ze nog twee minuten of er misschien een derde of vierde sluipmoordenaar was.

Het bleef doodstil in het paleis.

Steeds krachtiger rolde de donder door de heuvels en door het raam kwam het verblindende licht van bliksemflitsen. Het onweer was nu pas goed losgebarsten.

Zodra Kat er zeker van was dat er verder niemand was, gaf ze Vigor het teken dat het veilig was. Hij klom uit het gat.

'Blijf daar,' waarschuwde ze hem voor het geval ze het bij het verkeerde eind had.

Ze liep naar het eerste lijk en doorzocht zijn zakken. Zoals ze al had gevreesd, vond ze een mobieltje.

Verdomme.

Even bleef ze daar geknield zitten met het mobieltje in haar hand. Deze huurmoordenaars die de opdracht hadden gekregen hen te doden, hadden hun positie vast en zeker doorgegeven.

Ze ging terug naar Vigor en keek op haar horloge.

'De Societas weet waar we zijn,' zei Vigor. Ook hij had dat begrepen.

Kat zag de noodzaak niet dat te bevestigen. Ze pakte haar eigen mobieltje, commandant Pierce moest dit weten. Ze toetste het nummer in dat hij had opgegeven, maar kon geen verbinding krijgen. Ze keek naar het raam. Pech.

Het onweer maakte mobiel bellen onmogelijk. In ieder geval naar een vliegtuig in de lucht.

Ze borg het mobieltje weer op.

'Misschien wanneer ze zijn geland,' opperde Vigor. 'Maar als de Societas Draconis weet dat we hier zijn, hebben we niet veel tijd meer.'

'Heb jij nog een voorstel?' vroeg Kat.

'We moeten zorgen dat we weer een voorsprong krijgen.'

'Hoe dan?'

Vigor gebaarde naar de duisternis van de trap. 'We hebben nog ruim een kwartier voordat Gray en de anderen hier zijn. We lossen het raadsel beneden op zodat wanneer zij komen we klaar zijn om tot actie over te gaan.'

Kat knikte. Dat was logisch, en bovendien wonnen ze zo tijd. Het was háár schuld dat er hier spionnen waren gekomen.

'Laten we dan maar beginnen.'

6:02

Gray haastte zich met de anderen over het asfalt. Vijf minuten geleden waren ze op het vliegveld van Avignon aangekomen, op Caumont. Dat hadden ze te danken aan kardinaal Spera... Of in ieder geval aan de invloed van het Vaticaan. Terwijl ze nog in de lucht waren, was alles al met de douane geregeld, en een BMW sedan stond op hen te wachten om hen naar het Palais des Papes te brengen. De kardinaal was de terminal in gegaan om de plaatselijke autoriteiten te waarschuwen. Het pauselijk paleis moest worden afgesloten van de buitenwereld.

Maar natuurlijk pas wanneer zíj binnen waren.

Met zijn mobieltje in de hand rende Gray verder, hij probeerde contact met Kat en Vigor te maken.

Er werd niet opgenomen.

Hij keek of het signaal krachtig genoeg was. Eenmaal uit het vliegtuig stond er een extra streepje op de display. Wat was dan het probleem?

Hij liet de telefoon steeds maar overgaan.

Uiteindelijk gaf hij het op, alleen in het paleis kon hij antwoord op zijn vragen krijgen. Doornat van de regen stapten ze in de wachtende auto terwijl een bliksemflits Avignon in een hel licht zette, de stad langs de zilverkleurige Rhône. Het Palais des Papes was duidelijk zichtbaar, het was het hoogste punt van Avignon.

'Gelukt?' vroeg Monk met een knikje naar het mobieltje.

'Nee.'

'Kan aan het onweer liggen,' opperde Seichan.

Niemand was echt overtuigd.

Gray had geprobeerd Seichan op de luchthaven achter te laten, hij wilde alleen mensen die hij echt kon vertrouwen om zich heen. Maar kardinaal Spera had erop gestaan dat ze meeging, hij geloofde heilig in het contract met het Gilde. En dat deed Gray denken aan de afspraak die hij zelf met Seichan had. Ze had erin toegestemd Monk en Rachel te bevrijden om zelf wraak te kunnen nemen op Raoul. Zij had zich aan de afspraak gehouden, en Gray moest dat ook doen.

Rachel nam plaats achter het stuur.

Zelfs Monk maakte geen bezwaar. Hij hield echter wel zijn wapen op schoot, gericht op Seichan. Ook hij nam geen enkel risico. Kardinaal Spera had het geweer meegenomen uit de scavi onder de Sint-Pieter en Monk leek erg blij te zijn dat hij het terug had.

Zodra iedereen was ingestapt, reed Rachel met hoge snelheid van het vliegveld weg in de richting van de stad. Ze scheurde door de smalle straatjes. Op dit vroege tijdstip en met een vreselijk onweer was er maar weinig ander verkeer. Ze vlogen hellingen op die in riviertjes waren veranderd en scheurden door de bochten.

Een paar minuten later reed Rachel het plein voor het paleis op. Ze kon nog net de opgestapelde stoelen ontwijken. Overal op het plein hingen snoeren met gekleurde peertjes, het zag eruit als een in het water gevallen feestje.

Gehaast stapten ze uit.

Rachel ging hun voor naar de hoofdingang. Ze was hier al eerder geweest. In een fors tempo liep ze voor hen uit door de poort, over een binnenplaats en naar een zijdeur, de deur waar Kat het over had gehad.

Gray zag dat het slot was vernield, ruw doorgezaagd.

Niet het verfijnde handwerk van iemand die bij de inlichtingendienst had gewerkt.

Iemand anders had zich eveneens toegang verschaft.

Gray gebaarde dat ze achteruit moesten. 'Wacht, ik wil eerst even een kijkje nemen.'

'Ik wil geen insubordinatie plegen,' zei Monk, 'maar ik voel er niet zo voor om ons op te splitsen. Dat was de vorige keer geen groot succes.'

'Ik ga mee,' zei Rachel.

'Volgens mij heb je over mij niets te zeggen,' merkte Seichan op.

Gray had geen tijd om tegenwerpingen te maken – vooral omdat hij het toch niet kon winnen.

Ze liepen het paleis in. Gray had de plattegrond uit zijn hoofd geleerd. Hij liep verder naar binnen en keek goed om zich heen. Nadat hij op het eerste lijk stuitte, bleef hij staan. Een dode, hij was al koud aan het worden.

Toen hij het lijk beter bekeek, wist hij dat dit wél het werk van iemand was die vroeger bij de inlichtingendienst had gewerkt. Hij liep weer verder en smakte bijna op zijn gezicht toen hij uitgleed over een kogellager met een laagje rubber. Net op tijd kon hij zich aan de muur vasthouden.

Dat moest een van Kats speeltjes zijn.

Schuifelend tussen de kogeltjes door gingen ze verder.

Bij de ingang van de keuken lag nog een lijk. Ze moesten door een plas bloed heen om de keuken in te kunnen.

Daar hoorden ze stemmen. Gray hield de anderen tegen om beter te kunnen luisteren.

'We zijn al laat,' hoorde hij een stem.

'Het spijt me, maar ik wilde het zeker weten. Ik moest alle hoeken controleren.'

Kat en Vigor in heftige discussie. Hun stemmen klonken hol vanuit een gat midden in de keukenvloer en nu verscheen er ook bewegend licht.

'Kat?' riep Gray naar beneden omdat hij zijn teamgenoot niet wilde laten schrikken. Hij had al gezien wat ze kon aanrichten. 'Gray hier.'

Het licht ging uit.

Even later kwam Kat tevoorschijn met een pistool op hem gericht.

'Het is in orde,' zei Gray.

Kat klom uit het gat. Gray gebaarde dat de anderen de keuken in konden komen.

Daarna kwam Vigor uit het gat.

Rachel rende op hem toe, en hij spreidde zijn armen om haar stevig te kunnen omhelzen.

Kat was de eerste die iets zei. Ze knikte in de richting van de gang vol bloed. 'De Societas Draconis weet dat we hier zijn.'

Dat kon Gray alleen maar bevestigen. 'Kardinaal Spera waarschuwt de plaatselijke autoriteiten, ze moeten hier algauw zijn.'

Vigor hield zijn arm om de schouders van zijn nichtje geslagen. 'Dan hebben we net tijd genoeg.'

'Waarvoor?' vroeg Gray.

'Om de schat beneden te voorschijn te brengen.'

Kat knikte. 'We hebben het raadsel opgelost.'

'En wat was het antwoord?' vroeg Gray.

Met stralende ogen zei Vigor: 'Licht.'

6:14

Hij kon niet langer wachten.

Vanuit de terminal van het vliegveldje had kardinaal Spera het groepje in de BMW zien vertrekken. Zoals hun commandant had gevraagd wachtte hij vijf minuten om het team de tijd te geven bij het paleis te komen, daarna stond hij op en liep naar een van de gewapende beveiligingsbeambten, een blonde jongeman in uniform.

In het Frans vroeg hij hem om hem naar zijn superieur te brengen en liet hem zijn Vaticaanse identiteitsbewijs zien. 'Het is uiterst dringend.'

Met grote ogen keek de beveiligingsbeambte hem aan, wetend wie er voor hem stond.

'Maar natuurlijk, kardinaal Spera, meteen.'

De jongeman ging hem voor door een gang en een elektronisch poortje door. Aan het eind van de gang bevond zich het kantoor van de luchthavenbeveiliging. De jongeman klopte op de deur en er klonk een ruwe stem. 'Binnen.'

Hij duwde tegen de deur en hield die open voor kardinaal Spera. Omdat de beveiligingsbeambte omkeek naar de kardinaal, zag hij niet dat er een pistool met geluiddemper op zijn achterhoofd werd gericht.

Kardinaal Spera hief zijn hand op. 'Nee...'

Het schot klonk of er iemand kuchte. Het hoofd van de beveiligingsbeambte knakte naar voren, daarna viel hij op de grond. Het bloed spatte tegen de vloer.

Een andere deur in de gang ging open.

Een bewapende man stapte naar buiten en zette een pistool in kardinaal Spera's maag. Hij werd het kantoor in gedwongen, en het lijk van de jongeman werd het kantoor in gesleept. Een andere man gooide een handdoek op de grond en dweilde met zijn voet het bloed op.

De deur ging dicht.

Er lag nog een lijk in het vertrek, een man in opgekrulde houding.

De baas van de beveiligingsbeambte.

Achter diens bureau stond een bekend persoon op.

Ongelovig schudde kardinaal Spera zijn hoofd. 'Je hoort bij de Societas Draconis...'

'Ik ben zelfs hun leider.' Hij haalde een pistool tevoorschijn. 'Ik maak de weg vrij voor mijn mannen die nog onderweg zijn.'

Het pistool werd gericht.

Uit de loop kwam een flits.

Kardinaal Spera voelde iets tegen zijn voorhoofd komen – toen niets meer.

6:18

Samen met de anderen stond Rachel rond de glazen vloer.

Boven hield Kat de wacht, ze had een radiozender bij zich.

Ze waren zwijgend en diep onder de indruk langs de aflopende rijen zitplaatsen naar beneden gegaan. Haar oom had verteld over het enorme museum dat zich in deze ondergrondse kathedraal bevond, maar er werden slechts weinig vragen gesteld.

Ze hadden echt het gevoel dat ze in een kerk waren, en daar fluisterde je alleen maar.

Terwijl ze naar beneden gingen, vergaapte Rachel zich aan de talloze wonderen die hier werden bewaard. Haar hele leven als volwassene had ze besteed aan het beschermen en terughalen van gestolen kunstvoorwerpen en antiquiteiten. Hier bevond zich een collectie waarbij de verzameling van welk museum dan ook in het niet viel. Hier een catalogus van maken zou jaren in beslag nemen en er zou een universiteit vol wetenschappers voor nodig·zijn. Door de hoge ouderdom van deze ruimte voelde ze zich nietig.

Zelfs het pas geopenbaarde duistere verleden van haar familie leek onbenullig in vergelijking met de lange geschiedenis die hier werd tentoongesteld.

Terwijl ze verder afdaalden, werd haar last lichter. Ze voelde zich er niet langer door terneergeslagen, eerder een beetje gewichtloos.

Gray knielde neer om de glazen vloer en het labyrint in platina goed te bekijken.

'Het is het labyrint van Daedalus,' zei haar oom. In het kort legde hij uit wat daarvan de geschiedenis was en welke banden er met de kathedraal van Chartres waren.

'Maar wat zouden we hier moeten doen?' vroeg Gray.

Vigor liep om de glazen vloer heen. Hij had hen gewaarschuwd dat ze op de granieten rand rond de glazen doolhof moesten blijven. 'Kennelijk is dit weer een raadsel,' zei hij. 'We hebben dit labyrint en boven ons een dubbele boog van magnetiet. In het midden van het labyrint staat een zuiltje van magnetiet. En hier hebben we twaalf platen van goud in de m-state.' Hij gebaarde naar de glazen ruiten in de wand rondom hen, die tevens de onderste rij van de zitplaatsen was.

'Die zijn rondom aangebracht net als de cijfers op een klok,' zei Vigor. 'Weer iets wat de tijd aangeeft, net als de zandloper die ons hier heeft gebracht.'

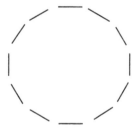

'Daar lijkt het wel op,' reageerde Gray. 'Maar je zei iets over licht.'

Vigor knikte. 'Eigenlijk gaat het aldoor over licht. Een zoektocht naar het oerlicht uit de bijbel, het licht dat het universum gestalte gaf en alles wat zich daarin bevindt. Dat moeten we hier zien te bewijzen. Net als voorheen met magnetisme en elektriciteit moeten we hier aantonen dat we inzicht hebben in licht... En niet alleen licht, maar krachtig licht. Of zoals Kat zei: coherent licht.'

Met een frons stond Gray op. 'Je bedoelt een laser.'

Weer knikte Vigor. Hij haalde iets uit zijn zak wat Rachel herkende als het vizier met lasergeleiding waarmee de wapens van Sigma waren uitgerust. 'Met de kracht van deze supergeleidende amalgamen, gekoppeld aan juwelen als diamanten en robijnen, zou in de oudheid een ruwe vorm van projectie van coherent licht kunnen zijn ontwikkeld, een soort oervorm van de laser. Ik denk dat kennis op dat gebied benodigd is om het laatste niveau te openen.'

'Maar hoe kun je daar zo zeker van zijn?' vroeg Gray.

'Kat en ik hebben de twaalf platen van spiegelglas opgemeten. Ze zijn onder zo'n hoek opgehangen dat ze in een vast patroon het licht aan elkaar doorgeven. Maar het moet krachtig licht zijn wil het helemaal de ronde doen.'

'Zoals een laser,' zei Monk terwijl hij met een bezorgde uitdrukking naar de platen keek.

'Ik denk niet dat er veel coherent licht voor nodig is,' zei Vigor. 'Net zoals bij de zwakke batterijen van Bagdad waarmee de gouden piramide in Alexandrië tot ontbranding werd gebracht, is grote kracht niet nodig, maar wel inzicht in het proces van coherentie. Ik denk dat de opgeslagen energie in de platen de rest doet.'

'Misschien is het niet eens de energie die nodig is,' reageerde Gray. 'Als je gelijk hebt dat licht aan de bron van het mysterie ligt, kunnen supergeleiders misschien niet alleen voor onbepaalde tijd energie opslaan, maar ook licht.'

Vigors ogen werden groot. 'Dus zou een beetje coherent licht de rest kunnen ontketenen?'

'Waarschijnlijk wel, maar hoe zetten we de kettingreactie in gang?' vroeg Gray. 'Gewoon de laser op een van de glazen platen richten?'

Vigor gebaarde naar het zuiltje van magnetiet van nog geen meter dik dat in het midden van de vloer stond. 'Dat zuiltje bereikt eenzelfde hoogte als waarop de platen glas zijn gehangen. Ik denk dat wat ze er in de oudheid ook voor gebruikten, het op het zuiltje moet staan, gericht op een bepaalde ruit.'

'En welke dan wel?' vroeg Monk.

Vigor liep naar een van de platen. 'Deze ligt precies op het noorden,' zei hij. 'Het was lastig om te bepalen met al dat magnetiet hier, maar het is deze. Ik denk dat je de laser op het zuiltje moet plaatsen, hem op die glasplaat moet richten en je vervolgens uit de voeten moet maken.'

'Dat klinkt niet zo moeilijk,' reageerde Monk.

Net wilde Gray naar het zuiltje lopen toen er geluid uit zijn zendertje kwam. Hij legde zijn hand bij zijn oortje en luisterde. Iedereen keek naar hem.

'Kat, wees voorzichtig,' zei Gray in de zender. 'Benader hen heel voorzichtig. Laat ze weten dat je niet bij de vijand hoort en zeg niets over ons totdat je zeker weet dat het veilig is.'

Hij beëindigde het gesprek.

'Wat is er?' vroeg Monk.

'Kat heeft een Franse patrouillewagen gezien. Ze zijn het paleis binnengegaan en zij gaat kijken of het in orde is.' Hij gebaarde het groepje naar de trap. 'Dit moet nog maar even wachten, we kunnen beter naar boven gaan.'

Ze liepen om de glazen vijver heen. Rachel wachtte op haar oom, die met iets van spijt naar het labyrint keek.

'Misschien is het maar beter zo,' zei ze. 'Misschien moeten we niet spelen met iets wat we nauwelijks begrijpen. Stel dat we het verkeerd doen?' Rachel knikte in de richting van de bibliotheek vol oude kennis. 'Als we te gretig zijn, gaat dit alles misschien verloren.'

Haar oom knikte en sloeg zijn arm om haar heen terwijl ze naar boven klommen, maar af en toe keek hij om naar beneden.

Ze waren vier rijen hoger geklommen toen ze van boven een versterkte, bevelende stem hoorden.

'*Vous, en bas, sortez! Avec les mains sur la tête!*'

Stokstijf bleven ze staan.

Rachel vertaalde het voor de anderen. 'Ze zeggen dat we met onze handen op ons hoofd eruit moeten komen.'

Er klonk een nieuwe stem door de megafoon, die van Kat. 'Commandant, ze hebben mijn zendertje in beslag genomen, maar de Franse politie is hier. Hun commandant heeft zich geïdentificeerd.'

'Die moeten door kardinaal Spera zijn gestuurd,' zei Monk.

'Of iemand zag hier licht, dacht dat er werd ingebroken en belde de politie,' zei Rachel. 'Of iemand heeft gezien dat het slot kapot is gemaakt.'

'*On se depêche! Dernier avertissement!*'

'Het klinkt of het ze menens is,' zei Monk.

'Wat wil je met al die lijken daarboven?' merkte Seichan op.

'Goed,' zei Gray. 'We gaan naar boven. We moeten hen voorbereiden op de komst van Raoul en zijn maatjes.'

Allemaal klommen ze de laatste rijen zitplaatsen op. Gray liet hen hun wapens in hun holsters doen, of ze wegleggen. Omdat ze de politie niet op verkeerde ideeën wilden brengen, volgden ze het bevel op en kwamen naar buiten met hun handen op hun hoofd.

De keuken, die eerst verlaten was geweest, stond nu vol geüniformeerde mannen. Rachel zag Kat bij de muur staan, ook met haar handen op haar hoofd. De Franse politie nam geen enkel risico, er werden geweren op hen gericht.

In hakkelig Frans probeerde Gray het uit te leggen, maar ze werden stuk voor stuk een eindje van elkaar af tegen de muur gezet. De commandant scheen met zijn zaklamp door de gang en trok afkeurend zijn neus op.

Vanuit de gang klonk rumoer, er kwam iemand aan, iemand met gezag. Rachel zag een vertrouwde vriend van de familie binnenkomen, iemand die hier niet hoorde, maar die wel welkom was. Had kardinaal Spera hem ook opgetrommeld?

Haar oom keek ook blij verrast. 'Generaal Rende! God zij gedankt!'

Het was Rachels baas, het hoofd van haar afdeling van de carabinieri. Ook zonder zijn uniform zag hij er indrukwekkend uit.

Oom Vigor wilde naar hem toe lopen, maar werd tegengehouden. 'Je moet ervoor zorgen dat de *gendarmes* naar ons luisteren, voordat het te laat is.'

Geheel tegen zijn gewoonte in keek generaal Rende haar oom uit de hoogte aan. 'Het is al te laat.'

Achter hem beende Raoul de keuken in.

17

DE GOUDEN SLEUTEL

Razend van woede liet Gray zijn handen met plastic bindertjes op zijn rug binden. Andere bewapende mannen, verkleed als Franse gendarmes, bonden de anderen vast en ontdeden hen van wapens. Zelfs die rotzak van een Raoul was in uniform gestoken.

De reus ging recht voor Gray staan. 'Het is verdomde lastig jou om zeep te brengen,' zei Raoul. 'Maar nu is het afgelopen. En hoop maar niet op redding door de kardinaal, want die liep op het vliegveld een oude bekende tegen het lijf.' Hij knikte in de richting van generaal Rende. 'Kennelijk had onze leider besloten dat de arme kardinaal niet meer van nut was voor de Societas.'

Grays maag kromp samen.

Raoul grijnsde wreed.

Generaal Rende liep op hen toe, hij droeg een duur zwart pak met zwarte das en glimmend gepoetste Italiaanse schoenen. Hij had met een andere man staan praten die een priesterboord om had. Dat moest de prefect zijn, Alberto Menardi, de man die voor de Societas voor Raspoetin had gespeeld. Onder zijn arm had hij een boek en in zijn hand een tas.

De generaal zei tegen Raoul: 'Zo is het wel genoeg.'

'Ja, imperator.' Raoul zette een pas naar achteren.

Rende wees naar de tunnel. 'We hebben geen tijd om ons te verkneukelen. Breng ze naar beneden en zorg dat ze je vertellen wat ze hebben ontdekt. Pas dan mag je hen doden.' Rende keek om zich heen, zijn ogen ijzig blauw, zijn zilverkleurige haar plat achterovergekamd. 'Ik kan niet beloven dat jullie leven zal worden gespaard, maar het is aan jullie om ervoor te zorgen of het snel of langzaam zal gaan. In ieder geval is het nu tijd om jullie met jullie Schepper te verzoenen, wie dat ook is.'

Bij de tegenoverliggende muur zei Vigor: 'Hoe kón je?'

Rende liep op hem toe. 'Vrees niet, oude vriend, we zullen je nichtje sparen,' zei hij. 'Dat kan ik je beloven. Jullie hebben allebei jullie plicht gedaan door de Societas op de hoogte te houden van de laatste ontwikkelingen op archeologisch of kunsthistorisch gebied. Jarenlang hebben jullie de Societas goede diensten bewezen.'

Vigor verbleekte toen tot hem doordrong dat hij al die jaren was gemanipuleerd en gebruikt.

'Maar nu is je rol uitgespeeld,' ging Rende verder. 'Je nichtje echter heeft een bloedlijn die teruggaat op koningen en zal dan ook toekomstige koningen baren.'

'Met die klootzak als verwekker?' siste Rachel woedend.

'Het gaat niet om de man of de vrouw,' antwoordde Raoul. 'Het gaat om het bloed en de toekomst. De zuiverheid van onze lijn is net zo kostbaar als de schat die we zoeken.'

Gray keek naar Rachel die vastgebonden naast haar oom stond. Haar gezicht was bleek, maar haar ogen schoten vuur, vooral toen Raoul haar bij haar elleboog greep. Ze spuugde in zijn gezicht.

Hard sloeg hij haar op haar mond zodat haar hoofd naar achteren vloog en ze haar lip scheurde.

Gray wilde naar voren springen, maar werd tegengehouden door geweerlopen.

Raoul boog zich dicht naar haar toe. 'Ik hou wel van een beetje vurigheid in bed.' Hij sleurde haar naar voren. 'En deze keer verlies ik je niet uit het oog.'

'Ga halen waarvoor we hier zijn gekomen,' beval Rende onverstoorbaar. 'Daarna halen we zoveel mogelijk naar boven voordat het onweer afdrijft. De vrachtwagens moeten hier over een kwartier zijn.'

Nu begreep Gray waarom ze deze uniformen droegen. Deze maskerade gaf hun de tijd om in ieder geval een groot deel van de schatten beneden mee te nemen. Hij merkte ook op dat er een kruiwagen vol zilveren brandbommen de keuken was binnengebracht. Alles wat de Societas niet kon meenemen, zou worden vernield.

Alberto kwam bij Raoul staan.

'Haal de bijlen, de elektrische boren en het zuur,' beval Raoul zijn mannen.

Gray wist dat het gereedschap niet voor bouwwerkzaamheden zou worden gebruikt. Het was het gereedschap van een absolute sadist.

Terwijl de bewapende mannen hen met hun geweerlopen in de rug prikten, werd het groepje teruggebracht door de tunnel. Eenmaal beneden waren zelfs de cynische en bikkelharde bewakers met stomheid geslagen.

Raoul staarde naar de ruimte met de gotische gewelven en de vele schatten. 'We hebben meer vrachtwagens nodig.'

Als versuft liep Alberto rond. 'Verbazingwekkend... Absoluut adembenemend. En volgens het *Arcadium* is dit nog niets vergeleken met de echte schat die ons wacht.'

Ondanks het gevaar keek Vigor de prefect geschokt aan. 'Ben je in het bezit van het testament van Jacques de Molay?'

Alberto klemde het boek steviger tegen zijn borst. 'Een kopie uit de zeventiende eeuw, de laatste die in omloop is.'

Gray keek Vigor vragend aan.

'Jacques de Molay was de laatste grootmeester van de tempeliers. Hij werd door de inquisitie gemarteld omdat hij hun weigerde te vertellen waar de schatten van de tempeliers waren verborgen en belandde uiteindelijk op de brandstapel. Er gaan echter geruchten over een tekst van de tempeliers, een laatste verhandeling van De Molay voordat hij gevangen werd genomen.'

'Het *Arcadium*,' zei Alberto. 'Al eeuwen in het bezit van de Societas Draconis. Daarin worden toespelingen op een schat gemaakt, een andere schat dan het goud en de juwelen van de tempeliers, een grotere schat. Een schat die de sleutels tot de wereld in de hand van de ontdekker zou leggen.'

'Het verloren gegane geheim van de magiërs,' zei Vigor.

'Dat bevindt zich hier,' zei Alberto met fonkelende ogen.

Ze liepen de aflopende rijen af naar de glazen vloer.

Bij de onderste rij verspreidden de bewakers zich op de rand eromheen. Gray en de anderen moesten op hun knieën gaan zitten, en Alberto liep in zijn eentje naar de glazen vloer en bekeek het labyrint aandachtig.

'Een laatste raadsel,' mompelde hij.

Raoul stond met Rachel op de laatste trap en draaide zich om naar het groepje dat op hun knieën zat. 'Ik denk dat we maar met de dames beginnen,' zei hij. 'Maar met welke?'

Ineens greep hij Rachels haar van achteren beet, boog zich over haar heen en kuste haar woest op de mond. Hijgend probeerde Rachel zich uit zijn greep te bevrijden, wat haar met geen mogelijkheid lukte.

Gray werd razend. Hij liet de neus van zijn laars hard tegen de grond neerkomen en voelde het lemmet uit de hak te voorschijn springen. Hetzelfde mes dat hij had gebruikt om zich uit de kerker in het kasteel te bevrijden. Met voorzichtige bewegingen sneed hij de bindertjes ermee door, maar hield zijn handen wel op zijn rug.

Raoul liet Rachel los. Er zat bloed op zijn onderlip, Rachel had hem gebeten. Met een grijns gaf hij haar een duw waardoor ze hard op haar billen viel.

'Zit,' zei Raoul met opgeheven hand, alsof hij het tegen een hond had.

Met een geweerloop tegen Rachel hoofd werd zijn bevel kracht bijgezet.

Raoul draaide zich om naar het groepje. 'Die lol bewaar ik voor later, dus hebben we een andere vrouw nodig om mee te beginnen.' Hij liep op Seichan af, keek haar doordringend aan en schudde vervolgens zijn hoofd. 'Jij zou er maar van genieten.'

Hij draaide zich om naar Kat en gebaarde de bewakers naast haar dat ze haar naar voren moesten brengen waar de anderen alles goed konden zien. Toen bukte hij en pakte de bijl en een boormachine. Nadat hij even naar het gereedschap had gekeken, legde hij de bijl terug. 'Dat heb ik al gedaan.'

Hij hief de boor op en zette die aan. Het gezoem van de motor klonk door de ruimte, een belofte van pijn.

'We beginnen met een oog,' zei Raoul.

Een van de bewakers rukte Kats hoofd naar achteren. Ze probeerde zich te verzetten, maar de andere bewaker schopte hard in haar buik zodat ze naar adem snakte. Terwijl ze werd vastgehouden, zag Gray tranen over Kats wangen rollen, niet van angst, maar van pijn.

Raoul bracht de boor naar haar gezicht.

'Nee!' schreeuwde Gray. 'Dat is helemaal niet nodig, ik vertel je alles wat je wilt weten!'

'Nee,' zei Kat, die meteen een stomp in haar gezicht kreeg.

Gray begreep waarom ze hem waarschuwde. Als de Societas Draconis de macht kreeg, 'de sleutels tot de wereld', zou dat een Armageddon betekenen. Hun eigen levens, hun eigen bloed waren zo'n hoge prijs niet waard.

'Ik vertel je alles,' herhaalde Gray.

Raoul ging iets meer rechtop staan.

Gray hoopte dat hij dichterbij zou komen.

Maar Raoul bleef waar hij was. 'Ik kan me niet herinneren dat ik iets had gevraagd.' Hij boog zich weer over Kat heen. 'Dit is maar een voorproefje. Zodra ik vragen ga stellen, begint het echte werk.'

De boor begon te razen.

Gray kon niet langer wachten, hij kon niet stilzitten als iemand van zijn team door deze waanzinnige werd verminkt. Het was beter om tijdens een vuurgevecht te sterven. Hij sprong op en zette zijn elleboog hard in het kruis van zijn bewaker. Nu de man buiten gevecht was gesteld, greep Gray zijn geweer, richtte dat op Raoul en haalde de trekker over.

Klik.

Er gebeurde niets.

7:22

Rachel moest toezien dat Gray door een bewaker met een geweerkolf tegen de grond werd geslagen.

Raoul lachte en liet de boor zoemen.

'Trek zijn laarzen uit,' beval Raoul. Terwijl er aan Gray werd gesjord, liep hij op hem toe. 'Je denkt toch zeker niet dat ik na je ontsnapping niet naar de beelden van de bewakingscamera's heb gekeken? Toen ik niets hoorde van de twee mannen die ik had teruggestuurd naar het kasteel om jullie naar de andere wereld te helpen, stuurde ik een ander team om uit te zoeken wat er aan de hand was. Ze troffen uitsluitend honden op de binnenplaats aan, maar nadat ze hadden uitgevogeld hoe jullie waren ontsnapt, hebben ze per radio verslag uitgebracht.'

Grays veters werden doorgesneden en zijn laarzen van zijn voeten gerukt.

'Ik vond dat je nog een beetje hoop moest kunnen koesteren,' ging Raoul verder. 'Je kunt maar beter van de geheimen van je tegenstander op de hoogte zijn, dat voorkomt dat je voor verrassingen komt te staan. Ik dacht dat je wel zou proberen een geweer in handen te krijgen... Maar ik hoopte ook dat je iets meer aankon en zou wachten tot het echt bloederig werd.' Met de boor in zijn handen keerde Raoul zich af. 'Waar waren we gebleven?'

Met grote ogen keek Rachel naar Gray die weer werd vastgebonden. Zijn ogen stonden hol, zonder hoop, en dat beangstigde haar meer dan de dreigende martelingen.

'Laat de anderen met rust,' zei Gray terwijl hij moeizaam overeind kwam. 'Je verspilt je tijd. We weten hoe we de poort moeten openen. Als je ook maar een van ons een haar krenkt, vertellen we je niks.'

Raoul nam hem nauwlettend op. 'Als je je nader kunt verklaren, zal ik erover denken.'

Met een wanhopig gevoel keek Gray de anderen beurtelings aan. 'Licht,' zei hij.

Kat kreunde en Vigor liet zijn hoofd hangen.

'Hij heeft gelijk,' hoorden ze een stem vanaf de vloer beneden. Alberto klom een paar treden op. 'Er zitten spiegels aan de wanden die onder een bepaalde hoek zijn geplaatst.'

'Het moet met een laser,' ging Gray verder. Hij onthulde alles, hij legde precies uit wat Vigor had verteld.

Alberto kwam erbij staan. 'Ja, ja, dat is logisch.'

'Nou, we moeten maar eens zien,' zei Raoul. 'Als hij ongelijk heeft, hakken we een paar ledematen af.'

Gray richtte zich tot Rachel en de anderen. 'Ze zouden er toch achter zijn gekomen, en de gouden sleutel hebben ze ook al in hun bezit.'

Raoul beval zijn mannen: 'Breng de gevangenen naar beneden. Ik wil geen enkel risico nemen. Zet ze tegen de wand. En jullie...' Hij keek naar de bewakers die boven op de hoogste rij stonden. 'Jullie houden jullie geweren op hen gericht. Schiet op iedereen die beweegt.'

Rachel en de andere vijf werden naar beneden gebracht en daar op een afstand van elkaar tegen de wand geplaatst. Gray stond maar drie stappen van haar af. Ze wilde dolgraag zijn hand pakken, maar hij lette niet op haar, hij ging op in zijn eigen ellende. Bovendien durfde ze geen beweging te maken.

Op de bovenste rij lagen bewakers plat op hun buik, hun geweren op hen gericht.

Gray staarde naar de glazen vloer en mompelde iets wat alleen zij kon verstaan. 'Het labyrint van de Minotaurus.'

Ze fronste haar voorhoofd. Even keek hij haar aan, toen richtte hij zijn blik weer op de vloer. Wat probeerde hij haar duidelijk te maken?

Het labyrint van de Minotaurus...

Gray probeerde haar iets over de doolhof te vertellen, het labyrint van Daedalus, de doolhof uit de mythologie waarin de Minotaurus huisde, een gedrocht dat op een stier leek, een dodelijk monster in een dodelijke doolhof.

Dodelijk...

Rachel herinnerde zich dat er in het graf van Alexander ook een dodelijke val was geweest, de tunnel met de speren. Om deze raadsels op te lossen moest je niet alleen over de juiste technologie beschikken, je moest ook een gedegen kennis van de geschiedenis en de mythologie hebben.

Gray probeerde haar te waarschuwen. Welke technologie benodigd was, dat wisten ze al, maar het raadsel was nog niet volledig opgelost.

Nu begreep ze waar Gray op hoopte. Hij had Raoul niet alles verteld en hoopte dat de man hier zou omkomen.

Raoul haalde een vizier met lasergeleiding van een geweer en liep naar het zuiltje in het midden, maar ineens bedacht hij zich en stak Gray het vizier toe.

'Jij,' zei hij, duidelijk achterdochtig. 'Zet jíj het daar maar neer.'

Gray werd gedwongen weg te lopen, weg van haar. Zijn handen werden losgesneden, maar echt bevrijd was hij niet met al die geweren op hem gericht.

Raoul duwde de laser in zijn handen. 'Zet dat neer precies zoals je hebt gezegd.'

Even keek Gray naar Rachel, toen liep hij op zijn sokken over de glazen vloer.

Hij had geen keus.

Hij moest het labyrint van de Minotaurus in.

7:32

Generaal Rende keek op zijn horloge. Het geluid van de donder weerkaatste tussen de paleismuren. Wat hij zo lang had gezocht stond op het punt te worden bewaarheid, zelfs als ze er niet in slaagden de geheime schatkamer te openen. Hij had even gekeken en de opslagruimte op zich was al een schat waarbij andere schatten in het niet vielen.

Ze zouden ontsnappen met alles wat ze konden meenemen, de rest werd vernietigd.

Er was al een explosievenexpert bezig met de brandbommen, ze hoefden alleen nog maar op de vrachtwagens te wachten.

Hij had voor drie zware Peugeot-vrachtwagens gezorgd. Die zouden heen en weer rijden naar het enorme pakhuis aan de rand van de stad, dicht bij de rivier. De volle container werd daar afgehaakt, en dan keerden ze met een lege container terug om nog meer op te halen.

Heen en weer zolang ze maar konden.

Fronsend keek de generaal op zijn horloge. De vrachtwagens waren laat. Vijf minuten geleden had een van de chauffeurs gebeld met de boodschap dat het een chaos op de weg was en hoewel de dag al was aangebroken, bleef het maar donker door de onweerswolken en de stortbuien.

Ondanks de vertraging zorgde het onweer voor voldoende camouflage en trokken ze nauwelijks aandacht. Buiten stonden bewakers klaar om iedereen te elimineren die te nieuwsgierig was, en bovendien was er smeergeld betaald.

Ze zouden een halve dag de tijd hebben.

Er kwam een oproep via de radio binnen die hij meteen beantwoordde.

'De eerste vrachtwagen rijdt nu de heuvel op,' meldde de chauffeur.

In de verte rolde de donder.

Nu kon het beginnen.

7:33

Met het vizier in de hand liep Gray naar het zuiltje van magnetiet. Boven hem spanden zich de dubbele bogen van dezelfde steensoort. Zelfs zonder iets aan te raken was Gray zich bewust van de sluimerende krachten.

'Schiet op!' riep Raoul vanaf de rand.

Gray ging bij het zuiltje staan en legde daar het vizier op. Hij bracht het in balans en richtte het op de glasplaat op de positie van de 12. Even haalde hij diep adem. Hij had Rachel gewaarschuwd op alles voorbereid te zijn. Wanneer hij eenmaal alles had geactiveerd, liepen ze allemaal gevaar.

'Zet die laser aan!' beval Raoul. 'Anders beginnen we met je door je knieschijf te schieten.'

Gray strekte zijn hand naar de knop uit en zette het ding aan.

Een dunne rode lichtstraal viel op de plaat goudglas.

Gray herinnerde zich de batterijen in Alexanders graftombe. Daar had het ook even geduurd voordat er genoeg elektrische capaciteit was opgebouwd, pas daarna was het vuurwerk begonnen.

Hij bleef daar niet op wachten.

Met een ruk draaide hij zich om en liep snel terug naar de wand. Niet dat hij rende, want als hij een overhaaste beweging zou maken, werd hij in de rug geschoten. Bij zijn plekje tegen de wand bleef hij stilstaan.

Raoul en Alberto stonden aan de voet van de trap.

Iedereen keek naar de dunne streep rood licht die het vizier met de spiegel verbond.

'Er gebeurt niks,' grauwde Raoul.

Vanaf de andere kant zei Vigor: 'Het kan even duren voordat er genoeg energie is opgebouwd om de spiegel te activeren.'

Raoul hief zijn pistool. 'Als dat niet gauw...'

En toen gebeurde het.

Er weerklonk een zware toon en een nieuwe laserstraal schoot vanuit de plaat op de positie van de 12 naar de plaat van de 5. Een korte lichtflits.

Niemand zei iets.

Ineens verscheen er een tweede rode straal die op de plaats van de 10 insloeg. Meteen kaatste die de straal verder en het licht sprong van spiegel naar spiegel.

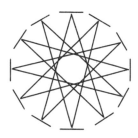

Gray staarde naar wat hij voor zich zag, een vurige ster ter hoogte van zijn middel. Hij en de anderen stonden tussen de punten en verroerden geen vin.

De symboliek was overduidelijk.

De ster van Bethlehem...

Het licht dat de Wijzen de weg had gewezen.

De zoemtoon werd luider en de ster straalde feller.

Met tot spleetjes geknepen ogen wendde Gray zijn hoofd af.

En toen voelde hij het, alsof er een drempel werd overschreden. Een buitenwaartse druk die hem tegen de wand perste.

Weer het Meissner-effect.

De ster leek vanuit het midden op te bollen toen die langzaam omhoogkwam, naar de gekruiste bogen daarboven.

Een energiestoot kraakte tussen de booggewelven.

Het voelde of er aan de metalen knoopjes op Grays overhemd werd gerukt.

De magnetische lading van de bogen was vertienvoudigd.

Door een nieuw krachtveld werd de energie van de ster teruggekaatst naar beneden en raakte de glazen vloer met een hol, metalig geluid, alsof een enorme kerkklok werd geluid.

Het zuiltje in het midden vloog omhoog, opgestuwd door de botsing.

Het raakte het midden van de gekruiste bogen – en bleef daar vastzitten, twee elektromagneten die aan elkaar zaten geplakt.

Terwijl de sonore klank wegstierf, voelde Gray zijn oren ploepen. Het krachtveld stierf weg, de ster knipperde uit.

Boven hem zat het zuiltje nog vast in het booggewelf, het wees nu naar beneden. Met zijn blik volgde Gray de wijzende vinger van steen.

In het midden van de vloer, daar waar het zuiltje had gestaan, bevond zich een zuivere cirkel van goud, hetzelfde goud als waarvan de sleutel was gemaakt. In het midden – altijd in het midden – zat een zwarte sleuf.

'Het sleutelgat!' riep Alberto uit. Hij liet zijn boek vallen, opende zijn tas en haalde er de gouden sleutel uit.

Vanaf de overkant van de vloer ving Gray een woedende blik van Vigor op. Gray had niet alleen de gouden sleutel uit handen gegeven, maar ook de sleutel tot de wereld.

Alberto dacht waarschijnlijk hetzelfde en stapte opgewonden de glazen vloer op.

Bliksemschichten schoten uit het oppervlak omhoog, ze doorkliefden de man, tilden hem op en hielden hem zwevend in de lucht. Hij gilde en kronkelde terwijl de vlammen aan hem likten. Zijn huid blakerde zwart en zijn haar en kleren vatten vlam.

Vol afschuw deinsde Raoul achteruit, struikelde over een tree van de trap en kwam keihard op zijn achterste terecht.

Gray draaide zich naar Rachel om. 'Rennen!'

Dit was misschien hun enige kans.

Maar ze leek hem niet te horen, net als de anderen keek ze gebiologeerd naar Alberto.

Uiteindelijk slaakte Alberto zijn laatste kreet. Alsof de energie wist dat de prooi was gestorven, werd het lijk op de rand langs de glazen vijver geworpen.

Niemand bewoog zich. Het rook naar verschroeid vlees.

Iedereen staarde naar het dodelijke labyrint.

De Minotaurus had zich laten zien.

7:35

Generaal Rende liep achteruit de trap op naar de keuken. Een van zijn mannen had hem geroepen toen de stralende ster beneden was ontbrand. Hij had willen zien wat er gebeurde – maar op veilige afstand.

Toen was het licht uit geknipperd.

Teleurgesteld had hij zich afgedraaid, net op het moment dat er een doordringende schreeuw van pijn klonk die zijn nekharen overeind deed staan.

Hij vluchtte de keuken in. Een van zijn mannen, in een Frans uniform gestoken, liep op hem af. 'De eerste vrachtwagen is aangekomen,' zei hij gejaagd. `

Rende onderdrukte het onbehaaglijke gevoel.

Hij had werk te doen.

'Stuur dat bericht door naar iedereen die niet op wacht staat. Het is tijd om de kluis leeg te halen.'

7:36

Rachel wist dat het de verkeerde kant op ging.

Met een brul sprong Raoul overeind en stormde op Gray af. 'Dat wíst je!'

Gray deinsde achteruit tegen de wand. 'Hoe kon ik nou weten dat hij gefrituurd zou worden?'

Raoul richtte zijn pistool. 'Het wordt tijd dat je een lesje krijgt.'

Maar het pistool was niet op Gray gericht.

'Nee!' kreunde Rachel.

Een droge knal. Aan de andere kant van de vloer drukte oom Vigor kreunend zijn handen tegen zijn buik. Zijn benen begaven het en hij zonk op de grond neer.

Seichan schoot op hem af, lenig als een zwarte kat. Ze zorgde ervoor dat Vigors voeten niet op het glas kwamen.

Raoul was echter nog niet met hen klaar en richtte zijn pistool op Kat. Ze was maar drie meter van hem af en het pistool stond op haar hoofd gericht.

'Niet doen!' zei Gray. 'Ik wist echt niet dat zoiets zou gebeuren! Maar nu weet ik welke vergissing Alberto heeft begaan.'

Woedend draaide Raoul zich naar hem om. Rachel zag dat hij niet kwaad was omdat Alberto er niet meer was, maar omdat deze plotselinge en dramatische dood hem angst had aangejaagd. En hij was niet graag bang.

'Wat?' grauwde Raoul.

Gray wees naar het labyrint. 'Je kunt niet zomaar naar het sleutelgat lopen, je moet het pad volgen.' Hij gebaarde naar de kronkellijnen.

Raoul kneep zijn ogen tot spleetjes, de ergste woede zakte weg. Begrip verminderde de angst.

'Dat klinkt logisch,' zei hij. Hij liep naar het lijk, bukte en brak de geblakerde vingers af die zich nog om de gouden sleutel klemden. Nadat Raoul de sleutel had gepakt, wreef hij de stukjes verschroeid vlees eraf.

Daarna wenkte hij een van zijn mannen naar beneden en gebaarde naar het midden van de vloer. 'Breng dit daarnaartoe,' beval hij terwijl hij hem de gouden sleutel toestak.

De jongeman aarzelde; hij had gezien wat Alberto was overkomen.

Raoul zette zijn pistool op het voorhoofd van de man. 'Je mag kiezen waar je wilt sterven.'

De man pakte de sleutel aan.

'Vooruit,' zei Raoul. 'Veel tijd hebben we niet meer.' Hij hield zijn pistool op de rug van de jongeman gericht.

De man liep naar het begin van de doolhof, zette voorzichtig een teen op het glas en trok die meteen terug. Er gebeurde niets. Iets zelfverzekerder, maar toch op zijn hoede zette hij zijn hele voet op het glas.

Geen bliksemschichten.

Met op elkaar geklemde kaken ging de jongeman op de glazen vloer staan.

'Stap niet op de lijnen van platina,' waarschuwde Gray hem.

De jongeman knikte en keek Gray dankbaar aan voordat hij een stap zette.

Zonder waarschuwing schoten er vurige stralen uit een paar van de ruiten. De ster flikkerde even te voorschijn en stierf weer weg.

Als verstard was de jongeman blijven staan, toen knikten zijn knieën en viel hij ruggelings op de doolhof. Zodra hij op de vloer neerkwam, werd zijn lichaam door de laserstraal in tweeën gespleten bij zijn middel. Uit het bovenste gedeelte kronkelden de darmen naar buiten.

Met vuurspuwende ogen deinsde Raoul achteruit. Even later hief hij het pistool weer. 'Nog meer slimme ideetjes?'

Stokstijf bleef Gray staan. 'Ik... ik weet het niet meer.'

'Misschien ligt het aan de timing,' zei Monk. 'Misschien moet je in beweging blijven, net als in die film *Speed*.'

Gray keek van zijn teamgenoot naar Raoul, niet erg overtuigd.

'Ik heb er genoeg van dat mijn mannen het loodje leggen,' zei Raoul kwaad. 'En ik heb er ook genoeg van te wachten terwijl jullie dit raadsel oplossen. Laten jullie maar gewoon zíén hoe het moet.'

Hij wenkte Gray naar voren.

Gray bleef staan, duidelijk op zoek naar het antwoord.

'Ik kan altijd nog een maatje van je afschieten, dat vermindert mijn stress.' Raoul richtte zijn pistool weer op Kat.

Eindelijk kwam Gray in beweging, hij stapte over het bewegingloze lichaam heen.

'Vergeet de sleutel niet,' zei Raoul.

Gray bukte om die op te rapen.

Ineens snapte Rachel het. Het was zo logisch...

Gray kwam weer overeind en liep naar het beginpunt van de doolhof. Hij maakte zich klaar om erop te stappen, een beetje voorovergebogen alsof hij Monks advies wilde opvolgen om te rennen.

'Nee!' riep Rachel opeens. Ze vond het vreselijk om Raoul te helpen zijn doel te bereiken, ze was bereid geweest te sterven om te voorkomen dat de Societas hetgeen hier verborgen was in handen zou vallen. Maar ze kon ook niet gewoon toekijken terwijl Gray doormidden werd gesneden of geëlektrocuteerd.

Ze herinnerde zich wat Gray had gefluisterd over de Minotaurus. Hij had geweigerd het op te geven, en zolang er leven was, was er hoop. Ze geloofde hem, en belangrijker nog, ze vertrouwde hem.

Gray keek haar aan.

In zijn ogen zag ze ook vertrouwen. Vertrouwen in haar. Ze was zo onder de indruk dat ze niets meer kon zeggen.

'Wat?' baste Raoul.

'Het gaat niet om snelheid,' zei Rachel. 'Deze alchemisten hechtten grote waarde aan tijd. Ze lieten aanwijzingen achter in de vorm van een zandloper en een klok, ze zouden de tijd niet gebruiken om te doden.'

'Wat dan?' vroeg Gray, zijn blik nog steeds op haar gericht.

Gejaagd zei ze: 'De doolhoven in de kathedralen... Die stelden symbolische reizen voor, van deze wereld naar de volgende, naar spirituele verlichting in het midden.' Ze wees naar het lijk, doormidden gesneden bij zijn middel, de hoogte waarop de spiegelende ruiten waren bevestigd. 'Maar om bij het midden te komen, kropen de pelgrims op handen en knieën.'

Gray knikte. 'Lager dan deze ruiten.'

Aan de andere kant van de vloer kreunde haar oom. Hij zat op de grond en het bloed sijpelde tussen zijn vingers door. Seichan zat bij hem. Rachel wist dat hij niet kreunde van pijn, dat zag ze aan zijn ogen. Zelf had hij het laatste raadsel ook al opgelost, maar het antwoord had hij voor zich gehouden.

Door het te verklappen had Rachel de toekomst van de wereld op het spel gezet.

Met haar blik zocht ze Gray. Ze had haar keuze gemaakt en had daar geen spijt van.

Zelfs Raoul geloofde haar.

Hij gebaarde Gray hem de sleutel te geven. 'Ik ga wel zelf – maar jij gaat eerst.'

Kennelijk vertrouwde Raoul haar niet volledig. Gray overhandigde hem de sleutel.

'Trouwens,' zei Raoul terwijl hij het pistool op Rachel richtte, 'jij hebt het bedacht, waarom kom je niet mee? Om je man op het rechte pad te houden?'

Wankelend kwam Rachel naar voren. Haar handen werden losgesneden. Nadat ze naast Gray was neergeknield, knikte hij naar haar, een woordloze boodschap: het komt wel in orde...

Ze had weinig reden om zich overtuigd te voelen, maar toch knikte ze terug.

'Vooruit, daar gaan we,' zei Raoul.

Gray ging voorop, zonder aarzelen kroop hij de doolhof op, vol vertrouwen in Rachels oplossing van het raadsel.

Raoul hield Rachel tegen totdat Gray een eindje op weg was.

Op de glazen vloer bleef alles rustig.

'Nu jij,' beval Raoul haar.

Ze volgde Gray. In haar handen voelde ze een trilling, de glazen vloer was warm. Terwijl ze kroop, hoorde ze gezoem, niet mechanisch of elektrisch, meer als een enorme menigte in de verte. Misschien was het het bloed dat in haar oren gonsde.

Achter haar schreeuwde Raoul naar zijn mannen: 'Schiet als een van de anderen beweegt! Dat geldt ook voor deze twee hier; als ik het zeg, leg je ze neer.'

Dus als de doolhof hen niet doodde, deed Raoul dat wel.

Rachel kroop verder met slechts één enkele hoop: Gray.

7:49

Rende legde zijn hand op de schouder van de explosievendeskundige. 'Alle explosieven geplaatst?'

'Alle zestien,' antwoordde de man. 'Druk drie keer op dit knopje, dat is alles. De bommen zijn afgesteld om tien minuten na elkaar te ontploffen.'

Prima.

Hij draaide zich om naar de zestien man die keurig in het gelid stonden. In de gang stonden nog meer kruiwagens, klaar om volgeladen te worden. Hij had vijf vrachtwagens tot zijn beschikking, de eerste stond bij de hoofdingang, de tweede was onderweg. Tijd om de kluis leeg te halen.

'Aan het werk, mannen. En snel een beetje.'

7:50

Grays knieën deden pijn.

Nu hij driekwart van de doolhof had afgelegd, was verder kruipen een marteling voor zijn knieschijven. Het gladde glas voelde langzamerhand als ruw beton, maar hij durfde niet op te houden, niet voordat hij het midden had bereikt.

Terwijl hij over de kronkelpaden kroop, kwam hij af en toe Rachel en Raoul tegen. Hij hoefde Raoul maar een duwtje met zijn heup te geven om hem van zijn pad te duwen, maar kennelijk was Raoul zich daar ook van bewust, want iedere keer dat Gray in zijn buurt kwam, richtte hij zijn pistool op zijn gezicht.

Dat was echter niet nodig; Gray wist dat als hij de platina lijn ook maar met een hand of een heup overschreed, hij net zo snel dood zou zijn als Raoul. En omdat de glazen vloer was geactiveerd, werd Rachel dan waarschijnlijk meteen ook geëlektrocuteerd.

Dus liet hij Raoul ongedeerd voorbij kruipen wanneer ze elkaar tegenkwamen.

Wanneer hij Rachel tegenkwam, hielden ze elkaars blik vast. Geen van beiden zei iets. Er was een band tussen hen ontstaan, gebouwd op gevaar en vertrouwen. Iedere keer dat ze elkaar tegenkwamen, voelde Gray een steek door zijn hart gaan. Hij wilde haar vasthouden, haar troosten, maar ze moesten verder kruipen.

Rond en rond gingen ze.

In zijn hoofd klonk gezoem, en er ging een trilling door zijn armen en benen. Boven hoorde hij ook rumoer, in de kathedraal. Daar waren Raouls mannen zeker van alles aan het doen.

Hij sloeg er geen acht op en kroop verder.

Na een laatste bocht leidde het pad recht naar de rozet in het midden. Snel kroop Gray ernaartoe, blij het eindpunt bereikt te hebben. Met knieën die in brand leken te staan sprong hij naar voren en bleef op zijn rug liggen.

Het zoemen was nauwelijks meer hoorbaar. Hij ging rechtop zitten, het haar in zijn nek stond recht overeind. Wat was dat verdomme?

Rachel kroop naar hem toe. Met zijn hoofd gebogen hielp hij haar naar de rozet, waar ze zich in zijn armen liet vallen. 'Gray... Wat moeten we...'

Hij knielde naast haar en kneep in haar hand om haar te doen zwijgen.

Hij had nog hoop, al was die mager.

Raoul kroop naar hen toe met een brede grijns op zijn gezicht. 'De Societas Draconis staat bij jullie in het krijt, jullie hebben ons goede diensten bewezen.' Hij richtte zijn pistool. 'Sta op.'

'Wat?' vroeg Gray.

'Je hoorde wat ik zei. Sta op, jullie allebei.'

Gray had geen keus, hij probeerde zich los te maken uit Rachels armen, maar ze liet hem niet gaan. 'Ik eerst,' fluisterde hij.

'Samen,' fluisterde ze terug.

Gray ontmoette haar blik en zag hoe vastberaden ze keek.

'Vertrouw me nu maar,' zei ze.

Nadat Gray diep adem had gehaald, stonden ze samen op. Gray verwachtte doormidden te worden gesneden, maar de vloer hield zich rustig.

'Een veilig gebied,' zei Rachel. 'In het midden van de ster. Hier kwamen de laserstralen niet overheen.'

'Hou je koest of jullie worden neergeschoten,' waarschuwde Raoul hen. Hij stond op, rekte zich uit en stak zijn hand in zijn zak. 'Nu maar eens kijken welke prijs je ons in handen hebt gespeeld.'

Met de sleutel in zijn hand bukte Raoul zich en stak de sleutel in het sleutelgat.

'Past precies,' mompelde hij.

Gray trok Rachel dichter tegen zich aan, bang voor wat er zou gebeuren.

In haar oor fluisterde hij het geheim dat hij sinds zijn vertrek uit Alexandrië voor iedereen verborgen had gehouden.

'De sleutel is een vervalsing.'

7:54

Generaal Rende was naar beneden gekomen om toezicht te houden op het verhuizen van het eerste deel van de schat. Ze konden niet alles meenemen, dus moest er een keuze worden gemaakt, de belangrijkste antiquiteiten, kunstvoorwerpen en oude teksten. Met een lijst stond hij bij de overloop terwijl zijn mannen bezig waren op het hoogste niveau van het enorme bouwwerk.

Ineens hoorde hij een vreemd rommelend geluid dat door de ruimte weergalmde.

Het was geen aardbeving.

Het was meer iets wat invloed op alle zintuigen had. Zijn evenwichts-gevoel verdween, het gonsde in zijn oren en hij kreeg kippenvel. Maar het ergste was dat er iets met zijn ogen was. Het was net of hij naar een tv met storing keek, sneeuwerig en met een vreemd perspectief. De drie di-mensies versmolten tot twee, alles werd plat.

Rende deinsde achteruit naar de trap.

Er was iets aan de hand wat weinig goeds voorspelde, dat voelde hij aan alles.

Snel vluchtte hij de trap op.

7:55

Terwijl het trillen steeds heviger werd, klampte Rachel zich aan Gray vast. Wit licht kwam pulserend uit de vloer en met elke trilling schoot er elek-triciteit langs de platina lijnen, krakend en flitsend. In een paar tellen gloeide het hele labyrint van een inwendig vuur.

Grays woorden klonken nog na in haar hoofd: de sleutel is een verval-sing...

En daar reageerde het labyrint op.

Onder hen klonk een zware toon, onheilspellend en dreigend.

Weer werd er druk opgebouwd.

Het Meissner-effect werd sterker en maakte dat alles er vreemd anders uitzag.

Boven hen leek het hele complex te sidderen, net een flakkerende gloei-draad in een lamp.

De werkelijkheid werd vervormd.

Een meter van hen af stond Raoul op van de plek waar hij de sleutel in het slot had gestoken, hij zag er verwilderd uit. Blijkbaar voelde hij dat er iets niet klopte, met een misselijkmakende zekerheid.

Blij met Grays steun klampte Rachel zich aan hem vast.

Met een ruk draaide Raoul zich naar hen om en richtte zijn pistool. Te laat drong de waarheid tot hem door. 'Je hebt ons verdomme in het kas-teel een nagemaakte sleutel gegeven!'

Gray keek hem recht aan. 'En jij verliest.'

Raoul maakte zich klaar om de trekker over te halen.

Om hen heen ontstond de ster weer terwijl tegelijkertijd de vurige stralen uit de ruiten sprongen. Raoul bukte, bang om in tweeën te worden gesneden.

Boven hen kwam het stenen zuiltje los van de bogen van magnetiet en viel naar beneden. Te laat keek Raoul op, het raakte hem op zijn schouder en hij stortte op de grond.

Toen het stenen zuiltje de vloer raakte, versplinterde het glas, als in ijs schoten er barsten in, alle kanten op. Door de barsten heen kwam een stralende gloed.

Gray en Rachel bleven staan.

'Hou je vast,' fluisterde Gray.

Rachel voelde het ook. Een grote kracht steeg op, onder hen, om hen heen, door hen heen. Ze drukte zich dichter tegen hem aan en in een reactie omklemde hij haar in zijn armen, zo stevig tegen zijn borstkas dat ze zijn hart voelde kloppen.

Er kwam iets van onder hen naar boven, een enorme lading energie die op het punt stond toe te slaan.

Ze sloot haar ogen in een explosie van licht.

Raoul lag op de vloer. Zijn schouder leek in brand te staan, de botsplinters schuurden langs elkaar heen terwijl hij in paniek overeind probeerde te komen.

Ineens een withete ontploffing, zo helder dat het licht door zijn schedel leek te komen en in zijn hersenen ontbrandde. Hij probeerde zich ertegen te verzetten, hij wist dat deze supernova zijn einde kon betekenen.

Hij voelde zich overweldigd, opengereten, niet in staat te denken, willen of handelen.

Nee...

Hij kon het niet buitensluiten, het was krachtiger dan hij, het was iets wat niet te ontkennen viel. Zijn hele wezen leek als aan een glanzende witte draad uit hem te worden getrokken. Hij stond op het punt van breken, hij voelde pijn, maar er was geen ruimte voor woede, zelfhaat, schaamte, afkeer of schuld. Er bleef puurheid over. Een wezenlijk gevoel van zijn. Dit was wat hij had kunnen zijn, wie hij had moeten zijn.

Nee...

Hij wilde dit niet zien, maar hij kon het niet van zich af zetten. De tijd leek tot in het oneindige te worden gerekt. Hij zat vast, brandend in een zuiverend licht dat pijnlijker was dan het hellevuur.

Hij zag zichzelf, zijn leven, zijn mogelijkheden, zijn ondergang en zijn verlossing...

Hij zag de waarheid – en dat deed ondraaglijk pijn.

Maar het ergste moest nog komen.

Seichan hield de bejaarde man tegen zich aan. Allebei hielden ze hun hoofd gebogen tegen het verblindende licht, maar vanuit haar ooghoeken ving Seichan er toch iets van op.

De vurige ster spatte omhoog in een fontein van licht die vanuit het midden van het labyrint opsteeg naar de donkere kathedraal daarboven. Andere glazen spiegels in de wanden van de enorme bibliotheek vingen de gloed op en weerspiegelden die honderden malen zodat de opstijgende ster voortdurend werd gevoed. Een kettingreactie verspreidde zich door het complex en in een paar tellen werd de tweedimensionale ster een reusachtige driedimensionale bol van lasers die ronddraaide in de ondergrondse kathedraal.

Met veel vonken en gekraak kwam de energie ervan af en streek langs de verschillende niveaus.

Er klonken kreten.

Boven haar sprong een man naar beneden, maar ook voor hem was het nergens veilig. Voordat hij op de grond neerkwam werd hij door bliksems getroffen die het vlees van zijn botten brandden. Op de vloer van het labyrint kwam een geblakerd geraamte neer.

Maar het meest beangstigend was wat er met de gewelfde kathedraal zelf gebeurde. Die leek plat te worden, alle diepte verdween, en zelfs dat beeld flikkerde, alsof wat zich boven haar bevond slechts een spiegeling in het water was, onecht, een illusie.

Seichan deed haar ogen dicht, bang om te kijken, doodsbenauwd.

Gray hield Rachel stevig vast. De wereld bestond uit zuiver licht. Hij voelde de chaos om zich heen, maar hier leek het of alleen zij tweeën bestonden. Het zoemende geluid werd harder, het kwam vanuit het licht, het was een drempel die hij niet begreep en ook niet kon overschrijden.

Hij herinnerde zich wat Vigor had gezegd.

Oerlicht...

Rachel hief haar gezicht omhoog. Haar ogen straalden zo in het weerspiegelde licht dat hij haar gedachten bijna kon lezen, en zij leek ook te weten wat hij dacht.

Iets in de aard van het licht, een bestendigheid die wezenlijk was, een tijdloosheid waarbij alles in het niet zonk.

Behalve één ding.

Gray boog zich over haar heen en zijn lippen beroerden de hare, hun adem versmolt.

Het was geen liefde, nog niet, slechts een belofte.

Het licht werd feller toen hun kus inniger werd. Wat eerst een zoemtoon was, klonk nu als muziek. Met zijn ogen dicht kon Gray haar nog steeds zien, haar lach, haar sprankelende ogen, haar ranke hals, de welving van haar borsten. Weer voelde hij dat bestendige, die tijdloze aanwezigheid.

Lag het aan het licht of aan hen beiden samen?

Dat moest de tijd leren.

Zodra de eerste kreten klonken, vluchtte generaal Rende. Hij had geen behoefte aan nader onderzock. Terwijl hij van de trap de keuken in klom, zag hij de gloed van de energie beneden.

Hij was niet zo hoog opgeklommen in de Societas door stommiteiten te begaan. Dat soort gedrag liet hij graag over aan ondergeschikten zoals Raoul.

Geflankeerd door twee van zijn mannen liep hij het paleis uit en naar de binnenplaats. Met de vrachtwagen zou hij naar het pakhuis gaan waar ze een nieuw plan konden bedenken.

Voor de middag moest hij terug zijn in Rome.

Terwijl hij de deur uit liep, merkte hij dat de bewakers in politie-uniform nog steeds bij de poort stonden. Hij merkte ook dat de regen was overgegaan in een miezerig druilregentje.

Mooi zo, dan kon hij sneller wegwezen.

Bij de vrachtwagen zagen de chauffeur en vier geüniformeerde bewakers dat hij eraan kwam en liepen op hem toe.

'We moeten hier onmiddellijk weg,' beval Rende in het Italiaans.

'Ik dacht het niet,' reageerde de chauffeur in het Engels. Hij trok zijn pet van zijn hoofd.

De vier geüniformeerde bewakers richtten hun wapens op Rendes groepje.

Generaal Rende deinsde terug.

Dit was de echte Franse politie... Maar de chauffeur moest zo te horen een Amerikaan zijn.

Rende keek achterom naar de poort. Daar stonden nog meer Franse gendarmes, hij was door zijn eigen truc in de val gelopen.

'Als je jouw mannetjes soms zoekt,' zei de Amerikaan, 'die zitten al veilig achter in de vrachtwagen.'

Generaal Rende staarde de chauffeur aan. Zwart haar, blauwe ogen. Hij had deze man nog nooit gezien, maar zijn stem herkende hij van de telefoongesprekken die hij met hem had gevoerd.

'Painter Crowe,' zei hij.

Painter zag een flits vanuit het raam op de tweede verdieping van het paleis. Een sluipschutter, iemand die ze over het hoofd hadden gezien.

'Achteruit!' schreeuwde hij tegen de mannen om zich heen.

Kogels ketsten af op de natte straat, tussen Painter en de generaal in. De agenten stoven uiteen.

Rende vluchtte weg terwijl hij zijn pistool trok.

Zonder op het geweervuur te letten liet Painter zich op een knie vallen met in elke hand een wapen. Bijna instinctief richtte hij het ene pistool op het raam.

Pop, pop, pop...

De generaal liet zich vallen.

Een kreet vanuit het raam, en een lichaam viel naar buiten.

Painter zag het vanuit zijn ooghoeken, zijn aandacht was op generaal Rende gericht. Allebei knielden ze, allebei hadden ze een wapen op de ander gericht waarvan de lopen elkaar bijna raakten.

'Weg van die vrachtwagen,' schreeuwde Rende. 'Jullie allemaal!'

Painter schatte de man in. Hij zag pure woede in de ogen van de ander nu zijn wereld ineenstortte. Rende zou de trekker overhalen, ook als hij zijn eigen leven daarmee op het spel zette.

Painter had geen keus.

Eerst liet hij het ene pistool zakken en toen het geweer dat op Rendes hoofd was gericht. De loop wees nu naar de grond.

Triomfantelijk grijnsde de generaal.

Painter haalde de trekker over. Uit de loop van het pistool schoot een lichtstraal. De vezels van de taser kwamen terecht in de plas waarin de generaal zat geknield. De elektrische schok wierp hem achteruit, hij viel op zijn rug en zijn pistool vloog door de lucht.

Hij gilde het uit.

'Pijnlijk, hè?' vroeg Painter terwijl hij zich met zijn gewone pistool over de generaal boog.

De gendarmes omsingelden de man op de grond.

'Gaat het?' vroeg een van hen aan Painter.

'Met mij gaat het prima.' Hij stond op. 'Verdomme, dit heb ik nou echt gemist.'

In de ruimte beneden had het vuurwerk maar een minuut geduurd.

Vigor lag op zijn rug en keek omhoog. Het gegil was afgelopen. Hij had zijn ogen geopend toen hij dacht dat het was afgelopen en had nog net de bol van coherent licht zien rondtollen, toen implodeerde die als een stervende zon.

Boven hem was niets dan een lege ruimte.

De hele kathedraal had geflikkerd en was toen met de ster verdwenen.

Naast hem bewoog Seichan, die hem met haar lichaam had beschermd. Ook zij keek naar boven. 'Alles is weg.'

'Alsof het er ooit is geweest,' reageerde Vigor, zwak van het bloedverlies.

Gray maakte zich los uit Rachels armen nu de alles verterende gevoelens samen met het licht waren verdwenen, maar hij bewaarde haar smaak op zijn lippen. Dat was voldoende, voorlopig.

Met nog een beetje stralende ogen keek ze om zich heen. De anderen stonden met hun rug tegen de wand, maar durfden zich nu te bewegen. Toen zag Rachel Vigor die probeerde te gaan zitten.

'O god...' zei ze.

Ze liep weg bij Gray om naar haar oom te gaan. Monk liep ook die kant op om medische bijstand te verlenen.

Gray bleef waar hij was en keek omhoog.

Geen schoten. De bewakers waren allemaal verdwenen, net als de bibliotheek. Het was alsof iemand het hart uit de ruimte had gesneden en alleen het amfitheater met de oplopende rangen had overgelaten.

Waar was alles gebleven?

Toen hij gekreun hoorde, richtte hij zijn aandacht op de vloer.

Daar lag Raoul, ineengekrompen van de pijn in zijn arm die door het vallende zuiltje was verpletterd. Gray schopte zijn pistool weg, dat over de glazen vloer gleed die nu meer op een uit elkaar gehaalde legpuzzel leek.

Kat liep op hem af.

'Laat hem maar,' zei Gray. 'Die gaat nergens naartoe. We moeten zoveel mogelijk wapens bij elkaar zien te krijgen, we weten niet hoeveel mannen er nog boven zitten.'

Ze knikte.

Raoul rolde zich op zijn rug bij het horen van Grays stem.

Gray verwachtte gevloek of dreigementen, maar Raoul vertrok zijn gezicht alleen maar van ondraaglijke pijn en de tranen biggelden over zijn wangen. Gray vermoedde echter dat die niet werden veroorzaakt door de verpletterde arm. Er was iets in Raouls gezicht veranderd, de harde en hooghartige blik was verdwenen, hij zag er nu zachter, menselijker uit.

'Ik vroeg niet om vergeving,' jammerde hij gepijnigd.

Gray fronste zijn voorhoofd. Vergeving door wie? Hij dacht aan het licht waaraan ook hij daarnet was blootgesteld. Oerlicht... Iets wat niet te bevatten was, ouder dan de Schepping. Iets had Raoul doen veranderen.

Hij herinnerde zich iets uit het onderzoek dat de marine naar supergeleiders had gedaan, dat de hersenen via supergeleiders communiceerden, dat zelfs herinneringen op die manier werden opgeslagen in de vorm van energie of misschien van licht.

Gray keek naar de verwoeste vloer. Was er meer dan licht opgeslagen in de supergeleidende vloer? Hij dacht aan zijn eigen gevoelens in dat licht, een gevoel of er iets groters bestond.

Op de vloer bedekte Raoul zijn gezicht met zijn hand.

Was de man ergens totaal door veranderd? Bestond er nog hoop voor hem?

Een beweging trok Grays aandacht en onmiddellijk was hij zich van het gevaar bewust.

Hij probeerde haar met een gebaar tegen te houden.

Zonder op hem te letten pakte Seichan Raouls pistool op en richtte het op de man op de vloer.

Raoul draaide zijn gezicht om naar de loop. Hij keek nog steeds gepijnigd, maar nu stond er ook angst in zijn ogen te lezen. Gray herkende die blik van pure paniek – de man was niet bang voor het pistool, en ook niet voor de pijn, maar voor wat er na de dood kwam.

'Nee!' riep Gray.

Seichan haalde de trekker over en met net zo'n luide knal als het pistoolschot klapte Raouls hoofd terug op het glas.

Geschokt keken de anderen toe.

'Maar waarom?' vroeg Gray terwijl hij een stap in haar richting zette.

Met de kolf van het pistool wreef Seichan over haar gewonde schouder. 'Oog om oog. We hadden een afspraak, Gray.' Ze knikte in de richting van Raouls lijk. 'Trouwens, hij zei zelf dat hij geen vergeving zocht.'

Painter hoorde het schot door het paleis galmen en gebaarde de Franse gendarmes stil te zijn. Ergens werd nog gevochten.

Zijn team?

'Langzaam aan,' waarschuwde hij terwijl hij hen verder wenkte. 'Wees op alles voorbereid.'

Hij liep dieper het paleis in. Hij was op eigen gelegenheid naar Frankrijk gegaan, zelfs Sean McKnight was er niet van op de hoogte. Omdat Painter goede contacten met Europol had, had hij in Marseille alle medewerking gekregen. Tijdens de transatlantische vlucht had hij generaal Rende opgespoord, eerst in een pakhuis buiten Avignon, toen in het Palais des Papes. Painter herinnerde zich de waarschuwing van zijn mentor dat een directeur achter zijn bureau hoorde en niet in het veld.

Maar dat was Sean; Painter had daar zo zijn eigen gedachten over.

Sigma was nu van hem en hij loste problemen op zijn eigen manier op. Hij pakte zijn pistool en liep voor de anderen uit.

Zodra Painter van Gray hoorde dat er een mogelijk lek was, had hij een besluit genomen. Zijn eigen organisatie vertrouwde hij. Hij had het nieuwe Sigma van de grond af opgebouwd. Als er een lek was, was dat zonder opzet ontstaan.

Dus had hij gedaan wat logisch leek: hij had het informatiespoor gevolgd.

Van Gray tot Sigma tot hun contact bij de carabinieri in Rome.

Generaal Rende was volledig van het verloop van de operatie op de hoogte gehouden.

Het was lastig geweest de man na te trekken, maar er waren verdachte tripjes naar Zwitserland aan het licht gekomen en uiteindelijk had Painter een verband met de Societas Draconis ontdekt. Twee jaar geleden was een verre verwant van generaal Rende in Oman gearresteerd wegens handel in gestolen antiquiteiten, en na bemiddeling van de Societas Draconis weer op vrije voeten gesteld.

Painter had Logan Gregory niets over het onderzoek verteld, zodat die gewoon zijn rol als coördinator kon blijven vervullen. Hij had Rende niet op gedachten willen brengen, niet totdat hij het zeker wist.

En nu zijn vermoedens waren bevestigd, had Painter heel andere zorgen.

Was hij te laat?

Rachel en Monk zetten het provisorisch snelverband vast met Grays overhemd. Oom Vigor had nogal wat bloed verloren, maar de kogel was recht door hem heen gegaan en volgens Monk leek er geen ernstige schade te zijn aangericht, hoewel hij wel zo spoedig mogelijk naar het ziekenhuis moest.

Zodra ze klaar was met verbinden wreef oom Vigor over Rachels hand en hielp Monk hem overeind en ondersteunde hem.

Rachel bleef naast hen lopen. Gray voegde zich bij hen en sloeg zijn arm om haar heen.

'Het komt allemaal goed met Vigor,' beloofde Gray. 'Hij kan tegen een stootje.'

Met een flauw glimlachje keek ze naar hem op, te moe om echt te lachen.

Voordat ze boven waren, hoorden ze een stem door een megafoon galmen. '*Sortez! Les mains sur la tête!*' Weer een bevel om met hun handen op hun hoofd naar buiten te komen.

'Déjà vu,' verzuchtte Monk.

Rachel pakte haar geweer.

Er volgde een tweede boodschap, deze keer in het Engels. 'Commandant Pierce, hoe staat het er daar voor?'

Gray keek de anderen verbaasd aan.

'Dat kan niet,' zei Kat.

'Het is directeur Crowe,' bevestigde Gray.

Hij zette zijn handen aan zijn mond en riep terug: 'Hier alles in orde, we komen eraan!'

Daarna keek hij Rachel stralend aan.

'Is het voorbij?' vroeg ze.

Bij wijze van antwoord trok hij haar tegen zich aan en kuste haar. Deze keer was er geen geheimzinnig licht, alleen zijn sterke armen en haar zachte lippen.

Meer magie hadden ze niet nodig.

Gray ging hun voor naar boven.

Monk ondersteunde Vigor met zijn goede arm en Gray hield zijn arm om Rachel geslagen.

Hoewel opgelucht stond Gray erop dat ze allemaal hun wapens bij zich hadden. Hij wilde niet nog eens in de val lopen. Met pistolen en geweren in de hand begonnen ze aan de lange klim. Overal lagen lijken, verbrand of geëlektrocuteerd.

'Waarom zijn wij gespaard gebleven?' vroeg Monk.

'Misschien omdat we ons op het laagste niveau bevonden?' opperde Kat.

Gray sprak haar niet tegen, maar hij vermoedde dat er meer was. Hij herinnerde zich het gloeiende licht, hij had meer gevoeld dan fotonen, misschien geen intelligentie, maar toch meer dan alleen kracht.

'Wat is er met de schatkamer gebeurd?' vroeg Seichan terwijl ze naar de leegte boven zich keek. 'Was het een soort hologram of zo?'

'Nee,' antwoordde Gray terwijl ze naar boven klauterden. Hij had er een theorie over. 'Onder krachtige omstandigheden kan door het Meissner-effect een flux ontstaan. Die heeft niet alleen invloed op de zwaartekracht, zoals we al hebben gezien bij de levitatie, maar kan ook de ruimte vervormen. Einstein toonde aan dat de zwaartekracht de ruimte doet krommen. Een flux doet een zodanige werveling in de zwaartekracht ontstaan dat de ruimte wordt verbogen, misschien vouwt die zichzelf wel terug op zichzelf zodat er een verbinding ontstaat.'

Gray zag hun ongelovige blikken. 'Bij de NASA doen ze daar onderzoek naar,' zei hij.

'Gezichtsbedrog,' bromde Monk. 'Volgens mij was dat het.'

'Maar waar is het allemaal gebleven?' vroeg Seichan.

Vigor kuchte. 'Waar wij het niet kunnen volgen,' zei hij hees. 'We zijn geoordeeld en te licht bevonden.'

Gray merkte dat Rachel iets over de sleutel wilde zeggen, de nagemaakte sleutel. Hij kneep in haar hand en knikte naar haar oom om hem verder te laten praten. Misschien lag het toch niet aan de nepsleutel... Zou Vigor gelijk hebben? Hadden ze contact gemaakt met iets waarvoor ze nog niet klaar waren?

Vigor ging verder: 'In de oudheid werd gezocht naar de bron van het oerlicht, de vonk waaruit alles is ontstaan. Misschien vonden ze een poort daarnaartoe, of een manier om daar te komen. Men zegt dat het witte brood van de farao's de Egyptische koningen hielp hun sterfelijke omhulsel af te werpen en als een wezen van licht op te stijgen. Misschien is dat wat de alchemisten uit het verleden hadden bereikt, van deze wereld naar de volgende gaan.'

'Net als het reizen door het labyrint,' zei Kat.

'Precies. De doolhof staat misschien symbool voor hun tocht. Ze lieten hier een poort achter voor anderen die hen achterna wilden, maar wij kwamen...'

'Te vroeg,' viel Rachel hem plotseling in de rede.

'Of te laat,' voegde Gray eraan toe. Die woorden kwamen zomaar in hem op, alsof er inwendig een flitslicht afging waardoor hij werd verblind.

Rachel keek naar hem op en wreef even over haar voorhoofd.

Hij zag dat zij net zo in verwarring was gebracht als hij, alsof die woorden ook zomaar ineens bij haar waren opgekomen. Even wierp hij een blik op de vernielde glazen vloer beneden, toen keek hij haar aan.

Misschien was Raoul niet de enige op wie het licht invloed had uitgeoefend.

Was er iets van in hen achtergebleven? Een soort inzicht, een laatste boodschap?

'Te laat... of te vroeg,' ging Vigor hoofdschuddend verder. 'Waar de magiërs van vroeger hun schatten ook hebben verborgen – in het verleden of in de toekomst – wij hebben alleen het heden.'

'Om onze eigen hemel of hel in te scheppen,' zei Monk.

Zwijgend liepen ze verder, steeds hoger. Boven werden ze opgewacht door Franse gendarmes en een oude bekende.

'Commandant,' zei Painter. 'Het is prettig je weer te zien.'

Gray schudde hem de hand. 'U hebt geen idee.'

'Kom, laten we jullie naar buiten brengen.'

Voordat ze verder konden, maakte Vigor zich los van Monk. 'Wacht.' Wankelend liep hij weg, steunend tegen de wand.

Gray en Rachel kwamen achter hem aan.

'Oom...' zei ze bezorgd.

Een klein eindje verder stond een stenen tafel. Kennelijk was niet alles samen met de bibliotheek verdwenen. Op de tafel lag een in leer gebonden boek, maar de glazen vitrine was er niet meer.

'De catalogus,' zei Vigor met tranen in zijn ogen. 'Ze hebben de catalogus hier gelaten...'

Hij probeerde die op te pakken, maar Rachel was sneller en pakte het boek zelf. Ze sloeg het dicht en stopte het onder haar arm.

'Waarom hebben ze dat achtergelaten?' vroeg Monk terwijl hij Vigor weer steunde.

'Om ons te laten weten wat er op ons wacht, om ons iets te geven om naar te zoeken,' antwoordde Vigor.

'Om ons een worst voor te houden,' reageerde Monk. 'Geweldig. Een kist vol goud kon zeker niet. Nou ja, misschien geen goud... Ik heb mijn buik vol van goud. Diamanten, een kist vol diamanten zou ook goed zijn geweest.'

Langzaam liepen ze verder naar de trap.

Nog één keer keek Gray om. Nu de ruimte leeg was, viel hem de vorm ervan op, een kegelvormige piramide die op zijn punt stond. Of het bovenste gedeelte van een zandloper die naar de glazen vloer wees.

Maar waar was de onderste helft?

Terwijl hij keek drong het ineens tot hem door.

'Zoals het boven is, is het ook beneden,' mompelde hij.

Met een ruk keek Vigor naar hem op. Gray zag het begrip in de ogen van de geestelijke, hij had dat ook al bedacht.

De gouden sleutel was bedoeld om een poort te openen naar het onderste gedeelte van de zandloper. Maar waar? Was er een grot onder deze? Gray dacht van niet. Toch wachtte ergens de kathedraal van kennis. Wat hier had gehangen, was slechts een weerspiegeling van een andere plek.

Vigor staarde hem aan. Gray dacht aan de opdracht van kardinaal Spera: het geheim van de Wijzen behouden, erop vertrouwen dat de kennis onthuld zou worden wanneer de tijd daar rijp voor was.

Misschien draaide het leven daar wel om, een zoektocht naar de waarheid.

Hij legde zijn hand op Vigors schouder. 'Laten we naar huis gaan.'

Met een arm om Rachel geslagen beklom Gray de trap.

Uit het donker naar het licht.

EPILOOG

Gray fietste door Cedar Street en passeerde de bibliotheek van Takoma Park. Het was prettig om de wind in zijn gezicht te hebben en de zon op zijn huid te voelen. Het leek wel of hij drie weken onder de grond in Sigma's commandocentrum had gezeten, met de ene bespreking na de andere.

Hij kwam net van een laatste bespreking met Painter Crowe. Ze hadden het vooral over Seichan gehad. Nadat ze uit het Palais des Papes waren gekomen, was de agent van het Gilde zomaar verdwenen, alsof ze in rook was opgegaan. Maar Gray had iets in zijn broekzak gevonden dat van haar afkomstig was.

Een hangertje in de vorm van een draakje.

Alweer.

Het eerste hangertje in Fort Detrick was duidelijk als dreigement bedoeld, maar dit was anders, dit betekende dat ze elkaar zouden weerzien.

Kat en Monk waren ook aanwezig geweest bij de bespreking. Monk had met zijn nieuwe, hypermoderne prothese zitten spelen, niet zozeer nerveus over de bespreking als wel over wat er die avond zou gebeuren. Kat en Monk hadden een afspraakje. Na hun terugkeer in de Verenigde Staten zagen ze elkaar regelmatig en vreemd genoeg was het Kat die alles had aangezwengeld door Monk uit eten te vragen.

Later, toen ze alleen waren, had Monk Gray even apart genomen. 'Het ligt vast aan die mechanische hand, die kan op twee standen vibreren. Welke vrouw zou niet iets met me willen?'

Ook al maakte Monk er grapjes over, Gray zag aan hem dat hij echt op Kat gesteld was. Hij zag er hoopvol en ook een beetje bang uit. Na zijn verminking voelde Monk zich onzeker.

Gray hoopte dat Monk de volgende dag zou bellen om hem te vertellen hoe het was afgelopen.

Hij sloeg rechts af Sixth Street in. Zijn moeder had hem gevraagd te komen lunchen.

Natuurlijk had hij met een smoesje kunnen komen, maar hij had dit al te lang uitgesteld. Hij reed langs de rijen Victoriaanse en oudere huisjes, overschaduwd door het bladerdak van de olmen en esdoorns.

Na een laatste bocht was hij in Butternut Avenue. Hij reed de stoep op en remde voor de oprijlaan van de bungalow van zijn ouders. Nadat hij zijn helm had afgezet droeg hij zijn fiets de veranda op.

Door de vliegendeur riep hij: 'Ma, ik ben er!'

Hij zette de fiets tegen de balustrade en deed de deur open.

'Ik ben in de keuken!' hoorde hij zijn moeder roepen.

Gray rook dat er iets aanbrandde.

'Gaat het?' vroeg hij terwijl hij door het gangetje liep.

Zijn moeder droeg een spijkerbroek, een geruit bloesje en een schort. Ze was minder gaan werken, nog maar twee dagen per week, om beter voor zijn vader te kunnen zorgen.

In de keuken hing rook.

'Ik maakte tosti's in de grill,' zei ze terwijl ze de rook weg wapperde met haar handen. 'En toen kwam er een telefoontje van mijn assistent. Ik heb ze te lang onder de grill laten liggen.'

Gray keek naar de tosti's op het bord, elk aan één kant zwart. Hij voelde eraan. De kaas was niet eens gesmolten. Hoe kreeg zijn moeder dat voor elkaar, de tosti's verbranden en ze toch koud laten? Het moest een gave zijn.

'Ze zien er prima uit,' zei hij.

'Roep je vader maar.' Ze wapperde met de theedoek om de rook naar buiten te drijven. 'Hij is in de schuur.'

'Nog meer nestkastjes?'

Zijn moeder zuchtte.

Gray liep naar de open buitendeur en stak zijn hoofd naar buiten. 'Pa! Het eten is klaar!'

'Ik kom eraan!'

Gray draaide zich om naar zijn moeder die de borden op tafel zette.

'Kun jij het sinaasappelsap inschenken?' vroeg ze. 'Ik haal de ventilator even.'

Gray keek in de ijskast, vond het pak sinaasappelsap en vulde de glazen. Daarna zette hij het pak terug en haalde een glazen flesje uit zijn achterzak.

Het zat halfvol met een grijzig wit poeder. Het laatste amalgaam.

Met Monks hulp had hij onderzoek verricht naar het poeder in de m-state dat een stimulerende invloed op klieren met inwendige secretie had en vooral op de hersenen, je zag en dacht er helderder door, het prikkelde het geheugen.

Gray goot de inhoud van het flesje in een van de glazen sinaasappelsap en roerde het met een theelepeltje goed door.

Door de achterdeur kwam zijn vader binnen. Er zat zaagsel in zijn haar. Hij veegde zijn voeten op de mat, knikte naar Gray en plofte op een van de stoelen neer.

'Je moeder zei dat je teruggaat naar Italië.'

'Vijf dagen maar,' antwoordde Gray terwijl hij de glazen naar de tafel droeg. 'Zaken.'

'O...' Zijn vader keek hem scherp aan. 'Hoe heet ze?'

Verrast door die vraag liet Gray sinaasappelsap over de rand van de glazen gutsen. Hij had zijn vader niets over Rachel verteld omdat hij niet had geweten wat hij moest zeggen. Na hun redding hadden ze de nacht in Avignon samen doorgebracht, opgekruld voor de open haard terwijl het onweer wegdreef. Die eerste nacht hadden ze niet gevrijd, maar wel veel gepraat. Rachel had hem over haar familie verteld, in tranen en met veel pauzes. Nog steeds wist ze niet wat ze van haar grootmoeder moest denken, ze zat met haar gevoelens in de knoop.

Uiteindelijk waren ze in elkaars armen in slaap gevallen.

En de volgende dag had de plicht geroepen en waren ze ieder huns weegs gegaan.

Wat zou er nu gebeuren? Om daarachter te komen vloog hij terug naar Rome.

Hij belde haar dagelijks, soms zelf twee keer op een dag. Vigor genas voorspoedig. Na de begrafenis van kardinaal Spera was hij benoemd tot prefect van de archieven, hij had de leiding gekregen over de herstelwerkzaamheden na de schade die door de Societas was aangericht. De vorige week had Gray een bedankbriefje van Vigor gekregen, maar daar zat ook een boodschap in verwerkt. Onder Vigors handtekening zaten twee zegelafdrukken, het pauselijk zegel, elkaars spiegelbeeld, tweelingen, het symbool van de thomasiaanse Kerk.

Kennelijk had de geheime Kerk een nieuw lid gevonden om de kardinaal te vervangen.

Meteen had Gray Alexanders gouden sleutel naar Vigor laten sturen, de échte gouden sleutel die in een kluis in Egypte had gelegen. Om veilig te bewaren. Wie kon dat beter doen dan Vigor? De nepsleutel, de sleutel om Raoul mee om de tuin te leiden, was in een van de Alexandrijnse werkplaatsjes gemaakt waar antiquiteiten werden vervalst. Het was in een uurtje gepiept, en in die tijd had Gray Seichan uit Alexanders waterige graf bevrijd. De echte sleutel had hij niet willen meenemen naar Frankrijk, naar de Societas Draconis.

Uit generaal Rendes verklaringen bleek hoe gevaarlijk dat zou zijn geweest. Al tientallen jaren waren er misdaden en moorden begaan. Nu Rende alles had bekend, werd deze sekte binnen de Societas Draconis langzaam ontmanteld, maar hoe volledig dat was, kon niemand zeggen.

Ondertussen moest Rachel haar leven weer op de rails krijgen. Na Raouls dood had haar familie Château Sauvage geërfd, een erfenis waar bloed aan kleefde. In ieder geval was de vloek samen met Rachels grootmoeder gestorven, er waren geen andere familieleden op de hoogte geweest van haar oma's duistere geheim. De familie was zelfs al bezig het kasteel te verkopen, de opbrengst was bestemd voor de nabestaanden van degenen die in Keulen en Milaan waren omgekomen.

Langzaam heelden de wonden en ging het leven verder.

Er was weer hoop, en misschien nog meer...

Met een zucht leunde Grays vader op zijn keukenstoel naar achteren. 'Jongen, je bent de laatste tijd wel in een erg goede bui. Dat is al sinds je terug bent van die zakenreis van de vorige maand. Alleen een vrouw kan een man zo laten stralen.'

Gray zette de glazen sinaasappelsap op tafel.

'Misschien laat mijn geheugen me in de steek,' ging zijn vader verder, 'maar mijn ogen doen het nog prima. Dus vertel eens iets over haar.'

Gray staarde zijn vader aan. Hij had de onderliggende betekenis begrepen: zolang ik het me nog kan herinneren...

Zijn vader deed wel nonchalant, maar er was meer. Geen verdriet om het verlies, hij zocht naar iets anders, iets in het heden. Een nieuwe band met de zoon die hij ergens in het verleden was kwijtgeraakt.

Doodstil bleef Gray bij de tafel staan. Er kwam woede in hem op, verontwaardiging uit het verleden. Hij kon die niet ontkennen en liet de inwendige storm uitrazen.

Zijn vader moest het hebben aangevoeld, want hij ging rechtop zitten en veranderde van onderwerp. 'En, waar blijven die tosti's nou?'

Woorden weergalmden door Grays hoofd. Te vroeg... Te laat... Een laatste boodschap om in het heden te leven, om het verleden te aanvaarden en de toekomst niet te snel dichterbij te willen brengen.

Zijn vader stak zijn hand uit naar het glas sinaasappelsap met inhoud.

Gray hield hem tegen en legde zijn hand over het glas, daarna pakte hij het glas op. 'Wil je niet liever een biertje? Ik zag Budweiser in de ijskast staan.'

Zijn vader knikte. 'Daarom mag ik je nou zo graag, jongen.'

Gray liep naar de gootsteen en goot het glas sinaasappelsap door de afvoer.

Te vroeg... Te laat...

Het werd tijd dat hij eens in het heden ging leven. Hij wist niet hoeveel tijd hij nog met zijn vader had, maar hij zou die in ieder geval goed gebruiken.

Hij liep naar de ijskast, pakte er twee flesjes uit en haalde de doppen eraf. Daarna ging hij aan tafel zitten en zette een van de flesjes voor zijn vader neer.

'Ze heet Rachel.'

WOORD VAN DANK

Bij het schrijven van een zo veelomvattend boek had ik veel hulp nodig, van vrienden, familie, critici, bibliotheekmedewerkers, conservators, reisagenten, afwassers en oppassers voor de dieren. Om te beginnen wil ik Carolyn McCray bedanken die als allereerste dit boek met een rood pennetje onder handen mocht nemen, en Steve Prey voor zijn ideeën en het inzicht waarmee hij de illustraties vervaardigde. Natuurlijk ben ik ook dank verschuldigd aan mijn trouwe vriendenclub die ik om de week in Coco's Restaurant tref: Judy Prey, Chris Crowe, Michael Gallowglas, David Murray, Dennis Grayson, Dave Meek, Royale Adams, Jane O'Riva, Dan Needles, Zach Watkins en Caroline Williams. En veel dank voor haar hulp bij de vreemde talen aan mijn vriendin uit het Hoge Noorden, Diane Daigle. Een speciaal bedankje voor David Sylvian voor zijn tomeloze energie, zijn steun en zijn enthousiasme, en voor Susan Tunis omdat ze zoveel feiten voor me heeft gecheckt. Voor de inspiratie voor dit boek moet ik sir Laurence Gardner bedanken en David Hudson voor het baanbrekend onderzoek dat hij heeft verricht. Ten slotte wil ik de vier mensen bedanken voor wie ik zowel respect als vriendschap koester en die mij zo hebben gesteund: mijn redactrice Lyssa Keusch en haar collega May Chen, en mijn literair agenten Russ Galen en Danny Baror. Zoals altijd wil ik graag onderstrepen dat alle fouten volledig aan mij zijn toe te schrijven.

NAWOORD VAN DE AUTEUR

Bedankt dat u me op deze reis heeft willen volgen. Zoals altijd wil ik van dit laatste moment gebruikmaken om feiten en fictie van elkaar te scheiden. Ik hoop ook dat dit sommige lezers zal aansporen zich in het onderwerp te verdiepen, daarom geef ik de titels van een paar boeken die me tot dit verhaal hebben geïnspireerd.

Laten we bij het begin beginnen, de proloog. De relieken van de Wijzen worden inderdaad in een gouden schrijn in de kathedraal van Keulen bewaard, en de stoet die de beenderen van Milaan naar Keulen bracht, werd in de twaalfde eeuw daadwerkelijk overvallen.

Gaan we door naar het volgende hoofdstuk. Superzwart (Super Black) is een bestaande verbinding die wordt ontwikkeld door het Britse National Physics Laboratory. De biljartbal, de Eight Ball, staat echt in Fort Detrick (sorry dat ik die omverkieperde), en vloeistofpantsers, *liquid body armor*, worden verbazend genoeg inderdaad door het U.S. Army Research Laboratory ontwikkeld.

Verder wil ik niet zo in detail treden, ik gebruik de bovenstaande voorbeelden alleen maar om aan te tonen dat wat in dit boek vergezocht klinkt, soms gebaseerd is op feiten. Degenen die er meer van willen weten, verwijs ik graag naar mijn website: www.jamesrollins.com.

De Societas Draconis is een bestaande Europese organisatie die teruggaat tot de Middeleeuwen. Het is een ceremonieel en liefdadig genootschap van invloedrijke en minder invloedrijke aristocraten. De bloeddorstige splintergroepering in dit boek is aan mijn eigen fantasie ontsproten en is niet bedoeld om ook maar enig huidig lid van de Societas in diskrediet te brengen.

Er zijn boekdelen vol te schrijven over de waarheid achter zowel de metalen in de m-state als het spoor daarvan door de geschiedenis heen. Gelukkig is het boek al geschreven waarin het spoor tot in detail wordt gevolgd, van de oude Egyptenaren tot in het heden. Daarin worden ook het Meissner-effect, supergeleiding en magnetisme beschreven. Ik raad iedereen met belangstelling voor dit onderwerp aan *Lost Secrets of the Sacred Ark* door sir Laurence Gardner te lezen. Bij het schrijven van dit boek was het voor mij een soort bijbel.

Over bijbels gesproken, mochten er vragen zijn over het conflict in de vroegchristelijke Kerk tussen de volgelingen van de apostels Johannes en Thomas, dan kan ik een paar geweldige boeken over dit onderwerp aanbevelen die zijn geschreven door Elaine Pagels, een auteur die de National Book Award heeft gewonnen. Dit zijn: *Beyond Belief: The Secret Gospel of Thomas* en *The Gnostic Gospels*.

Degenen die meer over de Wijzen en een eventueel nog steeds bestaande broederschap willen weten, raad ik aan *Magi: the Quest for a Secret Tradition* door Adrian Gilbert te lezen.

Ik heb ook veel geleerd van het boek van Robert J. Hutchinson, *When in Rome, a Journal of Life in Vatican City*. Het is een amusant boek met veel inzicht in het Vaticaan en zijn geschiedenis.

Als laatste hoop ik dat mijn boek de lezer heeft onderhouden, maar dat het ook vragen oproept. Daarom besluit ik dit nawoord over feit en fictie door het belangrijkste adagium van de gnostische traditie te onderschrijven: zoek de waarheid... altijd en op alle manieren. Dat lijkt me een mooi besluit voor deze roman. Dus om met Mattheus 7:7 te spreken:

'Zoekt en gij zult vinden.'